教養としての日本史

古代の歴史から日本の今を見る

上

ソーシアル・リサーチ叢書

白石成二

創風社出版

まえがき

私はかつて高校で地歴・公民科の中で主に日本史の授業を担当していた。教職についた時から既に四十年以上経過したが、今でも新採一年目の時の授業が忘れられない。あるクラスで日本史の成績の最も良い生徒が一番前の席に座っていた。その生徒が私の授業があまりに退屈だったのであろう、大きなため息を何度もついていた。今にして思えば、教科書の事項の羅列でそれをなぞらえるだけの授業では面白いはずもなかった。この生徒の目が輝くような授業をしたいと思ったものの、それは言うほど簡単なことではなかった。

以来、様々な試行錯誤の一つとして地域の歴史を導入した。一定の効果はあるものの、所詮は借り物である。独自の教材には自分の研究成果を活用すればよいと思ったが、すぐにその考えが甘すぎることに気づいた。日々、仕事や部活動で忙殺されている身で、時間のかかる研究を並行させることは出来るはずはなくやめようかと思った頃、ソーシァル・リサーチ研究会に参加した。そこには同じ悩みを抱えた仲間がおり、互いに励ますことで放り出す気持は失せた。退職後の今も歴史研究を続けているのは、ひとえにこの研究会の仲間のお陰である。

学校現場でも教育効果を高めるための技術・方法論の研究は盛んで、一定の有効性はあろう。ただそれは手段や方法によって効果を高めることで、内容そのものを深めることではない。私は内容や深さを伴ってこそ初めてその方法や技術が意味を持ってくると考えている。教科書の通り一辺の説明ではなく、そこに書かれていることに深い意味があったり、また現在の私たちの生活が歴史と密接に関わっていたり、歴史上の人物同士の人間模様などについて「驚き」を持った時、人は輝いた顔になる。つまり自分の思考や生活レベルで腑に落ち、目から鱗が落ちたという時である。ただそれを行うことはなかなか難しい。

現在の教育現場はとにかく多忙である。多くの研究書を読み、自分なりに咀嚼した上で授業を展開するのが理想だが、現実には甚だ困難である。実際に研究と教育の間には思う以上に大きな断絶がある。現在、高校と大学を結ぶ高大連携などの動きもあるが、それが広まらないのは、その溝が深いことによる。そういう現状を踏まえると、古代史研究と高校の日本史教育に携わってきた私にも何がしかの役に立つことがあるのではないかと思った。研究の過程で知り得た「歴史の面白さや深み」を内容とする書があれば、少しでも歴史好きの裾野を広げることができるのではないだろうか。私の経験上、「落ち穂拾い」的な歴史こそ教育現場においてぜひ必要なのである。それを示そうとすることが本書の第一の目的である。

ところで今日、中国や韓国に対するヘイトスピーチの横行や、嫌中・嫌韓のタイトルを冠する書籍が書店にあふれているように、排外的な動きが顕著になっている。しかし古代からの歴史を辿れば、今日の日本が中国や韓国との強い結びつきや長い文化交流によって成立したことは明々白々である。だからこうした歴史をきちんと学び考える人であれば、決してそのような短絡的・表面的なものの見方はしないであろう。中国・韓国との密接な関係の歴史を「日本人の教養」とすることができれば、より良い隣国関係を築くことに資することになると考える。古代の歴史を通してそのような方向を主張することが、本書の第二の目的である。

「教育とは学校で習った全てを忘れた後に残るものをいう」と言ったのは著名な物理学者のアインシュタインである。私は四十年前の生徒たちに何も残していないが、遅まきながら歴史には豊かで興味深い内容があることを少しでも味わってほしいと思う。そして歴史を学ぶことが現在の様々な問題を理解し、解決の道筋の一助となるという認識を深めて頂くことになれば、望外の幸せである。

教養としての日本史（上）

―古代の歴史から日本の今をみる―

―目　次―

第二編　衣食住の歴史　351

第三編　年中行事　507

序論　「教養としての日本史」の意味

一　歴史を学ぶ意味

「小賢は経験に学び、大賢は歴史に学ぶ」

いつも日本史の最初の授業の時にこう言っていた。「歴史は過去だけが切り離されたものではなく、今のこの瞬間もまた現代史になる。過去・現在・未来までのつながりを見通すことが真の意味の歴史である。だからこそ単なる歴史用語や事件の年代を覚えるのが日本史ではなく、みんなの未来を考え、それにつながるものでなければならない」と。しかし、多くの生徒には実感としてそれを理解することはなかなか難しく、彼らからすれば、そんなことより一日六時間は嫌でも座って聞かなければならないのだから、せめてつまらない退屈な授業だけはやめてほしい。もう少し言えば、聞いていて楽しい授業はできないかと…。そんな顔をしている。そこで先人の言葉を借りてくる。

江戸時代の儒学者荻生徂来は、「学問は歴史に極まり候ことに候」と言っている。歴史の中にこそ人間の智恵が宿され、また人間の愚かさもまた知ることができる。歴史を学んでこそ人は幾らか賢くなり、未来への道を歩んでいけると言う。さらに徂徠は人の生き方として「飛耳長目《ひじちょうもく》」の姿勢を説いた。それは昔に起こったこと、遠くで起こったことでも自分自身のこととして考える鋭敏な感覚が大切だというのである。今日、想像力を駆使して、時間を超えて考えたり、他者の立場に思いを致すことが、衰退しつつあると言われる。それだけに徂徠の言葉には耳を傾ける必要があろう。

また社会心理学者見田宗介は「巨人の肩の上に立つ小人は巨人よりも遠くを見ることができる」と言っている。これは凡庸な人間であっても歴史や先人の知恵を学ぶことによって過去の偉大な人よりも先を見通すことができるという意味である。

さらに近代ドイツにおいて「鉄血宰相」といわれたビスマルクは、「小賢は経験に学び、大賢は歴史に学ぶ」と言う。人間の経験はどんなに頑張っても百年を少し越えるくらいであるが、歴史は何千年に及ぶ長い時間の人の智恵が詰まっているからである。ビスマルクがこのように言ったのも、単に過去のことを知るためではなかったはずである。現に生きている時代を解読し、これからのドイツをどのような方向に導くかということを学ぶためであったと思われる。

こうした言葉を借りつつ、今の世と結びつけて考え、歴史の中に現在を発見する視点を持つことの大切さを強調する。日本の歴史を正当に理解することは、現在の日本を正当に理解することになり、さらに将来の見通しをもつかむことができる。さらに敷衍して歴史を学ぶことが私たちの生き方や将来の指針になり、日本人のより幸せな暮らしを実現することにもつながるのだと。

また過去の歴史を辿ることによって自国の社会や民族の特性を知り、自らのアイデンティティを確かめ、そしてそれと同時に世界や近隣諸国との間の立ち位置を知ることができる。そして先人たちの生活の知恵だけでなく、叡智や愚行までも学ぶことによって、自らの生き方の方向を確認することができる。つまり「歴史を学ぶことは、自らを学ぶこと」であると語ってきた。

とはいえ高校の日本史は大学入試への対応のため、教える側はいかに歴史用語を数多く暗記させ、設問に対して瞬時に答える能力を養成することに汲々としており、教えられる側の生徒もまた歴史を暗記物と考え、知識の詰め込みで手一杯である。そのうえ画一的な教科書の記述は無味乾燥で全く魅力がない。入試制度とその無味乾燥な教科書で歴史を教え学ぶことが皮肉にも歴史離れを起こす原因にもなっている。そのため、歴史事象の意味をじっくり考えさせたり、また過去の歴史を現在や未来につなげようという試みも大変困難な状況ある。ほとんどの高校生は歴史学習は受けたものの歴史認識は育っていないから、今起こっている現実の問題に対して歴史を踏まえて考えることができないのである。

二　歴史をめぐる現状

活況の歴史書出版と先細りの地域史研究

一方、現在の社会では多くの歴史書が出版され、活況を呈しているように見える。そして世の中には「歴女」なる女性も登場し、結構、歴史話で賑わっているようだが、それは表層現象である。各地の歴史団体の史談会では、かつては若い会員も多くいたが、今日では会員自体が激減している。かつて史談会の中心であった地域の教員が業務の多忙化・煩雑化によって地域史研究の場から「逃走」するように撤退している。この結果、会員の高齢化が進み、先細りが顕著になっている。

この表面上と実態の落差はどうしたことなのだろうか。その理由は様々に考えられる。地域の歴史を研究しようとする人の数はそれほど変わっていないと思うが、研究までしなくても地域の歴史への関心から会に参加しようとする人が減っている。つまり歴史の専門家ではないが、いわゆる歴史愛好家という層が細っているのである。その原因はかつては一億総中流と言われていた社会の中間層が減少したことと関係があるように思われる。かつては歴史認識にしても、比較的穏健な中間層の存在が、左右に大きく振れることを防ぐ緩衝地帯となっていた。ところが、こうした層が先細りになることで社会全体の歴史観が極端に、また過激になっている。中間層のものの見方は、日本全体にとって立ち位置を決定する重要な根拠となっていたのである。

ただ歴史愛好家が減ったとは言うものの、その一方で司馬遼太郎や藤沢周平などの書いた歴史小説は根強い人気がある。それは小説で事実そのものではないが、そこには「司馬史観」や「藤沢史観」と言うべき歴史に対する見方がある。前者は、織田信長や坂本竜馬のような英雄を取り上げ、彼らの活躍によって世の中が大きく動いたと描く。また後者は世に知られずひっそりと暮らしていた名もない人々こそが世の中を支えていると見ている。そうした「史観」の成否は別にして、その歴史に対する見方こそが根強い人気や長く読み継がれる理由であろう。

「史観」を持つことから免除された歴史研究者

一方、歴史研究者の史観について、桑原武夫氏は次のように言う。「過去に実在した事実は歴史家の筆端を通過することによって、初めて歴史事実となるとさえいえる。歴史事実は、歴史家に選択されることによって初めて事実となる。そしてその選択は歴史家の主体性、すなわち教養、社会環境との相互関係、要するに彼独特の人生観ないし世界観によって行われることを考えれば、史観のないところに歴史学の存在しないことは明らかである」と。至極まっとうな指摘である。しかし現在の歴史研究者がそうした「史観」を持った叙述を行っているのかと言われれば、いささか心許ないのではなかろうか。

現在の史学会における主流は実証主義である。歴史は史料に基づいて事実を明らかにする学問だから、それは当然のことであり、細部にわたって事実を明らかにすることは進歩であると言える。その結果、限られた時代の限られた分野についての精密な研究が現在の主流となり、従来に比べ詳細にまた精緻な歴史を描くことができるようになった。ただその一方で、実証主義は科学的という美名のもとで「史観」を持つことから免除され、全体の部分品を作ることに満足し、あるいはかえってそれを誇る風潮さえみられるようになった。歴史研究者はそれで満足しているかもしれないが、一般の人々や教育現場で苦闘している教師たちの歴史観との間に大きな乖離が生じている。細かな事象を詳細に調べ解決したとしても全体の歴史と結びついていない。それは地域史研究でも言えることである。それが魅力を失っているのは、個別の歴史的事実を描くだけに留まり、地域の個性的な歴史のイメージづくりにつながる「まとまった」全体像にどう結びつけていくかという方法的自覚を欠いているからである。歴史はいつでも「全体的」である必要がある。

このことに関してオウエン・パーフィールドは巧妙な比喩で表現する。「歴史的事実は無数にある。たとえてみれば、雨後の空中に残っている細かい水滴のようなものである。しかし細かい水滴をいくら見ても何の像も結ばない。しかしある地点からある方向を見ると見事な虹が見える。無数の細かい水滴は歴史的事実であり、虹が歴史である。ある国民が同じ虹を見ることはその国民の共通表象であり、それがその国の国史ということになる」と指摘する。多くの人たちが求めているものは、歴史がどのように流れてきたか、オウエン流に言えば、水滴だけではなく、虹が見たいのである。虹を見れば、脳裏に鮮やかな残像が残る。それを求める人たちと共有する歴史となっていないから、多くの歴史書が出版されているにも関わらず「今日の日本ほど歴史書の乏しい時代はない」とも言われるのである。

本来歴史とは、歴史家に固有な問題意識と基準によって方向づけられた意欲的な選択の行為であるが、それが忘れられ、今日に至っている。現在の様々な問題についても、「現代史が専門ではない」として目をそらすわけにはいかない。歴史研究者も現代に生きている限り自分の研究結果は現在の諸問題とどのように関わるのかという責任が問われている。歴史家の網野善彦氏は、歴史学の現状が個別分散化の傾向が強くなっていることを憂いながら、個別研究の前提として全体の歴史をどのように考えているかという見方が必要であるという。だから「すべての歴史家が通史を書くべきである」と指摘しているが、そこには網野氏がかつて高校の歴史教師として自らが日本の通史を教えてきた背景があると思われる。網野氏の著書が歴史研究者だけでなく、多くの一般読者にも受け入れられたのは、歴史を俯瞰する「史観」を提供していたからだと思われる。

歴史的な思考の弱体化とヘイトスピーチ

ところで歴史を学ぶ者から現在の世相を見ると、極端な主張がもてはやされる風潮が強くなっており、いささか危うさを感じる。在日韓国人へのヘイトスピーチ、中国・韓国との領土問題でも妥協は断固拒否し、国交断絶、中には戦争も辞さずという声も聞こえる。それは今の時点だけを取り出して議論しているが、現在は過去と未来の中間地点にあるという歴史的な思考が大変弱くなっているように思える。

私はこうした今日の世相は大変危ういと思うし、戦後、営々と築いてきた平和国家日本は重大な岐路に立っていると認識している。こうした今だからこそ極端な議論ではなく、今まで先人たちが熟慮に熟慮を重ねてきた知識や成功や失敗を含めた多くの経験に学び、そしてそのような歴史意識を国民の多くが共有する必要があると思う。その歴史認識こそが私が言う「中庸の歴史学」である。それは現在の問題を感情的でなく冷静に判断する要素になると思うし、また極論への歯止めになりうると考える。今日の状況が日本の重大な岐路に立っているという認識のうえで、歴史を学ぶ者が寄与できることとして考えたのが「中庸の歴史学」である。歴史を研究する者は、自分の生きている現実と向き合うことなしには、研究の主体的責任を果たすことは出来ない。そんな思いを込め、大袈裟に言えば、より良い日本の将来を願って叙述した。ただ誰も「中庸の歴史学」など聞いたことがないだろうから、どのような歴史学なのか説明しておきたい。

三　「教養としての日本史」とは何か

研究と社会人・高校生を結ぶ歴史

「中庸の歴史学」とは第一に、大学や研究機関に所属する歴史研究者と一般社会人や高校生の間を結ぶ歴史学である。歴史を学ぶ人たちの広がりを求めるのであれば、専門書までは手が出ないが、項目を羅列した検定教科書では飽き足らない人々を対象とした「落ち穂拾い」的な歴史も必要である。そうした歴史のことを中間歴史学と言うそうであるが、私は第二・第三の意味も込めあえて「中庸の歴史学」と名付けた。

そうしたことは本来は大学や研究機関に所属する歴史研究者が歴史愛好家を増やす努力をすべきであり、たとえば日本史研究会では「歴史研究と歴史教育はつながっているか」というテーマで議論をしており、全く無関心というわけではないようである。しかしそれが広がらないのは研究者の立場からみると、独創性や研究の深化とは無縁で学問的価値が少ないからであろう。また自分の狭い専門領域内の問題意識に留まり、歴史観の極端化に対する危機意識も乏しい研究者が多いように私には思える。たとえ独創性や研究の深化に結びつかない事柄でも歴史を身近に感じ、また健全な歴史観の醸成のために研究者は多くの人々に向けて発信していく必要があるのではなかろうか。

歴史教育の現場においても歴史の勉強は不人気である。歴史という教科の軽視とそれを忌避する傾向は、社会に出ても役に立たないという風潮と軌を一にしているようである。歴史学は歴史に関心を持つ幅広い市民層の存在を不可欠とするが、研究者はそうした学校現場での歴史離れや市民層の先細りに案外と無関心で、危機感を持ってこなかったように思える。しかしその風潮は歴史学の基盤を揺るがす大問題である。

そうした危機意識を持つならば、学校現場での歴史離れや市民層の先細りに対して、それを解消する手立てを講じることは歴史学の側からは緊急の課題なのである。

穏健な歴史観の醸成

第二に、そうした健全な歴史観の醸成に寄与する「史観」を提示する歴史学である。本来は専門家として「史観」を持つはずの歴史研究者が実証主義の名のもとでそれを主張することを免除されているため、歴史愛好家や歴史小説を愛読する人たちに「史観」を提供できていない。多くの人たちは、歴史を学ぶことによって自らの生きる指針や、生き様を求めようとしている。つまり長い歴史の流れの中に通底する原理・原則の存在や、歴史に対する物の見方、もう少し言えば歴史意識を深めることや歴史哲学を求めているにもかかわらず、そのことの不在が歴史離れを招いているように思える。人は現在を生きるために過去を見る。もっと簡単に言えば、「自分が生きるための道しるべ」が必要なのである。

多くの歴史書が出版されているが、「なぜ歴史を学ぶのか」という素朴な問いへの解答が歴史研究者によって示されていない。先の桑原武夫氏が「歴史は常に全的把握を必要とする。たとえ限られた問題を扱うにしても、そこに全的把握の光がさしていなければ、それは歴史の部分品であって歴史とは言えない」と言っている。同氏は個々の歴史事象を細密に研究する前提として歴史の全体像を貫く歴史観が必要だと言うのである。歴史研究者には耳の痛いことではあるが、極めて正当な指摘であることは確かである。

「我がこと」とする歴史

第三に、歴史をよそ事や他人事ではなく、「我がこと」として考えることを目的とした歴史学である。その方法として歴史学の分野では比較的等閑視されていた人物史や生活・文化の歴史を重視したい。人間の歴史は、その時代を生きた人たちの行為によって作られたものである。生きた人間は、時代は違えども喜びや悲しみ、悩みや苦しみを抱えて生きてきた。こうした人々のあらゆる絡みの中で歴史は形成され、今日の社会とつながっている。だから単なる教科書的な無味乾燥な人名ではなく、その人がその時代をどのように生きてきたかがわかるような人物史が必要である。

また歴史を「我がこと」とするには、歴史的な事件・人物だけでなく現在の私たちの文化や生活などが過去の延長線上にあることを理解する必要がある。政治・経済・社会・文化など、それらは全て人々の日常生活における行為を基礎としているのだから、その時代の人たちの日常生活に目を向けなければならない。具体的には、衣食住の生活や当時の人々の信仰や通過儀礼や様々な社会問題にどのように対処してきたか、そのようなことに目配りをする必要がある。そのことによって生活レベルで過去の人に共感し、親近感を持つことができると思われる。その一方で、古代の人と現在の人は同じと思う人が多いが、ものの見方や考え方はここまで違っているのかという「驚き」もある。このように歴史を距離を置いて見るのではなく、歴史の中に自分自身の日常を感じるということである。歴史は生きている人間のものである。私たちの生活につながる歴史を理解するということであれば歴史は無味乾燥で面白くないという多くの人々の感想を幾分でも変えることができるのではなかろうか。

以上の三点が「中庸の歴史学」の概要であり、提唱する理由である。その中庸とは、一般には過不足のないことであるが、中庸の重要性を説いたギリシャの哲学者アリストテレスによれば、それは理性によって欲望と行動を抑制し、過大と過小との両極端の正しい中間に身をおくことであると言う。そのことにもう一つ加えたいのは歴史的時間を意識することで中庸が実現できると考える。たとえばヘイトスピーチや中国・韓国との対立についても、今日の今という一点だけで早急に答えを出そうとすることが、問題を先鋭化させるのである。古代以来の日本と中国・韓国との長い友好関係によって現在の日本文化の大半が成立した歴史を理解しておれば、今だけを見て激しく非難することは決してしないと思われる。長い歴史的時間の中で今の問題を考えることが、中庸な態度をとらせることになるのである。

「中庸の歴史学」から「教養としての歴史学」へ

今まで「中庸の歴史学」を説明してきたが、しかし本書の表題は「教養としての日本史」となっている。そのことについて少し述べておきたい。「教養としての日本史」の表題には私自身の願いを込めている。「中庸の歴史学」が人々の歴史認識の穏健化に寄与できるのであれば、それが一部の人だけでなく、日本中の人々の教養となれば今日の日中・日韓のぎすぎすとした対立を解消する一因となるかもしれない。歴史はナショナリズムと密接な関係がある。自国を等身大以上に美化しようとする傾向や手軽な物言いは人の心をくすぐる。しかしそれは自分たちが「見たい歴史」に他ならない。その心地良さの裏側には排除と対立が見え隠れするが、「中庸の歴史学」はその対極にある共生と融和を目指すものである。共生と融和の歴史を多くの人が「教養」とするならば、ささやかでも今の社会に資することが出来るかもしれないという願いである。

「中庸の歴史学」にとって大切なことは正しい歴史を知り、正しい歴史認識を持つことである。そのためには当然、過去の誤った歴史にも向き合うことが必要である。歴史は未来への処方箋を書くことは出来ないが、しかし未来は事実に即した過去の認識があってこそ良い方向に進むものである。逆に言えば、不正確あるいは歪曲された過去の認識からは、より良い未来の選択は期待できないということである。そうした例を三つあげておこう。

より良い未来の選択のために

その一つは『日本書紀』（以下『紀』）に見える神功皇后が朝鮮を武力で征圧したという三韓征伐の話である。戦前、天皇は天孫降臨の神の子孫で、その万世一系の現人神が現在の天皇であり、それは神話ではなく事実として教えられた。天壌無窮の神の国を守るためとして多くの国民が戦場にかり出され、侵略戦争を進め、他国に多大な被害を与えた。神話を歴史的事実としたことが、結果的に日本の進路を誤ることになったのである。

明治以来、我が国は古代より朝鮮の上位にあるという認識が、征韓論や日本による植民地支配を正当化してきたが、これも神話を歴史的事実とすることから出発している。『紀』の三韓（新羅）征伐の話は我が国を中国と並ぶ大国とみなし、朝鮮を蕃国とする「朝鮮蕃国史観」に基づいて書かれており、今日ではそれを事実とする歴史家は皆無であろう。しかしその歪められた歴史認識が我が国で初めての正史に記されたことは、それは歴史的事実として後世の人々に大きな影響を与えることになった。

八世紀半ばに日本と新羅との関係が悪化すると、すぐに神功皇后が朝鮮を武力で征圧したという三韓征伐が思い出され、「新羅伐つべし」の機運が高まった。時代が下って江戸時代の儒学者山鹿素行の『中朝事実』には、「神功帝親ら三韓を征したまふ。三韓面縛して服従し、武徳を外国にかがやかす」と見えるが、その根拠は『紀』であった。朝鮮と「誠信の交わり」を行った国際派の雨森芳洲でさえも「三韓征伐史観」から脱却できていない。さらに幕末の吉田松陰は典型的な征韓論者であったが、その拠り所は「神功の征韓このかた列聖のなしたまふ所、史を按じて知るべし」と言うように、やはり『紀』であった。そしてこうした考えの延長上に征韓論や朝鮮の植民地化、そして戦争があるのである。

二つ目は鎌倉時代の元寇に関わる「神風」「神国」思想である。これより以前、平将門の乱、藤原純友の乱という東西の内乱が起こった時に、その平定祈願を神事で行ったが、その背景には九世紀後半の宇多朝での神国意識の高まりがあった。そしてその神国思想を決定的にしたのが元寇である。

我が国が元の侵攻を免れたのは、日本が天皇の統治する神の国だから神風が吹いたとする言説がある。他の諸国が次々と元に支配されるダメな国であったのに、我が国だけが元の侵攻を防ぐことができたのは、日本が特別な国だとする独善的な考えがある。もちろん弘安の役では台風が元軍を直撃するという僥倖や鎌倉武士の奮戦があったことは事実であるが、しかし朝鮮の三別抄をめぐる国際関係が元寇を遅らせていたこと、降伏兵や属国兵を中心とする元軍の指揮の不統一、元に占領された高麗が日本の楯となっていたことなどが等閑視されている。台風による元の撤退などはアジア各地でみられたことで、我が国だけのことではなかった。にもかかわらず日本だけが元の支配を免れ、独立を守れた特別な国という独善的で未熟な国際認識が後世まで受け入れられていく。

明治九（一八七六）年十月、「神風」の名を冠する神風連（敬神党）の士族たち一七〇余人が明治政府の廃刀令に憤って蜂起した。鉄砲などの火器は夷狄の兵器として退け、刀剣のみで政府軍に戦いを挑んだ。彼らは熊本鎮台を襲い、奮戦したものの、近代的な兵器を持つ政府軍に敗れた。戦死した者一二四名、そのほとんどは戦局の不利を悲観しての自刃であった。逮捕者の中の参謀は、純粋無垢な若者たちの血が多く流されたのになぜ神風が吹かなかったのかが理解できないと言った。彼らが戦う前に行ったことは、昼夜を問わず天佑を祈願することだった。論理的思考ではなく、神国だから神風が吹くという言説を信じて疑わなかった。

一方、神風連を打倒した明治政府も、侵略戦争の過程で教育や歌舞や物語を通じて人々に神国思想を植え付けていった。その結果、神風が吹かないのなら自らが神風になろうとして神風特攻隊が生まれ、純粋無垢な若者の命が失われた。これらの根源は元寇という歴史を正しく捉えず、自分たちの思いが歴史そのものだとする間違った認識、扇情的歴史観が国家による国民の自爆の強制という悲劇を生んだと言えよう。

三つ目は明治のジャーナリスト陸羯南《くがかつなん》が発刊した雑誌『日本』の論説である。彼は「歴史家及考証」の中で次のように述べた。「歴史家の仕事はとても難しく、その責任は極めて重大である。特に現在の日本のように、初めて世界史の舞台に登場した時は、「過去の史蹟」が我々の将来に少なからず関係してくるものである。なぜなら「歴史上の回顧は国民的精神、国民的徳性の消長に関することが実に多い」からである。だから「国民的精神」や「国民的徳性」「愛国心の養成」のためには、たとえ事実とは言えない伝説の類いでも、「国民教育」で積極的に取り上げる必要がある」と言う。事実でなくても「愛国心の養成」のためには積極的に取り上げるというのは、今日の歴史教科書は自虐史観だと言い、神話の復活などを主張する人々の考えと極めて似ている。この考えをさらに推し進めたのが岡倉天心であった。彼は、アジアの「再生の種子」は自国の歴史の中に探すべきだとし、この観点から「各民族の歴史は過去の我々の栄光と現在の我々の苦悶とをまざまざと示すことによって、これを学ぶ者が一人残らず、懐に憂国の炬火を炎々と燃え立たせるように叙述されねばならない」と強調した。天心が言う過去の栄光というのは、日本が八世紀まで朝鮮を植民地として統治しており、江戸時代の朝鮮通信使が「属邦の王」としてやってきたという「事実」であった。その結果、「我々は我が古代の版図朝鮮を我が正当な国防線内にあるものと見倣さざるを得ない」と結論した。愛国心の喚起のために、神話を復活させ、「新しい伝統」を創出して、それを歴史的根拠として朝鮮侵略を行う回路を明瞭に見て取ることができる。

この三例に共通するのは事実に基づくのではなく、「自分たちがこうありたいという歴史しか見ていない」ということである。このような不正確あるいは歪曲された過去の認識からは、より良い未来の選択は期待できないということを強調しておきたい。近代日本についてもそれを成功史観や暗黒史観で裁断するのではなく、成功した経験、失敗した経験の両方があって今日の日本が形成されている。したがって成功も失敗も共にかけがえのない出来事として捉えることが必要なのである。

神話に限ったことではないが、折々の政治的意図や目的によって、都合のよいところのみを適切なものとして取り上げることは、大変危険なことなのである。歴史にありもしない目的を与え、そこにきらびやかな意味を見出す扇情的歴史観は人を金縛りにするだけに実に危うい。かつてそうした扇情的歴史観に感染した時代の反省の上に立って、歴史の虚と実はしっかりと峻別する必要がある。現在の様々な歴史をめぐる問題についても、多くの人々が事実に基づく過去を認識することが今後につながり、また立ち止まって考え、未来に踏み出すヒントになるのである。それが歴史を学ぶ大切な意味だと思う。

「古代の歴史から日本の今をみる」こと

本書の副題は「古代の歴史から日本の今をみる」としている。多くの人は、近代史あたりから今の日本を見るのはわかるが、古代という古い時代から、今の日本を見ることは無理ではないかと思っているのではなかろうか。高校の日本史Aでは、幕末期から現代までの歴史を扱っているから、そう思われるのも致し方ない。確かに政治や経済のレベルで言うなら、古代と現代とでは大きく異なっているからその通りかもしれない。しかし生活・文化のレベルでは、日本を代表する文化の多くは、古代・中世に出来上がって発展してきたものである。日本文化は旧来のものを大事に保存しながら、新しいものを付け加えていくという形で形成されているから、文化の連続性が強い。個よりも集団の和を重視するような物事に対する考え方や生活・文化の歴史の面では、その連続性が顕著に認められる。だから「思想」(ここでは主に宗教)や「生活・文化史」を重視する歴史学の側に立てば、「古代の歴史から日本の今をみる」ことは十分可能なのである。そのことは逆に言えば、近代史からの歴史ではそうした文化の連続性を見落とすことになり、日本文化の重要な特性や伝統を理解しないままになってしまうのである。本書で述べたいことは、古代の歴史を理解することによって日本文化の特性や伝統を再確認し、それを将来や未来の日本のあり方に方向性を見出すことが出来るのではないかということである。

「序論」を終えるにあたって、一言お断りをしておきたい。本書は実に多くの方の研究成果を参考にさせていただき、それを落ち穂拾いのような形でまとめて一書としたものである。利用させて頂いた研究書や研究論文の著者の皆さんに、まずは感謝申し上げたい。そして本来ならば、採録した内容は本文中や(注)で詳しく紹介すべきではあるが、本書は研究書ではないため、失礼ながらほとんどは章や編の巻末に著者と著書名のみを記載することに留めたことを了承いただきたいと思う。ただそれらの研究成果は、私の言う「教養としての日本史」に必須の材料になると考えたからであり、またそうした論文の内容は、人々の歴史認識の深化と穏健化に寄与できると判断し、参考にさせて頂いた。今日の様々な問題の解決に歴史学や歴史を学ぶ者が大きく寄与できる可能性があるという私の思いに免じて了とされたい。

【参考文献】

・岩城卓二「歴史教育と教員養成課程の現状」『日本史研究』四九四（日本史研究会・二〇〇三年）
・網野善彦・宮田登『歴史の中で語られてこなかったこと』（洋泉社・一九九八年）
・片山一道『骨が語る日本人の歴史』（筑摩書房・二〇一五年）
・桜井英治「中世史への招待」『岩波講座日本歴史第六巻』（岩波書店・二〇一三年）
・金原左門「「地域史」おこしに〝サンサシオン〟を」『日本通史』月報一五（岩波書店・一九九四年）
・渡部昇一「史家と歴史学者」『本郷』No.五〇（吉川弘文館・二〇〇四年）
・桑原武夫「歴史の思想序説」現代日本思想体系『歴史の思想』（筑摩書房・一九六五年）
・海津一朗「元寇の神風」『歴史の「常識」をよむ』（東京大学出版会・二〇一五年）
・鈴木光司「「神風連の乱」に想う」『本郷』No.一〇三（吉川弘文館・二〇一三年）

・上田正昭『日本の神話を考える』（小学館・一九九四年）
・大隅和雄「史実と架空のあいだ」『朝日百科日本の歴史』別冊一〇（朝日新聞社・一九八九年）
・関幸彦『神風の武士像』（吉川弘文館・二〇〇一年）
・関幸彦「〝神風〟と歴史主義」『本郷』№三六（吉川弘文館・二〇〇一年）
・荒木敏夫・保坂敏・加藤哲郎『日本史のエッセンス』（山川出版社・一九九七年）
・前田晴人『日本古代の新論点』（新人物往来社・二〇〇一年）

第一編　宗教・思想

我が国では多様な宗教が共存しており、あたかも「宗教の博物館」の様相を呈している。この宗教編では日本文化の形成に大きな影響を与えた仏教・道教・神道を取り上げる。現在の歴史教科書では、政治は古代では朝廷、中世・近世は武家とされ、寺社などの宗教勢力は何の力もなかったような扱いをしているが、それは大きな間違いである。古代・中世では宗教世界は現実そのもので、今日の私たちが考えるよりるかに大きな影響を与えていた。そのことを念頭におかなければ古代・中世の歴史を正しく捉えることはできないのである。

現在の多くの日本人にとっては神も仏も似たようなもので、御利益をもたらしてくれる存在と考えているが、本来は祟るものだったから、丁重にもてなして祭らなければならなかった。今日の理解とは根本的に異なっている。宗教は神への崇拝・信仰であるが、仏教だけは神を持たない宗教である。また日本の宗教のうち仏教・道教は外来のもので、神道の「神道」という言葉もまた外来語である。つまり日本の宗教のほとんどは中国から朝鮮半島を経由して我が国に伝来し、定着したものであった。

仏教については、高校の日本史の授業では寺院や仏像の名や彫刻技法などを教えることで事足れりとしている。しかしそれらがどのような仏教世界をイメージし、どのような意味をもっているか、あるいはどのような経典に基づいて作成されたのかなどはほとんど触れられることはない。また道教の陰陽道などは迷信であると一蹴されるが、それは現在の世の中にもしっかり根付いているものも多くある。さらに神道については、鎌倉時代の伊勢神道や室町時代の吉田神道、江戸時代の垂加神道や復古神道、明治時代の国家神道などの項目を断片的に学ぶ程度で、我が国固有の宗教と言われる割に案外とその内容は知られていない。

これらの思想には先人が長い期間をかけて格闘してきた知恵がいっぱい詰まっており、それは現代社会にも十分通用するものや、現在の人々が忘れてしまった大事なものもある。人はどのように生きるべきか、それは過去の人もずっと考えてきたことであり、その答えもそれらの宗教の中に見いだすことができる。そしてこれらの宗教や思想は現在に起こっている様々な問題とつながっている。すぐれて現代的な問題も過去の歴史に淵源しているから、過去に遡ることによって今日の問題を解決する糸口を得る可能性もあるのである。

第一章　仏教思想

奈良や京都にはたくさんの大寺院があり、東大寺の大仏などは古代仏教の象徴である。その大仏は聖武天皇が国家の一大プロジェクトとして完成させたものだが、天皇は後世の私たちに立派な文化財として残そうとしたわけではない。膨大な経費と労力を費やしても、それに対する見返りが十分あると考えたからであり、またそれを支持する多くの人々がいたからこそ完成にこぎ着けたのである。もし今の世に国が莫大な経費をかけてオリンピックのメイン会場ではなく、大仏や大寺院を建立する計画を発表したら、国民の総スカンにあうことは間違いなかろう。それは古代の人々と現在の人々の仏教に対する信頼感や期待感の相違である。聖武天皇の頃、天然痘の大流行によって人口の約三分の一の人が死亡した。そうした疫病の脅威に立ち向かう呪力を持っているのが仏教と考えられていたから、どれだけ経費がかかろうが、何が何でもやり遂げなければならなかったのである。仏教にはそれほどの力があると信じられていた。

翻って今日の日本では、ほとんどの人が葬式と法事を除けば仏教に信頼も期待もしていない。これほどの落差はどうして生じたのだろうか。仏教の開祖釈迦の本来の教えが中国・朝鮮半島を経由し、また我が国に入ってから仏教はどのように変容したのか、そこに至るまでの歴史について見ていく。また日本に仏教が伝来して二千年近くになる。日本人の精神や生活にも深く入り込んでいる。極楽や地獄や仏像などの仏教世界の様相や、今に生きる仏教の言葉やその精神にも触れ、さらに古代の先祖供養や葬儀や法要の歴史を辿ることによって、今日的な問題である先祖供養や墓の継承、葬儀の多様化などについても見ていきたいと思う。

一　釈迦仏教から中国仏教へ

㈠　インド（釈迦）仏教の教え

人は行為によりて聖者となる

今日、奈良や京都の古寺を巡ると、その古色蒼然とした佇まいは日本の伝統文化そのもののように思えてくる。その古寺で崇拝されている仏たちの荘厳な姿も日本の風景の中に溶け込んでいる。しかし仏教はインドで発生した外来宗教だから、仏たちのほとんどはインドに由来している。まずその釈迦仏教の概略を見ていこう。

釈迦の生誕は四月八日で花祭りという法会は「灌仏会」「仏生会」「浴仏会」「龍華会」「降誕会」など、様々に呼ばれる。釈迦が誕生した時、天から九頭の龍が降りてきて、釈迦の頭上に甘露を濯ぎ産湯にしたという。この伝説に因んで色とりどりの花で飾った花御堂に釈迦の誕生立像を安置し、参拝者は甘茶を柄杓で汲みその頭上に注いで祈る。この歴史は古く、『日本書紀』推古十四（六〇六）年四月条に「この年より初めて寺毎に四月八日、七月十五日に設斎《おがみ》す」と見える。因みに七月十五日は盂蘭盆会の日である。

釈迦はゴータマ・シッダルタと命名された。ゴータマは「最上の牛」、シッダルタは「目的を成就させる者」の意味で、父はカピラ城主のスッドーダナ、母はマーヤー夫人である。伝説によれば、母マーヤー夫人は白象が胎内に入る夢を見て懐妊した。ルンビニーで出産したが、生後すぐに一人で立ち、右手を天に向かって指し、左手を地に向かって指し、「天にも地にもわれ独り」と言ったという。しかしマーヤ夫人は釈迦を産んで七日後に亡くなった。十六歳の時にヤショダラーを妻とし、ラーフラーを儲けた。カピラ城の東門で老人に、南門で病人に、西門で死人に、そして北門で修行者に出会い、二十九歳で出家したという「四門出遊」の話はよく知られている。

六年間あらゆる苦行を行ったが、人生の苦悩の解決には無意味であることを悟り、苦行を捨てた。心身共に疲れ切った釈迦は村娘のスジャータの捧げた乳がゆを飲んで回復した。そして三十五歳の時、ブッダガヤの大きな木のもとで瞑想し、とうとう悟り（菩提）を得た。そのためその大きな木は菩提樹と呼ばれるようになった。以後、竹林精舎や祇園精舎を拠点に四十五年間にわたって教化につとめた。釈迦の十大弟子はそれぞれの道の第一人者とされる人々で、舎利弗（智慧）・目連（神通）・大迦葉（頭陀）・須菩提（解空）・富楼那（説法）・迦旃延（論義）・阿那律（天眼）・優波離（持律）・羅睺羅（密行）・阿難（多聞）の十人である。なおその中の羅睺羅(密行)こそ釈迦とヤショダラーとの間に生まれた一子ラーフラであった。

開祖の釈迦といえども当然その時代のインド思想の影響を強く受けている。そこでは万物の一体観が顕著で、人間は自分の業によって神にも動物にも、虫けらにもなるとする輪廻転生の思想が説かれた。仏陀というのはその無限の輪廻から解脱した特別な存在である。

業と輪廻に関する釈迦の興味深い話がある。バラモン教では、バラモンが死者の回りを回り歩き経文を唱えると、その死者は良い所に生まれ変わるとされていた。そのことについて弟子が釈迦に質問した。釈迦は弟子に次のように諭した。「一抱えの石を井戸に放り込む。そして井戸の回りを廻って「石よ浮いてこい」と唱えたならば、その石は果たして浮き上がってくるであろうか」「いいえ浮いてきません」「なぜか」「石は沈む性質のものだからです」「それと同じことである。人はその生涯における自分自身の行為によって、死後の運命が定まる。他人がそれを変えることはできない」と諭した。

釈迦の教えは実に合理的である。多くの宗教は神秘的な要素が強く、人知を越えた超越的な力を信じろと言う。不思議な力に充ち満ちていればいるほど人々はその宗教を有り難く感じるものである。しかし釈迦は神秘的なものや超越的なことは何も語らない。釈迦が語ったのは、苦悩や煩悩が起こってくる原因をきちんと理解し、そのうえで自助努力、自己鍛錬や修練によってそれらを消すことが出来るということである。何かにすがるのではなく、正しい修練の必要や実践的な活動を大切にした。

だから釈迦は「生まれによりて聖者となるのではない。生まれによって非聖者になるのではない。人はその行為によりて聖者となるのであり、その行為によって非聖者となるのである」と言う。「人の生まれを問うなかれ。行いを問え。火はどんな薪からでも生じる。賤しい家柄の者でも、心堅固で恥を知る聖人となれば、それは高貴な人である」「人生の充足は生まれた後の努力によって決まる。努力して心を磨く。それが人生を高貴なものにしてくれる唯一の道である」と言う。今日ならそれは当然のように受け入れられるが、当時のインドの厳しい身分差別社会での発言であるから、大変勇気のいることであったと思われる。

また仏教は「苦」の宗教と言われ、それは「四苦八苦」という言葉で表現される。四苦とは「生・老・病・死」で、八苦はその四苦に「愛別離苦」（愛する人と別れる苦しみ）「怨憎会苦」（怨み憎む人と出会う苦しみ）

「求不得苦」（求めても得ることができない苦しみ）「五蘊盛苦」（ものごとに執着する苦しみ）の四つを加えたものである。

『法華経』ではこの世は燃えている家＝火宅であるとする。この世には多くの人々の苦が充満している。こうした苦は煩悩によって引き起こされるが、その煩悩のことを「漏」とも言う。煩悩のないことが「無《む》漏《ろ》」であり、煩悩のあることが「有《う》漏《ろ》」である。したがって煩悩の世界や迷いの世界では、どうしてよいかわからないから「有漏有漏（うろうろ）」となる。これが「うろうろ」するの語源である。

ところでキリスト教は「愛」の宗教とされるが、仏教では世間的な愛は妄執から起こる心の働きとして排斥される。親愛（他者に対する友情）、欲楽（特定の人に対する恋愛）、愛欲（性的愛）、渇愛（妄執の愛）などは煩悩を生じさせる原因となっており、そこから離脱する唯一の心が慈悲である。慈悲は相手と同じ気持、同じ身になることである。それは人間だけでなく、あらゆる動植物が求めているものを与えること、相手の思いを汲み取って優しく語りかけること、見返りを求めず、ひたすら他のために尽くすこと、そして他を差別することなく、我がことのように相手の力になることだと説いた。正邪や善悪については、釈迦は「己にも他にも為になること、これから生まれてくるものにも為になること」が正しく善であると言う。

さらに根本思想の一つである諸行無常は、全ては変わっていくという事実を正しく把握したうえで、限りある生命に無限の価値を見いだそうとする考えである。無常だから人間が努力して向上する可能性もあり、全ては刻々と変化するから、一瞬たりとも疎かに出来ないのである。こうしたインドの無常観は、四季の移ろいを敏感に、また繊細に感じる日本人は極めて受け入れられやすい考えであった。

葬儀に関わるな

現在、我が国の仏教は葬式仏教と揶揄されるように、葬儀と切っても切れない関係にあるが、釈迦のインド仏教では葬儀は在家のやることで、出家者が葬儀に関わることを禁じていた。この点がインド仏教と日本仏教の最も大きな違いである。原始仏典には、死者の救いは葬儀のいかんによるのではなく、亡くなった人の徳によるとしていた。釈迦は修行者に対して遺骨の供養（崇拝）に関わるな、正しい目的のために努力せよと言っている。釈迦仏教では葬儀を初めとして人々の社会生活を支える通過儀礼や祖先崇拝儀礼などは行っていない。

釈迦は、修行を積み、無上の智慧によって煩悩から解き放たれた悟りの境地、つまり涅槃の世界に至ることが出来るとしたように、生きている人間の苦悩の消滅を問題としていたのである。したがって釈迦にとって魂や霊、さらには死後の世界は念頭になかった。世の中の全てのものは千変万化し、永遠不変なものはないのだから、当然、神も魂も霊も人間の想像の産物であり、存在しないとしていた。もちろん釈迦が亡くなった時にお経などは読まれていない。そういう形のものはまだまとまっていなかっただろうし、お経はそもそも葬式のためではなかったからである。

また原始仏教では「法要」という言葉は儀式ではなく、「法の本質」「真理の教えのエッセンス」という意味であった。「依法不依人」という言葉がある。これは「涅槃経」「維摩経」に出てくる言葉で、「法に依って人に依らざれ」と読む。人よりも法を重視するのがインド仏教だった。真理＝法を重視するインド人が発見した一つがゼロの概念である。それは、目の前にあるモノにとらわれる思考方法からは生まれてこない。モノそのものにとらわれない抽象性と普遍性を重視する思考方法だからこそ生まれたのであろう。

さらに釈迦は金に執着するなとも説いている。「われは偈を唱えて食を得るものに非ず。けだしそは知見あるものの法に非ず。覚者は全て誦偈の対価を受けず。ただ法に住することそ、その生活の道なり。もろもろの煩悩を尽くし果たして、まことに尊敬すべき聖者を見なば、婆羅門よ、かかる人に供養せよ。そは功徳を求む者の福田なり」と言う。供養とは尊敬の表現で、優れた人格や聖者に対しては当然頭を下げねばならぬ念を抱く。そのような何者にも代えがたい絶対価値に与えられた言葉である。だからそれは何かの対価として与えられるべきであってはならないのである。

そうすると今日の托鉢僧がそれぞれの家の戸口で経を唱え、その対価としてなにがしかの施しを受けているが、本来は托鉢僧の供養は決して請うて受けるものではなかった。今日、死者の葬儀を司ってその対価として謝礼を受け、あるいは仏前で読経する労働の対価として布施を受けている。それは釈迦が「われは偈を唱えて食を得るものに非ず」としたこととは全く正反対である。そして檀家の人も供養というのは僧侶の読経追善に対する報謝としての布施しか考えていない。釈迦は言う。「比丘たちよ、汝らは私の法の相続者とならねばならぬ。財の相続者となってはならぬ」と。残念なことではあるが、今日の仏教者の多くが釈迦がそうあってはならぬとした「財の相続者」となっているのではなかろうか。ここにこそ現在の日本仏教の最大の病根があると思われる。

釈迦が説いたことは人間としての真理を体得し、それを実践することが大切だとし、それを理法（ダルマ）、もしくは法と呼んだ。「学ぶことの少ない者は、牛のように老いていく。肉ばかり増えて、智慧は増えない」「頭髪が白くなることで長老になるのではない。ただ年をとっただけの人は「むなしい老人」と言われる」人は学び続け、努力することの大切さを説く。「愚かな人が自分が愚かであると考えるなら、その人はそのことによって賢者なのである。愚かな人が自分を賢者だと考えるなら、その人はまさしく愚か者だと言われる」これはソクラテスの「無知の知」に近い考え方である。「ためになることをいくらたくさん語っていても、それを実践しなければ怠け者である。それはたとえば牛飼いが他人の牛の数を勘定しているようなものだ。そういう者は修行者とは言えない」口先ばかりではダメで、実践することの大切さを説く。「戦場において百万人に勝ったとしても、ただ一つの自分自身に勝つことのできる者こそが最高の勝者である」他人との比較ではなく、自分自身をしっかり確立することが最も大切なことだと言う。

最後に心の有り様について次のように述べる。「物事は心に導かれ、心に仕え、心によって作りだされる。もし人が清らかな心で話し、行動するなら、その人には楽がつき従う。あたかも身体から離れることのない影のように」あるべき心の有り様を述べているが、実に含蓄のある言葉である。

だから自らの死に臨んだ時、修行僧たちに次のように言った。「今でも、また私の死後にでも、誰でも自らを島とし、自らを頼りとし、他人を頼りとせず、法を島とし、法をよりどころとし、他のものを拠り所にしないでいる人々がいるならば、彼らはわが修行僧として最高の境地にあるであろう。誰でも学ぼうと望む人々は」と。ここに見える「島」は「根拠地・拠点」という意味だから、結局、私（釈迦）ではなく、永遠の理法であるダルマの完成を目指せと言っている。その言葉は釈迦は自らを教祖や指導者と考えておらず、まして自分自身が崇拝の対象になるなどとは全く考えていなかった証しであろう。

精進こそ不死の道

また釈迦は修行者の儀式について、バラモンたちの祭り方を批判している。インドのバラモン教では火を用いたホーマという呪術的な祭儀を行っていた。火を神聖なものと考え、それによって身が浄められ、苦から解脱できると言う。この儀式では動物ばかりでなく、牛乳やバターなどの乳製品、穀物も火の中に投じられ、供え物は火の中から煙に乗って天上の神に届くとされていた。釈迦はこれに対してアヒンサー（不殺生）を唱えた。ホーマのような魔術から離れることが修行僧の戒めであると言った。我が国でも真言密教では護摩をたくという儀式が盛んに行われている。釈迦は、「バラモンよ、木片を焼いて清浄になることができると思ってはならない。なぜならこれは外面的なことだからである」「木片を焼いて清らかになると思ってはいけない。外の物によって完全な清浄を得たいと願っても、それによって清らかにはならない。バラモンよ、われは木片を焼くのを放棄して内部の火を灯す。永遠の火によって常に心がしずまっている。われは尊敬さるべき行者、阿羅漢であって、清浄な行いを行う者である。よく制御された自己は人間の光である」と言う。釈迦は火によってケガレがなくなるのであれば、朝から晩まで火を燃やして仕事をしている鍛冶屋さんが一番穢れがなく、解脱しているはずである。それなのにカーストの最下位に位置づけられているのはどういうわけかと批判している。

　また当時の人々は罪業をおかしてもバラモン僧に祈願してもらったり、川で身を清めれば罪は消えるものと信じていた。釈迦は罪を洗い流す沐浴についての迷信も否定している。ある時、水浄の法を行っているバラモンが「師はどこの川に行って水浄の法を行ずるのか」と釈迦に尋ねた。それに対して釈迦は「うちに悪しき思いを抱ける者、また罪過ちをおかせし者の悪業の深きを川は浄めじ」と言い、さらに「いくら沐浴したところで深い罪業は清められない。川はただの水槽にすぎない」と答えている。水浄の法だけでなく呪文についても、「いくら呪文を唱え、合掌し、祈願をしても、それは何の効験を現すものではないのだ」と言う。釈迦は沐浴によって過去の悪業を洗い流せるのであれば、魚や亀や鰐や蛙は生涯水につかっているのだから、彼らの方がより解脱していることになると言う。よく修行と称して寒い冬に滝に打たれたり、冷たい水の中に入っている寒行の場面を目にすることがある。しかし釈迦に言わせれば、それによってはとても悟りに至ることは出来ないのである。

　釈迦の考え方は大変理性的で、怪しげな呪法や儀式をきっぱりと否定している。釈迦が常日頃弟子たちに示していたのは次の言葉である。「精進こそ不死の道、怠りこそは死の道なり。いそしみ励む者は死することなく、放逸にふける者は生命ありとも既に死せるに等し」と言う。自ら心を浄めよと言うのであるが、大切なことは、自分自身を磨くことではなく、常に磨かれた状態にあることだと指摘する。味わい深い言葉である。

　ある国の王が祇園精舎に釈迦を訪ねて教えを乞うた。王は「自分よりも愛しい者はない」という考えが正しいのかと聞いた。それに対し釈迦は「人の思惟はいずくへおもむくこともできる。されど何処へおもむこうとも、人は自己よりも愛しいものを見いだすことはできぬ。それと同じく、他の人々にも、全て自己はこのうえもなく愛しい。されば自己の愛しいことを知る者は、他の者にも慈しみをかけなければならぬ」と答えた。

「自己はこのうえもなく愛しい」ことを前提にした精進による自己救済を「自利」と言い、自分自身をきちんと確立することで、それが回り回って人のためになる。これが「利他」である。だから釈迦の教えは単純な人助けの慈悲ではなく、自利自他の慈悲なのである。

ただ釈迦は自分の考えをいきなり押しつけるのではなく、相手をよく見て諄々と説く。実に理性的で相手と摩擦抗争を起こさないで教化している。キリスト教やイスラム教はもとより、世界のあらゆる宗教は武力を伴って広がっていった。仏教だけは武力を伴うことなく広がっていったが、それは釈迦のこうした教化方法が伝統としてあったからであろう。

また釈迦仏教では出家した教団の比丘や比丘尼たちは生産労働に従事することを禁止していた。衣食住の一切は布施によってまかなう乞食行に徹し、ただひたすらに精神の問題の探求に専念し、その体得した法（真理）を在家に布施していた。出家というのは、家を捨て、財産を捨て、妻子まで捨て、その捨てる行為によって執着をなくすることである。世俗的な仕事を全て放棄して修行に打ち込むことができたから、そこでは不殺生を徹底することができた。またこの組織はインド各地に展開していったが、この教団は完全独立性で上下関係はなかった。ただインド仏教の修行者が目指したのは究極の仏ではなく、悟りを開いて仏弟子・聖者の阿羅漢になることだった。仏は常人がなれるものではなく、仏は言えば釈迦一人を指した。

釈迦の説いたインド仏教は、哲学的教理と倫理的な生き方のみをもつ宗教で、宗教的にレベルの高い教えであった。それは一方で民間信仰的な様々な儀礼などを排除することになったから、社会に深く根をおろすことができなかった。だからこそ十世紀以降のイスラム教徒のインド進出、それに伴う仏教迫害によって仏教はインド社会から姿を消すこととなったのである。

釈迦の教えは現代の日本にも大きな影響を与えている。次の言葉は仏陀の真理の言葉を記した『ダンマパダ』の詩である。「実にこの世においては、怨みに報いるに怨みを以てしたならば、ついに怨みのやむことがない。怨みを捨ててこそやむ。これは永遠の真理である」と。日本がサンフランシスコ講和条約締結の時、スリランカの代表はこの釈迦の言葉を引いて、日本に対する一切の賠償請求権を放棄した。このことをどれだけの日本人が心に留めているだろうか。

(二)　世俗化した中国仏教

勤労は修行の場

釈迦の没後、インドで仏教は間もなく変質していく。釈迦は死後の世界は説かなかったが、彼の意に反して自らの遺骨礼拝、墓所信仰が起こり、死後の世界との結びつきを強めていった。また釈迦の仏教には「他人を救う」という働きもなかったが、大乗仏教では、死後の世界のことも説き、また他人を救うことも行うようになり、釈迦仏教は大きく変容していく。

そして悟りや解脱を目的とする釈迦仏教を慈悲の宗教、救済仏教に転換させたのが中国の竜樹であった。だから中国仏教も釈迦仏教とはかなり異っている。しかしそれでも僧侶が厳しい戒律を守るということは行われていた。中国では、中国人の即物的なものの見方や現実主義や実際性を重視する考えによって仏教は釈迦の本来の教えから大きく変質していった。

その変質の第一は、出家者が生産活動や勤労に従事するようになったことである。耕作を禁じたインド仏教の戒律は中国の伝統的価値とは異なっていた。他人の喜捨によって宗教者が生活するインドの常識は、中国では非常識だった。インドでは宗教は世俗の日常性と画然と峻別するが、中国では世俗の価値観で宗教も計るのが普通であった。修行者たちは寺院の中で集団生活を営んでいたが、自給自足をせざるをえなかった中国の仏教者たちは田畑を耕し、農耕作業などの生産活動に従事した。そこでは当然虫などの殺生をせざるをえず、不殺生戒を破ることになったから、中国に合わせた独自の戒律が形成された。こうしたことは戒律は自由に改変できるという意識に影響を与えた。

我が国の禅宗は中国宋の禅宗の影響を強く受けている。その頃の南宋の禅宗寺院は大土地を所有し、その経済的優越性には大きなものがあった。この経済的優位性に任せて沼沢や原野を占有し、そこに自生する葦や茅などを刈り取り、燃料用として売り出したりして巨万の利益を収めていた。このように寺院が世俗化すると共に低俗な僧侶が激増することになった。こうした風潮が日本仏教の世俗化にも影響を与えた。

一方、中国禅宗では勤労生活という日常生活の中に「悟り」の働きを見るようになり、それだけでなく、普段の心遣いの中にも深い人生の神秘を見るようになった。つまり真理は遠い時間の彼方にあるものではなく、普段の何気ない所作の中にある。こうして極めて中国的な仏法として「禅」が形成された。「普請」という言葉がある。現在では「安普請」のように、建築の意味で使用されるが、もともとは禅語で「普く請う」ことで寺の全員が力を合わせて勤労に従事することであった。「一日作さざれば、一日食わず」と言うように、勤労は修行の場でもあり、仏教は生活の中の宗教になった。そしてインドではブッダになったのは釈迦一人であるが、中国では悟りを開くことが容易になった。こうして人々にとって悟りや仏が身近な存在となったのである。

出家者が葬送儀礼を担う

第二には、中国に入ってきたのは大乗仏教で、そこではおびただしい偽経が生まれ、また膨大な大乗経典には中心的な核となる教説がなく、統一性が欠如していた。それらを無制限に仏説として受け入れたため、統一性のない多様な教義が生じた。たとえば盂蘭盆会という先祖供養は仏教徒にとって大事な行事とされるが、その典拠となった『盂蘭盆経』も中国で作られた経典、つまり偽経である。このような習俗はインド仏教では考えられないことであった。インドでは亡くなった父母や先祖の霊魂はどこかに転生しており、それは人間界とは限らないし、しかも前世の記憶はないから彼岸や盆に子孫のもとに帰ってくるはずはない。だから墓も位牌もない。

盂蘭盆会や彼岸などの行事はいずれも中国儒教の祖霊観の影響を濃厚に受けたものである。もともと葬儀とは無縁だった仏教が大きく変質するのは中国に伝来してからである。中国に伝わった仏教経典は漢字に翻訳されたが、その際に経典本来の意味とは異なる訳も行われた。その漢訳仏典が漢字文化圏諸国に伝来していった。したがって日本の仏教はインド本来の仏教ではなく、中国仏教を取り入れたのである。さらに中国では道教や儒教の先祖供養と習合して、出家者たちも葬送儀礼を行うようになった。このように仏教は中国に入って大きく変質し、その変質した仏教が我が国に入ってきたのである。

第三には、修行者の目指すべきものが阿羅漢から仏になったことだった。そもそも当初の仏教は仏陀になることを目指す教えではなかった。仏陀の教えを厳格に守り、修行によって「自己の救い」「自己の人格の完成」である解脱を目指そうとするもので、その解脱した人を阿羅漢と言い、それが目指すべき目標だった。そして最終的には出家者も在家者も含め、全ての人々が救われることを目指した。とはいえ阿羅漢になるための修行に打ち込んでも、今世で解脱できる僧侶は極めて稀だった。

ところが大乗仏教では、「皆で仏を目指そう」という考えだから、釈迦以外にも仏になった人はたくさんいることになる。そこでは仏陀その人を偉大な存在とはするものの、自らも仏陀を目指し、阿羅漢ではなく「悟りを開いた」とする者＝菩薩が続出した。中国ではその菩薩の聖地が四つある。山西省の五台山が文殊菩薩、四川省の峨眉山が普賢菩薩、浙江省の普陀山と天台山が観音菩薩の住処とされるように、四大聖地を中心に菩薩信仰が流布した。

また「一切衆生悉有仏性」や「草木国土悉皆成仏」の考え方は過激な成仏平等主義であったが、それは驚くべき発想の転換であった。悟りを身近なものにし、誰もが仏になるのであれば、それよりも格下の阿羅漢は軽視されることになった。我が国でも阿羅漢はかなり俗っぽくしかも貧相に表現されているのは、中国と同じ大乗仏教の国だからである。中国では仏となるのは決して不可能ではないことになったが、それでも僧侶の戒律は厳しく、鑑真らの四分律では二百五十の戒があり、それを確実に守り続けることは大変難しいことだった。ともあれこうした仏の基準となるハードルの下げられた中国仏教が朝鮮半島を経由して我が国に入ってきたのである。

二　日本の仏教

(一)　期待された呪験力

律令国家体制の護持

多くの人は仏教は開祖釈迦の教えが我が国でも生き続けていると思っている。確かに釈迦の教えやその精神は仏教経典として残っている。仏教の経典は大きく三つの部類に整理区分される。それが経蔵・律蔵・論蔵で、この三つを三蔵と言う。『西遊記』で有名な玄奘が「三蔵法師」と呼ばれるのも、この三蔵に精通している法師という意味である。ただ仏教の経典は一般に「八万四千の法門」と言われる膨大な量になっているが、それは仏典は一千年以上かけて次々と生み出されたからである。「経」は「たて糸」のことで釈迦の説かれた言葉を花の輪のように貫きとどめて散逸しないようにしたものだから、その経典を理解すれば仏教の教えや精神がわかるのではないかと。しかしインドから中国・朝鮮半島を経由する長い歴史の中で、日本仏教は釈迦の原始仏教とは相当異なるものになっている。むしろ釈迦の教えとは全く別の宗教になっていると言ってもよい。

日本仏教は我が国の文化に合わせ、都合のよい部分を取り出してつくられた。仏教が我が国に入って大きな転換をした部分に日本人や日本文化の特徴があると言える。飛鳥・奈良時代に仏教は日本に定着した。そこで正統仏教とされたのは、天皇を頂点とする貴族等の支持のもと、律令政府の保護を受けた官寺に住む僧侶によって担われた学問的仏教であった。古代の為政者たちは大陸の新文化の集合体である仏教で特権的地位を荘厳し、それを維持しようとした。その僧侶たちに期待されたのは、五穀豊穣と国家の安寧をもたらす呪験力である。つまり律令国家体制を護持する呪術としての集団的現世信仰にその社会的役割を限定した。換言すれば、仏教の本来的課題である個人的な精神的課題を放擲することで支配階級の外護を受け、繁栄する条件に恵まれた。しかしそのことは、正法を自覚し、正道を修して解脱するという釈迦が創始した本来の仏教とは似ても似つかぬ異質的な呪術的性格を強めることになった。そして古代仏教は造寺・造仏などの仏教芸術の面での貢献が大であったが、仏教思想の根本である教理や教学や信仰などはほとんど深められることはなかった。

今日、仏教は葬式仏教などと言われるが、奈良時代までに伝わった宗派では葬儀と無関係で、法隆寺・東大寺・興福寺・清水寺などでは葬儀は行っていない。仏教は葬儀のためではなく天皇権力を保護し、蓮華蔵世界＝仏国土を地上に現出し、国家支配の絶対的安全性を獲得するための宗教的役割を与えられていたからである。あの奈良の大仏を建立した熱心な仏教信者で、皇帝菩薩思想に基づいて衆生を救済しようとした聖武天皇の葬儀の場合でも僧侶は参加していない。

その聖武天皇は全国に国分寺・国分尼寺の建立を命じたが、それは天平十三（七四一）年二月十四日のことであった。現在ではバレンタインデーの日としか記憶されていないかもしれない。この延長上に大仏造立があるが、その造立の詔には、「万代の福業おさめて、動植ことごとく栄えむとす」とあり、聖武天皇は人間だけでなく、動植物までも栄える世の中にしたいと願っている。現在、「共生」ということがしきりに言われるようになったが、「動植ことごとく栄えむとす」という発言は、まさにその先取りである。天皇の葬儀が完全に仏式になるのは十世紀初めの宇多・醍醐天皇の頃で、いずれも天台の高僧が導師を務めている。

また我が国の天台宗の開祖最澄は、「道は人を弘め、人は道を弘む。道心の中に衣食あり。衣食の中に道心なし」と言っている。僧は衣服や食事を得るためや、名利や欲望を満たす修行ではあってはならない。僧侶の真摯な仏道を求める心とその態度を見た人がそれに感動し、その修行生活を助けずにはいられないという気持になる。その時に初めて衣食は備わるというように、最澄の時代にはまだ釈迦の精神は健在であった。しかしその最澄や真言宗を開いた空海の時代に仏教は大きく変質する。

現世利益の密教修法の流行

変質した理由の一つは天台宗も真言宗も共に密教を取り入れたことである。僧侶たちはそれまでの経典の学びと同時に密教の修行に励むことが不可欠とされた。密教は現世利益を実現するため加持祈祷など神秘的・呪術的な手法を用い、日本の宗教全体に大きな影響を与えた。その神秘的・呪術的な手法は釈迦が否定していたはずのものであったが、それがもてはやされることになった。またこの頃には鎮護国家の機能は後景に退き、かわって貴族の私的な欲求を充足させるための修法祈禱の役割が増大してくる。日本仏教は伝来当初から現世利益を期待されていたが、天台・真言の密教修法は日本人の現世利益を求める心性と深く結びつくことになった。奈良時代には護国法会として災いの原因と考えられる罪科をひたすら懺悔し、許されることによって災いを取り除く悔過法会が盛んに行われていた。ところが平安時代になると空海などによって導入された密教修法がそれに代わるようになってくる。

密教修法は病である災いに対して実際に働きかける薬になるという。つまり修法は災いの原因を考えるのではなく、災いに積極的に働きかける力を持ち、直接原因を取り除くことができる方法なのである。

悔過法会から密教修法への変化は、人の内面にある罪の意識やその懺悔よりも個別の目的を得ることの方が重要になってきたことを示している。個別の目的には兵乱や疾病のない社会や旱天に対する祈雨などから、個人の富貴・栄達・無病にまで及び、それは次第に目先の利益や損得と深く結びつくようになった。そこには現実的・実用的な効能を求める日本人の実利的・功利主義的性格が反映している。隔絶した絶対者の存在より、抽象度の低い身近な存在や生活実感に根ざしたものに親しみを抱くという日本人の現実志向、現世志向の反映である。そこには絶対者と有限者、彼岸と此岸との超えがたい分裂とそこから生まれる苦悩の克服への要求といった深刻な宗教的課題がないことが注目される。

(二)　戒律・修行・女性の軽視

厳しい戒律から緩い戒律へ

第二には戒律や修行が軽視されるようになったことである。八世紀頃の中国では二百五十の戒律にまとめられ、その四分律を鑑真が一身を賭して我が国に伝えた。ところがその国際的な正当性を持つ厳しい戒律は取り入れたものの、日本の風土になじまないためか間もなく変質し、破壊されていく。厳しい戒律を緩い戒律に改めたのが天台宗の開祖最澄であった。

話が横道にそれるが、その「天台」宗の名は中国の仏教聖地天台山に因んでいる。天台山は中国浙江省東南部沿岸の台州市天台区に聳える千ｍ前後の山々で、古くから霊山とされてきた。「天台山は山岳の神秀なり」と称され、歴代の皇帝はもとより書家の王羲之や詩人の李白など著名人も多く天台山に登っている。最澄を初め大勢の僧侶が求法や修行のためにこの地を訪れている。その天台山の最高峰が華頂山で海抜一一三八ｍあり、「天台は四明（山）に隣し、華頂は百超に高し」とその雄姿を称えられる。京都には仏教系の大学が多いが、その一つに華頂短期大学がある。その「華頂」の名は天台山の最高峰の華頂山に由来している。

それはともあれ最澄は比叡山延暦寺を建立したが、正式な僧侶となるためには東大寺戒壇院での授戒が必要で、そのために比叡山を見限る者も多かった。天台宗を独立させるためには独自の戒壇院を造り、また独自の戒律が不可欠であった。鑑真が伝えた戒律はあまりにも多くて形式的で守れない。そうであるなら本当に守れるものだけを選ぶべきではないかと考えた。最澄の潔癖さは、戒律の重要さを認めるが故に、その形式的な虚偽を受け入れることができなかったのだろう。

そこで最澄は独自の戒律として大乗仏教菩薩戒を説く中国で生まれた『梵網経』という経典に注目した。この経典は『華厳経』の結びに相当するもので、「梵網」の名は諸仏が衆生に応じて教えを説き、洩らすことなく救いとることがあたかも帝釈天の宮殿に張り巡らされている宝網のようであることに由来する。ここでは「衆生、仏戒を受くれば、即ち諸仏の位に入る。位、大覚に同じよりて真に是諸仏子なり」とあり、さらに「受戒の日に即身に六即成仏す」と見える。受戒をすれば覚ったと同じとしたり、受戒だけで直ちに仏になるというのは、釈迦仏教だけでなく、中国仏教からみても驚くべき飛躍である。釈迦以来の戒律を捨て去り、大乗戒に乗り換えることは、これまでの仏教の千二百年の歴史をひっくり返すほどの意味を持っていた。我が国でも厳しい修行に没頭する僧もいなかったわけではないが、総じて言えば禁欲修行にはネガティブな心理が働いていたと言ってよい。最澄を初め比叡山はこの経典を尊重したため、次第に厳しい修行などは不要な宗教となっていった。

修行無用論の遠因には法華経が重視されたこともある。釈迦が一切衆生を救うのであれば、修行者もそうでない者も、そこには仏になる素質、つまり仏性が備わっていなければならない。そしてもし全ての衆生に仏性が備わり、この現世が仏法の真の世界となりうるなら、この仏の世界の内なる全てのもの、草木も、土も石も、山も河も、全てが法界の現れである。それが「悉有仏性」「草木国土悉皆成仏」の言葉で表現される。

この最澄を初めとする天台の主張は今までの常識を根底からひっくり返すほどのものだったから、南都の伝統教団から猛反発を受けた。しかし天台は世俗権力の朝廷によって実質的に認められたことで自立できた。ただその一方で厳しい修行が必要でなくなれば、教団の規律は緩み、戒律を守ろうとする意識が急速に薄れていく。それが平安末期の比叡山延暦寺を中心に蔓延し、現実肯定、日常肯定という傾向が生じ、ついには修行無用論に達した。そこでの寺院生活は修行が欠落し、僧の堕落が顕著となった。こうして苦しい修行や仏になるために守らなければならない「戒律」というものが、すっぽりと抜け落ちることになったのである。そこまでくれば戒律など何も守らなくてよいとなるのは時間の問題である。戒はあくまでも自覚的に守るべきものである。主体的なものだけに一度その自覚が希薄になると歯止めがかからない。どこまでも堕落していく危険性がある。この天台から戒律を軽視する法然・親鸞・日蓮たちが登場するのはそうした背景があったからである。

捨てられた不飲酒戒・不邪淫戒

日本の宗教は融通無碍が大きな特徴である。その例をあげよう。一つは仏教の五戒の一つの飲酒についてである。僧尼令には「凡そ僧尼、酒を飲み肉を食み、五辛服せらば卅日苦使」とあるように、酒を飲めば、三十日の苦役という処罰を受けることになっていた。また鑑真の高弟法進は、「未だ喫せざれば清醒にして智慧増明なり。飲すれば狂乱し、その心顛倒す。これすなわち毒水となる。これを飲まば耳熱眼花となり、悪しきこと作さざることなし」という。酒を飲まなければ頭脳明晰な人物でも酒を飲むと耳や目が赤く熱をもち様相が一変し、人と争いを起こす原因となる。だから酒は毒水であるというのである。戒律を厳しく守ることを旨とした鑑真の系統としてはそれは至極当然のことであった。

ところが、空海の対応は異なっている。彼は「長阿含経《ちょうあごんきょう》」に飲酒は六種の過あり、「智度論」には三十五種の過ありとされるからと一応制限するものの、青龍寺の恵果大師らと相談した結果、「治病の人には塩酒を許す。もし必ず用うべきことあらば、外より瓶にあらざる器に入れ来りて、茶に副えて秘《ひそか》に用いよ」とした。治病の名目ではあるが、飲酒を許可している。そしてさらに僧侶が公然と酒を飲むわけにはいかないから、寺の外から酒を入れた容器とはわからないものに入れて持ち込み、茶を飲みながらそっと飲酒しなさいと、具体的に指示をしている。要するに病気治療だと言えば、酒は飲めるのである。不飲酒戒がさらりと捨てられた理由に気候上の問題があるという。寺院には山号が付いているように、山岳に建てられることが多く、その山で過ごす冬の寒さは大変厳しいものだった。暖房設備もなく、食料事情も悪かった。修行僧にはその寒さがひとしお身に凍みた。体を温めるという理由で酒を飲むようになったのであろう。極めて重大な戒律の不飲酒戒ですら問題がないことになった。毒水を般若湯に変えた空海の度量は大変大きい。四国遍路では空海は今日においても絶大な人気を誇るが、それはこうした融通無碍なやり方が日本人の気質に合っているからであろう。

今一つはこれも五戒の一つの不邪淫戒についてである。平安中期になると右大臣藤原師輔の子の尋禅を初例として、貴族の子弟の入寺が始まる。彼らは世俗身分に応じた昇進を遂げ、十二世紀後半頃には、寺院での世俗化が進み寺内の身分秩序は世俗社会の生き写しのような様相となった。僧侶は寺内の僧房で共同生活を営んでいたが、貴族の子弟は独立した院家で世俗に近い生活を送るようになった。本来は世俗とは無縁の「出家」世界に世俗の名利や欲望が幅をきかせるようになった。こうした生活様式の変化は戒律の軽視や、妻帯・女犯の広がりをもたらし、「真弟」という僧の実子が多く現れた。僧侶も信心さえ確固であれば妻帯も飲酒も可能だと言うようになる。妻帯の歴史はかなり古く、後白河法皇は「(妻を)隠すは上人、(女犯)せぬは仏」と言っている。それを受けて鎌倉時代の無住は『沙石集』で「今の世には隠す上人なお少なく、せぬ仏いよいよ希なり」と記す。仏教の最も重要な戒律の五戒さえも破る行為が公然と行われるようになっていった。

戒律軽視の鎌倉新仏教

釈迦が説いた仏教の根本原理によれば、僧侶は三学(戒・定・慧、または教・禅・律)を等しく修する三学一致が基本であり、持戒を前提に修学と修行が求められた。僧は修学・修行の前に厳しい戒律を守ることは当然のことであった。ところが鎌倉新仏教の開祖たちの多くは戒律を無視した。法然は仏の名を称えるだけで阿弥陀仏に救われ浄土に生まれ変わることが出来ると説いた。修行は阿弥陀仏の前世である法蔵菩薩がやってくれているので、民衆はその功徳を信じていればよいと言う。それは釈迦が説いた三学を否定することでもあった。ここでは特別な修行は必要でないから、最澄の定めた大変緩い菩薩戒すら不要になった。ただ念仏を称えるだけで、修行も戒律もいらないという仏教がここに成立した。

また親鸞も弥陀への信心のみが真の仏法と言い、三学の価値を認めなかった。「悪人でも一度念仏すれば、全て平等に救われる」となると、それを逆手に悪事を働く者も現れ、寺院での戒律に従った生活は当然のように崩れていった。その結果、何の修行もせず、ただ阿弥陀仏の救済力に任せ、死後には直ちに成仏するという釈迦仏教とは全く異なる仏教となった。また親鸞は自ら妻帯し、仏教の最も重要な五戒も無視した。日蓮も題目を唱えるだけで往生できると説いたから、法然や親鸞と三学を無視する点では同じである。一遍に至っては信心・不信であっても往生できると言い、信仰心さえなくとも極楽往生が出来ると主張した。

これらの新仏教は仏法を出家者のみのものから解放し、俗人にも道を開いたことは重要であった。しかしその一方で釈迦の説いた厳しい戒律を守るという大原則がすっかり抜け落ち、その結果、随分と手軽な仏教に変身することになった。原理・原則という重いものより手軽という日本人の思考を見ることができる。鎌倉新仏教は阿弥陀や法華経を信じることに力点を置き、自らの教えを絶対化する極端なものだった。その結果、出家者の僧侶と俗人との違いが曖昧となり、釈迦が目指した仏教とは異次元の宗教となった。

同じ鎌倉時代の臨済宗の僧侶無住一円はその著『沙石集』において「鑑真和尚…如法の受戒を初め行じしかども、時移り儀々すたれて、中古よりは只名ばかり受戒と云て」と記す。鑑真が一身を賭して伝えた戒律は東大寺戒壇において授戒制度として機能していたが、しかしそれはもはや入門儀礼の意味しか持たず、実際に持戒する者はいなかったという。それまで教団を形成していたのは出家者（聖職者）だけで、在家の信徒は本質的にはアマチュアだから、救済ができるのはプロフェッショナルの出家者に限られていた。かつては出家者（聖職者）と信徒の間には、アマとプロの格差が厳然としてあった。しかし原始仏教の基本的な要素である戒律と修行が軽視されることによって、釈迦仏教や東アジア地域の仏教とは随分と遠いものになっていった。平安時代から鎌倉時代にかけての日本の仏教は、釈迦が重視した戒律や修行を軽視し、彼が否定した葬儀への関与や神秘的・呪術的な手法を重視するようになった。ここまでくると、かつての釈迦仏教とは別の宗教であると言えよう。

女性の軽視

『日本書紀』敏達十三（五八四）年九月条には、蘇我馬子が仏教を崇拝するようになった契機について記す。馬子は百済から仏像二体を請い受け、司馬達等《たつと》や池辺氷田《ひひた》らに修行者を探させた。そして高麗の恵便を仏法の師とし、達等の娘で十一歳の島を出家させ、善信尼とした。さらに善信尼の弟子の二人を出家させ、禅蔵尼・恵善尼とし、馬子は三人の尼を敬った。馬子は仏殿を建て、弥勒像を安置し、尼を招いて大法会を行ったと見える。ここで重要なのは我が国における最初の出家者は三人とも女性だったことである。それは当時の人々にとって宗教的役割を担うのは男性よりも女性の方がふさわしいとする認識があったからだと思われる。

八世紀になっても国分寺や国分尼寺が建立されたように、男女に関係なく、経典の読経や各種の法会に参加していた。また宮中でも法会が行われるため、それに日常的に奉仕する尼たちがいた。八世紀後半においても、女性の孝謙・称徳天皇は自ら出家したが、その人のもとで内裏内の仏教施設や宮中の法会で尼たちが仏事に専門的に従事し、重要な役割を果たしていた。

ところが称徳没後から尼が内裏から明確に排除されるようになる。その直接的な原因は尼天皇と僧道鏡による内道場体制を払拭するためであった。さらには尼の活動の場であった内裏と女性の関係が変化してきたことと関係する。かつて内裏は天皇と女官や尼たちの神聖視された空間で、男性の官人たちは自由に出入りできなかった。そこに女性の特殊な役割が与えられていた。しかし称徳没後から男性の公卿たちが日常的に内裏に入ることのできる「開かれた内裏」が確立したことによってその女性の特殊性が大きく後退することになった。こうして尼も次第に内裏から排除されるようになっていく。

さらにもう一つは仏教が元来持っていた女性差別の教義が浸透してきたことも背景にある。浄土に女身なしという女性を差別する仏教的解釈も、尼が内裏から排除される理由となった。そしてそれと軌を一にするようにして、仏の聖域としての山や堂内への女性の立ち入りを禁止する、いわゆる女人禁制が見え始める。九世紀以降の女性の地位低下と女人禁制は結びついているのである。

女性を蔑視する根拠とされたのが、平安末期頃から唱えられるようになる、女人は「五障三従」の身で、罪深い存在とする言説である。そのうえに女性であること自体が不浄とされ、それは永続的な穢れ観や不浄観と結びつくことによって抜きがたい差別感が生み出され、強化されていった。

現在でも女人禁制を維持している修験の山が存在する。それは建前上の男女平等とは違い、実質的には女性の社会的役割や地位の低さの象徴でもある。そのことは逆に言えば、男女の実質的平等が実現した段階で、女人禁制は歴史的役割を終えることを意味している。男女平等を謳う日本国憲法の趣旨からみても女人禁制が時代遅れの風習であることは言うまでもないが、それを解消するには何よりも政治や経済、家庭生活に及ぶまでの実質的な男女平等社会の実現が必要なのである。

神祇・陰陽道との習合

奈良仏教までは異国の宗教である仏教教理の理解に汲々としていたが、平安期に入り最澄・空海らによって仏教が咀嚼された。彼らは共に我が国における中国仏教の先導者であると同時に、その出発点から我が国古来の神々とも深く関わっている。

最澄は中国仏教を導入する一方で、大和国三宝山の三輪神の分霊を迎えて祭り、中国の天台山国清寺の山王祠にならって山王明神とし、比叡山の守護神とした。そしてその弟子である円仁・円珍もまた神と密接な関わりを持っていた。

また真言宗の開祖空海（弘法大師）も丹生津姫の神域である高野山に入るにあたり、この女神を守護神としたと伝える。それは古来から神々を祭った霊場には霊が籠もりそのエネルギーを吸収できると考えたからであろう。最澄・空海は共に深山に入って修行しているが、それは仏法の力という霊的エネルギーの獲得は、常人が近づくことができない聖なる場所である山岳においてこそ可能と考えられていたからであろう。

その精神風土の背景には縄文時代以来の、森羅万象の全てのものに神や霊が宿るというアニミズムの考え方がある。我が国の宗教は神道・仏教・儒教・道教などによって構成されているが、神道を除けば全て古代に伝えられた外来文化である。大きく異なる思想を違和感なく融合し、今では我が国の基層文化となっている。

また仏教は陰陽道や修験と習合して、その日の運勢、方位の吉凶を占い、悪霊を調伏したり、病気を治し、護符を作り種々のまじないも行うようになった。日本仏教が釈迦仏教と大きく異なっているのは、霊魂の存在を認め、それへの供養や祈祷が当たり前に行われていることである。仏教は死者の霊魂を救済する独自の役割を持ったことが、多くの日本人に受け入れられた理由であろう。京都の大文字焼き、青森の恐山大祭などの行事はいずれも霊魂の供養を基本とした行事である。各寺院ではあらゆることを祈祷し、祈祷料を取り、お札やお守りも販売している。それらはあまりにも日常的な風景であるが、釈迦の思想から言えば、逸脱したものばかりである。それは本当に仏教なのか?という疑問が生じるのももっともなことである。

㈢　日本独特の仏の基準

遙かな仏から身近な仏へ

多くの日本人は仏＝死者という感覚が一般的である。人が亡くなった時、「迷わずに成仏してください」と言う。仏教学者の中には、「これほど釈尊の仏教を冒涜する不埒な言葉もない」「死人は死者や亡者と言うべきであって決して「仏」と言うべきではない」と憤る人もいる。多くの人にとってはなぜ憤るのかわからないかもしれないが、仏の本来の意味から考えれば、その憤りはよく理解できる。

先の「成仏してください」は本来、僧のための言葉で、仏になる、つまり菩薩が修行の末に悟りに至る境地を意味する。普通の人が死ぬのは往生である。往生して浄土に行き、その浄土で修行を積んで成仏を目指す。だから修行を抜きにしての成仏はありえないのである。本来の成仏は大変難しく、極端に言えばこの世界で仏になったことが確かな者は釈迦一人で、だからこの世界を釈迦浄土とも言う。その釈迦に代わって仏になるのが菩薩であるが、その菩薩にしても気の遠くなるような修行が必要で五十六億七千万年後にやっと仏になる。だから一般の人が仏になるということは実はほとんど不可能なのである。

釈迦仏教と日本仏教の根本的な違いは、この仏になる基準である。仏教は解脱・悟りを得るためのものだから、宗教者として守らなければならないきまりが多くあった。そのきまりを「戒律」と言う。その厳しい戒律を守りきることによってやっと仏になることができた。原始仏教は厳格な出家主義・禁欲主義を課しており、通常の人間にとってその実践は甚だ困難なことであった。したがって仏は誰でもなりうるものではなく、釈迦のような大変優れたごく少数の修行者のみに限られていたのである。インド仏教の考えでは、仏の悟りを得るためには現世だけでは不十分で、幾度も生まれ変わって修行を続けなければならないのである。

来世へのパスポートである往生を得ることすらなかなか困難なことだったが、しだいに手軽になり、生前には仏教に関心がなくても死ぬと自動的に「ホトケ」になるという日本独特の習慣が生じた。そして現在ではお金さえ出せば誰でもが戒律を厳格に守ったとする戒名を手に入れることができるようになっている。それで「ホトケ」になれるのであれば、生前中には肉を食べない酒を飲めないなどの戒律は一切守らなくてもよいことになる。「死んでからよろしく」でことが済む。日本人のお手軽思考の典型例である。

出家・在家の区別なし

なぜ我が国ではこのように死者＝仏となったのだろうか。その根拠となったのは、天台宗で主張された本覚思想である。その「本覚」は「人は本来仏であった」という意味で、真の自己は衆生のままで本来仏陀であったという自覚である。仏としての本性である「仏性」を自らが自覚することが悟りだという。そうであれば仏となるのは未来の話ではなく、現在のことになる。あるがままの現実をそのまま悟りの世界と見る。また生者の儀礼によって死者の成仏を実現する葬式仏教の発想も、即身成仏による成仏の卑近化の上に展開することになる。もちろん経典にもそれに近い考えがあり、宗教者にもそうした主張があった。たとえば『涅槃経』には「一切衆生、悉有仏性」（一切の衆生に悉く仏性有り）とある。この考え方を敷衍すると、全ての人間に仏性が宿ると考えるのであれば全ての人間が仏になる可能性がある。さらに人間だけでなく、樹木や石もまた仏性があり、それらも成仏することになる。全ての存在がそのものにおいて尊いものであり、真実を表しているという考えは、全てに神を認める古代信仰に通ずる。そして我が国では仏になるのは煩悩の炎を消すという一点に絞られた。煩悩がなくなれば仏になるのならば死ねば煩悩はなくなるから、たちまち仏になることになった。

我が国の仏教は慈悲・救済の宗教である大乗仏教の流れの中にある。最澄は「山家学生式」の中で、「悪事を己に向かえ、好事を他に与え、己を忘れて他を利するは慈悲の極みなり」と述べている。つまり悪いことは進んで引き受け、良いことは他人に分け与えるというのが慈悲であり、最澄は生涯その精神を貫いた。最澄の有名な言葉に、「国宝とは何物ぞ。宝とは道心なり。道心ある人を名づけて国宝となす」というのがある。悟りを求める道心があることを最も重要とすれば、そこでは出家・在家の区別は必要ではなくなる。彼はこの国を一つの教団のようなものにして、全ての人々が幸せになり、国も栄えることを目指した。自分に厳しく人に優しい最澄はそう考えたが、多くの人々は自分に甘いことから、厳しい修行や戒律を嫌い、それをなし崩しにして、都合のよい所だけを取り入れることになった。その結果、日本の仏教のあり方は根本的に変化した。釈迦の説いた「依法不依人」という考えは我が国では人気がなく、もっぱら人によって教えが受け入れられた。人々は自力修行で覚者となるよりも、各祖師や名僧や験力に優れた修験者に結縁しようとした。出家遁世までの気持はないが、とりあえずカリスマ性のある人にコネだけはつけておこうと言うのである。そこに自分に甘く、安易に利益を得ようという精神風土を読み取ることができよう。

㈣　葬祭中心の仏教

律宗教団による葬儀

釈迦は僧侶が葬儀や法事に関わることを禁じていたが、現在の我が国ではその禁じられていた葬儀や法事が僧侶の一番大事な仕事になっている。これは宗教が違うほどの相違であるが、なぜこのようなことになったのだろうか。その歴史を紐解いてみたい。

平安時代の貴族の葬儀では沐浴・入棺・骨拾いなどの葬送の実務は身内で行うのが普通だったが、鎌倉時代になってそれらの作業は僧侶に一任されるようになる。中世の京都では律宗の僧侶が貴族の葬儀を担当することが多く、火葬などの葬送作業を行った。また時宗も京都の鳥辺野に火葬場を持っていたように、葬送儀礼に深く関わっていたが、律宗の活動の影響が特に大きかった。その律宗は奈良西大寺を本山とする真言律宗や唐招提寺を本山とする律宗などで、叡尊や忍性などがその代表者である。本来、僧侶が戒律を護持するのは当然のことだったが、鎌倉時代には親鸞のように公然と妻帯する者が現れ、寺院内の男色がはやるなど、破戒行為が仏教界に蔓延していた。そこで律宗では戒律・禅定・慧の三学の復興を目指し、釈迦の正法に帰ることを主張した。戒律護持を厳格に行う叡尊らの活動は人々から注目され、また鎌倉極楽寺を拠点にして活動した忍性はハンセン病患者の救済に努め、生き仏と尊敬された。また蒙古襲来に際して叡尊らの祈祷によって蒙古軍が退散したと喧伝されたため、朝廷や幕府に公認され、保護を受けるまでになった。その信者の数は十万と言われ、一大勢力であった。現在は律宗教団がマイナーになっているため過小評価されているが、その当時の活動は特筆されるものであった。

亡くなった人を火葬にし、その骨を墓石の下に埋める習俗も律宗教団の活動と深く関わる。鎌倉時代には大きな石造の五輪塔が建立されるようになるが、その背景には律宗教団の弥勒信仰があった。弥勒信仰は、釈迦が入滅してこの世は無仏の時代になるが、五十六億七千万年後に弥勒菩薩が兜率天浄土から仏となって下生し、衆生を救済するというものである。このようにこの世で弥勒菩薩の下生の時を待つのが下生信仰で、一方、死後に弥勒の浄土である兜率天に生まれることを願う上生信仰がある。上生するためには、厳しい戒律の護持が求められた。だからこそ律宗の僧侶たちは厳しく戒律を守ることを自らに課したのである。

大山積神社の石塔

ただ、弥勒菩薩の下生の時に救済されるのは五十六億七千万年後という途方もない年月である。木などの墓標ではその年月に耐えることはできないから、材料は花崗岩や安山岩といった固い石を使ってそれを建て霊魂の依り代である骨の居場所を示した。骨蔵器を金銅製にしたのも同じ考えである。

各地にみられる経筒に経を入れて地中に埋納した経塚もこの弥勒菩薩の下生と関係がある。末法の世になると、貴重な経典が失われることになるから、その時まで経典を保管するために、金属製の経筒に入れて地中に埋納したのである。後には善行を積むことで仏菩薩の慈悲にあずかり、極楽往生や現世利益を願うようになった。なお最古の経塚は藤原道長が寛弘四（一〇〇七）年に大峯山の山上が岳に埋納したものである。

　ともあれこの世に数多くある五輪塔など石塔の建立は弥勒信仰に基づく中世律宗教団によって広まり、墓塔を建てる文化は彼らの活動に起源があるのである。

曹洞宗の葬儀

　このように律宗や時宗は上層の人たちへの葬儀の実務を担当したが、その一方で、引導や中陰行事までには関与していなかったが、それらも鎌倉時代から始まる。我が国の仏教界で最も厳しい修行を課したのは禅宗の曹洞宗である。その開祖道元は、読経・礼拝・焼香などは一切無用として厳しく戒めていた。『修証義』には「因果の道理、歴然として私なし、造悪の者は堕ち、修善の者は陞《のぼ》る。毫釐《ごうり》も忒《たが》わざるなり」とある。因果の道理は明白で公平無私である。悪いことをした者は地獄に堕ち、良いことをした者は天上に昇る。このことは少しも間違いがない、という。また「参禅は身心脱落なり。祇管打坐して始めて得たり。焼香、礼拝、念仏、修懺、看経を要せず」とされ、念仏の如きは「ただ舌を動かし、声をあぐるを仏事功徳と思える、いとはかなし。口声をひまなくせる、春の田のかえるの昼夜なくが如し。ついに又益なし」と斥けていた。

　しかし現在ではそうした道元の教えは全く忘れ去られたように、その曹洞宗においても読経・焼香を行い、葬儀中心の教団になっている。先に見たように律宗や時宗は引導や中陰行事などまでには関与していなかった。禅宗はそれらから実作業まで一貫して担当できる体制を整えたことによって、上層武士たちの帰依を受けることになった。

　この禅宗が葬儀を行うようになったことについては、高祖道元と並んで太祖と仰がれた曹洞宗第四祖瑩山紹瑾《けいざんじょうきん》という人物の存在が大きかった。彼は修行道場としての永平寺を経済的に支えるためのシステムを作りあげた。密教の祈祷を中心とした儀礼を導入し、さらにそれまでになかった仏教式の葬儀を編み出した。既に悟りを開いた僧侶のためには「尊宿葬儀法」、修行中の雲水のためには「亡僧葬儀法」を適用した。そして後者の「亡僧葬儀法」を在家の人の葬儀に応用した。そこでは亡僧の霊を覚霊（覚った霊）、つまり仏と呼んで、成仏以前に亡くなったことを本人と共に悲しみ、死後を飾った。仏教の立場から死者を仏と呼ぶことは死者への思いやりという面がある。死者を仏とするのは仏教の教理からすれば明らかに誤りであるが、死者が祖霊になるとする伝統的な民間信仰を仏教的観念で包み込んで仏教の儀礼としたもので、仏教が広く定着することを助ける大きな要因となった。

　その実に丁寧な葬儀のやり方は、人々にこれなら本当に往生できるのではないかと思わせた。そのためこの曹洞宗の葬儀のやり方が臨済宗はもとより天台・真言・浄土宗にも取り入れられ、仏教式葬儀の基本となったのである。鎌倉時代の五代執権北条時頼や八代執権北条時宗も禅僧の臨終儀礼や死後の「亡僧」儀礼によって葬られた。こうした上層武士たちによる禅宗葬法が中・下級武士へと波及し、さらに鎌倉や京などの中央から地方に波及して、浄土教の往生儀礼の援用による葬法と共に、日本社会における葬送儀礼の二大潮流となる。上は将軍・執権から在地の領主層にまで広く禅宗が受け入れられた最大の要因は、まさにこうした禅宗の社会的機能にあったのである。禅宗が日本社会にもたらした最大の宗教的営為が、開祖道元が否定した「葬祭行事」であったというのは歴史の皮肉という他なかろう。

先祖供養（法事）の始まり

次に法事である。親鸞や法然といった宗派の開祖の場合は何百年忌などを行っている。しかし一般人の場合、百年を越える法事は普通はありえないと思うが、ならば何回忌までするべきなのだろうか。そもそも法事・法要を行うようになったのはいつ頃なのだろうか。過去の歴史を辿ってみよう。

我が国では仏事に関わる行事を法事と呼ぶが、本来の仏教の儀式は法要と言う。その「法要」は出家者が説くもので、営むものではなかった。インド仏教では僧侶は葬儀に関わるなとされていたから、法要と葬儀は全く無関係であった。ところが、我が国ではいつの間にか仏教の法を説くのではなく儀式を営むことを意味するようになり、さらには葬儀さえも意味するようになった。教えの本質の理解よりも儀式・形式を好む国民性に由来するのであろう。

それはともあれ法要には年忌法要・命日法要があり、また盆や彼岸の墓参りなども含まれる。南方仏教諸国においても僧職者は葬送儀礼を主宰する。しかし南方仏教の僧職者はどこまでも死者が輪廻転生において善処に再生する手助けをしているのであって、直接に成仏を願っているわけではない。彼らが考える成仏とは、六道輪廻を繰り返した後に、宿業が尽きてやっと辿り着く遙かなる未来の到達点であり、それは究極目標（涅槃）なのである。ところが我が国では僧職者の一連の儀礼によって死者の成仏が可能になる。死者の成仏は中国でも朝鮮でも見られない我が国独特の現象である。

法要の初見は、『続日本紀』大宝三（七〇二）年二月十一日条に見える持統天皇のそれであるが、四十九日の法要や一周忌の斎会は中国唐の影響を強く受けて始まったものである。奈良時代の国分寺・国分尼寺は唐の大雲寺や龍興寺観をモデルにしたが、同時に皇帝皇后の忌日の仏事である国忌も取り入れた。遣唐使によって伝えられた仏事の影響を受けて聖武上皇の七日毎の四十九日の法要や一周忌の斎会が国分寺や国分尼寺で行われることになった。

何回忌法要の習慣があるのは東アジアだけである。仏教では死後に次の生に転じるまでの生存を中陰、あるいは中有と言う。中有にあって転生する機縁が得られなければ七日を限りとしてそこに留まる。その後も七日を限りとして転生の機縁が得られなければなおも中有に留まる。そして七×七日を限りとしてその機縁を得るとされる。四十九日の直接の典拠はここにある。輪廻の教えでは死後、最も長くても四十九日までには次の転生先が決まるのだから供養するのはそれまでであってどこかに転生した後で法要を営む必要はないということになる。ならば一周忌、三周忌、七周忌、十三周忌、三十三周忌など法要はなぜ行われているのだろうか。それは中国の先祖供養を大切にした儒教の葬儀儀礼と関わっている。それを仏教が取り込み、あたかも仏式のごとく様変わりさせたのである。また我が国には祖霊信仰があり、死者の霊は一定の年月を経ると浄化されて祖霊となり、やがて祖先神となる。その祖霊となるに三十三年から五十年かかるとされる。だから年忌法要は日本の神祭りとも深く関わっている。したがって年忌法要は儒教と仏教と我が国の先祖供養などが融合した葬儀儀礼なのである。

奈良時代は一周忌まで

飛鳥時代の頃にも死者への供養は生きている人々の願いを成就することになるという考えがあった。ただその追善は奈良時代頃には一周忌迄であった。とはいえそれは奈良時代の為政者の側に属する役人の場合である。『正倉院文書』に見える写経生の休暇には一周忌のための休暇願いが出されていることから、下級官人でも一周忌までは行われていた。四十九日の法要も奈良時代から見られる。

聖武天皇の皇后光明子は天平宝字四（七六〇）年六月七日に六十歳の生涯を閉じているが、その法会は盛大に行われた。四十九日にあたる七月二十六日には、天下諸国に阿弥陀浄土の画像を造り奉り、「称讃浄土教」を僧尼に書写させ、国分寺で礼拝供養させている。聖武天皇と光明子の娘称徳天皇の時も宝亀三

伊予国分寺の礎石

（七七二）年九月二十二日に山階寺で四十九日の法要を行い、諸国の国分寺・国分尼寺でも転経させている。また『西宮記』によれば、奈良時代の宝亀元（七七〇）年九月二十二日条に「山階寺で七七日の設斎、京師と天下諸国で大祓」とあり、大同元（八〇六）年五月六日条には「寝殿で七七の御斎を行う」と見える。さらに平安時代の初期に編纂された『日本霊異記』中巻第三十八にも「七七日」とある。こうしたことから見ると、奈良時代の後半には既に初七日や四十九日の法要も行われおり、平安期には朝廷や貴族層では定着していたようである。

藤原実資の日記『小右記』寛弘八（一〇一一）年八月十九日条に「頭弁、勅を含みて云わく、故院々司并に素服を給わる上達部五人、除服し事に従うべきの由、仰せしむべきなり」とある。四十九日までは日常とは異なる装いをしていたが、その日を区切りにして除服し、公事に復帰している。四十九日の間、ずっと喪服は着てなかった。書道の三蹟の一人藤原行成の日記『権記』同年八月二日条には、「院に参る。御飯宿に到り、宿衣を脱ぎ表袴・衵等を著し、次いで哀服を着す。件の服、御葬の夜、着す所なり。蔵人所に納めしめ、今日、従者をして請け出さしめて之を着すなり」と記す。行成は一条天皇の葬儀に喪服を着用したが、それが終わると脱いで蔵人所に預け四十九日の法事に際してそれを再び取り寄せ着用している。つまり行成は葬送と七七の法事という二つの儀式に参加するためだけの衣装として用いていた。このようなあり方は行成だけでなく、当時の一般的な有り様だった。本来、律令の規定からすれば服喪期間中は喪服を着用し続けなければならないが、我が国では、服喪期間中であるにも関わらず喪服の着脱が行われている。それは大幅な逸脱と言えるものだったが、原理原則よりも簡便で手軽さを求める心性は古代より現在まで変わっていない。

ところで延喜十四（九一四）年、三善清行が桓武天皇に「意見封事十二箇条」を提出し、一周忌が最後の仏事とするから、平安前期には貴族でも先祖供養は一周忌で終了していた。それが平安末期頃には三回忌や十三回忌など、鎌倉末期には七回忌・三十三年忌まで見えるようになる。しかしそれでも追善供養は子一代で十分で孫まで伝えるものではなかった。親子という現実的な関係に留まり、子孫が続く限り祖先を祭祀する義務は存在しなかった。追善供養の最後となる「弔い上げ」は所によっては四十九年忌や五十年忌という場合もあるが、一般的には三十三回忌をもって法要は終わる。子供としては親の三十三回忌を務めるのが最後なのである。それは親を個性ある人格として記憶している子供が死ぬ年頃になるのと一致している。孫の代になると、死者は人格のない先祖として祭られることになる。

追善供養は法事を繰り返し、それによって死者を往生に向かわせることで、それは遺族が故人に代わって生前に十分できなかった布施をお寺にする行為である。ところが人の寿命が延び、八十歳を越え大往生を果たしているならば追善の必要もない。現在、葬儀の簡略化が進んでいるが、それはこういう事情もあるからであろう。

「野捨て」から寺院へ

『今昔物語集』巻三十一第三十話「尾張守□、鳥部野にして人を出だす語」という説話がある。尾張守の縁者に歌人として知られた女性がいた。しかし年老いて病気を得ると、その尾張守から見捨てられたため兄が彼女を養っていたが、病が重くなり回復の見込みがなくなると、その兄でさえ彼女を家から追い出してしまった。そこでこの女性は葬地の鳥辺野に行って塚の陰に畳を敷き座ったまま死を待ったというのである。こうした場合、当然きちんとした埋葬が行われるはずもなく、遺体は埋葬されることもなく鳥獣の食い荒らすままにうち捨てられたと思われる。

今一つ例をあげる。『日本紀略』天徳二（九五八）年閏七月九日条に、「一狂女有り。待賢門前において死人の頭を取りて之を食らう。此後、往々、諸門に臥するの病者、生きながら食わる。世、以て女鬼と為す」とある。狂女が死人の頭をかじり、さらには寝ている病人が生きたまま食べられるという事件が続発していると記す。猟奇的な事件のために記録されたが、遺体が埋葬されず、遺棄された死体がゴロゴロしているのが平安京の日常的な風景だった。

『日本紀略』正暦五（九九四）年には、九州から起こった疾病が国中に蔓延して都にまで及び、「京都の死者過半なり、五位以上六十七人」とあり、『本朝世紀』にも「京中の路頭に借家を構え、筵薦で覆い、病人を出し置く。或いは空車に乗せ、或いは人をして薬王寺に運送せしむと云々。然らば死亡者多く、道路に満ち、往還の過客、鼻を覆い之を過ごす。烏犬飽食し骸骨巷を塞ぐ」とある。道端に死体があふれ、死臭がものすごく、烏や犬はその死体を食べ飽きるほどであったという。時の政府は死者は埋葬ではなく川に流すように指示している。こうした野捨ての風習が終焉するのは、仏教の影響が強くなった十四世紀前半頃と言われる。

既述したように先祖供養は奈良時代には確実に始まり、次第に丁重に行うようになっていることを見てとれるが、一方、墓参りの風習はそれに比べるとかなり遅れる。平安時代の中頃、今とは違い石の卒都婆を一つ立てるだけのもので子孫が詣でる習慣はなかった。たとえば『栄華物語』の「浦々の別」では流罪となった伊周《これちか》（藤原道長の甥・中宮定子の兄）が父道隆（道長の兄）の墓を探しあぐねたと記すように、上級貴族であった親の墓さえ定かでなかった。埋葬地は「捨て墓」だったから、それに対する執着はなかったのである。また同書巻十五によれば、藤原道長は父兼家から木幡の地は藤原氏の先祖代々の遺骸を埋葬した墓地であると聞かされていた。しかしそこには卒都婆一つがあるのみで、荒れて寂しい場所だった。そして参る人たちもないのは大変残念だとしてその地に浄妙寺を建てた。それが墓寺の始まりという。その浄妙寺の多宝塔建立の時の願文が大江匡衡の著した『本朝文粋』に見える。それによれば、多宝塔を造ったのはまず先祖の霊を供養すること、第二は自分自身の罪を滅すること、第三には後世に地獄の苦を去り、極楽に往生するためであると記されている。この頃に先祖供養がなされるようになったのは、父系原理で継承される「家」が成立したからである。こうして遺骨軽視の時代から遺骨や埋葬地を重視する時代へと転換することになった。

ただ伊周や道長は当時の権力の中枢にいた人たちで、それより以下の階層の人はまた別である。多くの場合、墓標を立てたとしても埋葬した後は荒れるがままに放置されており、まして墓のない者の遺骸は散乱することになった。疫病などにかかると、看護する人もなく、近親者からも忌まわしい存在として家から追い出され、行き倒れになる者も多かった。

平安期の貴族たちは死の穢れを忌み嫌い、清浄さを大切にしていたから、清浄さの象徴の寺院に遺骸を持ち込まないのは当然のことであった。だから追善供養などは寺院ではなく自宅で行っていた。そうした死の穢れ思想が薄らいだのは阿弥陀聖たちが死者の遺骸を寺院に埋葬し、供養することが冥福を祈ることになると考えられ、それが一般社会にも受け入れられたからである。そこから埋葬地に寺院を建てる風習が生じた。

私は学生時代に京都の千本北大路に下宿していたが、その「千本」の地名の由来は次のような事だと言う。平安時代、大内裏の北に位置する船岡山の西麓付近は蓮台野と呼ばれ、京の東の鳥辺野と並ぶ葬送の地だった。その範囲は後世より広く、船岡山の東を含めてその周囲一帯に広がっていた。そこには供養のために卒塔婆が立てられ、その数が増えて千本を数えるようになった。見渡す限りの卒塔婆が「千本」の

千本閻魔堂の石地蔵

由来である。後にこの死者を供養するために千本閻魔堂(千本釈迦堂)が建てられ、今日の大報恩寺となっている。かつて下宿していた周辺は多くの卒塔場が立つ墓場だったのである。

『明月記』嘉禄元（一二二五）年五月二十八日条には、昨今、流行病で死ぬ人が多く、蓮台野に送る死者が六十四人あったと記す。『徒然草』第七段には「あだし野の露消ゆる時なく、鳥辺山の煙立ち去らでのみ住みはつるならひ」とあり、また同書百三十七段には「都の中に多き人、死なざる日はあるべからず。一日に一人二人のみならむや。鳥部野、舟岡、さらぬ野山にも送る数多かる日はあれども、送らぬ日はなし」とある。千本や蓮台野の他、鳥戸野《とりべの》や右京区の化《あだし》野《の》なども京の葬送の地であった。

ところでその卒塔婆は今日では法要の最後に遺骨を墓に埋納するその時に亡くなった家族の追善のために墓の脇に立てている。卒塔婆は元々サンスクリット語の「ストゥーパ」に由来し、それを音写する際につくられた漢字である。ストゥーパは古代インドでは、饅頭のように半球状に土を盛り上げた墓のことだった。荼毘に付された釈迦の遺骨を八人の王が持ち帰り、ストゥーパを造って安置した。その後マウリヤ朝になって多数のストゥーパが築かれ、遺骨は聖遺物として崇拝の対象となった。それが中国では高層化した楼閣建築となり、我が国では五重塔や三重塔となった。しかしそれとは別の意味でも使われるようになった。細長い板に切り込みを入れ、墓の脇に立てたものを卒塔婆または塔婆と呼び、本来の原義であったストゥーパの方を「塔」として区別するようになったのである。

長かった夫婦別墓の歴史

ところで今日、夫婦別墓が問題となっているが、夫婦の墓の歴史を辿ってみると、実は夫婦別墓の歴史は長く、そして先祖代々の墓の歴史は意外と浅い。たとえば平安時代の藤原道長とその妻倫子とは大変仲の良い夫婦で二人で一緒に行動することも多かった。しかし墓所は別だった。道長は藤原氏一門の墓地の木幡の地へ、倫子は父源雅信の源氏一門の墓地のある仁和寺の北に埋葬されている。夫婦別墓は普通のことだった。それは古代社会では夫婦や親子は同居していても財産は別で共通の「家」意識はなかったから、「〇〇家の墓」などが出来るはずはなかった。

一般庶民が「〇〇家」のような墓を設けるようになったのは江戸時代中期頃からでそれほど古い時代のことではない。家墓は家制度の成立が前提となる。家制度は家の土地や財産を子々孫々にまで受け継いでいくシステムのことで、江戸時代に身分が固定化されるようになって成立した。古い墓地に行ってみても江戸時代以前に遡ることのできる墓は希で、あったとしてもそれは極めて有力な人物のものである。寺院墓地に多い角柱形の石塔が普及し、一般庶民の墓となったのは江戸時代後期頃で、多くは明治に入ってからである。それとともに葬具業者が出現し、葬儀の商品化が始まった。

このように今の時代の目線からは、代々墓が普通に見えるが、その歴史は意外に短く、逆に夫婦別墓の歴史は長い。保守的な人は代々墓を当然とし、進歩的と言われる人が夫婦別墓を主張する。しかし歴史を辿ると、代々墓は新しく、夫婦別墓は古い。つまり保守的な人は新しく、進歩的な人が古いものを好むという逆転現象が起きているのである。

明治時代には墳墓（墓地）は家督相続の特権となり、祭祀財産として継承された。墓は家の祖先祭祀のシンボルだったが、しかし現在の日本社会では家は実態としても、あるいは観念としても希薄になり、家の墓を支える社会構造が消失しかかっている。家制度が崩壊すれば、家族のあり方も大きく変わる。家の象徴だった仏壇や墓の役割も変化していくのは当然である。墓や葬儀の形態は時代と共に移り変わり、それぞれの時代を敏感に反映するものである。

(五)　戒名の歴史

釈迦の教えと無関係の戒名

仏式の場合、人が亡くなると、あの世の名の戒名を付けることになっており、ほとんどの人はその慣習に従っている。戒名を貰えば一安心で涅槃に入ると思っているが、それは大きな間違いである。本来は戒名を授けられることは、それによって正式に仏弟子となり、戒律を守り正しい生活をして煩悩のない涅槃を目指しなさいということだから、涅槃を目指す出発点なのである。決して仏になったわけではない。

平安時代の貴族たちの多くは死の数日前、あるいは数時間前に、僧侶を呼んで剃髪し戒名を受けた。それには仏教の教義的裏付けはなく、我が国で形成された風習である。承和七（八四〇）年に死去した淳和上皇がその初見とされ、次の仁明天皇もその例に準じている。それは臨終出家と言われ、生前はできるだけ世俗の逸楽を享受し、死の直前に来世の保証も得ようというもので、天皇家から始まった。しかし突然死などの場合には、出家の手続きが出来ず、来世への往生が出来なくなる。そこで死後の出家も認められるようになった。死後出家は葬儀と同時であるため、葬儀と出家を意味する戒名が一体化することになった。

死後出家は鎌倉時代でも高貴な身分の人に限られていたが、次第に広い階層にも広がり、やがて日本全体の葬式の中に組み込まれて定着した。現在では宗派に関係なく、葬儀の場で戒名が授与されているが、それは平安時代の臨終出家から死後出家という展開の中で成立したのである。その戒名はランクによって金額に大きな違いがある。私は「人は平等」と教える仏教世界において、死んだ人にランクを付け、また金額によって戒名が違うというこの制度に強い違和感を覚える。なぜこのような制度ができたのか、その歴史を辿ってみよう。

釈迦は死後の世界を説かず、僧は葬儀に関わるなと言っていたから、この戒名も釈迦の教えとは全く関係はない。しかし戒名が民衆の要望に応えてきたという長い歴史があるのであれば、それは文化遺産として改めて考えてみる必要があるかもしれない。ことは人の死をどのように受け入れ、超越するかということと関わる。戒名はその鎮魂という儀式の一端を担ったものである。我が国での戒名の始まりは六世紀後半である。『日本書紀』敏達十三（五八四）年に司馬達等の娘嶋という少女が出家・授戒し、百済僧から「善信」という戒名を与えられている。そして彼女は後に朝鮮に赴き、正式に授戒をしている。我が国で最初に僧となったのは女性で、その戒名が朝鮮半島の百済僧によって与えられていることは、後に日本仏教が女性を差別するようになることを考えれば注目に値する。

戒名は仏教に深く傾倒した奈良時代の聖武天皇が「勝満」として以来、朝廷で受け入れられた。光明皇后は「万福」、孝謙天皇は「法基」、朱雀天皇は「仏陀寿」などである。平安時代に最澄が伝統的な厳しい小乗戒（具足戒）を捨て、緩い戒律の大乗戒にしたことでそれまでの原則が緩く解釈されるようになった。そして出家の作法や戒名の取得の意味や意義も根本的に変化してきた。さらに源信の『往生要集』ではあの世の光景が明示され、とりわけ恐ろしい地獄がビジュアル化されたことで、人々はその恐ろしさから逃れるための手段を仏教の様々な儀礼に求めた。そして生まれたのが生前に戒名をつける逆修戒名である。

この出現こそが現在の没後戒名の源とみられる。生前に戒名を付ける逆修戒名では儀式として一旦死ぬことによって地獄に行き、責め苦を受けて再びこの世に帰り、その時には罪は全て消滅し清らかな体になっているとされる。人生を楽しみ、死後は特権的に僧侶として往生出来るという大変都合の良い設定である。このような虫の良い儀礼が鎌倉時代頃から上層の公家や武家の間で行われるようになった。戦国時代の上杉謙信、武田信玄なども生前に入道となり、逆修戒名による御利益を求めた。僧侶であればあの世での裁きが軽くなるとの思いから、俗人も旅立つ前に出家させて名実ともに僧侶として送り出そうとして考えた。この儀礼では臨終後、間もなく戒名が付けられる。こうして死後の戒名が成立した。

戒名は家の象徴

戒名が庶民にまで広がるのは、江戸時代の寺請制度からである。人々はキリシタンでないことを証明するためには仏弟子とならなければならず、そのため死後に受戒する必要があった。そして寺の過去帳に戒名を記さなければならなかったから、全ての人に戒名が付けられることになった。寺側にとっても葬儀は滅多にあるわけではないから、死者を供養するという名目で年忌法要のシステムを導入し、一人の人間から何度も布施を徴収する制度は都合が良かった。かつて寺の過去帳には俗名が書かれていただけだったが、こうして戒名は不可欠なものとなった。

ただ戒名は一般化したとはいえ、寺請制度を定めた徳川幕府が滅んで既に百五十年が経過している。それにも関わらず戒名の制度がなくなっていない。その理由の一つは江戸幕府滅亡後、寺請制度は法的根拠を失ったが、明治時代に家制度が強化され、結果的に寺と家の関係が持続したからである。近代の家父長制は嫡子相続で、家督を相続するシンボルが先祖の位牌であり、墓であった。その位牌や墓は基本的に寺院が管理するものだったから、家父長制の続いた敗戦の昭和二十（一九四五）年まで残った。そのため寺と家の関係を象徴する戒名もまた残されることになった。戒名は江戸時代から今日まで約三百五十年の長い歴史があるから、今日においてもそれを変えるということに抵抗を感じる人も多いのである。

二つ目は戒名を受ける側の問題である。本来戒名は仏教徒として修行し、そして最終的に救われるための証である。だから戒名がなければ、当然そこには救いもないということになる。かつて戒名は仏壇や墓と並んで外に対しては家の象徴の役割、内に対しては封建的な家族秩序の象徴としての意味を持っていた。たとえば浄土真宗の檀家ではおしなべて仏壇が立派である。座敷に置いたり、中には仏間を設けている所もある。それは真宗では仏壇は位牌を置く所でなく、阿弥陀様を祭る所であり、またそれぞれの家で行う宗教行事が多く、その時には僧侶はもとより、親戚、近所の人たちなど大勢が集まるから、仏壇部屋は、家の中のハレの間になるからである。だから家の象徴としての仏壇に財産の半分をかけるという話も出てくるのである。

とはいえ家制度も過去の遺物になっているのにそれでも戒名は残っている。それは従来の慣習という面もあるが、それが家の象徴から社会的地位の象徴となったからである。世俗での地位の高さが死後にも投影された結果、仏教世界に世俗の差別が持ち込まれることになった。その典型的な現れが差別戒名である。釈迦の教えは出身が王であろうが最下層のシュードラであろうが一切平等であった。大乗仏教においても、仏の慈悲は全ての人に及んでいるから浄・不浄の差別はない。それが仏教の基本的な態度である。

このように仏教の本来の教えと全く正反対の差別が仏教の中に入り込んでいることが、仏教を衰退させた一つの原因であることは間違いない。江戸時代は厳しい身分制の時代だったから庶民の墓は質素に、戒名は信士・信女などの制限があったが、幕府が倒れて思いのままとなると、財力のある者は、立派な墓、院号や院殿号などの立派な戒名をつけて、その社会的地位を誇示出来るようになった。ある住職が院号のついた戒名はグリーン車でくつろぎながら涅槃に到着、居士・大姉号は指定席、信士・信女以下はギュウギュウ詰めの自由席というように戒名の説明をするという。ならば家族としては、死後ぐらいは少し楽に行けるように位の高い戒名を奮発する気になり、また家の格付けという虚栄心も満足することができる。

本来、居士・大姉は「在家で禅道を修行する者」の意味だから、仏法の修行者で、生きている人に対して用いられたものである。修行者でない者にはこうした戒名は不要なのである。戒名は位牌に記され、仏壇に安置される。我が国では葬式や法事の時に、戒名の書かれた位牌の前で線香をあげることは普通のことである。しかしこの位牌はインド仏教にもなく、また何千巻もある仏教経典にも見えない。祖霊信仰の中で生まれてきた我が国独自の風習である。

我が国では、人が何をしたかを見ないで、誰がしたかで見る傾向がある。その誰というのも、その人の人格ではなく、その人の立場や肩書き、帰属する組織で見る。これは日本人の集団意識に根ざしており、物事の根元的な真理の探究を目指す哲学の分野が弱いと言われるのも、おそらく同様の理由によるのであろう。しかし仏教の開祖釈迦は「死者の救いはその人の徳による」と言うように、その人が何をしたか、あるいはその人の人格によって救いが決まると考えていた。「人は生まれによって聖者たるにあらず、生まれによって非聖者たるにあらず。人は行為によりて聖者となり、行為によって非聖者となるのである」と言うように、人の行為が尊貴や卑賤の一切を決定するとされていた。世の多くの人は、高い地位にある人や富める人を尊敬する。しかし尊敬されていた人がその地位を失い、あるいは富を失った時、世の人から の尊敬を失うのであれば、彼らに捧げられた尊敬は彼らの人格に対してではなく、地位や富に捧げられたもので、それは本当の尊敬ではない。釈迦は先の言葉の前に、「みずから悪しき行為をなしながら、このことを知らざれと願い、隠匿せんことに心をくだく人、かかる人は賤しいと言わねばならぬ」「おのれを高くほめそやし、他人をけなし軽んずる者は、自慢のためにかえって卑賤に堕す。かかる人もまた賤しいと言わねばならぬ」と言う。

何年か前に東京都知事が金銭を受け取っていたことで、その追及を逃れるために苦渋の姿をしていた。その次に都知事となった人物も政治資金の不適切な使用で苦しい言い逃れをしていた。それはまさに「隠匿せんことに心をくだく人、かかる人は賤しい」という姿に重なって見えた。釈迦の考え方から見て、人間の競争意識や社会的地位の誇示という煩悩によって戒名が維持出来ているというのは、大きな矛盾ではないだろうか。本来、「煩悩を消す」ことが仏になることだったが、人の煩悩を最大限に利用しているのはいかがなものであろうか。

寺院経済に不可欠

次は戒名を授ける側の問題である。もともと葬儀や追善は寺院経済維持に頗る有利なため、平安期以降に一部の僧侶によって案出された経緯がある。鎌倉時代、政府公認の大寺院の財政は潤沢だったが、いわゆる新仏教の場合は信者のわずかな寄進が頼りで教団経営は苦しかった。そのため葬儀のお布施や戒名に目を付けたのは自然なことだった。江戸時代の寺請制度で御用宗教化したものの、財源は安定化し、戒名収入もその財源の一つだった。江戸幕府崩壊後も寺院は不在地主で多くの小作地を持っていたから、戒名収入は二の次だった。

ところが第二次世界大戦後の様々な改革が寺院に大きな打撃を与えた。その第一は、農地改革で小作地を一挙に失ったため、そこからの収入が期待出来なくなり、寺院経済は窮乏化した。またＧＨＱによる信教の自由によって制度としての檀家制度はついに終焉を迎えた。このような状況で寺院経済の窮乏を解決する切り札となったのが戒名を初めとする葬儀のお布施だった。戒名の字数を多くすることで高額な布施を求める風潮などが生じた。今やその収入源のほとんどがその二つである。寺院がいわゆる葬式仏教と言われる現象を招いたのは、こうした経済事情による。

このように、社会的地位を誇示したい人の心理につけ込み、また寺院の経済的利益のために戒名がある。そもそも戒名というのは、仏典に根拠のあるものではない。そして「戒」は守らなければならない決まりで、それは多くあって通常の人が守り切ることはなかなかできるものではない。それが実践で出来て初めて与えられるものである。「殺すな」「盗むな」「嘘をつくな」「女性と関係を持つな」「酒を飲むな」という五戒は最低でも守らなければならない絶対的な「戒」である。そうであれば、僧侶が妻帯し家族を持つということ自体ありえない話である。そもそも出家は、家と縁を切って仏教に帰依することである。だから出家者が家を形成することは本来あり得ない。しかし現在の我が国では寺院＝家庭となっており、僧侶が戒律に基づく宗教者である状況とはほど遠い。このように戒律を与える側が「破戒」しているのならば、戒律を与える資格は毛頭ない。戒律を守る意思のない者には戒名も必要ないのではないか。それが必要なのは寺の財源と名誉を欲しがる人だけであろう。しかしその金銭欲・名誉欲という煩悩は釈迦が否定したはずのものである。ともあれ日本の仏教は僧侶の妻帯に見られるように、戒律を軽視するところに重要な特徴があるのである。

　ところで戒名は位牌に書かれ、礼拝の対象とされている。古代中国では木札に自分の官位姓名を書いて、立身出世を願う風習があり、それを道教が取り入れ、さらに仏教が借用した。我が国でも正月の松飾りや地鎮祭の榊など神の依代《よりしろ》とされていた。それは木の札に霊魂が宿るとする思想が背景になっている。

　最後に鎌倉時代に院政を行った後鳥羽上皇の言葉を紹介したい。「凡そ墓なき者は、人の始中終、幻の如きは一期の過ぐる程なり。三界は無常なり。古より未だ万歳の人の身有りと云うことを聞かず。一生過ぎ易し。今に在りて誰か百年の形体を保たん。実に我や前、人や前、今日とも知らず、明日とも知らず。後れ先だつ人、本滴、末の露よりも繁し」

　これは上皇の無常観を吐露したものであるが、年を重ねる毎にこの心情がよくわかるようになってきた。多くの人は他の人が亡くなった訃報記事を見ながらも、「自分はまだ先のこと」と思っている。しかし、命は「後れ先だつ人、本滴、末の露よりも繁し」というほどはかないものである。それは医療技術の進歩や様々な効能のある薬などが開発され、長寿の時代になったとは言うものの、所詮人の命は今日においても百歳を越えることは今も稀である。自らを「露の命」と自覚することが、今その時を大切に生きることにつながってくる。葬儀を盛大にしたり立派な戒名で麗々しくあの世にいくのは「露の命」と自覚する者にはふさわしくないと思う。

三　極楽と地獄

(一)　極楽浄土の世界

飛鳥時代に遡る浄土思想

神や仏の世界は私たちには見えない世界である。しかし万葉歌人の大伴旅人が「この世にし楽しくあらば来む世には虫にも鳥にも我はなりなむ」(万葉集・三四八)、あるいは高田女王が「この世には人言繁し来む世にも逢はむ我が背子今ならずとも」(五四一)と詠んでいるように、当時の人にとってこの世の延長上にあの世はあった。現世は前世と来世の間にあると認識されていた。

現在、多くの人は亡くなれば全て終わりと思っているが、古のほとんどの人々は見えないけど、あの世があると確実に思っていた。また神や仏も間違いなく存在すると信じていたから、それを畏れるとともに敬ってきた。人々は見えないものに対して様々な気配りをすることで生活が成り立っていた。

神や仏など見えないものへの信仰が強まれば強まるほどそれを見える形にしたいという願望も強くなる。平安時代の初め頃、嵯峨・淳和天皇は儒教的な合理主義者で、目に見えない霊を信じず、またあの世への関心もほとんどなかった。嵯峨天皇も自らの陵墓は、棺を入れるだけの大きさとし、墳丘を造らず、樹木を植えず、地面を平らかにして草がはえるに任せ、永続的な祭祀は行ってはならないとした。また淳和天皇も薄葬を徹底した。自らの遺骨を砕いて粉にし、山中からまき散らす散骨葬を命じ、陵墓そのものの存在を否定した。しかし次の仁明天皇は先霊に対する祭祀は欠かせないとして徹底した薄葬思想は否定された。

このように時として、あの世を否定する人たちも存在するが、それは決して社会の主流になることはなかった。むしろあの世の思想は、その後次第に肥大化していった。とりわけ浄土教の流布した平安時代の中期以降、極楽往生の願望は頂点に達し、それがためにその極楽とはいかなるものか、それを寺院・仏像・絵画など様々な形で表現した。そしてそれと同時にその反対側にある地獄という世界を見たいとも強く思った。地獄は絶対に忌避すべき世界であるが、しかしそこに堕ちないという保証はない。一般に日本人は一点を凝視し続け、物事を見極めることを得意としていないと言われるが、この平安時代はそういう意味では特異な時代とみることもできる。

浄土教は阿弥陀仏のいる西方の極楽浄土に往生を願う宗教である。我が国にそうした思想が伝えられたのはかなり早く飛鳥時代に遡る。聖徳太子（厩戸皇子）が没した後、妃の一人橘大郎女《たちばなのおおいらつめ》が天寿国に往生した厩戸を偲んで作ったという天寿国繍帳がある。その天寿国は無量寿国のことと考えられている。「無量寿」は阿弥陀仏のことでその極楽浄土が無量寿国である。

末法思想は仏法再興の仕掛け

平安時代の初期には、空海や最澄によって密教化が進められ、これが仏教界の主流となる。しかし平安中期に天台僧の源信が『往生要集』を著し、また市聖と呼ばれた空也上人が人々に「南無阿弥陀仏」の念仏を勧めたこともあり、浄土教が広く浸透した。そして鎌倉時代には法然が『選択本願念仏集』を著して専修念仏の教理体系を確立し、弟子の親鸞がその信仰を一層深化させた。つまり密教を否定することによって鎌倉新仏教が開花したと理解されている。そのような流れの中で、関白藤原頼通によって建立された京都宇治の平等院鳳凰堂は平安時代の浄土教の流布を象徴する建築物として、また浄土教芸術の頂点として高い評価を受け、現在世界遺産にも認定されている。

浄土教が流布するようになった背景として、この世が次第に滅亡に向かうとする末法思想が必ずと言っていいほど取り上げられ、この世に希望を失った貴族たちはあの世での安楽を願ったからだと説明される。

平等院鳳凰堂

この浄土教中心史観という認識は、古代史の大家で、宗教史に造詣の深かった家永三郎・井上光貞氏らの実証に裏付けられた業績に負う所が大であったが、それに寄りかかりすぎたことが、事実とは異なる間違った歴史像となった。さらに平等院鳳凰堂の研究は、建物は建築史、彫刻は彫刻史、絵画は美術史、庭園は庭園史と細かく細分化され、それぞれの学問分野で専門的な研究が深められてきた。総合芸術としての鳳凰堂は近代学問の枠組みによって解体されてしまった。富島義幸氏はそれぞれの分野における高度な研究成果をもってしても、鳳凰堂を「現世に作り出された極楽浄土」としか評価できないのであれば、近代学問はあまりにも貧しいと言う。

大家と言われる人の業績に寄りかかることや、自分の専門性にこだわって一部だけを見て、全体を見ないということは往々にしてある。歴史研究にはそうした危険性のあることを常に自覚しておく必要があろう。

そもそも人は末法の世になったからといって現世での希望を失い、あの世での安楽を願うものだろうか。末法思想が社会の転換期の危機意識として現実に受け止められていたことは確かである。しかしそれが貴族や教団の悲観的な没落意識となって現世否定、来世欣求の浄土教につながったとするのは、いささか短絡的すぎる。その危機意識が現実的であればあるほど、その現実的克服が真剣に試みられたのである。また末法思想は仏教外の者が外から述べたものではなく、仏教内の者が述べた思想、僧侶によって説かれた僧侶のための思想である。この思想は末法の世だからこそ仏法を信奉する者は全力を尽くして仏法興隆に邁進しなければならない。仏法再興のため、士気高揚のための仕掛けとして語られた。つまり末法思想は仏法中興の理論的根拠として機能していたのである。

鳳凰堂を建立した藤原頼通は、半世紀にわたって摂政・関白の地位にあり、この世の権勢を一手に掌握し、その財力は当時の貴族たちの垂涎の的であった。そのような人物が、簡単にこの世のことを捨てることはしないだろう。権力と財力を自在に出来るなら、あらゆる手段を使って末法の世を切り抜け、自らは極楽往生を果たし、かつそれらを子々孫々にまで伝えたいと思うのが普通であろう。そうした人間の自然な感情に配慮することなく、当時の貴族たちは極楽往生一辺倒の浄土教に依存していたと考えていたのである。

平等院には現在その寺院の中心である本堂が失われており、鳳凰堂の阿弥陀如来があたかも中心の仏のように思われているが、本堂にあった大日如来こそがこの寺院の中心の仏であって阿弥陀如来はその大日如来に統括される仏の一つなのである。そしてその鳳凰堂の本尊阿弥陀如来の結ぶ定印は密教の阿弥陀法のものである。だからそこにおいては当然密教の修法も盛んに行われていた。平安中期から後期にかけては、密教修法が隆盛した時代で、それらの本尊を安置する五大堂や薬師堂、観音堂、愛染堂などの仏堂が数多く建立され、毎日のように仏事が修されていた。末法に対する諦念ではなく、それに立ち向かい、現世の祈りに対しても積極的であった。あらゆる宗教力を動員し、末法を乗り切ろうとする寺院の典型が平等院であった。つまり顕教と密教は対立するものではなく、両者が相まって末法の世を克服しようとしていたのである。ただ末法思想には新しい世界が訪れるという希望が含まれていない。修行も悟りもない時代にどうやって救いを求めたらよいのか、答えは全く示されていない。そのような時代だからこそ、新たな救いの方法が求められ、その結果、弥勒・地蔵・観音・法華信仰などが流行することになったのである。

そうであれば歴史教科書に平安時代後期の仏教を「浄土教」とする呼称は問題があることになる。平安時代の仏教は顕密から成るもので、私たちが言う「浄土教」は近代学問によって生み出された概念である。顕教と対置されるのは密教で、近代的概念の「浄土教」に対置されるのは現世に関わる信仰である。「浄土教」は顕密双方に見られるもので、顕教・密教とは全く別概念である。したがってそれは顕教・密教のような「教」ではなく、「浄土信仰」と呼ぶべきである。将来的には教科書に記載されている「浄土教」は「浄土信仰」に改められることになろう。

当時の貴族は「朝題目、夕念仏」、つまり朝に法華を読み、夜には弥陀を念ずる生活であった。この念仏を行として日本に伝えたのは、最澄の弟子円仁である。彼は唐での十年近い歳月をかけて密教の教えと実践を学び、空海が開祖となった真言宗に匹敵するものを獲得した。その中に密教の行法としての念仏行が含まれていた。それはひたすら念仏を唱えるという不断念仏と言われるもので源信らに受け継がれていった。最澄が書いたとされる『末法灯明記』（おそらくは偽書）には、「たとえ末法の中に、持戒の者あらむも、既にこれ怪異なり。市に虎あるが如し」とある。これは末法の世にあっては戒などはないわけだから、戒律を保つも、破るもどちらでもかまわないという意味とされる。そうなると戒律をひたすら遵守する持戒の僧侶などは意味がないという主張が出てくる。戒律を維持することが困難な末法の時代には、戒律にとらわれず、むしろ阿弥陀仏の本願に頼って救いを求めるべきだとされるようになり、それが後の法然や親鸞に受け継がれていく。

ともあれこのような念仏によって極楽往生を遂げたという人々も多くいたとされていたから、上流貴族の間では法華八講などの法会が度々行われ、華美の度を加えていった。貴族たちは、こうした法会や造像、写経、布施など諸々の功徳を積み重ねることによって自分の浄土への往生を確実なものにしようと務めたのである。そういう意味で、よく阿弥陀信仰は他力本願と言われるが、平安期の浄土教は結構、自力救済を目指していた信仰であった。

『往生要集』の浄土十楽

釈迦の教えは時代の変遷とともに拡散し、薄まっていくと考えられ、そうした認識を背景に唱えられ始めたのが平安時代に貴族たちに大きな影響を与えた末法思想であった。末法の時代には、次の救済者である弥勒菩薩が如来となってこの世に誕生するのを待たなければならない。しかし釈迦が入滅した後、弥勒が世に下って衆生を救うようになるのは五十六億七千万年後であるから、釈迦入滅から二千年が経過しているとしても、なお五十六億五千万年も後になる。長くともせいぜい百年の寿命しかない人間がそれだけの長い時間をじっと待ち続けることはできない。そこで人は弥勒菩薩の出現を待ちきれず、現役の如来のいる別の浄土に生まれ変わる方法として考えたのが、阿弥陀如来が存在する阿弥陀浄土、極楽浄土への往生を目指すものであった。

その理想の世界とされる浄土はどのような世界なのであろうか。浄土とは「清らかな世界」「仏や菩薩の住する世界」を意味する。浄土として知られるのは、薬師如来の浄瑠璃浄土、弥勒菩薩の兜率天《とそってん》、観音菩薩の補陀落山《ふだらくせん》、そして阿弥陀仏の極楽浄土である。

仏典に見える極楽は、建物は金・銀・琥珀・水晶・瑪瑙・真珠・サファイアなどの宝石で飾られ、まばゆいばかりに輝いている。地面には宝石が敷き詰められ、中心には大きな池があり、その水は清らかな芳香を放つ浄水で、池の中には五色の光を放つ蓮の花が咲いている。周りには多くの木が繁りその枝には宝石がちりばめられている。そして妙なる音楽が流れ、天人たちが舞を舞っている。このような豪華絢爛な宝石で飾られた巨大な楼閣が五百億もあるという。

また源信の『往生要集』には浄土の十楽が記述されている。第一聖衆来迎の楽（観音や菩薩など多くの浄土の仏が来迎し、手をさしのべて賛嘆してくれる）、第二蓮華初開の楽（往生後に初めて蓮華が開く時に自らが金色に光り輝き、多くの宝石によって荘厳される）、第三身相神過の楽（三十二の仏の優れた相を持ち、いかなる音や景色を見ることができ、過去の世のことがわかる神通力を持つ）、第四は五妙境界の楽（色・声・香・味・触の五感が優れ、極楽の宮殿、楼閣、宝池に舞う鴛鴦、鷺、鶴、鸚鵡、伽陵頻《がりょうびん》迦《が》などの鳥、香木、花などで極楽を描写する）、第五快楽無退《けらくむたい》の楽（極楽での快楽は無限である）、第六引《いん》接　結縁《じょうけちえん》の楽（知恵や神通力を得て会いたい人に自在に会うことができる）、第七聖　衆倶会《しょうじゅうくえ》の楽（弥勒・地蔵・観音などの菩薩たちにまみえる）、第八見仏聞法の楽（阿弥陀仏を目にすることができ、その教えを聞くことができる）、第九随心供仏《ずいしんくぶつ》の楽（いつでも思うがままに阿弥陀仏や諸仏を供養できる）、第十増《ぞう》進仏道《しんぶつどう》の楽（仏道を修して悟りを得ることができる）等々である。

極楽浄土の再現

源信の浄土信仰に深く帰依した人は多くいたが、その一人として知られるのが、摂関政治の頂点を極めた藤原道長である。財力のある権力者たちは極楽浄土の仏とされる阿弥陀仏を本尊とする大寺院を建立した。道長が建てた法成寺は早くに廃寺となったためにあまり知られていないが、寺域は南北三百三十m、東西二百二十mという広大で壮麗なものであった。道長は実際に関白となったことはなかったが、この建物に因んで「御堂関白」と呼ばれた。その様子は『栄華物語』に詳しく記されている。

「庭に敷き詰めた砂は水精のようにきらきらと輝き、池の水は澄んで、色々の造花の蓮華を台座として、その上に仏像を安置した。仏の姿が池の面にうつり映える。池をとりまく東西南北の御堂や経蔵・鐘楼なども池に影を映している。池の周囲には植木を植え、枝には宝珠を連ねた羅網をかけている。柔らかな花びらは風もないのに静かに動き、真珠の葉は瑠璃色にして、水精に似た頗梨珠《はりしゅ》の枝は池の底に沈んでいるように姿を水に映している。（中略）新造の金堂は七宝で美しく造り成した宮殿である。瓦は青く葺き、瑠璃の壁は白く塗り、瓦は光って空の影を映し、磨きあげられた柱の礎石、紫金銀の棟、金色の扉、水精の基、いずれも種々の宝をもって飾りたてている。御堂の扉には釈迦の一代の姿を描いた絵があり、柱にも菩薩の絵がある。上を見ると、天人が雲に乗って遊び、下を見ると紺色の瑠璃の敷石が敷き詰めてある。中央台上の本尊は大日如来で、光背には無数の仏像が彫刻してある。左右の台座には弥勒と文殊が安置してある。仏の前には青貝をちりばめた螺鈿の花机や高坏があり、黄金の仏器などを据えてある。まさに仏典に見える極楽浄土をこの世に再現したものであった。

そして道長の子頼通もまた浄土教の熱心な信者で世界遺産となった宇治平等院を建立している。この平等院のような様式や庭園は浄土式寺院・庭園と呼ぶ。そこでは池を挟んで薬師如来（西向き）と阿弥陀如来（東向き）とが向かい合う形となるが、それは現世の薬師如来が衆生を送り出し、浄土の阿弥陀如来がこれを迎えるという意味が込められている。まさに浄土信仰の造形化であった。ここでは園池は穢土と浄土、此岸《しがん》と彼岸を分かつ結界であった。浄土庭園が園池を中心とする構成をとるのはそのためである。

『源氏物語』の横川の僧都

『源氏物語』の作者紫式部もまた浄土信仰の中心的人物源信の宗教的信念と深い慈愛に強く共鳴した一

人である。『源氏物語』の終章の五十四帖では浮舟が薫と匂宮との愛情の間で苦悩し入水を決意するが、その死ぬべき身を横川の僧都に助けられ小野に尼庵を結び、出家して初めて心の安らぎを得るところで無限の余韻のうちに幕を閉じる。この『源氏物語』の極めて重要な終局において、大きな役割を果たすのが、横川の僧都である。式部はこの僧について、「そのころ、横川になにがし僧都とかいひて、いと尊き人住みけり。八十あまりの母、五十ばかりの妹ありけり」（手習巻）とあるが、そのモデルは間違いなく恵信僧都源信であろう。源信が『往生要集』を著したのは、紫式部が十六歳の頃だったが、式部の父為時は念仏結社運動のリーダーで源信の盟友慶滋保胤《よししげのやすよし》と親しかったから、式部は源信の名声を常々耳にしていたと思われる。『源氏物語』を書き始めた頃、その名声は絶頂に達していたが、しかし源信は世俗の名声に背を向け、ひとえに浄土の業を修することに情熱を傾けていた。

宇治川と紫式部

「朝廷の召にさえ従わず山に籠もっているはずの僧都がこのような浮舟のような女のために祈祷して、もしよからぬうわさがたっては」と心配する弟子たちに対し、「齢六十に余った今となっては、もう世間の非難を蒙っても苦しくない」（手習巻）と答えている。出家した浮舟に、「もとの御契り過ちたまはで、愛執の罪をはるかしきこえたまひて、一日の出家の功徳ははかりなきものなれば、なほたのませたまへ」（夢浮橋）という横川の僧都は晩年の源信を彷彿させる。若い頃から源信の名に親しみ、天台教学にも関心の深かった式部が源信を思い描いたのは自然なことであるが、さらに、源信が登場することで物語を終わらせた背景には、当時の貴族社会に源信の浄土の教えが広く浸透しており、読者を十分納得させることができたからであろう。

それと同時に、『紫式部日記』に「人、といふともかくいふとも、ただ阿弥陀仏にたゆみなく経を習ひ侍らむ」とあるように、式部自身が浄土信仰にこよなくひかれており、そういう意味では、『源氏物語』は貴族社会を中心とする平安浄土信仰の絶頂期が生み出した代表的文学と言えるのである。

「上品」「下品」は極楽往生に由来

極楽浄土の最高の仏は阿弥陀仏で、インドでは墓を守る仏だったが、西域のどこかで書かれた『阿弥陀経』によって如来に昇格した。如来は宇宙・自然の法の働きから「かくの如く来たれる」の意味で「如来」と名付けられた。いずれも菩薩を脇仏として侍らせている。だから真言密教の最高の仏とされる大日如来同様に、釈迦との関係は希薄である。

その阿弥陀仏は本来一体だったが、先の道長の阿弥陀堂には九体の阿弥陀如来がいた。九体の阿弥陀仏はこれが初見であるが、上級貴族たちに受け入れられると、一体の阿弥陀像よりは数が多いほど功徳が大きいと考えられるようになり、いわゆる数量功徳主義が正当視され、五体、七体、九体など、次第に増加した。九体となったのは極楽に往生する方法に上品・中品・下品の三品にそれぞれ上生・中生・下生があり、浄土教では九品《くほん》といって浄土に往生する者をその能力、性質などから九種類に分け、それに対応して九体阿弥陀仏となった。その九品を記す。

・上品上生（誠実な心、深く信じる心、仏国土に生まれたいと願う心）
・上品中生（必ずしも大乗経典を学んだり読誦したりしないけれどその意味をよく理解し、深く因果を信じ、極楽往生を願う者）
・上品下生（因果の道理を信じ、大乗を誹謗せず、無上道をめざし往生を願う者）
・中品上生（在家信者の守る戒律を守り、五逆罪を犯さない者）

・中品中生（規律に叶った生活をする）
・中品下生（父母に孝養、世間の人々と深い友情をもって交わった人）
・下品上生（大乗経典は誹謗しないが、多くの悪い行為を行い、恥ずかしいと思わぬ者）
・下品中生（戒律を犯し、僧団の物を盗み、名誉や利益のために説法しても恥ずかしいと思わず、悪い行為を自分で飾っている愚か者）
・下品下生（五逆罪と十悪を行う者）

下品中生と下品下生は悪行の結果、地獄に堕ちるが、最終的に阿弥陀仏に救われて、極楽世界に生まれ変わる、これを九品往生と言う。現在、「上品」「下品」という言葉は日常的に使われており、宗教的な臭いは全くしないが、極楽浄土の九品に基づくものである。「下品」だと言われるのは、有り難くはないが、しかしそれでも最終的に極楽浄土に往生できるのであれば、十分であろう。

『栄華物語』は道長の臨終について、葬儀の導師を勤めた天台座主院源は最後まで念仏を乱さなかったから、上品上生に往生しただろうと語ったが、娘の中宮威子は下品下生だったという話を記す。夢に若くて美しい僧が現れ、道長からの手紙を持ってきた。喜んで手紙を見ると、そこには下品下生と書かれていたと言うのである。さらに三井寺の入道が見た夢でも、道長は「下品といふとも足んぬべし」と言った。つまり下品往生で十分だと言うのである。道長は壮麗な法成寺を建立し、九体の阿弥陀仏を造り、念入りにその仏に糸をつないで亡くなったが、それでもなお下品往生ということであれば、人々からは道長の生前の罪はかなり重いと考えられていたのではなかろうか。

後白河法皇の往生観

次に平安時代の後期、院政を行い、この世の権力を一手に集中させた後白河法皇もまた、極楽浄土を強く願った一人であった。法王が編纂した『梁塵秘抄』の法文歌に阿弥陀仏を讃えた歌がある。

「仏は常にいませども　現《うつつ》ならぬぞあはれなる　人の音せぬ暁に　ほのかに夢に見えたまふ」「仏は様々に在せども、実《まこと》は一仏なりとかや、薬師も弥陀も釈迦弥勒も、ながら大日とこそ聞け」と大日如来を究極の仏と位置づけている。「阿弥陀仏の誓願ぞ、返す返すも頼もしき、一度《ひとたび》御名を称《とな》うれば、仏になるとぞ説いたまう」と阿弥陀仏が人々を往生に導くことを讃えている。「薬師の十二の大願は衆病悉除《しゅうびょうしつじょ》ぞ頼もしき、一経其耳《いっきょうごじ》はさて措きつ、皆令満足勝《かいりょうまんぞくすぐ》れたり」と薬師如来があらゆる病を取り除くとしている。

『同』五六四番「極楽は遠けき程と聞きしかど　つとめて到るところなりけり」（極楽浄土ははるか彼方と聞いていたけれど、念仏の修行をすれば、すぐにでも行けることであることよ）とあるように人々の極楽を求める心には切なるものがあった。

『同』一七九番「十方仏土のなかには　西方をこそのぞむなれ　九品蓮台の間には　下品なりたりともたんぬべし」（十方の諸仏の浄土のなかでは、西方の極楽浄土をこそ望みなさい。九品蓮台のうちに往生できるなら、下品の往生でも満足できよう）

このように、後白河法皇ですら、下品往生で満足だと言っている。法王の極楽往生への願いは大変強く、法勝寺などの大寺院を建立した。とりわけそれを象徴するのが通称三十三間堂の蓮華王院の千体千手観音像である。堂内の千体の観音が林立する姿は壮観である。院政の時代に数が多いほどその効果もあるとする数量主義が頂点に達した。

天台宗の阿弥陀信仰は、心に仏を描き、心で念仏を唱える観想念仏であり、また修法も厳しかった。平安期の浄土教の影響を強く受けたのが鎌倉新仏教の浄土宗や浄土真宗で、阿弥陀仏への信仰を強調した。しかしそれは「南無阿弥陀仏」と唱えるだけでよいという法然の専修念仏は天台の阿弥陀信仰とは大いに異なるものであった。

極楽の長い修行を経て仏へ

念仏は誰でも唱えることができるが、生来生真面目な日本人は、一度や二度の念仏で往生できるとは思わなかった。かなりの数を唱えた者の方が功徳があるという数量信仰が強くなった。極楽に行くことを願って百日も二百日も念仏を唱えるのである。京都には百万遍という地名があるが、これも念仏の数に由来している。しかしこの数量主義そのものが人間の強い欲の裏返しである。煩悩を取り去ることが重要であるにも関わらず、何が何でも極楽往生したいという強い願いがそのようにさせるのであろう。常に上品往生の高見を目指す欲を捨て、仏に全てを委ねるという謙虚な姿勢こそが極楽への一番の近道ではなかろうか。

往生伝には、出身地・住所・没年をはっきりと記したものが多く、往生の証拠や情報源を明記し、あるいは異伝を併記するなど、しきりに往生の事実を確認しようとしている。極楽往生を願う人々にとっては生死の境にいる臨終の際に見る夢は、死後の行く場所を判断するために重要だった。往生の際に紫雲がたなびき、不思議な香りが漂う、夢に阿弥陀仏が来迎するといった異相往生に充ち満ちている。彼らは往生という幻想を共同で体験することによって、これを事実として確認し、その事実を往生伝に記述したのである。

通常は極楽往生でめでたしであるが、しかし極楽に往生すれば自動的に仏にはならない。仏になるためには、さらにその極楽での修行が必要である。極楽では阿弥陀仏の説法を聞くことができ、大変気持ちの良い環境だから精神も集中し、その理解が早まり修行が進み、仏になる一歩手前までになる。そして今度生まれ変わったらついに仏になれる。しかしそれは五十六億年に一人しかなれない確率なのだから、その道は絶望的なくらいに狭い。だから極楽に行けばそれでもう安心なのではない。極楽は阿弥陀仏による特別講義を聴いて、ずっと長く修行する場なのである。今日の人なら極楽もそれほど喜んでいくではないと思うのではなかろうか。

(二)　地獄の世界

『往生要集』の地獄

我が国のあの世というのは、かつては『古事記』のイザナギノミコト・イザナミノミコトの話の「黄泉の国」のイメージであった。イザナギノミコトはこの世の「黄泉の国」を行き来しており、「黄泉の国」は「よみがえり」＝「黄泉返り」であるように、この世とあの世というのは近い関係にあった。

奈良時代まで仏教は国家を鎮め護るための宗教で、国分寺や国分尼寺のように地方に造られた寺院にしても、一般の人々を対象に教化するようなものではなかった。著名な行基が弾圧されたのも、彼が庶民への教化を行ったことが、人々を惑わすものとされたからである。

仏教が一般庶民にまで浸透する契機の一つが平安時代の浄土信仰の流行である。空也上人が布教を行い、また（恵信僧都）が極楽浄土に往生する方法を具体的に示したことから、人々はそれを願うようになっていった。そしてその願いをより詳細にかつビジュアルにするために、極楽の様相が描かれた。その一方で、極楽往生出来なかった人が堕ちる地獄も詳細に描かれた。極楽や地獄は絵を見るだけで容易にその世界を知ることができたことから、一般庶民にも深く浸透することになった。

源信らが活躍する二百年ほど前の平安時代初期には仏名会《ぶつみょうえ》という仏名を唱えて懺悔する年中行事が十二月に行われていた。それは承和五（八三八）年に、仁明天皇時代に始まったとされるが、その時に地獄絵屏風が立てられていた。おそらくこの頃には地獄のおおよそのイメージは既に出来ていたと思われる。『枕草子』七十七段に清少納言は「御仏名のまたの日、地獄絵の屏風とりわたして」とあり、「ゆゆしういみじき事かぎりなし（気味が悪くて大変恐ろしい）」と記している。仏教では輪廻転生と因果応報を説いたが、なかでも罪業の応報として地獄道の苦を説くことに力が入れられた。人々が忌避した地獄は梵語から生じた奈落と同じで、悪行を犯した者が堕ち、様々な責め苦を受ける地下の世界である。

六道輪廻の中で罪の最も重いものが堕ちた地獄は、多くの説話で詳細に語られ、その苦を免れるための信仰が勧められた。それまでも地獄というものがあるとは考えられていたが、それは漠然としたイメージでしかなかった。源信の『往生要集』には地獄の様子を見てきたかのように、具体的にそしてどれほどの苦痛を受け続けるのかを詳細に記した。この書が当時の人々に与えた衝撃は絶大であった。

その『往生要集』によれば、地獄は地下深くに存在しその広さはこの世の四百倍で八つの地獄があってこれを八大地獄と言う。それは等活地獄・黒縄地獄・衆合地獄・叫喚地獄・大叫喚地獄・大焦熱地獄・阿鼻地獄である。そしてその大地獄にはそれぞれ四つの門の外に十六の小地獄が付属している。どの地獄でも罪人は無限の拷問を受け、苦しみにのたうちまわるのである。

未来永劫続く地獄の苦しみ

『地獄草紙』には大きな鋸で体を切られる解身地獄、火で焼かれても生き返って何度も焼かれる雲火霧地獄、養鶏小屋のような場所で猛烈な光や熱を放つ鳥が充満し、炎で焼かれても死なないで無限にこの苦しみを受ける鶏地獄などを記す。

八大地獄の中で一番苦痛の程度が軽いという等活地獄と第四の叫喚地獄と最も重い阿鼻地獄を見てみよう。等活地獄に堕ちるのは生前に殺人をしたり、動物や鳥獣を殺し、食べたりし、殺生の罪を犯した者である。ここでは人々は敵対し、互いに鉄の爪をもって血肉が尽きるまで戦ったり、獄卒が鉄の杖や棒で全身を粉々に打ち砕いたり、あるいは料理人が鋭い庖丁で人の肉を切り裂く。命が尽きてもまた「等しく活きかえれ」という声に応じて蘇り、再び争いを続け、生死を繰り返す。しかもその責め苦の時間がとてつもなく長い。人間の世界の五十年は四天王の一昼夜にあたる。四天王は五百年生きるが、その寿命は等活地獄の一昼夜にあたり、それが五百年も続くという。これを人間世界の時間で計算すると実に千二百五十万年となる。それだけの長きにわたって責められ続けるのである。

第四の叫喚地獄では殺人・盗み・邪淫・飲酒の罪を犯した者が墜ちる地獄である。罪人は釜で煮られ、金鋏で口をこじあけられ、煮えたぎる銅を流し込まれる。ここにも十六の小地獄があり、その中の雲火霧地獄は、昔酒を勧めて相手を泥酔させ、恥ずかしめを与えたものが墜ちるという。

そして最も底にあるのが阿鼻地獄である。ここでは罪人たちは獄卒に金鋏で口をこじあけられ、熱い鉄丸や溶けた銅を流しこまれる。溶けた銅は罪人の喉から臓器を焼き尽くし、肛門から流れ出る。他の地獄の一千倍の苦しみで、言語に尽くすことは出来ない。その実相を聞く者がいたならば、その人は恐怖のあまり血を吐いて死ぬという。

八大地獄ではその一つ下の地獄に落ちる毎にその苦しさが十倍になり、その長さも十倍になる。そうすると一番下の地獄では十億二千四百年もの責め苦が続くというから、もうこれは想像を絶する世界である。こうした無限の苦しみが未来永劫続くことを人は恐れた。こうした地獄の苦は、人々の恐怖感を煽ることにもなり、人々の間で広く流布した。

極楽浄土に行く場合は阿弥陀仏が迎えにくるが、地獄からの迎えは鬼が曳く火車である。火の燃える車に乗せられ、猛スピードで閻魔王の所に連れて行かれる。そこから大変苦しい情況にあることが「火の車」にたとえられた。『平家物語』巻第六「入道死去」には平清盛が地獄に墜ちる話がある。清盛の妻時子は夢を見た。猛火に包まれた車が門の内へと入ってくる。その前後には牛頭、馬頭の鬼たちがおり、車の前には「無」と書かれてあった。時子がこの札は何かと尋ねると、東大寺大仏を消失させた罪により、清盛が「無」間地獄に墜ちる意味だと答えた。この頃には地獄の迎えは火車が定番になっていた。

しかし現在の進化論に基づく歴史観では、人類の誕生はおおよそ七百万年前ということになっている。地獄の責め苦が十億年以上続くというが、十億年前には、人類は影も形もない。この一事をもってしてもこの地獄は事実ではなく、あくまでも人々の恐怖感に根ざした想像の世界でしかないことがわかる。想像を絶する大きな話となると、思考停止をしてしまうことがある。このようなとてつもない大きな数字を「めまい効果」と言うが、仏教ではこうした方法が多用されている。この地獄観は、人を仏教信仰に向わせるための方便であった。しかしその一方で、悟りの世界に到るには長く果てしない修行とあまりも広大な世界に仏道の志が退き屈することにもなった。それを「退屈」という。

冥府で審判を下す閻魔王

地獄と言えば、閻魔王である。閻魔は閻羅とも呼ばれる。それはサンスクリット語の音訳「閻魔羅闍《えんまらじゃ》」の略である。古くはインドの神で「ヤーマ」と言い、ヤーマには一対という意味があり、ヤミーという妹と双子だった。容姿は女性のような柔和な顔で牛の背に乗り、片手には人の頭の形をした杖を持ち、これであらゆる情報をキャッチし、もう一方の手の捕縄で死者の霊魂を縛って黄泉の国に連行した。『地蔵十王経』ではどんなに嘘をついても浄玻璃《じょうはり》という鏡で過去の行いの全てを映し出すという。鬼官の総司で、地獄王とされ、死後の世界を司る神とされた。それが中国に伝わり、唐末頃に人間の死後に冥府で罪業の審判を下す十王の中心の閻魔天となった。仏教の閻魔天に道教の諸神の思想が加えられて成立した。そのため閻魔王の姿は冠をつけ、道服を着し、笏をもった中国的な役人の姿で目をカッと開き、人々を睥睨する姿となったのである。

我が国では閻魔天の信仰は平安時代の初期には伝わっていた。その頃に成立した『日本霊異記』下巻第

閻魔堂

九に閻魔天のことが見える。「藤原朝臣廣足は孝謙天皇の時代に病気にかかり、それを治そうと大和菟田郡の山寺で書写をしていた。ところが書写の途中で動かなくなったので、従者が揺り動かしたところ絶命していた。そこで従者は廣足の親族を呼びに行って三日後に寺に戻ると、生き返っていた。親族の質問に対し、彼は地獄の様子を説明し、地獄に召されたのは彼の妻が出産の時に死亡したが、その苦を夫と共に受けたいと言うので閻魔王が召したという。そこで廣足は、「私はその妻のために法華経を書写し、経を読んで供養したい」と言うと妻は「それが誠なら許して帰してやってください」と答えた。それで許しが出たが、自分を召した者の名を知りたいと思って尋ねると、「我は閻魔（羅）王、汝が国に地蔵菩薩と称ふ、是なり」と言われた。そして額にまじないの印を付けてやったからもう災いに遭うことはなかろう。すみやかに帰れと言われた」とある。この話では人を裁く閻魔王と人を地獄で人を救う地蔵とが同じものとして語られている。伝来当初は閻魔王も地蔵も地下の冥界の王として認識されていたようである。

かつて教師が生徒の学習結果を記録する帳簿を「閻魔帳」と言っていた。それは閻魔が生前の罪状の記録を書き留めていたのが「閻魔帳」で、それと同じくらいに恐れられていたからである。しかし現在は「閻魔帳」という言葉も次第に使われなくなっているが、それは閻魔王と教師の権威の低下によるものである。

ところで死者の頭に天冠という三角の布を付けるのは、死者が閻魔の庁を通る時、冠を付けてないのは失礼にあたると考えられたからである。中国では死者は特に清浄が求められ、また冠のない者は野蛮人とみなされた。これがあれば極楽に行くことができた。身分の高い人は贅沢な冠で、庶民は安い布や紙で代用した。それが三角の形をしているのは死者の霊魂は蛇と結びつき、それは蛇を象徴するウロコをかたどっているという。

これは日蓮の言葉である。「地獄と仏とはいずれの所に候ぞとたずね候えば、或は地の下と申す経もあり、或は西方等と申す経も候。しかれども委細にたずね候えば、我等が五尺の身の内に候とみえて候」と言っている。地獄も仏も全て自分の身の内にある。つまり人の心の中には仏の世界から地獄の世界まで全て備わっている。だからこそ心の救いが大切であると説くのである。

閻魔王は地獄耳を持っている。たとえ自分の秘密をしっかり守っていても全てお見通しである。地獄に行くような行いをしていながら、極楽を求めるのはあまりにもご都合主義であろう。私は地獄に堕ちるほどのことはしていないと思っていたら一つあった。飲酒など楽な行いを多くしたものが堕ちる地獄で、ここでは常に焼かれたり煮たりされ、そして頭髪を炎で燃やされるので髪火流地獄という。また叫喚地獄の中の雲火霧という小地獄は、昔酒を勧めて相手を泥酔させた者が墜ちる。ここでは業火の中に入れられ、そこから引き出され、果てしなく繰り返すという。しかしこの頃、とみに髪が薄くなってきており、このわずかの髪では、焼かれたとしても大したことにはなるまいと思っている。このように軽くみている者こそ地獄に堕ちるのであろう。もう悠然と地獄の火車を待つ他ない。

肥大化した仏の世界

仏の世界はどんどん肥大化していった。その世界は三つの輪が基礎になり、その最高層の輪を金輪《こんりん》と言う。直径が太陽系ほどもあるその金輪の中心に高さ八万由旬《ゆいじゅん》、それは五十六万kmにあたる黄金の高山の須《しゅ》弥山《みせん》がそびえている。地球から月までが四十万キロで、それよりも高いのだから壮大な規模である。その下半分は水中にある。須弥山の頂上が忉利天《とりてん》で、さらにその上空二二四万kmの所に兜率天《とそってん》がある。須弥山

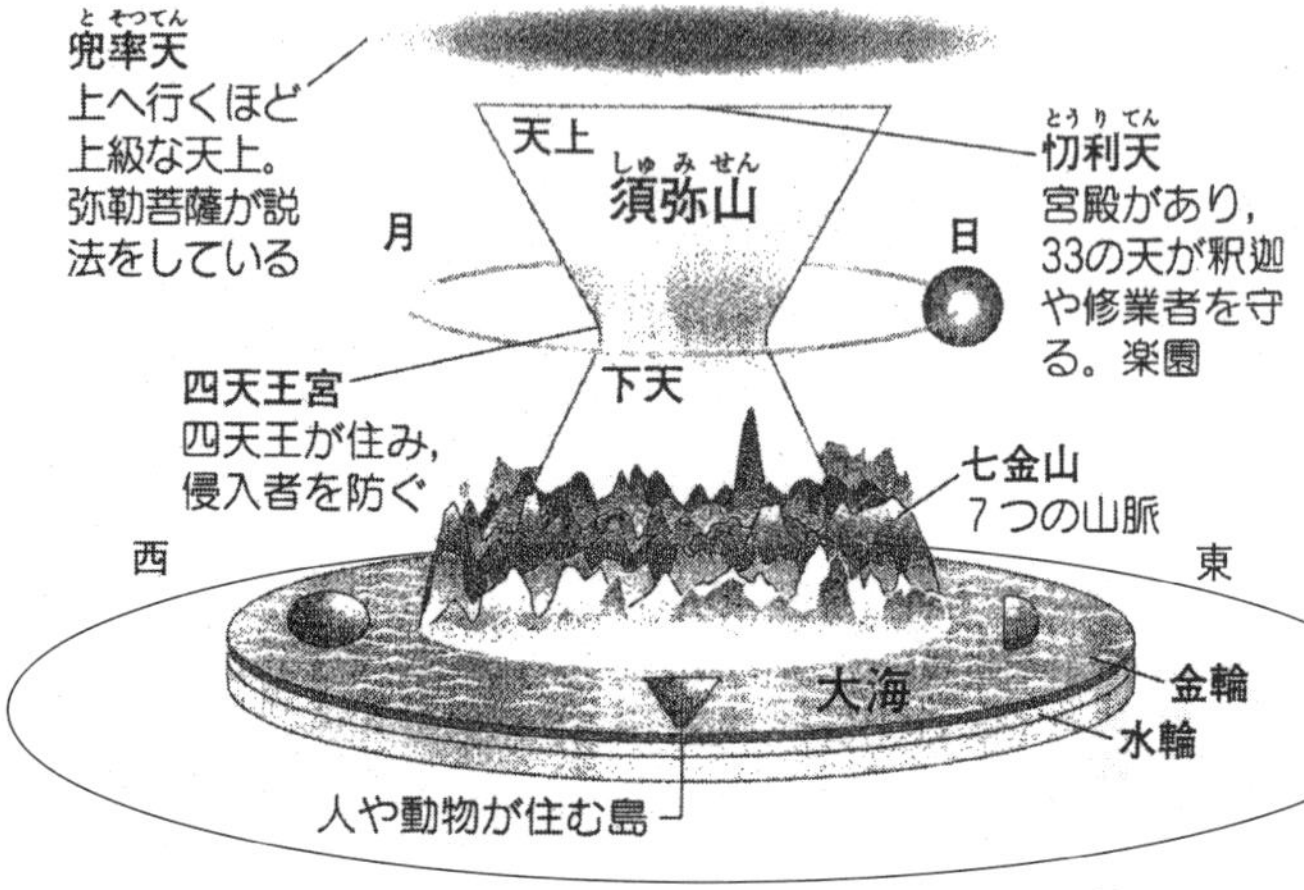

仏教の須弥山世界

の周りは七つの山脈が取り囲む。最も外側の海中に四つの島があり、南の島に人や動物が住んでいる。須弥山の中腹には四天王が住み、邪気を追い払う。頂上には帝釈天をはじめ三十三天が住んでいる。この世界を小世界と言い、小世界千個＝小千世界、小千世界千個＝中千世界、中千世界千個＝大千世界と言う。この三千は千の三乗だから結局十億の世界ということになる。小世界に一つの太陽、一つの月があることになっているから、仏の世界では十億の太陽と十億の月が存在することになる。

　このように無数の世界があり、三千世界（三千大千世界）という途方もない大世界を想定した。少し年配の方には「三千子」「三千代」「三千男」「三千雄」などの名前が散見されるが、これもとてつもない大きく立派に育ってほしいという親心からの命名であろう。仏教の宇宙観では大地の下に金輪があり、さらにその下に水輪、風輪があり、それを突き抜けると虚空になる。人間が墜ちるのはせいぜい金輪までということから、「金輪際」の言葉が生まれた。

　仏の世界の中の時間もとてつもなく長い。「未来永劫」という言葉がある。その「劫」の一年はどれほどの長さなのだろうか。一辺の長さが四十里（七・四km四方）もある巨大な岩石が天女たちが舞い降りるその羽衣が触れることで摩滅するという、ものすごく長い時間が「一劫年」である。人間世界の時間に換算すると一劫は四十三億二千万年に相当し、阿弥陀如来は極楽という浄土を築き、どうすれば衆生を救うことができるかを五劫年も思惟し続けたというが、それは二一六億年という気の遠くなる長い時間である。劫はこれほどの長い時間だから、「億劫」となると気が遠くなり、やる気が起こらなくなる。その「おっこう」が転じて「おっくう」という言葉が生じた。

こうした仏教の須弥山世界の話や人がいろんなものに生まれ変わるという輪廻転生などは、今日の科学的思想を背景にすれば到底信じることはできない。江戸時代の儒学者たちも仏の世界の広大さを批判や攻撃の対象とした。仏教では人間を卑小な存在であることを強調したが、それは人間全体に対して「謙虚になれ」というメッセージではないかと思う。

四　仏の世界

㈠　如来

釈迦如来

「厭離穢土、欣求浄土」と言われるように、人々の浄土への往生を願う欲求には大なるものがあった。またこの世での生老病死の苦からいかにして逃れるかという欲求もまた切実だった。そうした人々の様々な欲求を叶えるために仏の姿を可視化したものが仏像である。その多くは経の内容を形に表したもので、華厳経の毘盧遮那仏、観音経の観世音菩薩、阿弥陀経の阿弥陀如来、弥勒菩薩所問本願経の弥勒菩薩などがそれに該当する。こうして始めは釈迦の姿だけだったが経の仏が加えられ、多くの仏像が成立した。ただ中国ではインドから持ち帰った教典を漢訳したが、その中には偽の経もあった。その一つが盂蘭盆経で、この経によって盂蘭盆の法会が始まり、我が国の夏の行事になくてはならない盆の行事もこれに基づく。突き詰めれば盆の行事は偽経を根本経典としている。それをもとに定着した行事なのである。

人々の要求は実に多様だから、それに応えるために仏像もまた様々な姿になった。その結果、仏が乱立し、どの仏にどのような功徳があるのか、一般には理解しがたくなった。さらに各宗派で仏を選んだりしたため複雑になった。おそらく多くの人々は仏の名前は知っていても仏同士の関係や、その組み合わせなど、またそのご利益などよくわかっていないだろう。

ところで仏教では人の平等を説くが、その仏の世界は明らかな階級社会で上下関係も厳然としている。数多くの仏たちの頂点に位置するのが如来である。その如来は四種あり、釈迦如来・薬師如来・阿弥陀如来・大日如来である。そして次に位置するのが菩薩である。菩薩は仏の智恵を求める者で、仏になる以前の状態で、観音菩薩・地蔵菩薩・弥勒菩薩・普賢菩薩・文殊菩薩などがある。如来・菩薩はその役割からその顔は慈悲相となる。その次が如来や菩薩を守護する天であり、帝釈天・毘沙門天・吉祥天などがある。これらはヒンドゥー教の神が仏法を守る役目をもって仏教に取り入れられた。その次が悪を懲らしめる明王で、不動明王・愛染明王・孔雀明王などがいる。明王・天もその役割から忿怒相となる。

この如来・菩薩・天・明王が仏の基本であるが、それ以外にも羅漢や蔵王権現・日光大権現など、多種多様な仏がいる。これほど多くの仏を受け入れたのは、それ以前から多くの神を信仰してきた多神教の素地があったからである。

仏教が日本に伝来してから既に千四百五十余年になる。その間には聖武天皇が大仏を造立したように、国をあげて仏法の興隆につとめたり、また鎌倉新仏教が庶民への布教を勧めたことなどによって、仏教思想は社会の隅々まで浸透していった。そうした過程で多くの仏が考え出され、また造られていった。数多くの仏の頂点に位置する如来はそれぞれの仏国土を持っている。実在したのは釈迦のみで阿弥陀如来・薬師如来・大日如来などは経典などから導き出されたものである。

もともと如来というのは、悟りを開いた者という意味で、仏になる可能性のある者がこの世に来られ、真実そのものと同一化した時に「如来」となる。最初に如来となったのは釈迦如来である。ただ仏教ではそれ以前にも仏陀となった存在がいたとも考えられ、それが釈迦を含めた過去七仏で、釈迦以前の毘婆尸仏・尸棄仏・毘舎浮仏・倶留孫仏・倶那含牟尼仏・迦葉仏などである。

釈迦は釈迦族の王子ゴータマ・シッダルタで、三十五歳の時の十二月八日に菩提樹の下で悟りを開いた成道の日であるが、今日では太平洋戦争の開戦日として記憶されている方が多い。二月十五日は釈迦が入滅した日で、涅槃会である。涅槃とはサンスクリット語の「ニルバァーナー」の漢字の当て字で、火を吹き消すことを意味し、煩悩の火を焼き尽くして智恵が完成する悟りの境地を指した。釈迦の死後、五百年位たった頃から仏像が作られ始め、多くの像の中で、釈迦であることを示し、またカリスマ性を高めるために特徴的なものになり、それらが集められて「仏の三十二相」となった。

その三十二相を体の上の部分から見ていくと、頭の真ん中の所に大きなこぶのようなものが盛り上がっている。頭の髪はパンチパーマのようにくるくると巻いている。おでこの真ん中に白い毛があり、さらに見た目ではわからないが、口の中の舌は顔より大きく、歯は四十本もあるという。手は長く、手足にはカエルのように水かきがある。そして全身は金色である。足の裏は平らで、かかとが広く豊満である。身長と手を広げた長さが等しく、身長は一丈六尺（四・八ｍ）あるため丈六像と呼ぶ。三十二相の一つの長い舌で話す言葉は全て真実を表すが、その仏の説法になぞらえてペラペラと得意にしゃべることから「長広舌」という言葉が生じた。

釈迦の頭頂が盛り上がっていることについて、インドのヨーガと関係があるという。ヨーガの瞑想は生命エネルギーを凝集し、それを腹から心臓、そして頭頂まで上昇させる。神聖な霊気を頭頂から放出される、この時が解脱、悟りである。その放出時に頭頂の肉が盛り上がると考えられたとされる。

飛鳥にある我が国最古の仏像とされる飛鳥大仏も丈六像と言われるが、実際には二m七十五㎝しかない。それでも丈六と言われるのは、この仏は座像であるため、立てば丈六になるからである。仏像となった釈迦如来は、左手は膝の上に置き、右手は手のひらを前に向けているが、左手は与願、右手は施無畏の形である。これは「抜苦与楽」と言って「願いを叶え」、また「怖がることはない」という意味である。

我が国では釈迦の像は単独よりも釈迦三尊像として祭られる事が多い。その代表は法隆寺の釈迦三尊像である。左右に配置されている仏像は知恵を示す文殊菩薩と慈悲を示す普賢菩薩である。それは悟りの特徴である知恵と慈悲をそれぞれ独立させ、人格化したものである。その後、仏教の発展とともに阿弥陀如来・大日如来・薬師如来などが成立した。

阿弥陀・大日如来

阿弥陀仏は如来となる以前は法蔵菩薩と言っていたが、世自在王仏という仏に出会い、自分もそのような仏になりたいと発心し、人々を救う四十八の誓いを立てて計り知れない長い修行を経て成仏を果たし、西方に極楽浄土を完成して阿弥陀如来となった。したがって阿弥陀仏は人々の救済を真正面から掲げた仏である。限りない永遠の命を持つことから、「無量寿」と呼ばれ、また智恵の光から限りない慈悲の輝きが遍く現れることから、「無量光」とも称される。善人の死に臨んで浄土の世界から迎えに来る。これが「お迎えにくる」ということで、大変めでたいこととされ、そのことを絵画にした来迎図が多く描かれた。人はいつかは死ぬ存在であり、その死に向かうことは不安である。そうした不安を和らげるために考え出さ

東大寺大仏殿

れたのであろう。阿弥陀如来は今ならさしずめ終末介護や終末緩和ケアを行う存在である。また阿弥陀如来の光明は十方の世界を限りなく照らすことから阿弥陀仏は後光がさしているように表現され、その阿弥陀の光の文様から「阿弥陀くじ」という言葉が生まれた。

大日如来は宇宙の命そのものを言う。全てはこの仏から生まれ、この仏に帰るとされる。毘盧舎那仏は大日如来の別名である。毘盧舎那仏は古代インドのサンスクリット語の「ヴァイロチャーナ」を漢字にあてたもので、「光明」「太陽」という意味である。『華厳経』という経典によれば、この世を千の華弁を持つ光り輝く蓮の花になぞらえ、それぞれの華弁毎に百億の国があって、それぞれに如来がいて衆生を救済する。その光り輝く蓮華の総体が毘盧遮那仏である。そういう意味ではこの毘盧遮那仏は究極の如来であり、全宇宙に遍く満ち、遍く光で照らす光明遍照・光輝普遍であった。光輝くことから如来は金色にされる。東大寺大仏はその盧舎那仏だから、人間とは隔絶したスケールにし、本体は黄金色にする必要があった。当時、金の産出のほとんどなかった我が国でそれを行うことは困難にみえたが、聖武天皇の願いが通じたのか、陸奥国で天皇側近の百済王敬福が黄金を発見・献上したことによって黄金に輝く盧舎那仏が完成した。

密教の如来には二種類あり、一つは金剛界の大日如来、今一つは胎蔵界の大日如来とされる。大日如来は太陽をシンボライズしたものであり、天照大神も太陽神だったことから、この神仏は自然と習合した。大日如来は時間も空間も超越した「姿なき仏陀」である。密教においては、この大日如来は宇宙の森羅万象に顕現するが、具体的には様々な仏・菩薩・

明王・神などとなって現れる。それらを図像化したのが曼荼羅である。だから密教においては全ての仏・菩薩・明王・神は大日如来が姿を変えたものだから、それらは全て平等になる。そこでは仏の序列や差別はない。

治暦四（一〇六八）年に即位した後三条天皇は天皇位の象徴の高御座に登壇する前に大日如来の印相を結んだ。それは近臣僧の成尊が大日如来と天照大神の類縁性を説いたためである。それ以前、聖武天皇が菩薩たらんことを目指したが、後三条天皇自身を悟りを開いた如来とし、万民の祈願の対象、万民に慈悲を垂れる存在としたのである。

薬師如来

薬師如来は浄瑠璃浄土に住む仏で、正式な名は薬師瑠璃光如来である。瑠璃（清らかな瑠璃、サファイアのこと）の光のように光輝く大医王仏の意味である。東方の浄瑠璃浄土の教主として、菩薩の時代に誓った十二の大願を成し遂げて、生きとし生ける者の病苦を取り除き安楽をもたらす仏として知られている。どんな病気でも薬師如来の名前を聞くならば、悉く病を除き治すと誓願しているのである。このように薬師信仰は治病を中心とする現世利益の願いから七世紀後半という早い時期より広まった。呪術的・即物的な仏教理解の段階の我が国には受容しやすい信仰だったのであろう。江戸時代に盛んとなった人形浄瑠璃の名もこの薬師如来の「浄瑠璃」浄土に由来する。

初めは釈迦如来と同じような姿をしていたが、平安時代頃になると右手に宝珠か薬壺を持ち、薬指を前に出すようになる。今日で言えば、医療や治療者の象徴ということになろう。左右には日光・月光菩薩を配しているが、日光は真理がいつも露わになっていること、月光はそれが人々に隠されていることを意味する。薬師如来の真言は「オンコロコロシャンダリマトゥギーソワカ」であるが、それは北方の遊牧民であるシャンダリー族の間で信仰されていたものを仏教に取り入れたと言われる。

このように如来は一般に四種であるが、元々は仏教の開祖の釈迦如来だけだった。その後、世の真実そのものを人格化した大日如来を初めその役割を象徴化することで増えていった。元々仏様というのは如来のことだったが、いつの間にか菩薩以下も仏として崇められるようになり、多神教の風土に合うように、その数がどんどん増えていったのである。

(二)　観音菩薩

「法華経」の高い理想を示す

観音菩薩は「観音経」に由来するが、その「観音経」は「法華経」の第二十五章にあり、観音は「法華経」の正しい教えを実践する菩薩である。観音の救済は「法華経」の高い理想を示したものである。鎌倉時代の無住一円の仏教説話集『沙石集』には、「一切の仏の心は慈悲なり。一切の慈悲は観音なり」とある。慈悲の権化が観音であるという。また『報恩品』という経典には「善男子、諸の世間に於いて何者が富み、何者が貧しき。悲母の堂に在す、之を名づけて富むとなし、悲母の在さざる之を名づけて貧しきとなす。悲母在す時、名づけて日中となし、悲母死する時、日没となす。悲母在す時、名づけて月明となし、悲母亡ずる時、名づけて闇夜となす」とある。明治期の日本画の巨匠狩野芳崖の作品に「悲母観音」があるが、悲母は慈愛に満ちた優しい母のことで、観音はその母のように大慈大悲の存在である。

仏教では仏陀となることがいかに困難なことかを強調される。そのために釈迦の超越性や唯一性が主張され、特別扱いされるようになる。釈迦が偉大であったのはこの世の修行だけでなく、遠い過去の時代に菩薩として修行し続けていたからだという解釈が生まれ、釈迦の前世物語が語られるようになる。そこから釈迦の前世にあたる菩薩のあり方に関心が高まり、その結果、菩薩を重視する大乗仏教の素地が作られた。また釈迦が死んでもすぐに後継者が現れるようでは超越性や唯一性の否定につながるから、次に仏陀となる弥勒菩薩の出現は五十六億七千万年後とされるようになった。

菩薩は「悟りに向かう大いなる存在」という意味だが、大乗経典によると菩薩には十地と呼ばれる階位がある。一切衆生の悟りに導くという大誓願をたてることでまず菩薩となり修行を始める。その後、輪廻転生を繰り返しつつ菩薩の境涯を高め、いよいよ初地《しょじ》と呼ばれる境地に達する。その後、二地、三地と階位を登り、最終的に十地に達し、そして仏となる。初地以上の菩薩は通常の人間とは比較にならないほどの高く深い境地を体得し、超人的な性格を備え、煩悩を離れ仏と同じ覚りの境地を一部共有するようになる。このように仏となることは至難のことであった。

しかしその一方で、誰でもそこに到達でき仏陀となることの近さも強調される。そうでなければ多くの修行者や信者や支援者の獲得は困難だからである。この両方を両立させることが必要で、その妥協の産物が大乗仏教の菩薩である。

菩薩は将来、如来になるための修行を積んでその修行が相当進んでいるために人々をも救う。菩薩には観音・地蔵・妙見・弥勒・文殊・普賢・虚空蔵菩薩などがあり、中でも弥勒・普賢・文殊・観音菩薩を四菩薩として特別な信仰の対象とするが、いずれも大乗仏教の経典の中で初めて現れたものである。とりわけ我が国で人気が高いのは観音菩薩で、それに続くのが地蔵菩薩、そして妙見菩薩という順であろう。

インドの観音菩薩は男性

一般に観音さんというのは「観世音菩薩」のことである。しかし有名な『般若心経』の中では「観自在菩薩」となっている。それは『西遊記』で孫悟空を手下にした有名な三蔵法師こと玄奘とそれより二百年ほど前の鳩摩羅什の翻訳が違ったためだと言われる。玄奘は「観自在（求める者の姿に応じて自由自在に救済できる能力)」とし、鳩摩羅什は「観世音(世の衆生が救いを求める声を感じ取る)」と訳した。名前の違いはあれ、「世間の音声を観ずる菩薩」のことで、世間の音声とは人々の苦しみや救いを求める声である。観音は人が災難にあったり、悩んで苦しんでいる時に、観音の名を呼べばすぐにあらゆる姿になって救済するという現世利益の性格が極めて強い。

ところで観音さんは我が国では一般に女性の形容詞とされている。しかしサンスクリットの原典では観音は十六の姿を現わすとされ、全て男性である。ガンダーラの観音菩薩の彫像のほとんどは口ひげを蓄えているように、インドでは男性だった。ところが中国に入って女性化した。中国では観音の住む所は補陀落山という南方の海上の山にあり、東シナ海上の舟山《しゅうざん》群島のこととされた。そこで道教の女神で航海・漁業守護神の媽祖に対する信仰と結びついて観音の女性化が始まった。したがって観音はインドでは男性、中国・日本では女性となった。ただ本当は観音はあらゆる姿をとるから、男性と女性と分ける必要はないのかもしれない。

我が国の観音信仰

我が国の観音信仰はかなり古く、蘇我氏の建立になる大和飛鳥寺の東南の飛鳥池遺跡から「観世音経巻」と記された木簡が確認され、さらに同県の石神遺跡では天武八(六七九)年の「観世音経」木簡が出土した。それが観音について年代のわかる最古のものである。また『日本書紀』朱鳥元(六八六)年七月条には、「この月に諸王臣等、天皇の為に観世音像を造る。すなわち観世経を大官大寺に説かしむ」とあり、同年八月には、「百の菩薩を宮中に坐えて、観音経二百巻を読ましむ」とあるように、七世紀後半頃には、観音信仰は確実に浸透していた。

観音菩薩は様々に変化《へんげ》し、あらゆる者を救済するが、人々の要望はあまりにも多く、観音は多忙を極める。

そのため観音菩薩の体は三十三の姿に変わる。各地の霊場が三十三カ所となっているのは、観音の三十三身に由来する。観音は「観る」ことを重視・強調しているため、いずれも額の中心に第三の目と言われるタテの目が付いている。人の悩みや災厄は尽きることがないため多くの種類の観音が必要となる。その代表的なものが聖観音・十一面観音・不空羂索観音・千手観音・馬頭観音・准胝《じゅんてい》観音・如意輪観音、他にも夢違《ゆめたがえ》観音や救世観音などがある。

まず十一面観音はその名の通り十一の面を持つ。それは正面向きだけでは救える人が少ないため後ろ側や側面にもということで数が増え、とうとう十一面となった。この観音は、頭の上に十個の顔を付けており、本来の顔と合わせて十一面となるが、それはあらゆる人々を救うためである。ただよく見るとそれらの面は様々な相をしている。正面三面は慈悲面で、仏の教えに素直に従う人に慈悲を垂れている姿である。左三面を瞋怒《しんぬ》面で、仏に従わず、勝手な行いをしている者に対して怒り、右三面を狗牙上出《くげじょうしゅつ》面で、善行の人を誉め讃え、後ろの一面は暴悪大笑で笑顔でゆとりを表わしている。そして頂上を仏面とする。

「観音経」には火難・水難・羅刹難・刀杖難・鬼難・伽鎖難・怨賊難の七難があると説く。インドでは何かにつけて七の数字が見えるが、それは七が聖なる数字とされているためである。十一面観音の功徳はその七難以上で十の功徳と四つの果報が得られる。十の功徳は、①病気にならない。②諸仏に守られる。③財物や衣食が足りる。④⑤一切の敵を破る。⑥毒虫・熱病に害されない。⑦刀や杖の災いがない。⑧水難がない。⑨火難がない。⑩横死しない。そして四つの果報は①寿命が尽きる時に十方無量の諸仏を見る。②永く地獄に堕ちない。③一切の禽獣に害されることがない。④死後、無量寿国に生まれる。

次にこの十一面観音よりさらに強力な威力を持つ観音を求める要求から不空羂索呪経という経典に基づいて不空羂索観音が出現した。十一面観音の倍の二十の功徳と八つの果を持つ。東大寺法華堂の不空羂索観音像はその代表で、それは孝謙天皇が母光明皇后のために造立したものである。この観音さんは全ての人を救いとるために羂索（縄）を持ち、頭上に宝冠を載せている。この像には左右に四本ずつの手があるが、それは布施・愛語・利行・同事の四つの羂（縄）をはり、索（つり糸）で救いとるためである。

その不空羂索観音をさらに上回るのが千手観音である。この観音は一度に千人の救済が可能である。千手観音は頭に十一面観音と同じように十一の化仏を付け、さらに不空羂索観音の八本の手が千本に増えている。したがって千手観音は十一面観音と不空羂索観を合体させたものである。ただ手はたくさんあるものの、千本あるとは思えない。では「千手」の看板に偽りがあるということになるが、観音はどこかの大手ホテルや、どこかの料亭のように偽装はしない。ちゃんとした理由がある。観音の手は一本で二十五の世界の人々を救うことが出来る。したがってその二十五に四十をかけると千の手となる。それでは二本の手が余るが、それは観音本体の手だから、結局四十二本となる。『梁塵秘抄』三十九番の今様である。「万の願よりも　千手の誓ひぞ頼もしき　枯れたる草木も忽ちに　花咲き実なると説い給ふ」と千手観音を讃えている。

東大寺法華堂

さらには何でも叶えるというので、如意輪観音なども考え出された。如意輪は意のままになる車輪を持つ観音の意味である。この他、慈母観音・子育て観音・救世観音などのように、救いを求める人に合わせて姿を変える。六道に迷う人を救う菩薩として六観音信仰が盛んとなり、東寺密教では、聖・千手・馬頭・十一面・准胝・如意輪観音を、天台密教では准胝の代わりに不空羂索を数えて六観音とした。馬頭観音は観音にしては珍しく憤怒の表情をし、頭上に馬の頭を載せている。もともと輪廻聖王と言われた王が駿馬に乗って四方の敵を蹴散らしたように、恐ろしい顔をして人々の度肝を抜き、人々をたしなめ、全ての悪や障害を取り除く慈悲心を表しているという。

准胝観音は命の源泉を司る仏で延命長寿の霊験がある。「准胝陀羅尼」を唱えると今までの罪が消え、寿命が延び、悟りを得て聡明になり、子を授かるという利益があるとされる。このように観音は人々の要望に気軽に応えてあらゆるものに変化していくのであるが、そうすると本来の観音がわからなくなるので、もとの観音を聖（正）観音と呼ぶようになった。

霊験あらたかな観音霊場

『梁塵秘抄』三一三番には「観音験《しるし》を見する寺　清水石山長谷の御山　粉河近江なる彦根山間近く見ゆるは六角堂」とあり、その当時の観音の霊験あらたかな寺の名前を列挙している。京の清水寺、近江の石山寺、大和の長谷寺、紀伊の粉河寺、そして再び近江の彦根山、京の六角堂である。こうした霊験あらたかな霊場が現れるようになるが、それは寺院側が本尊の霊験をこぞって強調したからである。当初は国家の経済的庇護を得る目的だったが、十世紀頃になると、経済力豊かな貴族たちに向けて、霊験利益を強調した。『枕草子』二一三段「清水などまゐりて」などのように、その頃には貴族社会の中に完全に定着していた。さらに十一世紀頃には一般民衆にまで勧進活動を拡大し、こうしたことによって観音信仰の底辺拡大が図られた。

今一つ観音は、「もし大水に漂うようなことがあっても、御名を称える者があればたちまち浅い所に逃れることができる」という経文があることから、水難・海難から救済し、航海の安全を守護する功徳があるとされる。一五八番「観音深く頼むべし　弘誓の海に船浮かべ　沈める衆生引き乗せて　菩提の岸まで漕ぎ渡る」（観音菩薩を深く頼むがよい。人々を救う誓願の海に船を浮かべ、海に沈んでいる人々を引き上げ乗せて、悟りの彼岸浄土まで漕ぎ渡ってくれるのだ）

鑑真の日本への渡航を詳細に記した『唐大和上東征伝』には、「岸を去り漸く遠ざかれば、風急に波峻し、水黒きこと墨の如し。沸く浪一たび透くんで、高山に上るが如し。怒れる濤再び至りて、深谷に入るに似たり。人皆荒れ酔いて、但だ観音を叫ぶのみ」とある。鑑真一行は嵐にあって難破しそうになった時、人々は口々に観音の名を呼び、それによって救われたという。唐代には既に観音が海上交通の守護する仏と認識されていたのである。

『日本霊異記』上巻第十七「兵災に遭ひて、観音菩薩の像を信敬し、現報を得る縁」には伊予国の話が載せられている。「伊予国越智郡の郡司大領の越智直が百済を救うために出兵したが、敗れて唐兵に捕われ連行された。その八人は同じ島に住んでいる仲間同士で、観音菩薩像を得て、彼らは熱心に祈った。そしてひそかに松の木を切って船を造り、その観音菩薩を船の上に安置し、仏に願をかけ、ひたすらすがった。すると西風に乗って真っ直ぐに九州に辿り着くことができた。朝廷はこのことを聞いて、憐れに思い何でも願いを言ってみよと言うので、越智直は、「郡をつくって朝廷に仕えたいと思う」と言った。そこで天皇はこれを許可したので、以後、越智直は越智郡をつくり、寺を建てて、その観音菩薩を安置した」と言う。このように観音菩薩は航海成就の功徳が強調される。

円仁の『入唐求法巡礼行記』承和五（八三六）年には、遣唐使船が荒れ狂う海に翻弄された時、船上で観音菩薩を描き、読経・誓願を一心に称えたところ、海が安らかになった話や、『古今著聞集』巻二・釈教第二「生智法師渡時観音の利生を蒙る事」にも、宋に渡る船が、激しい嵐に遭い、遭難の危機に際し、船中の人々が観音経を読誦し、死地を脱したと記す。

中国には次のような逸話がある。武徳年間（六一八～六二六）に嘉陵江で突風が起こり、たまたまその時に河を渡っていた船が沈没してしまった。乗船していた六十数人の人たちは溺死したが、その中で一人だけ助かった娘がいた。その娘は観音経を念じ、その経箱を頭上にいただいていた。岸に上がった時、その経箱は少しも濡れていなかった。『観音経』には、「観音力を念ずれば、波に沈むこと能わず」というように観音力を讃えた文章があり、さらには火難、盗難などあらゆる災い遭っても恐れることはないという。沿岸航路に関わる人が多い地域に観音信仰が根強くあるのは、こうした観音の水難から守るという功徳の故であろう。

世俗的な願いを叶える

『日本霊異記』上巻第三十一には、「聖武天皇の時代、御手代東人《みてしろのあずまびと》という人物が吉野山に入って修行をした。三年後、観音の名号を唱えながら「銅銭万貫、白米万石、好き女多く施せ」と祈った。その頃、従三位粟田朝臣の娘が難病にかかってしまった。父の粟田朝臣は八方を尽くして治病の出来る禅師や優婆塞を探させ、ついに東人に出会った。東人は呪文を唱え、その威力によって娘の病気は治癒した。娘は東人を気に入り、とうとう通じてしまった。娘の親族たちは東人を監禁したが、娘は東人を慕って泣き、その場所を離れなかった。そこで仕方なく二人を夫婦にし、家の財物も与え、貴族の位である五位も賜った。それから数年後、その女は死の床につき、妹に言った。「私は東人の恩を永遠に忘れない。あなたの娘を東人の妻とし、家の中を守って欲しい」妹はその遺言を受け入れ、娘を東人の妻とした。こうして東人は現世で大福徳を得たが、これは修行の徳によるもので、また観音の威徳によるものである」と述べている。このように吉野山で三年も修行した者が金と食べ物と女を求めるという、あまりにも世俗的な願いであるが、観音はそれでも受け入れ、願いを叶えたというのである。当時の仏教が世俗的な要素を強くしていることをこの話は示している。

同書中巻第四十二「極めて窮しき女、千手観音の像に憑《よ》り敬ひ、福分を願ひて大富を得る縁」では千手観音の功徳を説く。左京に住む海使表女《あまのつかいみのめ》は九人の子を産み大変貧しかった。そこで一年近く寺の千手観音に福を願った。淳仁天皇の天平宝字七（七六三）年十月十日に、思いがけず妹が皮製の大型の箱を持ってきて、すぐに取りに来るから置いてくれと言った。それには馬の屎染が付いていた。しかしいつまで待っても妹が来なかったので中を開けてみると銭が百貫あった。そしていつものように千手観音に詣ると、観音の足に馬の屎が付いていたので、銭は観音がくれたものであることがわかった。千手観音を信仰すれば、福分が与えられ、大きな富を得られるという話である。

『今昔物語集』巻十六第十五話に「観音仕へる人の竜宮へ行きて富を得たる話」がある。京の貴族屋敷に仕えていた貧しい若い男がいた。この男は観音菩薩を信仰し、また百寺詣でを行って仏を拝んでいた。いつものように寺に詣ったところで五十歳ばかりの男に会った。その男は杖の先に蛇をつかまえていた。若い男はその蛇をどうするのかと聞くと、生きていくためには殺生も仕方がないと答えた。そこで着ていた綿衣と蛇を交換してその蛇を受け取り、小池に離してやった。するとその助けられた蛇が若い女性になって現れ、若者にお礼がしたいと言った。その後の話は浦島太郎の竜宮城と実によく似ている。そして極楽のような所から帰る時に黄金の餅の半分を貰った。これは少しずつ割ればまた元のように回復するので、欲しい物は皆手に入り大富豪になった。このように熱心に観音を信仰しておれば、竜王の宮を見、さらには金の餅も手に入れ、大金持ちになれるという話である。

神仏の示現や誓願などの由緒に基づいて法会・供養などを行う日を縁日と言うが、観音の縁日は毎月十八日である。『今昔物語集』巻十四第六話「修行の僧越中立山に至りて小女に会ひたる語」に、「今日は十八日観音の縁日の日なり」と見える。三井寺の僧が仏道修行のために越中立山に詣でて地獄の原に行った時、二十歳前の若い女が人気のない所にいた。女は僧に、私は鬼神ではない、そして私は今地獄に墜ちているということを話し始めた。僧は地獄に墜ちたあなたがなんでこんな所に出て来ているのかと聞いた。娘は次のように答えた。今日十八日は観音の縁日で、私が生きていた時、十八日にただ一度精進して観音を念じた。すると月ごとの十八日には、観音が地獄に来て、一日一夜私の代わりに苦を受けている。その間、私は地獄を出て、休息しているのだと。言い終わると姿を消した。なおこの立山は、その荒涼たる姿から地獄谷とされ、同書に「日本国ノ人、罪ヲ造テ多ク此ノ立山ノ地獄ニ堕ツ」とあるように、現世で罪を犯した者の多くが死後、立山地獄に堕ちると考えられていた。

また同書巻十九第三十九話の「美濃守の侍の五位、急難を遁れて命を存する語」という話がある。ある男は日頃観音を念じていた。十八日の日、造りかけた家の大きな柱が男の頭の上に落ちかかった。普通なら頭も首も折れてしまうはずであったが、観音の助けによって禍を逃れることが出来たという。

清水寺と長谷寺は観音の霊場として知られる。清水寺の観音の霊験を語る話が『今昔物語集』巻十九第四十話に見える。検非違使の忠明という人物が清水寺に詣でた時、京を暴れ回っている若者と諍いになった。始めは喧嘩だったが、そのうち刀を抜いての大立ち回りとなった。大勢の京童に責め立てられ、忠明は清水の舞台へ逃げたが、下からもやって来るので逃げ場を失った。絶体絶命のピンチとなり、本堂に向かって「観音、助けたまえ」と一声かけて、下板を抱え欄干に立って谷底に飛び降りた。すると彼の抱えていた板が風にあおられ、鳥が舞い降りるように緩やかに着地した。そしてそのまま逃げ去ることが出来た。また同第四十一話には、清水の舞台から誤って幼子が落ちてしまったが、観音に「助けたまえ」と祈ったら落ち葉の多く積もった上に落ちて無事だったという話もある。

人の名にも観音信仰の影響が見える。菅原道真と同じ年に生まれ、道真と無二の親友だった人に紀長谷雄がいる。彼は道真と同じく大学頭となり中納言にまでなっているが、父の紀貞範が長谷寺に願をかけて生まれたので、「長谷」雄と命名したのである。

観音菩薩が住む補陀落世界

観音信仰の究極の姿が補陀落《ほだらく》渡海である。観音菩薩が住むという南方の浄土、補陀落世界を目指して大海原に船出をした人々がいた。戦国時代に我が国にやってきたルイス・フロイスの書簡の中に伊予国の堀江で行われた補陀落渡海の様子が記されている。「伊予国と称する国の内（中略）堀江と称す所に着いた時、我等が到着した六、七日前、悪魔に犠牲を捧げたことを聞いた。其の方法は次のようで、当地方においては常に行われていた。六人の男子と二人の夫人が一団となり、数日前より町を巡って喜捨を求め、これを集めた後、友人及び親戚に別れを告げ、彼らが期待していた阿弥陀の光栄に入ることを長く猶予することはできず、速に行きてこれを求めんと言い、甚だ好きな衣服を着け、喜捨の金を袖に入れ、多数の人に送られて海岸に至り、一艘の新造船に乗り、頸・腕・脚、及び足に大きな石を縛し、再び海岸の諸人に別れを告げると、此らの諸人は多く涙を流して泣き、其の幸福に入ることを心中大に羨望するの状を示した。彼等は海上に漕ぎ出で、親戚友人は船に乗ってこれに随い、再び彼等と決別する」とある。このように観音信仰は中世の時代に頂点に達していた。補陀落山《ふだらくせん》は二荒山《ふたらせん》という当て字を二荒を「にこう」と音読し、「日光」の漢字を当てた。日光東照宮の「日光」も遡れば観音信仰に由来するのである。

観音菩薩は即物的な願いを叶えてくれる存在だったからこそ、多くの人々に親しまれた。その内容は、朝廷や貴族たちの鎮護国家の願いから、民衆の危難から救い、富をもたらすなど多様であった。その中でも観音説話で一番目立つのは、貧者が観音の霊験によって財を得て栄えたという話が頗る多い。だから観音信仰の核心は現世利益の希求にあったと言える。それは宗教的に不純で呪術的ともされるが、しかし願えば直ちにそれを叶えるという観音はせっかちな日本人の気質に合っていたのであろう。これが観音の人気が高い最も重要な理由であろう。

㈢　地蔵菩薩

地獄の救済者

観音菩薩に次いで人気があるのが地蔵菩薩である。延命地蔵・身代わり地蔵・子安地蔵・子育て地蔵・水子地蔵・とげ抜き地蔵など、たくさんの地蔵がある。お寺の境内には必ずと言っていいほど、地蔵が安置されている。これほど親しまれているから、地蔵はもとから仏さんだと思っている人は多い。しかし本来はインドのバラモン教の神々の一つで、地蔵の他にも日蔵・月蔵・天蔵などがいた。バラモンの教えでは大地は母性の象徴で、母なる大地の慈愛によって人々を苦しみから救うことが出来ると信じられていた。大地の神である地蔵を仏教が取り入れ、地獄の衆生の救済者として地蔵菩薩が成立した。

釈迦の入滅した後、弥勒が世に下って衆生を救うまでの仏のいない時代に衆生を救うと信じられ、特に地獄における救済の仏として信仰された。我が国の地蔵信仰は奈良時代の天平年間に遣唐使が地蔵に関する三つの経典をもたらしたことに始まる。これらの経典を通して次第に死後の地獄の世界が意識されるようになった。

『今昔物語集』巻十七にある五十の説話のうち三十二が地蔵に関するものである。地蔵を信仰する者はこの慈悲によって蘇生し、また極楽浄土に往生する。地獄は必定とされる衆生のための信仰だから、貴族的要素は希薄で、物語に登場する人々も庶民が圧倒的に多い。造寺・造塔の功徳を積むことのできない下層の人々に受け入れられた。

嵯峨天皇の子の仁明天皇は臨終間際に出家した最初の天皇であると言われるが、その四十九日の法要では清涼殿に地蔵菩薩像を安置して営まれた。地蔵信仰は平安時代初期には天皇家や上流貴族の間にも広がっていたようである。

六地蔵

寺に行くと地蔵は単独でなく、六体が並んでいることが多い。いわゆる六地蔵である。これは六の数字に意味がある。仏教では地獄道（人間としての良心や愛情がなく、常に生命の危険にさらされ、おののいている状態）・餓鬼道（食の報いによって堕ちる世界。常に嘔吐物を求め、空腹に苦しみ続ける食吐という餓鬼、常に水を求める食水という餓鬼、屍を焼く火を食うが、不足して飢える餓鬼、昼夜に五子を食うもなお飢えに苦しむ餓鬼など、様々な餓鬼に生まれ変わる世界）・畜生道（牛馬や獣や虫などに生まれ変わり永遠に苦を受ける世界。人によって酷使されたり、殺害されたりする）・修羅道（戦闘を好み、帝釈天と戦う世界）・人道（執着してやまない世界）・天道（欲界・色界・無色界からなり、理想的な世界とされるが、しかしいずれは全てが衰える五衰の相が現れ、塵や垢にまみれ、眷属にも見放されてしまう）という六つの迷いの世界（六道）があり、この六道に迷ういずれの人たちをも救済するために六地蔵となった。

ただ六道の中に人道が入っているのはインドでは自然が厳しく、生きること自体が苦であったため、死後に輪廻転生して再び人間として生まれ変わってもそれは苦であり、絶対的な悟りの世界が求められたからである。しかし中国では、自然環境に恵まれ、この世に生きていること自体が楽しみだから、少しでも長生きしようと様々に試みられた。日本もまた温暖で暮らしやすく、死者の死者の霊魂は生者の身近にあって子孫を見守ると考えられたから、人道が苦という感覚は一般

六地蔵

には根付かなかった。

三途の川の地蔵

地蔵は子供を救う仏として知られる。親より先に死んだ子供は三途の川を渡れないという。三途の川（葬頭川《そうずがわ》・三瀬川《みつせ》・渡り川ともいう）はこの世とあの世の境界にあり、冥土に行く途中に死者が初七日に渡ると信じられている川である。そうした三瀬川の観念は源信の『往生要集』よりも十年以上前に書かれた『蜻蛉日記』（下巻）に見えている。道綱「みつせ川浅さのほども知らせじと思ひしわれやまず渡りなむ」女「みつせ川われより先に渡りなば汀《みぎわ》にわぶる身とやなりなむ」とある。『源氏物語』「朝顔」巻で、光源氏は今は亡き藤壺を慕って三瀬川を詠んでいる。「亡き人を慕ふ心に任せても影見ぬみつの瀬にや惑はむ」と見える。さらに『平家物語』巻六「入道死去の事」にも「また帰り来ぬ死出の山、三瀬川」とあり、死者の魂が他界に行くのに渡る川であった。

死者はこの川を渡り、冥界の王の裁きを受け、極楽往生か地獄に堕ちるかが決められる。その冥界の王というのは閻魔大王を初めとする十王である。それを仏教では十王思想と言い、その思想に則って作られたのが『仏説地蔵菩薩発心因縁十王経』である。それによれば河のほとりには妻の奪衣婆《だつえば》と夫の懸衣翁《けんえおう》という二つの鬼がいて、亡者を川向こうに追い立てるが、その際、「初開の男」に女亡者を背負わせるという。「初開の男」というのは、その女が初めて体を許した男ということだから、何やら卑猥な小説のタイトルのようである。しかし生涯処女であった人には背負ってもらう男がいないことになるし、また何度も「初開の男」となった者は何度もかり出されることになるのだろうか。しかし平安時代に処女性にこだわっていたことは考え難いから、それは極楽で夫婦が再会するというたとえではないだろうか。その頃、夫婦は「一蓮托生」「夫婦は二世」とされ、極楽浄土では夫婦は一つの蓮華の上に暮らすと考えられていたから、先に死んだ者は連れ合いのために蓮華の座を半分空けて待っていなければならなかったのである。

三途の川には三つの渡りがあり、上にあるのが罪の浅い者が渡る山水瀬《さんすいせ》と呼ばれる浅瀬、中には金銀七宝で造られた橋があり、善人が渡る。そして下にあるのが悪人の渡る強深瀬《ごうしんせ》と呼ばれる深い瀬である。また河のほとりにいる奪衣婆は死者の衣をはぎとり、それを衣領樹に懸け、その衣服の重さで罪を量るという。地獄では現世の身分標識である衣服ははぎとられ、現世での身分は通用しなくなる。菅原道真を左遷した醍醐天皇は地獄に落ちるが、最高の貴種である天皇でさえ、地獄絵では裸で描かれている。後の時代になると皆船で渡るというようになり、その船賃が六文なので、それがないと身ぐるみはがれるというように変わっていった。

その三途にある賽の河原は、子供が死んでから苦を受けるとされている所である。そこでは小児が石を積んで塔を作ると大鬼が来て崩しそれを繰り返す。しかし地蔵菩薩が来て、子供を救うという。近畿地方や京都では八月二十三日、二十四日頃、地蔵尊の行事が盛んで、町内の辻などに安置されている地蔵に子供たちが化粧を施し新しい衣装を着せ、香華・鏡餅・南瓜・ほおずきなどを供えている。子供たちにとって夏休みの最後の心弾む行事の一つである。

『古事記』のイザナギ・イザナミの話では、「其の黄泉の坂に塞りし石は、道反之大神と号け、亦塞り坐す黄泉戸大神とも謂ふ」と記す。塞の神のいるあの世とこの世の境界が賽の河原と観念されていた。そしてこの賽の河原は実際に平安京にあった。その場所は鴨川と桂川の合流する付近の河原（京都市南区塔ノ森）で、それは平安京の西二坊大路の南にあたり、その西二坊大路のことを佐比大路と呼んだ。そこは人々の葬送の地であり、飢饉や流行病のたびに死体があふれていた。その場所を佐比の河原と呼んでいたことから賽の河原となった。また京都には西院（さいいん）という地名や阪急の駅名があるが、京福電鉄の西院駅は「さい」と読む。こちらが本来の読みで「賽の河原」に由来すると言われる。こうしたことから見ると、平安京には幾つもの「賽の河原」があったと考えられる。

私たちも遅かれ早かれいずれ三途の川を渡らなければならないが、三つの渡り場のうちどの道を渡ることになるだろうか。こうした見えぬものを恐れる心が、自分の現在の行いを点検し、謙虚な態度をとることにつながるのではなかろうか。

㈣　弥勒菩薩

盛んな弥勒信仰

弥勒菩薩については多くの漢訳仏典があるが、そのことは中国において弥勒信仰がいかに盛んであったかを示している。大きく分けて弥勒の浄土である兜率天への上生を説く経典と兜率天から人間世界への下生を説く経典になる。人は兜率天に上生すると天女が身の世話をしてくれるという。これは男性にとっては有り難いことだが、女性の場合はどうなるのだろうか。そして兜率天の弥勒は五十六億年の後には第二の釈迦として人間世界に下生してくると説かれる。すると兜率天に上生していた人間たちも、弥勒下生の時にそれに従って必ず人間世界に下生することが出来る。この点が浄土教などと大きく異なっている。つまり浄土教では一度西方の極楽浄土に往生すれば二度と人間世界に戻ることはできない。しかし弥勒の兜率天に上生しておれば、人間世界に戻ることができる。つまり浄土教では人間世界と死後の世界は片道切符であるのに対し、弥勒信仰では往復切符が約束されているのである。再び人間世界に帰ってきたい人には弥勒信仰がお勧めなのである。

弥勒菩薩と言えば、京都広隆寺の弥勒菩薩像が著名である。我が国の国宝の第一号であるだけに、ほほえみを浮かべた姿は大変優美である。右足を左足の上に乗せ、右手の指を頬にあてて何かを考えているので、半跏思惟像とも言う。弥勒菩薩が考えているのは釈迦に代わり一切の衆生を救うために永遠の楽土を実現することである。弥勒菩薩は兜率天という仏界で修行を続け待機している。

この弥勒信仰は、釈迦入滅後の衆生救済の必要からインドのベレス地方から起こった。それは『弥勒下生経』『弥勒上生経』『弥勒成仏経』という経典に拠っている。その上生経によれば、命の終わらんとする時、弥勒の浄土の兜率天に往生せんと願う者は瞬時にその願いを叶えることが出来ると説く。その信仰は早くから中国に受容され、竜門や敦煌の石窟では多くの弥勒菩薩が彫られ、また当時の政治や社会にも大きな影響を与えた。弥勒がこの世に現われ、理想の政治を行なうという民衆の願望が度々の反乱や蜂起につながっていた。一方、為政者の側もこれを利用し、とりわけ則天武后は自らを弥勒下生仏としたことはよく知られている。我が国でも平安時代に弥勒信仰は浸透し、真言宗の開祖空海は高野山を弥勒浄土と位置づけ、高野山入定によって弥勒下生を期待するという下生信仰の一形態を示した。

㈤　妙見菩薩

北極星・北斗七星を神格化

我が国の北極星・北斗七星信仰は飛鳥時代から見られる。昭和四十七（一九七二）年に高松塚古墳が発見された時、石室の天井に星座が描かれており、既にこの頃に陰陽道に基づく宇宙観が導入されていたことがわかった。また昭和五十八（一九八三）年に発見されたキトラ古墳でも天井に北斗七星などを描いた天文図があった。こうした星に対する信仰は陰陽道や道教だけでなく、仏教の妙見信仰にも見られる。

妙見信仰というのは、北極星及び北斗七星を神格化した妙見菩薩に対するものである。北極星は北辰とも言い、多くの星が動いていく中で、永遠に動かないという現象が天の統治者（天帝）にふさわしいとして重要視された。王に徳があれば北斗七星の光が明るく輝き、国が栄える。暗ければ災いが起こる。地上の王宮を中心とする政治的構造を天空に反映させたもので、天帝が天空を支配するように、地上においては天皇が全国土を支配することを象徴的に表現したものが天文図である。当時の中国では、「天皇」の語は北極星を表わす宗教的なものとされていた。

「泰斗」という言葉がある。それは仰ぎ見るようなその道の権威者のことであるが、それは「泰山北斗」の略で、中国では仰ぎ見る山が泰山、仰ぎ見る星が北斗であった。このように中国では早くから北斗七星に対する信仰が根付いていた。北極星の象徴を太極とするが、七世紀半ばの皇極大王の名はその一身に北極星と北斗七星を具備し、象徴している。

こうした天文に関する記事は『紀』の天武天皇の時代に多く見られようになる。天武五（六七五）年正月条には、占星台が設置され、それ以後、多種多様な天文異変が記される。天武天皇が死去した直後、大津皇子の変で天文技能を持つ新羅僧行信が飛騨に左遷されているように、天文知識と政治的事件とが深く関わるようになる。奈良時代には、密教的陰陽道である宿曜道の盛行に伴って北極星（妙見）信仰が流行する。この信仰は地方にも広がったようで『続日本紀』宝亀八（七七七）年八月十五日条には美作国勝田郡に「妙見寺」の名前が見えている。

平安時代には密教の経典として『北斗七星延命経』がもたらされ、個人の寿命や吉凶や運命などは北斗真君や北斗星君と呼ばれた北斗七星を初めとする星宿に所属していると信じられた。道教では北斗七星の第一星は人の死を司り、残る六星が人の寿命を決めるとされた。天上から腰を屈めて人間の様子を眺めている姿にも見え、その善し悪しによって寿命を延ばしたり縮めたりするという。そうした信仰は陰陽道にも見られ、人は生まれ年の干支から北斗七星のいずれかの星に属しているとされる。貪狼星・子年、廉貞星・辰と申年、巨門星・丑と亥年、武曲星・巳と未年、禄存星・寅と戌年、破軍星・午年、文曲星・卯と酉年などであった。寛平年間の宇多天皇の頃から三月と九月に天皇が北辰に灯火を捧げる御灯が年中行事になった。北斗七星の中のその年に当たる星を拝むようになり、そして自分の本命属星を供養すれば、一切の災禍を取り除き、長寿・富貴、さらには一切の願望が叶えられるという。延命息災法としての星供養は北斗法と呼ばれる。密教では北極星を尊星王《そんしょうおう》とも呼び、とりわけ天台宗の円仁の創始した三井寺の寺門派では、それを祭る尊星王法は秘法とされた。平安時代中期、『小右記』の作者として知られる藤原実資は、右大臣に就任できたのは尊星王に祈ったことによると記しているように、熱心な信者であった。

こうした信仰は民間でも広く行われ、延暦十五(七九六)年三月条には三月三日と九月三日になると、人々が仕事を忘れ、たくさんの者が集まり、男女が混雑するので、北辰を祭ることを禁制し、それに背く者は僧であれば僧綱に送り、俗人は違勅罪で処罰するとしている。一般民衆の妙見信仰は上層社会よりも現世利益傾向が強く、攘災招福を望むもので、呪符とかなり近い性格を持っていた。時の政府は妙見信仰自体は禁止せず、多数の群衆が集まることによる「夜祭歌舞」「歌垣」「群飲」「男女混淆」などが社会風俗の紊乱につながるとして禁令を出しているが、徹底的に取り締まることは出来なかった。

妙見菩薩の功徳

仏教の妙見菩薩の信仰は、『日本霊異記』にも見え、「妙見」の名から盗難に遭ったとき、犯人を発見する功徳や眼病の治癒に効果あるとされた。同書には、妙見信仰に基づく説話が三話収録されている。

上巻第三十四「絹の衣を盗ま令《し》めて、妙見菩薩に帰願し、其の絹の衣を修得する縁」には、「紀伊国安諦《あて》郡私部《きさきべ》寺《てら》の前に住んでいた人が絹の衣を十枚盗まれたので、妙見菩薩にすがって一心にお祈りをした。その絹は市の商人に売られたが、七日もたたないうち俄につむじ風が起こって絹は吹き上げられ、その絹をまとった鹿が南を指して行き、元の主の家に絹を置いて天に去っていった」とある。妙見菩薩の化身である鹿によって奪われたものが返ってきたという話である。この話は『今昔物語集』巻十七第四十八話「妙見菩薩の助けに依りて盗まるる絹を得る語」にも収録されている。

下巻第五話「妙見菩薩、変化して異形を示し、盗人を顕す縁」には、「ある人が河内国の安宿郡内に信天原の山寺で妙見菩薩への供養として燈明をあげ、僧にも銭や財物を布施した。その弟子は布施の銭五貫を盗んで隠し、後でその銭を取りに行ったところなくなっていた。その場所には弓矢に射られた鹿が死んでいた。そこで鹿を担うために河内の市のほとりにある井上寺に帰り、人を連れて戻ったところ、鹿ではなく銭五貫があった。こうして盗人の正体がわかった。この鹿は妙見菩薩が変化させたものであった」とある。

下巻第三十二話「網を用いて漁夫、海中の難に値《あ》ひて、妙見菩薩に憑《よ》り願ひ、命を全くすること得る縁」には、「呉原忌寸名妹丸《くれはらのいみきなにもまる》は大和国高市郡の波多里の人で、幼い頃より網をつくり、魚をとって生活をしていた。延暦二（七八三）年八月十九日に紀伊国海部郡内の伊波多嶋と淡路の国との間で漁をしていた時、三艘の船に九人が乗り込んでいたが、急に大風が吹き船は難破し、八人は死んでしまった。生き残った名妹丸は漂流していたが、真心を込めて妙見菩薩に祈り、「もし私の命を救ってくれれば、自分と等身の妙見像を作ろう」と言った。気も遠くなっていたが、月夜に目を覚ますと、海部郡の浜の上だった。このようにただ一人命拾いしたことは妙見菩薩の大慈悲と名妹丸の信心のおかげである」という。このように妙見菩薩は福を招き、延命の効果があるという現世利益が強調されている。

日蓮宗の妙見信仰

鎌倉時代には日蓮宗の開祖日蓮が伊勢常明寺で妙見菩薩を感得したとされ、日蓮宗の寺院では守護神として祀る習わしが広く行なわれ、広い階層に信仰されるようになった。

時代は下るが、江戸時代の著名な浮世絵画家に「富嶽三十六景」の代表作で知られる葛飾北斎がいる。彼は生涯で九十三回も転居を繰り返し、その画号も自分の本当の実力を問うために三十回も改名しているように、変化を好んだ人物だった。その「北斎」の画号も妙見菩薩信仰に由来する。画号の前半部の「葛飾」はその地は江戸郊外の景勝地として知られ、またかつて千葉氏の領地であったが、その千葉氏は妙見菩薩を守護神として篤く信仰していた。武家の出と称していた北斎にとって自己のアイデンティティに関わるものであった。また北斎の生活圏内には、妙見菩薩を本尊とする柳嶋妙見山法性寺が存在していたことも画号由来の一因だったかもしれない。

幕末期の江戸はまだ武士の時代で、剣道道場が多くあった。とりわけ、三大道場と言われたのが、斉藤・桃井・千葉道場である。その中で千葉道場を始めた千葉周作は、現在の剣道のスタイルを作り、またその門人に幕末の志士坂本竜馬がいたことでも知られる。その千葉周作の剣道の流派が北辰一刀流である。その「北辰」というのが北極星や北斗七星を意味していた。おそらく不動心を北極星にたとえて名付けられた命名と思われる。

さらに時代は下るが、詩人宮沢賢治も熱烈な日蓮宗の信者であった。賢治の代表作「銀河鉄道の夜」にはたくさんの銀河や星が登場する。この背景には日蓮宗の妙見信仰があった。賢治は盛岡中学の生徒だった頃は『歎異抄』の思想に傾倒したが、後に日蓮の法華経信仰に改宗し、死に臨み『国訳妙法蓮華経』を刊行し、知己に贈るように遺言した。自らを「修羅」と呼び、「第四次元の世界」を望んだが、それは詩の世界であると共に、「諸法無我」の世界でもあった。「世界全体が幸福にならないうちは、個人の幸福はあり得ない」という言葉も、背景に法華経の世界がある。ただ一人も残さず、全ての人間の幸せの実現を願い、自分の力の限りを他者への献身に費やした姿はまさに菩薩行そのものである。また宗教は芸術で、芸術は宗教と考え、自らを「はてなき業の児と称し、その作品には、動物や植物とも対等な関係で生きる朴訥にして献身的な人物を登場させた。その純粋さゆえに社会生活の中では「デクノボウ」と蔑まれているが、それは賢治自身がなろうとした姿でもあった。

その宮沢賢治が心酔していたのが、国柱会を主催していた田中智学である。賢治は田中の命令であれば、シベリアでも中国でも行くというほどであった。その国柱会は、日蓮の『立正安国論』に基づく日蓮主義の信仰実践団体で、日蓮の「我日本の柱とならむ」から命名されている。智学は天皇を法華経の体現者に位置づけ、日本中心の立場に立って日蓮の教えを世界に広めようとした。そのために天皇を中心とする世界統一を目指し、「法華的侵略」「聖侵略」を展開せよと力説した。こうした天皇崇拝と対外膨張主義を内容とする日蓮主義を主張した国柱会の会員の中には満州事変を起こし、世界統一を目指した関東軍参謀の石原莞爾がいる。彼は『日蓮宗入門』を残し、また『世界最終戦論』の中で、経典と日蓮の予言した世界最終動乱の時期が一致すると述べている。また血盟団を結成して多くの要人を殺害したテロリスト井上日召、右翼思想のバイブルと言われた『日本改造法案大綱』を著した北一輝などもその会員であった。

このように見てくると東北の地で農民たちのために心血を注いでいた宮沢賢治と世界制覇を目指して侵略を始めた石原莞爾らとでは対極にあるように見えるが、その思想の拠り所になっているのは共に法華経信仰であり、両者は共に国柱会の会員であり、極めて近い関係にあったのである。このように妙見信仰はある意味で、日中戦争や第二次世界大戦の思想的背景にもなっていたのである。

㈥　その他の菩薩

国際色豊か

普賢菩薩は釈迦如来の限りない慈愛を象徴する仏である。生きとし生ける衆生を救うという利他心を前面に打ち出し、救済の願いと行いに徹するため、「行の普賢」「徳の普賢」とも称される。釈迦なき後の世界で悟りを求めて法華経を読み、あるいは書写する者があれば、白象に乗ってその人のもとに顕れ、これを守護するという。天台宗では法華経を尊重するために、殊に普賢菩薩への信仰に篤いものがあった。さらに法華経には悟りを得にくいとする女性の救済が説かれていたため女性からも篤い信仰を捧げられた。

虚空蔵菩薩は地を守る地蔵とセットになっており、空中を守る。その名の通り、虚空のように無限の智恵や福徳を宿し、この世界に生きるものの願いを叶える仏である。記憶力を増進させたり、幸福をもたらしたりする利益がある。特に密教で重視されている菩薩である。

清涼寺

文殊菩薩はこの世に出現する時は、必ず貧窮孤独の衆生の姿になって現れるとされる。だから貧窮孤独の人に対し、無関心であったり忌避したり、また慈悲心を持たない人は文殊菩薩に出会えないのである。鎌倉時代に戒律復興のために活躍した叡尊はハンセン病患者など社会から見捨てられた人々に様々な供養を行った。その活動に感動した五代執権北条時頼はその活動のための経済的基盤として寺領の寄付を申し出た。しかし叡尊は、政治権力などと結びつくと、苦しむ衆生の声が聞こえなくなるとして断った。せっかくの寄付を拒絶された時頼はそのことに感動し、叡尊の信奉者になったという。

この文殊菩薩の聖地は中国の五台山で、山西省にある。山の名は三千m級の五つの峰からなることに由来し、五本の指になぞらえて「釈迦の掌」と称えられることもある。京都の西山の清涼寺は五台山の別名である。この霊場は智恵第一の菩薩とされる文殊菩薩を本尊とし、かつて三百もの寺が建ち並んでいたという。

その五台山にある五台山金閣寺は室町時代三代将軍義満によって北山に建立された金閣寺のモデルである。五台山金閣寺を建立したのが唐の時代の僧道義であったが、のち義満が出家した時の法名が道義だったが、おそらくその名もまた金閣寺を建立した唐の道義に因むものと思われる。関連して室町時代の京都五山の一つに相国寺がある。実はこの寺の名も中国に由来する。北宋時代に栄えた開封に大相国寺という寺がある。そもそも五山制度そのものが中国から導入したものであるが、五山僧の春屋妙葩《しゅんおくみょうは》の進言によって五山制度の決定版としてその開封の大相国寺からその名前を無断で借用したものである。

権現は仏菩薩が衆生利益のために仮に人間の身を示現する。たとえば徳川家康の神号である「東照大権現」は「東を照らす者」という意味で、その本体は薬師如来とされた。薬師如来は東の浄瑠璃世界の仏だから、東国の支配者家康にふさわしい神号と言える。

(七)　天

インド由来のヒンドゥーの神

天には大黒天・毘沙門天・閻魔天・弁財天・吉祥天・阿修羅・夜叉などがある。これらはいずれもインドで発生したヒンドゥーの神々であった。仏教信仰の広まりによって仏陀が崇拝の対象となって超人化・神話化されるようになると、それらの神々は仏陀のもとに配されるようになった。しかしインドで発生した神々が中国や朝鮮半島を経由して我が国に入ってきた頃には、本来の姿とはかなり変容していた。

初めに帝釈天である。帝釈天と言えば、「男はつらいよ」の寅さんが産湯をつかった場所として知られ、また岡山県には帝釈峡という帝釈天に因む有名な観光地がある。帝釈天はインドラとも言い、仏陀に感激して仏教に改宗し仏陀の侍者となった。仏教の教える「耐え忍ぶ」という徳を実践するとされる。我が国では仏教護法の主神で須弥山の頂上の忉利天に住むという。十二天の筆頭にあって東方を守る。因みに十二天は帝釈天・火天・焔魔天・羅刹天・水天・風天・毘沙門天・伊舎那天・梵天・日天・月天・地天である。帝釈天は既に飛鳥時代の玉虫厨子にも描かれており、東大寺・法隆寺でも絵が描かれ、西大寺・神護寺には帝釈天像がある。

この帝釈天と音楽神の乾闥婆《けんだつば》の娘を巡って争ったのが阿修羅である。その名はサンスクリット語の「アスラ」の音からとったもので、もともとはインドの悪神だった。その闘いは熾烈を極めたので、ここから「修羅場」という言葉が生まれ、仏教に取り入れられてからは正法を守る守護者となった。

大黒天はインドではマハーカーラという髑髏の首飾りを付け、剣を持つ破壊の役割を果たす神で恐ろしい姿をしていた。それが仏教では寺院の守護・豊饒を司ることになった。中国では台所の神へと変化し、そこの柱に祭られるようになったが、戦闘の神だったから、鎧を着ており、表情も笑っていなかった。

我が国でも大黒天は、堅牢地天の化身として寺の伽藍の中でも飯を炊く所に安置すれば多くの僧を住まわせ、千人の大衆を養うとされ、炊事場の神となった。そして大黒天は、「だいこく」の名が共通することから、日本で古くから祭られていた大国主命と習合して大国主命の別の姿ともなった。大国主命は大物主神という異名を持ち、食べ物を司る神とされる。古くは台所は家の中心の柱の片面に作られていた。そして柱の側に大黒天が祭られたため、家の中心の柱を大黒柱と呼ぶようになった。またその姿は着物を着、烏帽子を着け、袋を背負ったもので、完全に和風化している。この厨房の神が豊作や経済的利益を生む福の神となってから、その表情もにこやかになっていったのである。

毘沙門天はインドでは、富の神・繁栄の神として祭られる。「四天王護国品」という経典によれば、国王がこの経典を尊崇すれば、四天王が国王と国を護るとされていた。我が国でも毘沙門天（多聞天）は四天王の一つとして北方を守護する。因みに持国天は東方、増長天は南方、広目天は西方をそれぞれ守護す

銭洗い弁財天

る。毘沙門天は普通鎧をまとった武将の格好をしており、右手に宝棒、左手に宝塔を持ち、岩座か邪鬼の上にいる。こうしたことから戦の守護神となり、後の戦国時代には上杉謙信が篤く毘沙門天を敬ったことはよく知られている。『仏説四天王経』には、四天王は月に六日、人々の行状を観察し、その結果を帝釈天に報告すると説かれるように、観察者として働く。四天王のうち広目天が必ず筆と巻子《かんす》を持っているのはその役割に対応したものである。

『今昔物語集』巻十七第四十二話「但馬の国の古寺に於て沙門牛頭の鬼を伏して僧を助くる語」では毘沙門天の威力を説く。老いた僧と若者の僧とが但馬国の無住の山寺の本堂に宿泊した。夜中になると壁に穴をあける音がした。その臭いが牛の鼻息のように臭い。しかし暗いのでその姿は見えなかった。その牛鬼は老僧を八つ裂きにして食った。若い僧は一体の仏像にしがみつき経を唱え助けたまえと祈った。牛鬼は若い僧の方に近づいてきたが、仏壇の前で倒れたような音がした。それから音もしなくなったが、じっと息を潜めて夜明けを待った。ようやく夜が明けると、その仏像は毘沙門天で、その前に牛鬼が斬り殺され、毘沙門天の持っている鉾にも血が付いていた。これによって毘沙門天が自分を助けてくれたことがわかったという話である。

梵天の妃ともされる弁財天は弁天・妙音天・美音天などとも呼ばれ、その字義から言葉や弁舌を良くし、音楽・芸術・学問全体の女神である。当初、「弁才天」と表記されていたが、我が国に入ってくるといつしか「弁財天」となった。「才」から「財」の変更は大きな変化だった。このことから財宝の神ともされ、庶民にとっての人気者となり、七福神の一つとなった。この変化に「才」より「財」を重要視する日本人気質が垣間見えるように思われる。弁財天は河の人格化されたものだから、島や周りが水で囲まれた所に祭られることが多い。琵琶湖に浮かぶ竹生島を初め金華山・宮島・奈良天川・江ノ島が五弁天とされる。

吉祥天は奈良薬師寺に吉祥天像があり、それは代表的な天平彫刻である。また東京には「吉祥寺」の地名もあるように、吉祥天に対する信仰も社会全体に広く浸透している。インドでは富の女神、福徳を司る神で毘沙門天の左脇侍、または妃とされる。奈良時代頃からの国家的宗教儀式として金光明最勝王経会や吉祥悔過会《きちじょうけかえ》が頻繁に行われたが、地方ではその役割を国分寺・国分尼寺が担った。そうした行事を通して地方にも吉祥天信仰が浸透していった。

『今昔物語集』巻十七第四十七話には、「生江世経《いくえのよつね》、吉祥天に仕まつりて富貴を得る語」という吉祥天の御利益を説く話がある。生江世経という男は大変貧しかったけれど、日頃から吉祥天を熱心に信仰していた。食べ物がなくなったので、吉祥天に助けを願った。すると大変な美人が飯一盛を持って現れ、彼はそれを食べた。しかし間もなくそれもなくなり、再び吉祥天を念じると、先日の女人が現れ、「米三斗」という下文を渡し、北の峰の頂きで呪文を唱えよと言った。言われるようにすると、恐ろしい一つ目の鬼が現れ、米袋を彼に与えた。その米袋の米は使っても使っても減ることがなかったので、希なる富人になったという。

インドの神に由来するものに金比羅がある。金比羅と言えば香川県象頭山金比羅大権現が有名である。サンスクリット語では「クンピーラ」というワニで、釈迦の遊行した王舎城内ヒフラ山の守護神として祭られ、この山が象の鼻に似ているので象頭山と言う。この地方のインド人が川でワニに襲われないように神として祀ったのが我が国に伝わり、海上保護の神となった。このように〇〇天と称する仏はすっかり我が国由来のような顔をしているが、その多くはインドで発生したヒンドゥーの神々に由来している。現在は国際化の時代と言われるが、仏の世界はその先駆けであった。

五　寺院と僧

(一) 修行の場

寺院は金色を重視

法隆寺金堂・塔

仏教寺院と言えば、東大寺・法隆寺・興福寺などあげればきりがないくらいたくさんある。それは仏教が我が国に根付いた長い歴史のあったことを物語っている。そしてそれらの寺院は古色蒼然としていて日本人の多くはそうした雰囲気に落ち着きを感じている。古寺巡礼という静かなブームは今だに健在である。

先年、妻がタイを旅行してきた。タイは国民のほとんどが仏教徒というだけあってたくさんの寺院があるが、そこに安置されている仏像がみな金ぴかでちょっと幻滅したという感想を述べていた。確かに日本の寺院や仏像を見慣れている者にとって金ぴか文化というのは違和感があるのも当然であろう。しかし本来、仏教では「金色相《こんじきそう》」と言って仏の姿を表わす最もふさわしい色は金色とされているように、そのほうが教えにあっている。インドでは金は宝石類の中でもとりわけ貴重なものであった。寺の中心となる建物を金堂と呼ぶのも金を重視した表れである。我が国に仏教を伝えたのは、百済の聖明王とされるが、その聖明王がもたらしたのは釈迦の金銅仏であった。「青丹よし奈良の都は…」と詠まれたように青と丹（赤色）で彩られ、それを「吉し」としていた。仏教は極彩色の文化そのものであった。

永平寺での修行

もうかなり前のことだが、曹洞宗の総本山である福井県の永平寺で一日体験修行を行ったことがある。その時の印象は大変強烈で、今でも鮮明に記憶している。修学旅行の引率で本来は生徒に体験させる目的だったが、しかしここでは引率者も同じことをしなければならない。計らずも一日の禅僧の生活を体験することになった。

夜は九時に就寝、起床は何と朝三時である。その三十分後にはもう坐禅である。坐禅は瞑想によって邪念を取り除くための修行法とは言うものの、初めて行う者にとっては、足が痺れ痛くてとても瞑想どころではなかった。早くこの時間が終わらないかという邪念で一杯だった。さらに十人はいたと思われる僧たちが姿勢の崩れた者を竹を割って作った弓状の長い棒で生徒たちを叩いている。その棒状のものは「竹篦（しっぺい）」と言う。禅僧が座禅をする時、師にあたる僧が手に「竹篦《しっぺい》」を持ち、「しっぺ」を行った。しかし同じくらいの地位の僧侶であれば、先に「しっぺ」をされても、後に「しっぺ」を返すことができたので、「しっぺ返し」という言葉が生じた。それはともかく、叩くたびに静まりかえった広い講堂の中にバーンという大きな音が響く。わずか二時間であったが、大変辛かった。

それが終わってやれやれと思っていたら、えらい坊さんが出てきて講話があると言う。その人は「話はわずか一時間ほどですから、正座をして聞いてください」と言った。今度は正座である。一時間も長く正座をしたことがない者にとっては、とても話の内容など聞いてはいられなかった。有り難い話だったとは思うが、正座の苦手な私にとっては足がしびれ、辛い思いしか残っていない。

朝三時に起きているから、六時ともなると空腹を感じるが、そう簡単には食事にありつけない。次は約一時間の掃除である。永平寺の長い廊下を雑巾がけした。これだけのことしているからもう腹ぺこで朝食が待ち遠しい。そして待ちに待った朝食だが、座に着いたもののすぐに食べれない。料理を前にして係の僧侶が「手を合わせて私と一緒にお経を唱えてください」と言う。皆でお経を唱えるのに十分くらいはかかったと思う。その時は何というお経かわからなかったが、後にそれは「五観の偈」だと知った。その内容は以下の通りである。

一には功の多少を計り、彼の来処《らいしょ》を量る。
二には己れが徳行の全欠を付《はか》って供《く》に応ず。
三には心を防ぎ過《とが》を離るるは貪等《とんとう》を宗《しゅう》とす。
四には正に良薬を事とするは形枯《ぎょうこ》を療ぜんが為なり。
五には成道《じょうどう》の為の故に、今此の食《じき》を受く。

まずこの食べ物がどのような人々の手を経て、どうしてここに来たのかを考え、その労力や苦労を忘れてはならない。自分の人格を完成させるために食事を戴くのだから、我が身を振り返って自分がそれを食べるに値する存在であるかどうか、反省して頂戴する。そしてむさぼりの心、いかり心、愚痴の心で戴いてはならない。食事を良薬と考え、それを服して肉体の枯死するのを養う。最後は食事を頂く究極の目的を示したものである。ご飯を戴くのは成道せんがため、仏を得るため、道を得るためであり人生の真の意義を見失ってはならない。大道を成就せんがために「いただきます」と言って食べる。「いただきます」に万感の思いを込めるというのである。

やっと朝食にありつけたが、当然寺の食事は精進料理である。だからおかずは豆腐・こんにゃく・わらび・

ぜんまい・漬け物などで、魚や肉はない。それにご飯も茶碗に七分目ほどしかない。それでも腹ぺこだから大変おいしくいただいた。そして食事が終わったのでお茶を飲みたいと思ったが、やかんに茶はあるものの、湯飲みがない。どうするのかと思っていたら、係の坊さんが「お茶は茶碗に注いでください。ご飯粒がついている場合はそれを一粒残らず箸で混ぜてそしてお茶と一緒に飲んでください」と言った。一粒の米にも感謝する気持ちが必要だと言うのである。

わずか一日の体験だったが、ここでの生活は人の原点に立ち返った気がした。早寝早起き、体を適度に動かすこと、粗衣粗食、そして日々瞑想・内省によって精神的にほど良い緊張感が生まれる。修行を課している僧侶が長生きするというのは、こうした生活習慣にあると実感した。ただし修行を怠っている生臭坊主の場合は別である。

しかしそれにしてもである。年から年中こうした生活をしている人がいるというのは驚きであった。私たちがこうした生活を日常的にするには困難を伴うが、修行生活の精神だけは忘れないようにしたいと思う。こうした修行の場が本来の寺である。

寺は「照らす」から

古代においては寺は国家的事業の一環として建立された。国分寺などは七重塔を持つ七堂伽藍であり、また音写語の伽藍と意訳語の堂宇とが組み合わさって「伽藍堂宇」という言葉が生まれた。後にはこれが略されて「伽藍堂」となり、さらに閑散とした佇まいを「がらんとした」とか「ががらに空いている」などの言葉にもなった。

ともあれ現在の人々のように、高層建築を目にしている者とは違い、当時の人々にとっては、それは大変な驚きだったろう。その寺の語源は「照らす」からきているという。寺院の伽藍は最先端の文化で、照り輝く様から「照ら」＝「寺」となった。また寺院の語源については、中国で外国からの使節を接待する役所の名称を「寺」と言っていたが、インドから来た僧を新しく建てた「寺」に住まわせたため、そこから仏教の道場を寺と言い、そして「院」はその寺の中にある建物のことで、併せて「寺院」と呼ぶようになったという。

寺の正門を山門と言う。中国では当初寺院は山深い所に建てられていたので、山門と呼ばれたが、平地に建てられるようになってもその習慣が続いた。それで寺院には山号が付けられた。寺院の建物を総称して七堂伽藍と言うが、これは本堂（金堂）・法堂（講堂）・僧堂・庫裡（台所）・山門・東司（便所）・浴司（風呂）を指す。この他に塔の建てられている所が多いが、これは釈迦の骨である仏舎利を安置する建物である。釈迦は自分の死後は、火葬にし、遺骨はガンジス川に流せと遺言したが、それは守られず、八つの部族が分配して持ち帰り、塔を建てて安置し、この塔を信者たちが参拝するようになった。我が国では五重塔や七重塔がそれにあたる。しかしそれは自らの神格化を嫌っていた釈迦にとっては極めて不本意なことだと思われる。

㈡　聖・菩薩から坊主へ

霊能の宗教者「聖」・「菩薩」

一口に僧侶と言っても、宗教的使命感を強く持っている者もいれば、単に経済的利益を求める者もいる。それは今も昔も変わるものではない。そのため人々から尊敬される僧侶に対する呼び名とそうでない僧侶の呼び名は当然異なってくる。

尊敬の意味で使われるのは「聖」や「菩薩」などである。前者の場合、高野聖のように聖人を意味していたが、元々の語源は「日知り」で、必ずしも仏教の聖人を意味するものではなく、霊能を有する宗教者を指していた。その霊能は予言・治病・除災・鎮魂など多方面に及ぶが、その中心は霊を司ることであった。しかし仏教の発展と共に霊能者は仏教的装いをもって現れるようになった。平安時代の空也が阿弥陀聖や市聖と言われたことなどは、その一例である。

　白川静氏の『字統』によれば、「聖」の文字は「耳」と「壬」と「口」からなっている。それは祈祷して耳をすませて神の応答や啓示することを聴くことを示している。したがって聖の本来の語義は「神の啓示を聴きうる者」である。それは明智の人や先見の明、あるいは予知能力のある人を指す語であった。天候を予言出来ることは農耕社会では極めて重要だった。そこから聖は集団の指導者にもなり、また仁政を行う為政者を指した。その典型例が『古事記』の仁徳大王の仁政の話である。大王が山に登って四方を見ると、「国中に煙り立たず。国のみな貧し」という状態だった。そこで三年間、人々への課役をやめたので仁徳大王は「聖の帝」と呼ばれたという。

　また『日本書紀』推古二十一（六一三）年条に聖徳太子の「片岡山遊行」の話が見える。「皇太子、片岡に遊行す。時に飢者、道の垂《ほとり》に臥せり。仍て姓名を問うひたまふ。而るに言さず、皇太子、視して飲食を与えたまふ。即ち衣裳を脱ぎたまひて飢者に覆ひて言はく、安に臥せれとのたまふ。（中略）皇太子、使を遣はして飢者を視しめたまふ。使者還り来て曰さく、飢者、既に死せりとまうす。爰に皇太子、大きに悲しびたまふ。則ち因りてその処に葬め埋ましむ。墓固封《つかつきかた》む。数日之後、皇太子、近く習る者を召して、謂りて曰はく、先の日に道に臥せる飢者、其れ凡人に非じ。必ず「真人《ひじり》ならむとのたまひて、使を遣して視しむ。是に、使者還り来て曰く、墓所に到りて視れば、封《かた》め埋みしところ動かず。乃ち開きて見れば、屍骨《かばね》既に空しくなりたり。唯衣服をのみ畳みて棺の上に置けりとまうす。是に、皇太子、復使者を返して、其の衣を取らしめたまふ。常の如く且つ服る。時の人、大きに異《あやし》みて曰はく、聖の聖を知ること、其れ実なるかなといひて、逾《いよいよ》惶《かしこま》る」と見える。聖を「真人」とも記して「ひじり」と読ませているが、真人は神仙に通じた人を指す。そして聖徳太子は霊能を有するゆえに聖とされている。

多くの人々の関心は、信仰心の強さよりも数々の奇瑞・奇跡だった。吉野・熊野・葛城・白山・那智などの名山で厳しい修行をした僧は霊力を宿すと考えられ、人々の尊崇を集めた。とりわけ高野山への納骨と大師信仰を勧めた高野聖は著名である。

『今昔物語集』の聖

『今昔物語集』で聖とされているのは聖徳太子・行基・役の優婆塞・道照・鑑真・弘法大師空海・伝教大師最澄・慈覚大師円仁・智證大師円珍などである。聖の特徴は、①名利を捨てる。②常に法華経を読誦し、念仏を唱えるとあるように、法華経の読誦に優れている。③穀物や塩を断ち、山菜や木の葉を食べ、山中の苦行によって神通力を得た人。④臨終における行状で、往生する姿が特異であることの四つである。

しかしどの時代にあっても聖人となることは困難なことで、聖人になりそこなった人たちも多く描かれる。巻二十第十二話「伊吹山の三修禅師、天宮の迎えを得る語」に、琵琶湖の東側にある伊吹山に三修禅師という聖人がいた。日夜念仏を唱えていたが、ある夜、阿弥陀仏がお迎えに来るという声が聞こえた。聖人は身を浄め、弟子たちと共にその時を待った。すると阿弥陀仏をはじめ諸菩薩が現われ、あたりは光輝き、妙なる音楽が聞こえ、観音菩薩の差し出した紫金の蓮台に乗って浄土に行った。ところが七日ほどたった頃、下働きの僧が薪を取りに山に入ったところ、大きな杉の木から人の声が聞こえてきた。木登りが得意な法師が近づいてみると、往生したはずの聖人が裸にされ、木のてっぺんに縛り付けられていた。

法師は聖人を助けようとするが、聖人は「仏が今、迎えにくるからこうしているのに何で引き下ろすのだ」と怒ったが、大勢の法師たちによって連れ戻された。しかし聖人は正気に戻ることなく、二・三日後に死んでしまった。作者は「悟りの心がなく、法文を学ばず、ただ念仏を唱えることしか知らない。聖人といえども智恵がなければ天狗にだまされる」と。

こうした話が多く見えるのは、聖人となることがいかに難しいことか、また聖人をかたるエセ聖人がかなりいたことを示している。こうした聖に対して、大乗仏教では、他人を救いながら自分も悟りを目指して修行する僧を「菩薩」と呼んだ。行基菩薩などはその一例である。元々は修行中の釈迦を意味する言葉だったが、「仏の智恵を求め続け、未だ仏にはなっていないが、いつかは仏になる候補者」の僧を菩薩とした。そこから仏の世界で修行を続け、人々を救う仏の名に変わった。

さらに同じ僧侶でも、禅宗の修行僧は雲水と呼ばれる。それは『正法眼蔵随聞記』第五に、「雲の如く定まれる住処《すみか》もなく、水の如く流れ行きて、よる処をもなきをこそ僧とは云ふなり」とあり、その「行雲流水」に由来している。良き師を求め、尋ね歩く姿が空を行く雲、流れる水にたとえられる。だから雲水も正法を求めて修行を真摯に行っている僧であり、人々にとって尊敬の対象であった。

破戒僧の「坊主」

一方で仏教の盛行と共に、僧侶の数が増加してくると、戒律を守らないいわゆる「破戒僧」が増加する。そこから僧侶を貶めた表現も見られるようになる。その一つが「坊主」である。ただ元々は「房主」とも書き、寺内の子院である坊の主を指していた。平安時代後期頃から有力な僧は寺院の中に私坊を営み、坊号を称し、また師からその弟子へと相伝されるようになり、そうしたことからその坊に住む僧侶を坊主、また御坊と呼んだ。この段階ではそれは侮蔑的ではなく、むしろ尊敬の意味が込められていた。

雨と関連する「てるてる坊主」はそうした例であろう。その「てるてる坊主」も平安時代に中国から伝わったものである。中国では「掃晴娘」と呼ばれる箒を持った女の子の紙製人形を吊し、晴天を祈った。

それが我が国ではなぜか坊主に変化した。それは坊主が雨を操作出来ると考えられていたからである。平安期に行われた請雨経法は、内裏の目の前に立地し、水不足の時に人々に解放される神泉苑で催された。そこで請雨経法を行った代表的な人物が真言宗の僧侶で雨乞いの成功数の多さから「雨僧正」と称せられた仁海（九五五〜一〇四六）だった。確実な記録によれば、彼は請雨経法を七回行い全て成功させた。このように古代から行われてきた僧侶の祈雨儀礼から「雨を司る僧侶」のイメージが定着し、「てるてる坊主」になったと思われる。

しかし室町時代以降には現在使われているのと同じように僧侶の総称・貶称となり、おしなべて僧侶全般を指す言葉となり、「乞食坊主」のように侮蔑の意味で用いられるようになる。この他、僧侶に限らず剃髪している者、さらに広く男児をも坊主と呼んだ。そして堕落した坊主のことを「ずぼう」と呼んだがそれが転じて「ずぼら」という言葉になった。尊敬されていた言葉が貶める言葉となった典型的な例である。そして根気や我慢の出来ないことを「三日坊主」と呼んだ。暴れん坊、けちん坊、怒りん坊など、さらに釣りに行って何も釣れなかった時に「坊主だった」というのもやはり僧侶のマイナス表現である。

この「ずぼう」とよく似たマイナス表現に「ふしだら」という言葉がある。仏教の経典などの「経」は中国などでは織物の縦糸で、僧侶の生活における規則正しさのことだった。その「経」は梵語は「スートラ」と言い、それは漢字で「修多羅（しだら）」と表記された。だから生活をきちんと律することの出来ないことを「多羅修（だらし）ない」とか「不修多羅（ふしだら）」と言う。「だらしない」はこの「しだらない」の変形バージョンである。これらはいずれも僧侶が戒律を守らないことから生じた言葉である。

底辺の袈裟から「錦の袈裟」へ

次に、僧侶が身に纏う衣服は袈裟と呼ばれる。袈裟を右肩からはずす、いわゆる片肌を脱ぐのはインドで相手に敬意を表すための礼法の一種であった。仏教の創始者の釈迦も出家して袈裟を着ていた。それは不可触民とされるチャンダーラたちが身に着けていたもので、袈裟は「薄汚れた色」「黄赤色」を意味するサンクリット語のカシャーヤに由来する。その衣は、墓地に捨てられた死体をくるんでいたもので、死体が猛獣に食べられた後、布の破片が散らばっているものを拾い集め、洗ってつなぎ合わせて衣にしたものである。死体の体液のシミで汚れ黄赤色になっていることからそのように呼ばれた。出家することは本来、世俗の名声・名誉・利得などをかなぐり捨て、社会の底辺に置かれた人たちと同じ立場に立つことだった。そもそも剃髪することは、髪は生命力の象徴だから俗人としては擬似的に死んで僧となる。外見や生まれではなく、行いによって最高の清らかさを得るあり方を求めたのである。

ところが、日本では「錦の袈裟」という言葉があるように、袈裟が権威の象徴となる。もっとも僧侶は日本の着物を着て、その上に中国の服装であった衣を着け、さらにその上にインド伝来の袈裟を身にまとった。この服装は仏教伝来のルートを物語っている。出家者が持つ払子《ほっす》も同じで、インドでは虫を殺さないようにそっと払うための柔らかい毛でできた刷毛のような道具であったが、日本ではそれを持つことが一つの権威となった。禅宗の僧侶が権威の象徴としての袈裟を次第に大きなものにしていったことから、「大袈裟」という言葉が生じた。

臨済宗の開祖とされる栄西が京都に建仁寺を創建して間もなくの元久二（一二〇五）年頃の話である。畿内で大風が起こり、都の人々は栄西が禅宗を始め、その僧侶たちが大きな袖の衣で町を歩き、それが沢山の風を含むので大風になったと口々に噂した。これが朝廷にも聞こえ、栄西は訊問を受けた。そして彼らが権威を強調すればするほど人々の反感をかい、「坊主憎けりゃ袈裟まで」と言われ、また「袈裟懸」「袈裟斬」などのように血の臭いのする言葉までもが、袈裟に例えられるようになった。

かつてインドでは、仏教者は社会の底辺の側に立っていたが、我が国では僧侶は特権階級の一員だったから、彼らの着た袈裟もまた権威化されることになった。僧侶は位に応じてそれにふさわしい衣の色や帯の色などが決められている。だから知っている人が見れば、その僧侶がどれくらい「えらい人」なのかは一目でわかる。しかしそれを着してないと「えらい人」かどうかがわからない。衣や帯のことを「衣帯（えたい）」と言うので、それがなくて正体不明のものを「えたいがしれない」と表現し、その「衣帯」が後に「得体」と書かれるようになった。

出世間から「出世」へ

僧侶の権威化と関連して「出世」という言葉がある。それは本来、仏が衆生のためにこの世に出現すること、もう一つは世間的なものを超えていることから、世事を捨てて、仏道に入る「出家」という意味もあった。仏教では世俗社会を世間、出家することを出世間と呼び、寺院社会は当然出世間だから、本来は世俗の身分秩序とは無縁であった。ところが平安時代頃から寺院にも世間の論理が介入し、それに左右される出世社会が出現した。殿上人の子息は僧侶としての地位を急速に高め、普通の者より早く世に現れることから、「身を立て名をあげること」＝出世となった。院政期の頃からはその出自によって僧侶が貴種・良家・凡人の三つに区分されるようになる。僧の世界は世俗社会の家柄や身分を反映し、総じて僧たちが立身と栄達を目指す場となった。しかし本来出世は衆生救済のために世に現れること、出世した人物は世の人のために働かなければならないのである。

禅宗に由来する言葉を禅林用語と言う。初めに「ぞうきん」をあげよう。現在は「雑巾」と書くが、禅宗が宗教界の主流となった室町時代には、きれいにする布という意味で「浄巾《じょうきん》」と書かれていた。それは元々手ぬぐいを指す言葉だったが、いつしか雑巾となった。その雑巾と言えば、私たちは手で拭くものと思っており、長い廊下を雑巾がけするというイメージであろう。しかし古代から中世にかけては、現在のモップに似た棒雑巾が主に使われていた。長柄の先に布を付けているが、その布は五、六十㎝もある長いものだった。確かに寺院や貴族の邸宅は広い板敷住宅だったから、この方が合理的であろう。

住宅の「玄関」も中国の禅宗で成立した。「玄関」とは「幽玄なる関鍵」、奥深い教えに入るための鍵、もしくはカンヌキのことである。もとは寺の門を指したが、やがて武家屋敷も玄関と称するようになった。それでも近世社会で玄関を備えることが出来るのは、武家の他は名主までで、それ以外の者には玄関を構えることは許されなかった。「玄関お構いなし」となったのは明治になってからであった。

蒲団も禅宗と共に伝来したもので、それは寝具ではなく、敷物だった。座布団が本来の形に近い。座禅の時に尻に敷く布製の敷物で円い形をしていた。古くは布の中に蒲の穂が詰めてあったから、その名となった。現在の寝具の蒲団に相当するのは「ふすま（衾）」あるいは「しとね（茵）」だった。中国では今も蒲団は敷物のままである。禅林用語が流行したのは、当時としては最もハイカラだったから日常語にも転用されたのである。

㈢　写経の功徳

写経の始まり

「あおによし寧楽の京師《みやこ》は咲く花の如く今さかりなり」と小野老は詠んだ。華やかな天平文化は東大寺の大仏に象徴されるように豪華華麗という印象が強い。しかしどの時代においてもそうした華やかな文化を支えたのは多くの名もない人々だった。仏教において経典はその教えの根幹をなすものだけに最重要視され、それだけに写経は大変功徳のあることだった。

写経の初見は天武二（六七三）年に、川原寺で一切経を書写した記事である。奈良時代の天平時代には仏教が国家宗教となり、国分寺・国分尼寺を全国に建立し、全国の隅々まで浸透していった。これだけの多くの寺院が建立されるようになると、そこで読経するための経典が大量に必要となる。現在のようにコピーや印刷技術のない時代だから、全て手書きで書き写さなければならなかった。そこで大活躍したのが写経師たちである。

写経師となるためには当然能筆は重要な要素である。現在残る経典を見ればわかるように、極めて丁寧で美しい。さらに経典の内容が理解ができるくらいの仏教的素養は最低限必要だった。国家的大事業だから採用試験があり、文字の美しさはもちろん、当時の人々が好む書風を身につける必要があった。その書風の代表は中国の書聖と言われる王羲之で、彼らはそれを一生懸命練習した。

しかし採用されても写経所における生活は大変だった。字の間違いは許されず、しかも長時間同じ姿勢で坐り続けての作業は精神的・肉体的にも辛かった。麻紙一張りに十七字詰の二十五行で、一日七張が平均だから約三千字を写している。しかし彼らとてミスはつきものである。当然、誤字脱字、あるいは脱行があるとそれには厳しい罰則が与えられた。何分、紙は貴重品で、写経用の用紙は一枚が二文したから、それを無駄にすることは許されなかった。誤字は五文字間違うごとに一文、脱字は一字ごとに一文、一行の脱行すると二十文の罰金を徴収されることになっていた。そもそも彼らの一日の賃金は平均の七張を仕上げるとすると、三十五文である。もし二箇所の脱行があれば、もう一日分の賃金をゆうにオーバーするから、神経を研ぎ澄ます必要があった。

それに食事は仏事に従事しているため、肉食や魚介類は当然制限され、動物性タンパク質などが不足し、病気になる者が続出した。写経生の病気は坐業のため足の痺れが圧倒的に多く、それは明らかに職業病である。火の気のない冷たい場所で長時間正座をするため、関節炎や浮腫を発症した。夏場の六月から八月にかけては赤痢が発生している。これは汚染した厨房から集団感染した可能性がある。ただ赤痢とは記されているが、便に血が混じっているからそのように判断されているものもある。座業の職業病には痔の病気も多かったはずであるが、そうしたものは見られない。

さらに湿疹と風邪も多い。それは食事が白米に汁、海藻・野菜・漬け物・塩などで、かなり栄養が偏ってビタミン類が不足していた。心臓病も結構多いが、これは食事の際に食塩を摂取しすぎたことによる。病気休暇は百二十日まででそれを過ぎるとクビになるから、病気が完全に平癒するまで休むことなどはできなかった。

そういう労働環境だから、写経生も当然待遇改善の要求をしている。①支給されている衣服を取り替えて欲しい。一年もたって臭くてたまらない。②麦が毎日支給されていたのに途絶えているので、復活して欲しい。③食事がこの頃粗悪なので改善して欲しい、などである。

写経生の「薬酒」

その写経生の要求の中に治療のための「服薬」が頻出する。病気になれば、薬を飲むのは普通で特に異とすることはないが、その薬の購入費がその日の総支出額のうちに占める割合が高く、時には九十％にまでなっている。相当薬物に依存している様子が窺える。しかし病人がほとんどいない日にも頻繁に薬を購入している。どうも普通の薬ではないようである。実は「薬」は「薬酒」＝「粉酒」のことである。したがって実態は酒だったのに、それを「薬」と表記していたのである。私も実感しているが、酒は疲れを癒すもので楽しみの少ない写経生にとっては一日のささやかな慰みで、明日への鋭気を養うという意味ではまぎれなく「薬」であった。

寺は僧侶にとって修行の場だから、心身を乱す原因となるものは遠ざける必要があった。とはいえ平城京や平安京のあった奈良や京都は盆地のため冬の冷え込みは厳しく、しかも火の気のない寺院の生活はまさに寒さとの闘いでもあった。外が寒いのであれば、中から暖めればよい。その点、酒は最適な飲み物である。酒は少量であれば「百薬の長」といわれる効能があったが、現在でも寺の門前の石柱に「不許葷酒」と書かれているように、寺では酒は御法度である。でもそれは建前で写経生が度々「薬酒」を請求していることから見ると、現実にはかなりの量の酒が寺にあったと思われる。

正倉院文書には写経生が写経所から高利の月借銭《つきかりせん》（利息つきの消費貸借で出挙銭の一種）を申請した文書が百通近く残っており、ここから写経生は月借銭に依存しなければ生活できない存在と考えられていた。彼らの賃金は布施だったが、写経事業は臨時の事業で時々の政治情勢によって延期されたり、中止になることもあった。さらに布施の支給時期は不定期、また出来高払いなので当然休めば賃金は支給されず、決して安定収入とは言えなかった。このため布施収入に頼っている写経生の多くは生活に窮迫した人々と考えられていた。

ところが実態はいささか違っていた。彼らの借金の月借銭は「商銭」とあるように、その銭で商業活動を行っている。写経生を初め下級官人たちは出挙銭の運用や墾田経営、さらには交易活動によって私財を蓄積した。彼らにとって月借銭の借用は経済的損失にはなるが、それでもそれを借りたのは、月借銭を請け負うことで官人としての実績を認知してもらい、同時に写経所の別当などの知遇を得ることが出来たからである。つまり写経所内に人脈を作り、新規事業の人事や写経生の新規採用などにおいて、有利になることを意図したためだった。従来は写経生＝過酷な労働・借金・経済的困窮者という図式が定説であったが、今日ではその評価は大きく異なり、彼ら写経生は、生活に苦しむ人々ではなく、むしろ余裕のある人で、その財力を使って国家機構の中で出世していこうとする意欲的な人々だったのである。

写経の呪力

当時の人々は写経には大変な功徳・呪力があると信じていた。『日本霊異記』下巻二一・二三・三七には、写経の力によって閻魔宮に行っても厳しい仕置きに遭わずに済んだという話が記されている。閻魔大王は写経には大変弱く、たとえ生前に罪を犯した者でも、あるいはその罪が重かろうと、その分、写経を多くすればその罪を許されるのである。

法華経の写経に関する話が『日本霊異記』上巻第十八に見える。「昔、大和葛木の上郡に一人の修行者がいた。生まれながらに利口で八歳の頃より法華経を読んでいたが、ただ一つの文字だけ記憶することが出来なかった。二十数歳になってもそういう状態だったので、観音菩薩に懺悔し免罪を求めた。すると夢の中に人が現われて、「おまえは前世は伊予国和気郡の日下部猴《くさかべのさる》の子であったが、法華経を読誦していた時に、火で一文字を焼いてしまったために覚えることが出来ない。行って確かめてみよ」と言われた。夢から覚めて驚き、不思議に思ったが、両親の許可を得て伊予国の和気郡日下部猴の家を尋ねた。すると下女が出てきて応対した後、女主人に「門に客人が来ているが、まるで死んだ息子さんにそっくりだ」と言った。女主人が出て見るに誠によく似ている。家長も不思議に思い、「あなたは何者ですか」と聞き、話し合った結果、かつての親子であったことがわかった。子が住んでいた堂に入って法華経を見ると覚えることのできなかった文字だけが焼けていた。そこで罪を懺悔し、焼けた文字を直したところ、きちんと覚えることが出来た」と言う。法華経を写経・読誦していると、二組の親に孝行ができ、その美名を後の世に残すことになる。これほど法華経の威力は絶大であると言うのである。

最近四国八十八箇所巡りの四国遍路や写経などが静かなブームとなっている。文字を写すことで心を平安にする効果がある。自分の気持ちを「映す」ことによって改めて内省することになり、結果として心を平安にすることになるのであろう。今日においても写経は心を整える有効な方法である。

(四)　寺院と時刻

寺の鐘が時の鐘に

現代の人間はいつも時間に追われて生活をしている。それだけに時計のない生活は考えられない。古代の人々にとっては太陽が昇り、田畑を耕す時と、日が沈み神々の支配する時とに分かれ、自然の運行に従っていた。やがて暦や時計が出現するが、それは画一的な時間で人々を拘束するようになる前触れであった。

我が国の暦の初見は『日本書紀』欽明十四（五五三）年六月条である。「別に勅すらく、医博士・易博士・暦博士等、宜しく番に依りて上下すべし。（中略）卜書・暦本・種々薬物、付送すべし」とあり、また同十五年にも暦博士として固徳王保孫《ことくおうほうそん》の名が見える。彼らはいずれも朝鮮半島の百済から派遣されてきた人たちだった。しかし暦法そのものが伝来し、習得したのは、推古十（六〇二）年の百済僧観勒の渡来の時点である。飛鳥の石神遺跡から持統三（六八九）年の具注暦が出土している。

舒明八（六三六）年七月、大派王《おおまたおう》が大臣蘇我蝦夷に、官人は午前五時に朝参し、午前十一時に退出することにし、その時刻は鐘を打って知らせるようにとしたのが時刻制の導入の初見記事である。それは実現しなかったものの、勤務時間を明確にしようということが企図されている。時計の初見は斉明六（六六〇）年五月条で、そこには「又皇太子、初めて漏刻を造る。民に時を知らしむ」とある。この皇太子は中大兄皇子で、後の天智大王である。また天智十（六七一）年四月条には「漏刻を新しき台に置く。始めて候時《とき》を打つ。鐘鼓を動《とどろか》す。始めて漏刻を用いる」とある。

もうかなり以前のことだが、昭和五六（一九八一）年に飛鳥寺の西の発掘調査で一辺二十二・五mの方形の基壇が築かれ、周りに石敷きの溝を巡らした遺構が発見された。当初、何の遺構かよく分からなかったが、これが中大兄皇子が造った漏刻（水時計）ということで決着し、水落遺跡と称されている。天の運行によって暦を定め、時法・時間を授ける行為は、時間をも支配することであり、それは天子の重要な役割だった。その延長上に元号制定がある。つまり天皇が元号を制定することは、日本国民の時間を支配することで、国民はその支配に服することを意味する。多くの国民は昔からの習慣だからと受け入れているが、このような元号の本来の意義を考えれば、日本国憲法に規定する国民主権の理念と矛盾することは明らかである。

　都城が成立し、律令制によって官人組織が整ってくると、組織として十全な機能を果たすためには時刻を知ることが必要となってくる。令制下で時間計測や時間報知を司ったのは陰陽寮であった。延喜陰陽寮式諸事撃鼓条には、時は鼓で、刻は鐘で報知しており、鼓が主で鐘が従の関係である。打ち方は「平声」とあるから、強さやテンポを一定にして打ったものと思われる。都の人々は陰陽寮の鼓や鐘の音で時刻を判別していたのである。一方、宮城では朝や夜に門の開閉が行われたが、その報知は全て鼓によって行われていた。鼓を十二回打つのを一セットとし、それを二セット行う仕組みになっていた。このように奈良時代の人々は、耳に入ってくる音によって時刻を知ったのである。

『万葉集』には、「皆人を寝よとの鐘は打つなれど君をし思へば寝ねかてぬかも」（六〇七）（皆の人を寝よとて鐘は打つのだが、あなたのことを思うといねがたいことです）「時守の打ち鳴す鼓数《よ》ま見れば、時にはなりぬ、逢はなくも怪し」（二六四一）（時守の打ち鳴らす鼓を数えてみると、逢うべき時になった。だのに逢わないとは不思議よ）とある。また大伴笠女郎に、「相思はぬ人を思ふは大寺の餓鬼の後に額づくごと」の歌がある。これも「大寺」とあることから、寺院の鐘の音が女性に切ない時間を知らせたのであろう。

『日本霊異記』下巻第十二「二つの目盲《し》ひたる男、千手観音の日摩尼手《にちまにしゅ》を敬み称へて、現に眼を明くること得る縁」の説話も都では寺の時間が人々の生活の一部になっていたことを示す。奈良の都の薬師寺の東に盲目の男が住んでおり、正午になると寺の僧侶たちの食べ残しをもらって生活していた。千手観音を念じることで眼が見えるようになった男の話であるが、都の諸寺院では正午に鐘を撞いていたことを物語っている。二時間おきの「時」には鼓を打ち、「時」の間の三十分ごとの「刻」には鐘を撞くことからこの「時」と「刻」を合わせて「時刻」となった。

寺院建立で時刻が普及

こうした時刻の告知は生活面に大きな影響をもたらしたが、しかしそれはまだ都とその周辺地域に限られていた。それが全国的に広がるのは奈良時代中期、聖武天皇が全国に国分寺・国分尼寺という国営寺院を建立してからである。ここに住した僧侶たちは毎日の修行を行うため正確にこの時間を知ることが必要だった。一日を晨朝・日中・日没・初夜・中夜・後夜と六回に分け、それを知らせるために鐘を撞いた。鐘によって「六時行法」「六時修行」を僧侶に知らせたが、お寺の鐘の音は随分遠くまで聞こえる。こうしてもともと仏事用の鐘が次第に時の鐘となり、人々の意識の中に「時刻」という考えが定着していった。時計が普及した現在でもお寺は几帳面に鐘を鳴らしているが、それはもともと時刻は寺院から始まったことに由来するのである。

『今昔物語集』巻三十一第十九話には寺の鐘に関する話が載っている。「小野篁が愛宕寺を造立し、鋳物師が言うのに、この鐘は撞く人がなくても「十二時」に自動的に鳴るようになっている。ただしそれはこの鐘を土の中に埋めてちょうど三年になった場合であると言った。しかし僧が我慢できずに掘り出したため、ただの鐘になってしまった。お寺の鐘は人々に時刻を知らせ、また一日を十二等分して二時間ごとに撞かれていた。なお間食の「おやつ」も寺の時間と関係がある。八つ時（午後二時〜四時）に間食していたので「やつ」と言っていたが、それに丁寧語の「お」がついて「おやつ」となったのである。

ただ鐘の音は単に時刻を知らせるだけではなく、宗教的な効力も期待されていた。鐘を撞くことによって衆生が苦を免れるという思想があった。『日本霊異記』上巻第三十二には、次のような話が見える。聖武天皇が狩りをしていた時、一匹の鹿が逃げある家へ走り込んだ。家人はそうとは知らず食べたため捕えられた。彼らは大安寺の仏像が願い事を聞いてくれるというので、人を遣わして経をあげ、それと同時に鐘を鳴らし続けて欲しいと頼んだ。衆僧たちは言われるようにした。するとちょうど天皇に皇子が誕生し、そのために大赦が行われ釈放された。この話は仏像や経だけでなく、鐘音にも功徳があったことを示している。

平安時代の内裏には、「時簡」（ときのふだ）という時間を掲示する木札が使われていた。清涼殿の殿上の間の小庭に設置され、時刻を示す時杭《ときのくい》をさし込んで掲示した。時間に時杭を刺す時は鳥がくわえ去る程度の音がしたという。

『枕草子』第一六一段には長徳元（九九五）年六月に中宮定子が方違えした時のことである。「時司《ときのつかさ》などは、ただかたはらにて、鼓の音も例のには似ずぞ聞ゆるを、ゆかしがりて、わかき人々廿人ばかり、そなたにいきて、階《はし》よりたかき屋にのぼりたるを、これを見あぐれば…」と言うように漏刻臺は見上げるほどの高い楼閣であった。

人為的な時刻も次第に普及したが、当時の人々は太陽や月や北斗七星などの自然現象によって時刻を知るという感覚は自然に身に付いていた。たとえば『今昔物語集』巻十二第二十一話には、奈良興福寺の堂舎の落慶供養に際して、折からの曇り空で仏像を新しい堂舎に移す時間がわからなかったが、ちょっとの間のぞいた北斗七星によって時刻を知ったことが記されている。また『小右記』治安元（一〇二一）年七月二十五日条には、大饗の終了した時刻を「月及辰時」であると記しているように、天空にある月の位置によって辰の時刻であるとしている。

かつて時間は神仏の世界のものであり、そのことは一日の始まりを現在の午前三時から五時にあたる寅刻と考えていたことからもわかる。明け方の時刻は神仏の出現が終わる時間帯であった。しかし人間が時間を管理し、社会がそれによって動くようになるにつれ神仏の権威は低落していった。そうして現在の私たちは全て人の管理する時間に頼り切るようになり、神仏と時間の関係などには全く無頓着になっている。そういう時代だからこそ意識的に自然現象に対する感覚を磨くことが必要なのではなかろうか。

㈤　仏教語から派生した言葉

日本語を豊かにした仏教語

私たちが日常的に使う言語の多くは仏教語か、あるいはそこから派生した言葉である。漢訳仏典を基調とする言語体系のもたらした深度は計り知れない。日本語は仏教語によって抽象的な思考が可能になったと言える。そういう意味で、仏教伝来とは、まず言語変革の問題でもあった。

仏教語の浸透には長い時間を経た熟成が必要であったが、長い歴史の中で仏教はまるで異なる宗教のように変化し、また当初行われていた儀式や風習あるいは仏教用語も現在では全く意味が異なっているものも見られる。それらについて見ていくことにしよう。

まず仏教の儀式や風習である。よく北枕は死者の寝る方向で、縁起が悪いとされる。その理由は釈迦が死に臨んで、頭を北の方に向けていたことに由来するからだと言う。そこから北枕は死者の寝る方向となった。ところがである。仏教発祥の地のインドでは生きている人も皆北枕で寝ているという。それは南には死に関する国があり、北に理想の国があると考えられていたから、北枕はインドの人が日常的に行っている寝方で、しかも大変好ましい方角であった。中国でも北枕という言葉はない。北枕は縁起が悪いというのは我が国だけで、他の仏教国でもないのである。今一つ縁起の悪いものの代表が仏滅である。この仏滅は中国から伝わった民間信仰によるもので、古くは「物滅」と書かれ、その字の如く物がなくなりやすい日くらいの意味であった。仏滅は六日に一度巡ってくるが、それを釈迦が亡くなった日とするのは理屈に合わない。釈迦が亡くなった日は涅槃会としてあるから、仏滅は釈迦の死とは無縁である。ただ仏が滅するという字面から不吉がられるようになり、慶事を避けようとする人々の行動にまで影響を及ぼすようになったのである。

悪い意味が良い意味に

次に仏教用語には良い意味の言葉が悪い意味になったり、また逆の場合もある。そうした例をあげる。まず「我慢」である。この言葉は現在では辛抱するという良い意味で使われるが、元々の仏教では悪い意味で使われる。我慢というのは、自己の中心に我があると考え、その我をよりどころとした心が驕慢であること。己をたのんで心のおごる煩悩のことである。それは七つあり、七慢と呼ばれる。その七慢は次の通りである。

①劣った他人に対して自分が勝っていると言い、等しい他人に対しては自分は等しいと言う「慢」②等しい他人に対して自分が勝っていると言い、勝っている他人に対して自分は等しいと言う「通慢」③他人が勝っているのに対してさらに勝ると言う「慢過慢」④我あり、我が所有ありと執着しておごり高ぶる「我慢」⑤いまだに悟っていないのに我は証得していると言う「増上慢」⑥他人がはるかに勝っているのに、自分はわずかしか劣っていないと言う「卑慢」⑦悪行をなしても悪をたのんでおごり高ぶる「邪慢」の七つである。このうちの四番目が「我慢」である。

それにしてもこれだけ多くの慢があることは、人間にとって「自己をたのんで傲る心」がいかに御しにくいかを物語っている。「我」が生じることによって他者との融合が妨げられ、「彼」と「此」を無益に比較してしまうことによって対立的になって平和が失われる。このように「我」によって二つ以上のものが噛み合わない状態が「我他彼此（がたひし）」である。今では建て付けの悪い戸などの状況に用いられ、そこから「がたがたする」「がたがくる」などの表現も生じることになった。ともあれ他を先にし、自らを後にすることは難しい。しかしだからこそ混雑した電車やバスの中でお年寄りやハンディのある方に、さっと席を譲る姿は見ていて美しい。ましてそれを若者がすれば、その若さにして利他の精神が備わっていることに、ある種の感動を覚えるのである。

次は「利益」である。「利益」は「りえき」と読み、現在では「もうける」という意味で使われるが、仏教では「りやく」と読み、仏や菩薩などが衆生に対して物質・精神両面の恵みを与えることの意味である。だから本来は「与える」ことで、「もうける」こととは正反対であった。ところが、人々が神に対して祭祀を行い、讃歌を捧げるならば、神が人間に利益を与えるとも考えられた。神仏に祈れば、ある種の結果がもたらされる、その結果のことを「御利益」と言うようになった。

良い意味が悪い意味に

今度は逆には良い意味の言葉が悪い意味になった例をあげよう。「方便」は、一般に「目的のために利用される一時の手段」で、「嘘も方便」などという使われ方をする。しかし本来の意味はこれと全く異なる。それは仏や菩薩が衆生を救うために巧みな手段を用いることであった。たとえば「火宅の比喩」という言葉がある。ある所に長者がおり、たくさんの子がいた。ふと家を見ると壁が燃えている。「火事だ」と叫んでも、子供たちは遊びに夢中になって聞こえない。そこで長者は子供たちに「お前たちに土産を持ってきた。それは羊の車、山羊の車、牛の車だよ。外につないであるから、皆で遊ぼう」と嘘を言った。すると子供たちはお土産の言葉に惹かれて皆家を飛び出し、こうして子供たち全員を救ったという。釈迦が方便によって現世＝火宅から救うという話である。

なお火宅と言うのは生老病死を象徴的に示した言葉である。法華経には「三界は安きことなし。猶火宅の如し。衆苦は充満して、甚だ怖畏すべし。常に生老病死の憂患有りて、かくの如き等の火、熾然として息まざるなり」とある。仏教の教えを人々に説くときに、いきなり難解なことを説くのではなく、「人をみて法を説く」「座をみて法を説く」「機によって法を説く」ことが重要である。つまり相手、場所、機会がどうであるのかを見極めて説教をせよというのである。現実的な手段の大切さが必要と言うが、その方便には相手をどうやってでも救おうという慈悲の心が根底にないといけないのである。

もう一つ良い意味が悪い意味になったのが「大法螺」である。「大法螺を吹く」は「大言壮語をはく」「うそをつく」ということで、良い意味で使われる言葉ではない。しかし平安時代の頃には、褒め言葉として使用されている。十世紀中頃、市聖と言われた空也上人が亡くなった時に、文人貴族の源為憲が空也の霊前に捧げた『空也上人誄《るい》』に、「背に仏像を負い、経論を担い、便ち大法螺を吹き、微妙の法を説く」と見える。空也が大法螺を吹いていたと言うのである。しかし全体の文章から見て、それは空也を讃えていることは明白である。「法螺を吹く」と言うのは、仏の説法の盛んな様子を、ホラ貝で吹くことにたとえたものである。『法華経』の「序品」でも「大法の雨を雨《ふ》らし、大法の螺を吹き、大法の鼓を撃ち、大法の義を演《の》べる」とある。法螺と法鼓は仏教の真理を宣伝するために欠かすことのできない楽器であった。したがって「空也が大法螺を吹いている」ことは、彼が人々の教化のために身命を賭した懸命な姿を表現しているのである。空也に因んで、盆踊りは彼の創始である。始めは念仏を唱えて踊る踊り念仏で、それが一般にも広がり、民間の娯楽となった。そして霊を供養する盂蘭盆の行事と結びついて盆踊りとなったのである。

本来の意味とは異なる言葉

当初の意味から少しだけ意味が違った日用語をあげよう。まず「布施」である。「布施」は葬式や法事の際に、僧侶に対する心付け、あるいはお寺に金品を寄付することであるが、これも本来の意味からはかなり異なっている。菩薩が悟りに至るために修行するのが「六波羅蜜」で、それには「布施」「持戒」「忍辱」「精進」「禅定」「智慧」の六つがあり、その一番目である。布施は相手のために見返りを求めず施すことだから、何も金品の提供だけではない。様々なボランティア活動やアイディアを出すことなど人の役に立つことも立派な布施である。

二つ目は「観念」である。本来は仏や菩薩の姿、真理などを対象として観想し、深く心に思いを致すことだった。念仏も本来は西の夕日を見ながら、その彼方に西方浄土を観想することだった。このように観念はある事実に対して結果をはっきり知ることであった。しかし我が国では結果が把握されたことによってあきらめがつくことから、「観念する」ことは「あきらめ」の意味となった。

三つ目は旦那である。仏教はインド言語のサンスクリット語を語源とするものが多いが、ダーナは寄贈・贈与の意味である。元々は檀という木と、その周りに生える那という草との関係性のことだった。檀は那があるお陰で地面の湿気を保つことができ、那は檀の日陰で順調に生育できる。このように相互的な関係を意味していた。その音から檀那・旦那と書かれる。臓器提供者のことをドナーと言うが、ルーツは同じである。日本ではお寺に布施する人を檀那、夫のことも旦那と言うが、夫も給料を貰って妻に差し出す。共にお金を差し出すことでは共通している。

四つ目は舎利である。鮨店に行くと鮨米のことを「しゃり」と呼んでいる。これも釈迦に由来する。釈迦が亡くなった時、釈迦の骨は弟子たちによって分骨され、それがさらに無数に分骨されたため一つの仏舎利は非常に微細になった。またその形状が米粒に似ていることから米も「しゃり」と言うようになった。院政時代の藤原忠通は二千〜三千粒の舎利を収集していたという。その舎利を仏像の中に籠めると利益は万端無双となり、いかなる願望も叶えてくれる聖遺物であった。米粒の「しゃり」と似た小石は音が濁って「じゃり」といわれ、漢字で「砂利」となった。

その他の日常語

他にも「あばた」はアルブダ、「まだら」はマンダラ、「花代」はお金を意味するパナ、「瓦」はカパーラ、牛乳から作った飲み物はサルピスで、カルシウムいっぱいのサルピスということからカルピスとなった。心を乱すことなく、不動の境地に至り、没頭することを「三昧」と言う。むちゃくちゃ強いことを「めっぽう」は法を滅する滅法からきている。すっかりダメになったことを「だい（台）なしになる」と言うのは、仏像を安置する台がなくなると仏像の威厳がなくなるからである。

「男冥利につきる」という「冥利」は仏教では善業の報いとして受けられる利益のことである。とげとげしく不親切な様子を「つっけんどん」と言うが、これも仏教用語の「慳貪《けんどん》」からきている。「慳貪」は物惜しみをし、むさぼる意味で、そこから冷たく愛想がないことを示すようになった。人間関係が「ごたごた」するという場合の「ごたこた」は禅僧の兀菴《ごったん》普寧《ふねい》に由来する。鎌倉時代五代執権北条時頼に招かれた南宋の臨済宗僧侶である。彼の説法は理屈っぽく難しく話を聞く人は混乱してわかりにくかった。そこからややこしく込み入ったことを「兀菴の話みたいだ」が「ごったんごったんする」になり、「ごたごたする」になったという。金を払う時に「おあいそ」という言葉も仏教用語の「愛相」で、愛らしい様子を意味した。ところがこの言葉が遊里で客が遊女から離れることを「お愛想尽かし」と言ったが、後ろの「尽かし」がとれて「お愛想」となり、「これっきり」の意味となった。「挨拶」も禅語である。「挨」も「拶」も「迫る」という意味であるが、もう少し細かく言えば、「挨」は「軽く触れる」、「拶」は「強く迫る」で、「相手に切り込んで互いに切磋琢磨する」とか「互いに問答して相手の悟りの深浅を見ようとする」意味であった。そこから転じて江戸時代の頃から、互いに言葉をかわすことが「挨拶」となった。

不注意から失敗したことを「粗相をする」という「粗相」は本来「麁相」である。人間の一生の様を「麁の四相」と呼び、煩悩ゆえの過ちは仏が「麁相」として許すとして広まった。「麁相」は軽率ゆえの誤りということから「粗相」とも記されるようになった。

このように釈迦の教えやその言葉にしても、原始仏教の時代とは大きく異なっており、我が国の仏教はその頃の仏教とは別次元の宗教となっているのである。

(六)　仏教の箴言

愛語と利他

厳しい修行の中で思索を重ね、深い内省に基づく修行者の言葉には、私たちの足元を照らし、またその先を見通すような箴言も多くある。まずは曹洞宗の開祖道元の言葉である。「仏道をならうというは、自己をならう也。自己をならうというは、自己をわするるなり。自己をわするるというは、万法に証せらるるなり。万法に証せらるるというは、自己の身心および他己の身心をして脱落せしむるなり」という。仏道修行とは自らを知ることで、自らを知るとは自分の中の自我意識を捨てることで、自我意識を捨てるとはもともと真実の現れである世界の中に自分も存在していることに気付くことで、それは自分自身も他人も、一切の束縛から自由になることである。彼は「放てば手に満てり」とも言う。「欲や執着を手放した時、大切なものが入る」という意味であり、その大切なものこそ「心の豊かさの財宝」であろう。

また「むかいて愛語をきくは、おもてをよろこばしめ、心を楽しくす。向かわずして愛語を聞くは、肝に命じ、魂に銘ず。知るべし、愛語は愛心より起こる、愛心は慈心を種子とせり。愛語よく廻天の力あることを学すべきなり、ただ能を賞するのみにあらず」とも言っている。面と向かって優しい言葉を聞くと楽しい気持になる。自分のいない所で言われた優しい言葉は謙虚に肝に銘じるものである。優しい言葉は相手を愛する気持から出るものであり、愛する気持とは慈悲の心から生ずるものである。愛語は悪意を善意に変える力を持つことを知るべきで、ただ単に勝れていることを誉めるだけではない。相手を誉めるだけではなく、叱るにしても、愛語すなわち優しい言葉で語りかけてこそ、慈悲の心が伝わるという。道元は「自我意識を捨てること」「優しい言葉で語ること」が重要であると述べている。

　今の社会では自己主張、自己アピールが大切であるといわれるが、それとは正反対の言葉である。本来、人は自己主張をしたがる生き物である。だから自己主張をすることはさほど難しいものではない。しかしそれを抑えることは人にとって大変難しいことである。その自己主張の強さゆえに、どれだけの人が諍いを起こし、またどれだけの国が、悲惨な戦争を繰り返してきたことか、過去の歴史に学べば学ぶほど、自我の抑制の必要なことがよくわかる。それは個人、集団、社会、国家全てにおいて言えることである。それを備えることが「品格」であると思う。また「俺が俺が」「我が国が」という世界の中では、自分や国家を前面に押し出すことに意を用いるために、他者や他国に対して厳しくなるのは当然である。「愛語」（優しい言葉で語ること）は、その逆である。仏教の最も重要な精神の一つは、慈悲に基づく「利他の心」である。

　平安時代後期に市聖と呼ばれた空也を供養する願文は三善道統《みちむね》が書き記したものであるが、「他を利し己を忘るるの情《こころ》をもって情となすとある」と見える。自分のためよりも他人のことを大事と思いやる気持をわが思いとし、他者を利するを第一として自分を利することは忘れてしまう心情をわが信条とするという意味である。人間は基本的に自分中心に考え行動する。それはある意味、本能的なものだから、「自分を利することを忘れる」ということは大変難しい。しかし同時にそれが出来るところに人間の崇高さもある。だからこそそれを実践した空也は「如来の使者」と讃えられた。

　「利他」の精神こそが「人格」にとって最も大切なことであろう。著名な物理学者アルベルト・アインシュタインも、「人の価値とは、その人が得たものではなく、その人が与えたもので測られるのです」と言っているが、それと通ずるものがある。人と人との関係、集団と集団との関係、国と国との関係に「利他」があるのであれば、この世から対立の原因は消え、平和な社会が実現できることは間違いない。

日蓮・心の財第一なり

今一人日蓮を取り上げる。「蔵の財よりも身の財すぐれたり。身の財より心の財第一なり。此御文を御覧あらんよりは心の財を積ませ給べし」（蔵の中に巨万の富を積んだとしても、命の宿るこの体が安らかであることこそ、優れた財宝なのです。その体の財宝よりももっと大事な第一の財宝は心の財宝です。あなたがこの書状をご覧になるその時からすぐにでも、心の財宝を自らの身に積み重ねるべきです）日蓮は、「巨万の富の財宝よりは、心の財宝の豊かさが大事」と説いている。物質的な豊かさよりは、精神的な豊かさの大切さを主張している。

以前、ブータン国王が来日し、同国では国の豊かさをGDPのような経済的指数ではなく、総幸福指数で量る。その指数の項目には、幸福と感じる心の問題が多くあるが、世界で最も幸福と感じる割合が多いという。先進国や後進国という評価も、経済指標によってなされている。そしてそれは単なる経済指標に留まらず、先進国＝幸福、後進国＝不幸という図式がまかりとおっているが、果たしてそうなのだろうか。今一人の幸福感を経済指標のみで量ることが出来るとするのは、それはあまりにも単純な論法であろう。今一度、「人の幸せとは何か」という根源的な問いに正面から向き合う必要があるし、また日蓮の言う「心の豊かさの財宝」とは何か、それを改めて考えることが大切ではないかと思われる。

六　仏教の今を見る

(一)　葬祭中心の仏教

先祖祭りの変化

私たちの多くは一応仏教徒ということになっている。とはいえそれとの関わりは葬儀や法事、そして墓参りくらいだから、自分が仏教徒という意識はほとんどない。また寺や僧侶もほとんど葬儀や仏事にしか関与していないから「葬式仏教」と揶揄されても仕方ないのかもしれない。しかし葬儀の儀礼を僧侶が行ってきたということは、葬儀の文化が仏教と重なり合ったからである。死後の平安を願う気持や素朴な心の平安を願う心情と仏教の教えが見事に融合したのである。

かつて葬儀を行った僧は「三昧聖」と呼ばれ、死穢を恐れず、仏式葬儀を求める民衆に応えた。こうして僧侶が葬儀に関わるようになったが、「葬式仏教」となったのはそれほど古いものではない。寺が庶民の葬式の場となったのは江戸時代の檀家制度の成立以後で、葬祭中心の仏教に特化したのは明治に入ってからである。それ以前は寺は、学びの場・救済の場・芸術の場であり、地域の生活文化の拠点としての機能を果たしていた。

最初に日本仏教を「葬式仏教」と揶揄される問題に触れたい。葬祭中心の仏教を批判する声は多いが、その一方で、日本の寺がこのようになったのは日本の社会全体の問題だと考える人は少ない。経済成長を金科玉条の如く願っていた人たちにとって寺という存在は忘れられていた。人の魂の問題や苦悩などは傍らにおいて、寺は葬式さえやっておればよいとしたのは、大多数の国民であった。寺に何も求めず、何も期待しなかったことに比例するように寺は力を失っていった。そして多くの寺や僧侶は社会や人の悩みに応えることなく、また自らの有り様に対して「これで良いのか」ということを自ら問う姿勢もまた失ってしまった。

かつて私が子供だった頃、母は毎日早朝に仏壇の先祖にご飯を供え、水を新しいものにとり変えていた。家族の朝食はお供えが終わってからだった。それは日常的な風景だったから、そういう意味では仏教教理の理解はともあれ仏教は生活の中にしっかりと根ざしていた。しかし今日そうしたことを行っている家庭がどのくらいあるだろうか。また昨今の住宅事情のため、元から仏壇のない家も増えており、先祖に対する扱いに大きな変化が生じている。どこの国でも自分につながる先祖を大切にする気持は同じと思われるが、現在はその先祖供養が劇的に変化している時代に直面している。

人の見送りのあり方

最近、「両家の墓」というのが増えている。一人っ子同士が結婚するいわゆる長男長女時代の人々にとってそれは、先祖供養を行う苦肉の策となっている。また墓の継承を拒絶したり、否定することも見られるようになった。散骨などの自然葬はその典型である。「人が死ぬと自然に還る」と言うのは、世界的に普遍的な思想である。しかし死者が自然に還る前に、死者を慰霊・供養するという宗教的感情を伴っていた。火葬した遺骨を墓に入れたり、死後三十三年で弔いあげをするのも死者の慰霊を前提としている。それがなくなれば墓地は遺骨のゴミ集積場となる。また即物的な話であるが、墓の石材の八十六・四%は日本産ではなく、中国産である。そして今日では墓の価格破壊が起こり、安売り競争にさらされている。墓もただの商品となってしまった。

現在の仏教は葬式と法事を行うことだけでなく、それらが形骸化し、「死者のための鎮魂」の儀式となっていないという問題がある。人間の死という宗教儀礼の最も根幹に関わる重要な問題が個々人の内面的な信仰心と切り離され、儀礼・形式化している。死後の世界の来世もまた内面的な信仰から切り離され、葬送儀礼は世俗的な生活の一部としての社会的儀礼となった。もし葬儀の場が生者も死者も震えるような深い体験が与えられ、自分が仏教徒であることの幸せを実感できるものならば、決して否定的な意味で「葬式仏教」とは言わないであろう。むしろ何と素晴らしい「葬式仏教」だと肯定的に受け止められるはずである。供養は元々「尊敬」「崇拝」を意味する。だから本来は僧侶に対し、尊敬の念がおき、それを形にして衣服や食物などを提供することが供養であった。ところが今日、僧侶に対して「尊敬」「崇拝」が抜け落ちていることが重大な問題なのである。

かつては自分の死について、本人には何の権利もなかったから、自分が考えることではなくその子孫が考えるべき問題だった。人の死は家の枠組みの中で考えられてきた。ところが現在では、自分の死や死後のことを自らの手で制御したいと主張するようになってきた。祖先祭祀から葬送の自由への大きな転換が起こっている。そのことが葬儀の場においても、死者のための鎮魂という儀式の意義は次第に後方に退けられるようになった。あの世へ旅立つ死者たちの苦しみや不安や迷いを想像し、それに共感して冥福を祈るという伝統的な考え方ではなく、大事な人を失った喪失感にとまどい悩む自分の気持の安定や癒やしを求めるという、見送る生者の都合が優先されることになったのである。「千の風」のブームはそれを物語っている。

こうした葬送の自己決定論は祖先祭祀を拒むと共に他者をも拒絶しているように見える。人は生きていること自体、他者と共存し、相互に依存する関係にある。依存しながらも自己決定をし、他者を拒絶するのはある意味矛盾している。葬儀を盛大にする必要はないが、葬送の儀礼は死者が生者と関わりをもつ最後の機会である。そして葬られた墓も死者と家族の邂逅の場である。新しい葬送においても、無秩序なものではなく、死者の尊厳を損なうものであってはならないと思う。

人間にとっての根本的な問いである「人にとって死とは何か」「死の尊厳とは何か」などを沈思黙考しながら生きている人は少ない。こうした疑問への答えを見つけるためにも、改めて釈迦の教えはもとより葬儀や仏事を初めとする仏教のことをきちんと考えておく必要がある。

修行による悟りを主張する仏教において、その修行規定の戒律を否定すれば仏教とは違うものになる。少なくともそこには僧侶の神聖性はない。となれば、その後には宗教性が衰退し形骸化した仏教儀礼だけが残され、魂の抜けた仏教文化となる。神道では人の死を穢れとして払拭できないから、葬送儀礼を仏教が受け持つことになったが、それはほとんどの場合、信仰に支えられた葬儀ではなくなっている。こうして仏教は宗教的な権威や力を失っていき、「葬式だけの仏教」となっているのが現状であろう。

葬儀はその人にとって最後の通過儀礼であるが、かつてはその儀礼を行うのは環境の変化を社会に認知してもらう側面があった。葬送者が今まで担ってきた社会的役割を失ったことを知ってもらうための儀礼である。その方法として伝統と定式化したものが必要で、それを仏教が久しく担っていた。ところが現在は高齢で亡くなる人が増えたため、故人と社会のつながりが狭く希薄になっているから、広く人々に認知してもらう必要がなくなった。また今の日本人は死後の世界観を持つことが出来なくなっており、それは仏教の担ってきた死生観への疑問や懐疑にもつながっている。このように葬儀という最後の通過儀礼が大きく揺らいでおり、いずれは社会的な機能を担えず、衰退していくのであろう。葬式仏教と揶揄されるが、その葬式儀礼すら担えなくなれば、その葬式仏教も消滅することになるだろう。

葬儀の商品化と拝金主義

次に葬式を執り行うあり方についての問題である。葬式仏教というと、仏教の堕落形態のように言われるが、葬式を担当できるかどうかが、宗教として定着できるかを決める決定的要因となっている。仏教が日本社会に定着するうえで、葬式仏教は極めて大きな役割を果たした。誰かが人の終末を見送る役割を担わなければならないのだから、見送る儀式も必要であろう。ただ宗教には人の心や内面を支える要素が必要不可欠である。その前提となるのは宗教家としての深い自省と、それを裏付ける戒律の内面化である。葬儀の商品化という商業主義や拝金主義によって、寺と檀家の信頼関係が崩壊の危機に瀕している。源信の『往生要集』には、「足ることを知りぬれば、貧しいといへども富めりと名づくべし。財あれども欲多きは、これを貧と名づく」とあり、また著名な竜安寺のつくばいには「吾唯足るを知る」と彫られている。いずれも少欲知足の重要さを指摘している。

寺は宗教法人だから本来住職やその家族のものではない。住職が亡くなり後任の住職が着任すると、元の家族は出ていくことになる。それを回避するには、子供を跡継ぎにすればよい。こうして建前では世襲ではないものの、実質的に多くの寺は世襲となる。それでも宗教法人という半ば公的な立場なのだから自らを律するとともに、公的に還元することも必要であろう。二〇一一年三月十一日の東日本大震災が起こり、その未曾有の災害に多くの人々がその支援に携わった。大量の死者を前にして、供養して欲しいとの声があり、多くの僧侶がボランティアで被災地に赴き、説法を行ったという報道を目にした。被災者の心に寄り添う僧侶の個人的な鎮魂活動は注目されてよい。ただ本来人々の「苦」の救済を教義の根本にしている仏教界全体で大々的な救済活動をしたという話は聞かない。人間の力の及ばないことが自覚されたこうした時こそ宗教の出番ではないかと強く思うし、そうした「苦」の場に関わらないのであれば、自らの教義を捨てたに等しいと思われる。

日本仏教の再生

二つ目は日本仏教再生の問題である。仏教思想は過去のものではなく、現在の人々の心や内面を支える重要な力になると思われる。仏教は「苦」を強調した思想だと言われるが、それは「生老病死」という苦を逃れることを説いているだけではない。病気になるのは当たり前のことだし、年をとることも自然であり、死ぬことも怖れず自分のピリオドをうつこと、こうしたことを逃れるのではなく、我執を去り受け入れることを説いている。そして人生の幸福は、無常な人生だからこそ、変化しつつある一瞬一瞬を大事に充実して生きていくことにあると説く。はかない人生の現実を「無常を生きる」ものとしてとらえ、釈迦は積極的な生き方に昇華させたのである。釈迦が亡くなる直前の言葉である。「世の中のすべては過ぎ去るものである。だからこそ皆は努力して生きていくように」後ろ向きな思い込みを捨てて、勇気を持って積極的に生きていこうという釈迦のメッセージである。

誰しも様々な場で挫折や苦悩を味わう。世俗の価値観が絶対的な真理であると考えれば、出口が見えず行き詰まってしまう。仏教に限るわけではないが、そこに宗教的価値観やものの見方を持っていれば、その世俗的価値観を相対化することができる。そこに精神の自由が生まれ、人生に対しても積極的になる。その結果、どん底にあっても「感謝をもって前向きに生きる」「勇気をもって人間として正しく生きる」という希望の光を心の中に持つことが出来るのである。

現在の日本では一年間に二万五千人近くの人が自殺をしているように、多くの人が夢や希望を持てず、生きにくい世の中になっている。仏教はそのような人々に生きる意味を説き、迷いの世界にある人に明快な指針を示すと共に希望の光をもたらすことができる思想である。仏教が死後の世界だけに関わり、人の「生」の部分から遠い位置にいるように思われるが、後者にも関わることが、仏教の再生にとって重要と思われる。現代社会の病んだ深層に目を向け、命の終末を迎える人々の苦悩や家族の悲嘆を支えることこそが、宗教としての仏教の役割であろう。末期患者が直面する死への恐怖や痛みをケアするに際し、チーム医療の一員として仏教者の存在が望まれるようになってきた。

古代や中世の仏教寺院は病者や困窮者への施薬や医療、孤児には救護施設を提供、健常者にも施浴を行うなど非営利活動を行ってきたが、それはまさに公益活動そのものであった。鎌倉時代に再建された東大寺大仏や大仏殿は寺が営利事業を行わないで、人々の勧進によってあれだけの大伽藍が建築された。そういう意味で、寺は我が国で最も早い非営利組織（ＮＰＯ）と言える。公益法人である寺は、かつての歴史に学び、今一度宗教の原点に立ち返る必要があるように思われる。

(二)　仏教からみえる日本人論

融通無碍を好む

仏教を通して日本人を見てみよう。数年前に民主党がマニフェストを発表し、それによって選挙で大勝利を得て政権を獲得したことがあった。しかし政権獲得後にそのマニフェストを巡って党内でごたごたが続き、その結果、国民から見放され、政権を失ったのは周知の通りである。アメリカで始まったマニフェスト政治をそのまま持ち込んだが、結局そのことで自分たちがそれに苦しめられ、自縄自縛となり自壊した。マニフェスト政治は日本に根付かなかったようである。ただその失敗も我が国の仏教の有り様からすればむべなるかなである。

仏教の根本の仏は如来であって、それは釈迦・大日・阿弥陀・薬師如来である。こうした如来たちは大寺院に鎮座しているが、一般の人々にとってはいささか距離感がある。人々に人気があるのは観音や地蔵や権現などである。それは仏教の真理を体現した本尊の如来は有り難い存在ではあるが、直接人を助けることはほとんどない。それに対し、観音や地蔵や権現などは如来よりは下位ではあるが、現実世界での働きは絶大である。たとえば観音は三十三の姿に身を変える。欧米やイスラム圏では異様としか考えられな

庶民信仰の地蔵

いような十一面観音や千手観音への信仰も根強い。それは日本人の多くが、固定的なものの考え方より臨機応変に対処してくれるものの方に惹かれているからであろう。如来を原理原則や理念とすれば、観音や地蔵や権現などは人々にとって直接役に立つ実利である。ここに固定的な理念よりも現実的で実利を好む日本人の傾向を読み取ることができる。

日本の仏教を巨視的に見ると、古代の律令仏教、貴族仏教から江戸時代以後の近世仏教や近代仏教においても呪術的現世信仰が顕著で、親鸞や道元のようにそれと絶縁した仏教者も例外的に存在はするが、結局は古今を通じてすべからく呪術であったと言いうる。論理や哲学を不得手とする国民性に起因すると思われる。

もう一例示そう。最澄の伝えた天台宗には本覚思想がある。人は生まれながらに仏性を備えているという認識から、さらには草木まで仏になるという思想である。釈迦が説いたのは、八正道を実践し、己を律していくことによって人間は仏陀になれる可能性があるとした。ところが、人間が生来、仏陀と同じ本性を持っているとすれば、それは修行不要論となる可能性があり、融通無碍な解釈がされるようになる。この本覚思想が後世に大きな影響を与えていることは、それを受け入れる人々が多くいたことを示している。インド仏教では人生は苦であるから人は出家して修行を通して悟りに至り解脱することを教える。またキリスト教でもイスラム教でも人間は罪深く不完全であるが故に神の救いを必要とする。ところが日本の宗教はそのような思想を持たず、最初から人は救われているとする。このような楽天的な発想と厳しい修行や禁欲という人間存在の根源を否定する戒律とは合わなかったのであろう。厳しい修行はごくわずかな人にしてもらい、その功徳だけを受け取ろうと考える。その発想が戒名成立の大きな動機になっている。あるべき方向を示すマニフェスト政治が根付かなかったのはこうした日本人の臨機応変な考えや融通無碍を好む心性故であろう。

釈迦が説いた仏教の根本原理によれば、僧が修学・修行の前に厳しい戒律を守ることは当然のことであった。しかし我が国では院政期頃には、寺院内において僧の妻帯や女犯、飲酒が広がり、戒律はもはやないも同然の状態になった。この極端な戒律の軽視が日本仏教の特徴である。現在の立正佼成会や創価学会などの法華系新興宗教では出家者すら持たない在家教団である。そこでは仏教は現世の幸福をもたらすものだとする現実主義傾向が顕著である。

悩める人を導く宗教へ

仏教の厭世観や末法観に対し、神道はこの世を謳歌する楽世観が見られ、こうした考え方に親近感を持つ人々の信仰が仏教にも影響を与えたのであろう。平安時代の人々は罪の懺悔よりも目先の利益の優先を望んだが、それは何も平安時代だけのことではない。現在の政治を見ても目先の経済成長を最優先し、戦争加害の罪、原発神話崩壊の罪、大津波に見られる自然現象を軽視してきた罪などにきちんと向き合っていない。まして原子力の平和利用という名目のもと高速増殖炉に「文殊」や「普賢」という菩薩の名まで与えている。にもかかわらず、国民の内閣支持率は高く、経済優先の政府を評価しているようである。このように臨機応変や目先の利益を優先する日本人の心性は確実に現在の政治とも深く関わっているのである。

仏教のものの見方は、限りない人間の欲望の延長線上に、どのような現実や苦悩が出現するのかということに思いをはせる巨視的な眼差しであろう。あらゆる文明の基調には人間の欲望がある。その欲望に動かされた人間の営為を冷めた眼差しで鳥瞰する発想こそが覚者＝仏陀の視線である。天台などの仏教では自らの心身のみを自己とするのではなく、世界と自己とが一体であることを真実とする。草も木もそのまま仏であり、山や河も仏とすることが自覚されれば世界や自然環境を自己本位に操作し、傷つけ破戒する行為は慎むようになるであろう。こうした仏教の語る深い哲学を忘れるのはもったいない。混迷する時代には、もう一度物事の根本から考え、そして現代の課題にも応えられるように鍛え上げる必要があると思われる。

仏教の最も本質的なことは慈悲である。目に見えるものも、見えないものも、遠くにあるものも、近くにあるものも、既に生まれた者も、これから生まれようとする者も、生きとし生ける者を限りなくいとおしむ心である。自分のことだけ考えるのではなく、皆がつながっているから、皆が一緒に幸せになる道を目指す。それが仏教の思想である。仏教は「生きるための教え」だから、「人はどう生きるべきか」「社会はどうあるべきか」など、人々のそうした悩みへの答えを導く役割をすることであることは、昔も今も何ら変わらないと思う。日常から抜け落ちた人々と苦悩を共にすることが仏教界に求められている。

最澄の言葉に「道心の中に衣食あり、衣食の中に道心なし」という言葉がある。道を求める心があれば、衣食などを考えるな、志を貫けば衣食の道はおのずとついてくるという意味である。それが逆さまになっていないかが、今の仏教界に問われているのである。

【参考文献】

・植木雅俊『仏教、本当の教え』（中央公論・二〇一一年）
・増谷文雄『仏陀』（角川学芸出版・一九六九年）

・中村元『原始仏典を読む』（岩波書店・二〇一四年）
・松涛弘道『釈迦の名言一〇八の知恵』（日本文芸社・一九九五年）
・家永三郎『日本仏教史―古代編』（法蔵館・一九六七年）
・菊地章太『儒教・仏教・道教』（講談社・二〇〇八年）
・多田孝正・木内堯大『最澄』（創元社・二〇一二年）
・小原仁『源信』（ミネルヴァ書房・二〇〇六年）
・立川武蔵『日本仏教の思想』（講談社・一九五五年）
・上島享「鎌倉時代の仏教」『岩波講座日本歴史』第六巻（岩波書店・二〇一三年）
・田上太秀『仏教の真実』（講談社・二〇一三年）
・秋月龍珉『禅のことば』（講談社・一九八一年）
・末木文美士『日本宗教史』（岩波書店・二〇〇六年）
・今枝愛真『禅宗の歴史』（吉川弘文館・二〇一三年）
・村井幸三『お坊さんが困る仏教の話』（新潮社・二〇〇七年）
・奈良康明編『日本の仏教を知る事典』（東京書籍・一九九四年）
・松尾剛次「人はなぜ墓を建てるのか」『本郷』No.九三（吉川弘文館・二〇一一年）
・松尾剛次『中世律宗と死の文化』（吉川弘文館・二〇一一年）
・石川力山「日本禅宗の成立について」『日本の仏教』（法蔵館・一九九五年）
・勝田至「仏教的葬儀の展開」『日本葬制史』（吉川弘文館・二〇一二年）
・川村邦光『弔いの文化史』（中央公論新社・二〇一五年）
・佐々木宏幹『神と仏と日本人』（吉川弘文館・二〇一〇年）
・古瀬奈津子『遣唐使の見た中国』（吉川弘文館・二〇〇三年）
・河添房江「葬送・服喪」『平安時代の儀礼と歳事』（至文堂・一九九四年）
・島津毅「中世における葬送の時刻―「夜の葬送」とその変化―」『ヒストリア』第二四二号（大阪歴史学会・二〇一四年）

・稲田奈津子「日本古代の服喪と追善」『日本史研究』六一八（日本史研究会・二〇一四年）
・岩田真由子「平安時代における追善と親子意識」『日本歴史』第七一二号（吉川弘文館・二〇〇七年）
・岩田真由子「追善からみた親子関係と古代王権の変質」『日本史研究』六一八（日本史研究会・二〇一四年）
・勝浦令子「古代宮廷女性組織と性別分業」『歴史と地理』四七八（山川出版社・一九九五年）
・山田邦和「都の葬地」『恒久の都平安京』（吉川弘文館・二〇一〇年）
・稲田奈津子「古代の都城と葬地」『歴史と地理』No.五七五（山川出版社・二〇〇四年）
・山折哲雄「洛中の地名に想う」『日本歴史』第六六八号・吉川弘文館・二〇〇四年）
・勝田至「中世京都の葬送」『歴史と地理』No.五七七（山川出版社・二〇〇四年）
・小泉和子「仏壇」『朝日百科日本の歴史』一一七・一二一（朝日新聞社・一九八八年）
・吉田一彦『仏教伝来の研究』（吉川弘文館・二〇一二年）
・冨島義幸『平等院鳳凰堂』（吉川弘文館・二〇一〇年）
・冨島義幸「浄土教と密教」『日本歴史』第七二八年（吉川弘文館・二〇〇九年）
・島田裕巳『予言の日本史』（ＮＨＫ出版・二〇一四年）
・速水侑『平安仏教と末法思想』（吉川弘文館・二〇〇六年）
・藪内佐斗司『ほとけの履歴書』（ＮＨＫ出版・二〇一〇年）
・小原仁『源信』（ミネルヴァ書房・二〇〇六年）
・阿部猛『摂関政治』（教育社・一九七七年）
・村井康彦「庭の語る世界」『朝日百科日本の歴史』一九（朝日新聞社・一九八六年）
・菊池大樹「往生伝」『歴史と地理』No.五一四（山川出版社・一九九八年）
・久野昭『日本人の他界観』（吉川弘文館・一九九七年）
・速水侑『地獄と極楽』（吉川弘文館・一九九八年）
・志田諄一『風土記の世界』（教育社・一九七九年）
・中尾堯・今井雅晴『名僧のことば事典』（吉川弘文館・二〇一二年）

・築達榮八「羽衣」『日本の国宝』〇七五（朝日新聞社・一九九八年）
・松濤弘道『日本の仏様』（日本文芸社・二〇〇四年）
・山折哲雄「釈迦のからだ」『日本歴史』第四八八号（吉川弘文館・一九八九年）
・勝崎裕彦『ことわざで学ぶ仏教』（ＮＨＫ出版・二〇〇九年）
・上島享「新たな「政治」のかたち藤原道長から白河上皇へ」『週刊日本の歴史』十七（朝日新聞社・二〇一三年）
・鎌田茂雄『観音のきた道』（講談社・一九九七年）
・鈴木正崇『山岳信仰』（中央公論新社・二〇一五年）
・船山徹『仏典はどのように漢訳されたのか』（岩波書店・二〇一三年）
・勝浦令子「仏典と経典」『列島の古代史七信仰と世界観』（岩波書店・二〇〇六年）
・上原昭一「かんのんのみち」『古代日本人の心と信仰』（学生社・一九八三年）
・大隅和雄「平安時代の仏教」『平安時代の信仰と生活』（至文堂・一九九四年）
・山内晋次「航海守護神としての観音信仰」『古代中世の社会と国家』（清文堂出版・一九九八年）
・岩井宏實『日本の神々と仏』（青春出版社・二〇〇二年）
・井上光貞『日本古代の国家と仏教』（岩波書店・一九七一年）
・久野昭『日本人の他界観』（吉川弘文館・一九九七年）
・五来重『日本人の地獄と極楽』（吉川弘文館・二〇一三年）
・山本淳子『平安人の心で「源氏物語」を読む』（朝日新聞出版・二〇一四年）
・田村圓澄『仏教伝来と古代日本』（講談社・一九八六年）
・武光誠『天皇の日本史』（平凡社・二〇〇七年）
・吉野裕子『陰陽五行思想からみた日本の祭り』（人文書院・二〇〇〇年）
・増尾伸一郎「日本古代の星の信仰」『歴史と地理』№五九〇（山川出版社・二〇〇五年）
・斎藤英喜『陰陽道の神々』（思文閣出版・二〇〇七年）
・増尾伸一郎「〈天罡〉呪符の成立」『陰陽道叢書四特論』（名著出版・一九九三年）

・村山修一「古代日本の陰陽道」『陰陽道叢書一古代』（名著出版・一九九一年）
・今林常美「北斎をめぐるヒト・モノ・文化の交流」『世界史のしおり』（帝国書院）
・「国史大事典ウォーク」『本郷』四二（吉川弘文館・一九九一年）
・吉田久一「仏教思想の近代化」現代日本思想体系『仏教』（筑摩書房・一九六五年）
・田口ランディ「宮沢賢治」『本郷』№九一（吉川弘文館・二〇一一年）
・松尾剛次『「お坊さん」の日本史』（日本放送出版協会・二〇〇二年）
・伊藤聡『神道とは何か』（中央公論新社・二〇一二年）
・岡泰正「笑わない大黒」『日本の国宝』〇六一（朝日新聞社・一九八八年）
・斎藤昭俊『インドの神々』（吉川弘文館・二〇〇七年）
・平野雅章『日本の食文化』（中央公論社・一九九〇年）
・速水侑『平安仏教と末法思想』（吉川弘文館・二〇〇六年）
・今枝愛真『禅宗の歴史』（吉川弘文館・二〇一三年）
・阪下圭八「大袈裟・大仰・オーバー」『朝日百科日本の歴史』二七（朝日新聞社・一九八六年）
・上島享「鎌倉時代の仏教」『岩波講座日本歴史』第六巻（岩波書店・二〇一三年）
・小泉和子「ぞうきん」『朝日百科日本の歴史』（朝日新聞社・一九八七年）
・平川南編『古代日本の文字世界』（大修館書店・二〇〇〇年）
・酒井シズ『病が語る日本史』（講談社・二〇〇二年）
・丸山裕美子『日本古代の医療制度』（名著刊行会・一九九八年）
・市川理恵「下級官人と月借銭」『史学雑誌』第一二二編第六号（史学会・二〇一三年）
・鎌田元一「暦と時間」『列島の古代七信仰と世界観』（岩波書店・二〇〇六年）
・水口幹記『古代日本と中国文化受容と選択』（塙書房・二〇一四年）
・厚谷和雄「平安時代古記録と時刻について」『日本歴史』第五四三号（山川出版社・一九九三年）
・大喜直彦『神や仏に出会う時』（吉川弘文館・二〇一四年）

・小峯和明「宗教と文学」『日本文学史』（吉川弘文館・二〇一四年）
・加須屋誠『生老病死の図像学』（筑摩書房・二〇一二年）
・玄侑宗久『さすらいの仏教語』（中央公論新社・二〇一四年）
・興膳宏『仏教漢語五十話』（岩波書店・二〇一一年）
・『名僧の言葉事典』（吉川弘文館・二〇一〇年）
・森謙二『墓と葬送の社会史』（吉川弘文館・二〇一四年）
・土生田純之「死者が心に生き続けるということ」『本郷』No.一〇五（吉川弘文館・二〇一三年）
・土生田純之編『墓の考古学』（吉川弘文館・二〇一三年）
・橋爪大三郎・大澤真幸『ゆかいな仏教』（サンガ・二〇一三年）
・保坂俊司『戒名と日本人』（祥伝社・二〇〇六年）
・玄侑宗久『日本人の心のかたち』（角川書店・二〇一三年）
・松尾光『古代の社会と人物』（笠間書院・二〇一二年）
・柚木利博『日本人なら知っておきたい言葉の由来』（双葉社・二〇一四年）
・上田紀行『がんばれ仏教』（日本放送出版協会・二〇〇四年）
・高橋卓志『寺よ、変われ』（岩波書店・二〇〇九年）
・佐々木閑『ゴータマは、いかにしてブッダとなったのか』（ＮＨＫ出版・二〇一三年）
・厚谷和雄「平安時代古記録と時刻について」『日本歴史』・第五四三号（吉川弘文館・一九九三年）
・蓑輪顕量『日本仏教史』（春秋社・二〇一五年）

第二章　神祇と霊

この「神と霊」の項では以下の五点について述べていく。①神や霊を古代の人はそれをどのようにとらえていたか。②どのような神を善神とし、どのような神を悪神としていたか。③神道や神社はどのようにして成立したか。④日本では人を神として祭っている。その歴史はいつから始まるのか。⑤現在の靖国神社の戦没者祭祀の問題はどう考えるべきか。以上のことを踏まえて、今日の慰霊のあり方を考えたい。

一　神道は我が国固有の宗教か

(一)　朝鮮半島に由来する神々

八幡・稲荷・天満宮

日常的に食料が枯渇する古代・中世に農民たちが定期的な神祭りのために酒食を負担し、宴を維持していくことは並大抵のことではなかった。にも関わらずそれを行ったのは、貴重な酒食を神に差し出し、豊饒を祈り祝うことが、自分たちの生活の維持・向上につながると意識されていたからである。神々への盛大なもてなしは豊作や繁栄の期待の表れであった。

神道は日本人の宗教、日本民族の宗教だから、日本人以外は信者になれない。そういう意味で神道は異民族に対して排他的である。祭の言葉は貴人に仕えることを意味する「奉《たてまつ》る」の「まつる」から生じたものである。神が鎮座する場所の多くは神社で、我が国の神社の数は神社庁の管轄には入らない小さい祠や屋敷神などを入れれば、その総数はおおよそ十四万から十五万社になると言われる。それらの中で全国で最も多いのが宇佐八幡宮を総本宮とする八幡社で全国約四万四千社、第二位は京都伏見稲荷神社を総本宮とする稲荷社は三万社、第三位は大宰府天満宮と北野天満宮を発祥とする天満宮は約一万社で、この三社が群を抜いて多い。それに伊勢・熊野・諏訪・祇園・白山・日吉・山神・春日・三島神社などが続く。ただ神社本庁の調査結果は先の数字とはかなり異なっている。それによると第一位の八幡社が七八一七社、第二位の伊勢信仰の神社が四四二五社、第三位の天神神社（天満宮）が三九五三社、第四位の稲荷社が二九七〇社となっている。

小社を含めた神社数の上位三社の八幡社・天満宮・稲荷社は日本古来の伝統に根ざす神であるとほとんどの人は思っているかもしれないが、実はいずれも外来の神でそのルーツは朝鮮半島にある。宇佐八幡宮神官の辛島氏は渡来系の人物であり、宇佐氏や豊後国の渡来系秦氏の勢力と結びついて宇佐八幡社は成立した。八幡神の起源は「辛国の城に初めて八流の幡と天下って、吾は日本の神となれり」とする。「八流の幡」から八幡の名となったが、そこに見える辛国は韓国のことで、辛国の城は朝鮮半島から渡来してきた人々が生活するようになった地域のことである。その地に八幡神が天下り、日本の神になった。全国で最も多く祭られている八幡神は外来の神、韓国の神なのである。『豊前国風土記』逸文には「むかし新羅の国の神、自ら渡り来たりてこの川原に住みき、すなはち名を鹿春《かはる》の神といひき」ここでも八幡神はかつては朝鮮の新羅国の神であったと述べている。

また稲荷社はインド由来の神で、それを祭祀していたのはやはり渡来人の秦氏である。秦氏の祭る神社は八幡社・稲荷社の他にも京都の松尾社、兵庫県の出石社などもあり、日本の神社とその信仰は大多数を秦氏が作ったといってもよい。さらに天満宮の祭神の菅原道真もそのルーツは朝鮮の渡来系でかつては埴輪の作製などに携わっていた土師氏である。菅原氏の始祖は野見宿禰《のみすくね》で、彼は我が国の相撲の元祖とされている。日本の国技とされる相撲もまた朝鮮半島百済系の氏族にルーツがある。

稲荷社

ここでは渡来系の神社を代表して稲荷社と最も日本的な神道の伝統を残していると思われる伊勢神宮について述べることにしたい。まず稲荷社である。稲荷神社と言えば、商売繁盛の神として知られ、京都伏見から勧請した稲荷社は全国に散在している。もともと朝鮮半島の新羅から渡来してきた秦氏の氏神で、秦氏は弥勒菩薩が安置されている京都広隆寺を建てたことでも知られる。古来、我が国では信仰の対象となる山・岩・樹木などを遠くから拝礼する形式を遙拝という。京都の伏見も、伏見稲荷大社の鎮座する稲荷山を「伏し拝み見る」ことから「伏見」の地名となった。

京都伏見稲荷社の狐

伏見稲荷大社の起こりは、『山城国風土記』逸文に見える。稲荷という言葉は「イネナリ」、すなわち稲の実りを意味する農耕の神である。同書には富裕な渡来人の秦伊呂具が、ある日、弓矢の稽古のために餅を的にして射た。すると餅は矢が当たる前に三つに分かれ、白鳥と化して飛び去った。その三羽の白鳥が降り立ったのがこの稲荷山であった。そこで秦伊呂具はここに深い森をつくり現在に至ったという。稲荷神社の神様は稲荷大明神で、その使いとされるのが狐である。

その大明神は宇迦之御魂神《うかのみたまのかみ》で、その別名は御饌津神《みけつかみ》と言う。五穀など食物を司る神であるが、キツネの古名のケツとの音から三狐神《みけつかみ》という字があてられ、そこから狐がこの神の使いとされるようになったのである。よく狐が主役のように言われることも多いが、あくまで狐は脇役である。

稲荷社は各地に勧請され、屋敷神として祭祀されたのは、元々それぞれの地方に田と稲の神に対する信仰や狐が田の神の化身という信仰があったことによる。また真言宗の東寺の鎮守神として崇められた茶吉《だき》尼天《にてん》を本地とする神仏混淆の神でもある。その茶吉尼天は元々「ダーキニー」というインドの恐ろしい魔女であった。容姿は人骨で作った腰帯を付け、人間の生首をつないだ首飾りを下げた裸体姿で髪を振り乱し、目は三眼で牙をむき、右手で人間の足をかじり、口から血をしたたらせ、左手には人間の手を握るという半狂乱の女性だった。このようにインドでは妖怪のような豊饒と生殖の女神茶吉尼を仏教では大日如来が改心させ、善神として立ち直らせたという。そして中国では道教や狐と結びつき、また仏典のダキニ信仰と混合し、さらに密教や陰陽道を通じて我が国に伝えられた。この茶吉尼が平安時代の頃から稲荷と習合するようになり、その本身であるキツネが人を化かす霊力があるところから、その化身として信仰されるようになった。日本古来からの豊饒神的性儀礼と密教系のダキニ天信仰とが習合し、都市民の性愛神へと発展していったのである。

平安時代になると稲荷詣が盛んとなった。『今昔物語集』巻二十八第一話には近衛舎人の茨田重方《むまたのしげかた》が同僚たちと稲荷詣をする場面がある。「中の社あたりで着飾った美しい女性にあった。男たちは口々に淫らなことを言い、顔をのぞき込もうとした。特に女好きで知られる重方は盛んに口説いた。女は「れっきとした奥方を持たれている殿方の行きずりの心を真に受けては馬鹿をみましょう」と思わせぶりに色っぽく答えた。すると重方は「たしかにつまらない妻を一人持っておりますが、顔は猿のようで、心はどけちな物売り女。いや女なんていう代物ではありませんよ。いい女性がいたらそちらに乗り換えようと思っているところです。あなたの所に通いますので、住所を教えてください」と哀願した。すると女はいきなり重方の頬を強く打ち付けた。よく見るとそれは自分の妻であった」という笑い話である。ただこの茨田重方は『権記』『小右記』『御堂関白記』『左経記』などの日記にもその名前が見えており、好色であったかどうかはわからないが実在の人物であった。

先の稲荷詣は会話の中に「相ひ憑む人もがなと思ひて、此の御社に参りたる」とあるように、将来の夫や妻を求める場でもあった。元魔女であった荼吉尼天が男女の出会いの場で祭られ、愛の神に変身した。また稲荷社の名物の「いなり寿司」は稲荷社に仕えるキツネが油揚げが好きなので、そこからその油揚げに包んだ寿司飯を呼ぶようになったものである。もっとも実際のキツネは「いなり寿司」は食べないそうである。

いつの時代にも病気や社会不安などに乗じて暴利をむさぼる者がいる。この頃には狐を使って占いや加持祈祷を行い、法外な値をふっかける輩が各地にいた。そこから「狐につままれた」「狐が憑いた」などという言葉が生まれたが、狐をダシに使う人間の方がはるかに悪い。狐にとっては実に迷惑な話であろう。

時代は下って江戸時代中期の頃、田沼意次が老中まで出世したのは屋敷の中に稲荷社を勧請していたからという話が広がり、武家・庶民にまで稲荷信仰が盛んになった。商売繁盛・招福・大漁・厄よけ・子授けなどオールマイティーの神となって庶民の信仰を集めた。江戸の諺に「江戸に多きものは伊勢屋稲荷に犬の糞」と言われるほどの数となった。御利益が大好きな国民性の故であろう。因みに日本三大稲荷と呼ばれるのは、京都の伏見稲荷・茨城県の笠間稲荷（愛知県の豊川稲荷とも）・佐賀県の祐徳稲荷だという。

唐の様式を取り入れた伊勢神宮

次に伊勢神宮である。延暦二十三（八〇四）年に伊勢神宮の神官たちが撰進した「皇大神宮儀式帳」は「豊受大神宮儀式帳」と共に伊勢神宮の殿舎の構えや諸祭儀の原点とされる。神祇令の制定以来、神宮で慣習として行われていた祭儀を成文化したものである。多くの人は何となく伊勢神宮の神事は日本古来の神事の伝統を伝えていると思っている。ところがこの儀式帳に記載されている伊勢神宮の神事は、実は中国唐の文化をもろに受けた天平文化の面影を鮮明に留めている。その伝統的な神事は、「国粋的」というより「国際的」な色彩を濃厚に帯びている。二十年に一度行われる遷宮の儀式ではご神体を深夜に旧殿から新殿に移すが、その遷御の行列は唐の玄宗皇帝の時代に出来た「大唐開元礼」に規定されている様式に準拠している。また新殿の用材の伐採に先立って行われる地鎮祭では鉄製の人形や鑑・鉾などの呪物を地中に埋め、併せて鶏が犠牲として捧げられていた。今では呪物は形ばかりのものを箱に入れて埋め、鶏は籠に入れて祭場まで運ぶが、殺さずに持ち帰っている。しかし元のやり方は中国古来の祭祀儀式であった。

大山積神社

さらに伊勢神宮や別宮の神事に用いられる幟や旗などにしばしば「太一」の文字が書かれている。「太一」は北極星のことであるが、それは古代中国の天文学では天空の中心に位置する最高神としての天帝を意味する。日本の国家の最高神天照大神を祭る伊勢神宮に中国古代の天文学の知識とそれに基づく陰陽道の教説が習合しているのである。

伊予国の一宮とされる大山積神社の祭神大山積神もまた渡来系の神である。『伊予国風土記』逸文には、「乎知郡御嶋にいます神の御名は大山積神、またの名は和多志大神なり。是の神は難波高津の宮に御宇天皇世にあらわれましき。此の神、百済国よりわたり来まして、津の国御嶋にいましき」と見える。「和多志大神」は渡海の神の意味であり、したがって仁徳大王の時代に朝鮮半島の百済の国から海を渡ってやって来たというのである。れっきとした由緒正しい渡来の神である。

(二)　神道の成立

開祖も教義も救済もない宗教

神道についてそれをきちんと説明できる日本人は希である。それは世界宗教のキリスト教・イスラム教・仏教と神道の有り様が大きく異なっているからだろう。まず第一に宗派の開祖がいない。第二に世界宗教では壮大な教義が備わっているが、神道にはそうした教義がないに等しい。教義や原則がないから全てはケースバイケースとなる。第三に通常宗教は人々の悩みや苦しみを解決したり、またあの世での救いを重要な役割とするが、神道にそれはない。第四に神は神社の本殿に鎮座していることになっているが、そこには神の依り代とされる鏡や御幣が置かれているだけで、神の姿は見えない。このように開祖も教義も救済もないため、きちんとした説明をすることが困難なのである。

神道は日本列島に根付いた神祈りと神祭りの文化と言うが、その神について、国学の大成者本居宣長は『古事記伝』の中で次のように述べている。「日本の神は、古典に見える天つ神・国つ神を初め、それらを祭っている神社に鎮座する神霊を言い、また人間だけでなく鳥獣草木、海や山の神など、何であってもありきたりでなく、優れた徳のある「かしこきもの」を神と言う」と説明している。それに続けて、尊いこと、善きこと、功績をあげた優れたもののみではなく、悪しきもの、奇しきものなども含めて神と言うとする。

『万葉集』の挽歌からは、人々は死後には魂が山に昇り、それが時を経て神となり、先祖の神になると考えていたようである。山岳や森を媒介にして魂＝神＝先祖という観念が作りあげられていった。日本列島の大半が山と森に覆われているという風土的条件がこのような信仰を生み出したのであろう。まさに我が国の神は多様で万物の中に神を見る汎神教の傾向が濃厚である。

ところで神道は我が国の民族宗教の総称で、それを日本文化の基層または固有信仰、日本的なもの＝神道的と考えている人が多い。その場合、単なる民族宗教だけでなく縄文時代以来の日本人の心性の拠り所、道徳的規範の源泉というニュアンスが含まれている。しかし歴史的には何度かの大きな変化や変質を経て今日の神道が成立したのである。だから成立期のあり方や性質がそのままあるはずはない。たとえば陰陽道も神道に大きな影響を与えている。地鎮祭・追儺祭・北辰祭などは本来、陰陽道で行っていたものであるが、現在地鎮祭などは神道の独壇場となっている。このように神道は古来から日本独自の儀式が連綿として続いているのではなく、陰陽道や仏教と融合しつつ形成された宗教である。

神祇信仰と言うとその伝統的側面だけが重視されるが、それもまた常に時代と共に歩み、変容してきたことを正しく評価する必要がある。神道＝基層文化とするのは非科学的・非歴史的である。教義体系を伴った神道は七・八世紀の古代にまで遡るものでもなければ、また固有なもの、普遍的なものでもない。だから中世に成立する神道に対して、それ以前の神に対する信仰は神祇信仰と称するのが妥当であろう。

「神道」は中国の言葉から

神道という言葉は『日本書紀』の中に三例見えるが、それは今日の私たちが言う神道とは異なっている。その記事を示す。用明即位前紀「天皇仏法を信じ、神道を尊ぶ」、孝徳即位前紀「仏法を貴び、神道を軽んず」、大化三年の詔「惟神〔惟神は神道に随ふを謂ふ。亦自づからに神道有るを謂ふ。〕」とある。

この「神道」という言葉は中国では二～三世紀頃には成立していた。『後漢書』には道教の神仙になる仙術などを「神道」と表現している。神道は当時中国で使用されていた言葉を借用したものである。中国では、神道は「自然の理法」という意味で、道教や仏教の文献において自らの教えを神道と呼んでいる。したがって我が国の「神道」も中国の道教で用いられていた「神道」の概念をそのまま取り入れて、日本に仏教が伝来する以前の土着的・伝統的な呪術宗教的な信仰や思想を包括し、総称する言葉として転用したものであった。その土着的・伝統的な信仰は仏教という異質なものから照射されることで自らの存在を自覚し、その呼称として選ばれたのが「神道」であった。だから「神道」は仏教の対比語であり、いわば仏教を己を映す鏡のようにして生まれたのである。その読みも当初は濁音の「じんどう」で、「しんとう」と転換するのは室町期と考えられている。

そしてこの言葉は同時代の『古事記』『風土記』『万葉集』などには全く見えず、『日本書紀』のみの特殊な用法である。つまり神道は霊妙なる理法で道教や仏教に取り入れられ、一般には神祇・神霊やその祭祀・呪法を意味していた。「神道」という語が神についての教説やそれを担う集団という今日的な意味で使われるようになるのは、およそ南北朝頃とされるが、その担い手の中心は神官ではなく僧侶だった。もっと言えば、神道は仏教の存在なしには成立しえなかった。自然崇拝のアニミズムである神祇信仰には、人が宗教に求める「魂の救済」の教義がない。宗教の根本が現世の苦しみからの救い・解放であるとすると、神々の物語にすぎない神道は宗教とは別種と言えるかもしれない。仏教は重装備の救済教義や深遠な宗教的叡智に基づく哲学や論理を持っており、古来の神祇信仰ではとても太刀打ちできなかった。

神社の成立

また「神社」という言葉も中国春秋時代の墨子の著『墨子』にあり、「神宮」の語も『詩経』の中に見える。さらに朝鮮新羅の古典の一つの『三国史記』などにも「神宮」がある。我が国でも『万葉集』に「神社」や「社」という言葉は見えるが、いずれも読みは「もり」である。「木綿《ゆう》懸けて斎《いは》ふ此の神社《もり》越えぬべくおもほゆるかも恋の繋きに」「山科の石田《いわた》の社《もり》に布麻《ぬさあさ》おかばけだし吾妹《わぎも》に直《ただ》にあはむかも」とある。我が国で「神社」という呼称や用語が生まれるのは、律令制の成立過程の中で新たに生じたもので、それ以前には遡らないのである。

神道で行う神事に禊《みそぎ》や祓《はらい》があるが、実はこれもまた中国の祭式の影響を強く受けている。中国周時代の官制を記した『周礼』に「祓除」とあり、『後漢書』に川浜や海浜で「禊」をする行事のことが記されている。一方、『魏志』倭人伝には、「始め死するや喪を停むること十余日。時に当りて肉を食わず、喪主は哭泣し、他人は憑きて歌舞飲酒す。已に葬れば、家を挙げて水中に詣りても操浴す」とある。ここには禊という言葉は見えないものの、死者を葬った後は、皆な揃って水浴びをして体を清めるという習慣のあったことがわかる。このように死の穢れを避ける習慣は邪馬台国の時代よりかなり遡るのかもしれない。その習慣の上に中国の禊や祓いが加わって祭式が整備されたものと考えられる。

京都下鴨神社のさざれ石

現在の私たちは神社と言えば、本殿や拝殿を連想するが、元々はそうしたものはなかった。神奈備という神の鎮まる山や、聖なる巨岩である磐座《いわくら》など、自然の事物を神に見立てて素朴に崇拝していた。因みに京都洛北に岩倉という地名があるが、これも磐座《いわくら》があることから発生したものである。神祇信仰に神社や神殿という構造物が加わったのも、仏教の寺院建立に刺激されたためとされる。神社の建築の歴史は、六・七世紀頃に祭の日だけ神を迎える構造物が造られ、さらに社殿が立派になると共に常設化された。

それを全国的に広げたのが天武十（六八一）年正月条に出された天神・地祇の神々を祭る神の宮（神社）を造営せよという命令である。この天武天皇の命に基づいて造営された常設神殿を持つ宗教施設こそが成立期の神社と考えられる。しかしその後も政府は度々神殿の造営命令を発したにも関わらず、容易に実行されなかった。そこにそれ以前の神殿を伴わない信仰形態がいかに根強く存在したかを見てとることができる。神殿造営令によって各地の有力な神社から神殿が造営されたと思われるが、大和王権と深い関わりを持つ大三輪神社ですら神殿がなかったから、依然として神殿を持たない神社も存在していたと考えられる。本来、神は自然界に常住し、祭の度に神は新設された仮設の神殿に迎えられ、神威は蘇った。ところが神が霊力に満ちた自然界から離れて神殿に常住することは、霊威が補充されず、神威の減退につながる。国家の様々な祈願に応えてもらうためには神威の活性化が必要であった。その方法としてとられたのが国家による神殿の修理、つまり遷宮だったと考えられる。

平安神宮

「神社」成立以前の常設の神殿に「神宮」がある。神宮は国家によって神社とは区別される存在であった。『延喜式』神名帳には二八六一社が見えるが、神宮を称するのは伊勢神宮（大神宮）と下総国の香取神宮、常陸国の鹿嶋神宮の三つにすぎない。それ以外の史料では大和国の石上神宮や出雲大神宮の例もあるが、いずれも王権と深く関わる神社が国家の側から特別に神宮と称せられ、それらは七世紀には成立している。近代になって造営された平安神宮や明治神宮もこうした観点から神宮とされたと考えられる。

八世紀には古代の律令神祇体系が整備され、大嘗祭や式年遷宮などが行われているから、この頃に儀礼の体系としての「神祇道」が成立した。そして「弘仁式」や「貞観式」で、神社への奉幣を核とする国家的神祇祭祀の形が示された。『平安遺文』巻九に収められている寛平元（八八九）年の神官は大少宮司、神主、祝、禰宜、忌子、御杖人、宮掌の序列となっている。宮司という新しい祭祀職がトップに位置づけられている。宮司は「宮のつかさ」で神宮・神社の主管者だから、この頃には神祭りの場に社殿が建立され、神社や神社信仰が成立したと考えられる。しかしほとんどの神社では、常駐する神職が認められないから、まだ神社は宗教施設としての体制は整えられていなかった。また貴族たちも祭り以外の時に神社に参拝することは、一生のうちに数えるほどであった。院政期になって個人的な神社参詣が行われるようになり、神社が宗教組織としての体裁を整え神祇信仰の拠点となっていった。この時期をもって神道が成立したとする見方もあるが、教義や教典などを含む一個の体系性を持った仏教に比肩されるような自立的な宗教を神道とする立場からは、それは否定されている。

鎌倉時代に形成された神道

鎌倉時代以降、仏教思想に基づいて神々を体系化した神道が形成されていった。真言密教に基づく両部神道では金剛界・胎蔵界の両部曼荼羅によって神々の世界を説明した。山王一実神道では、天台の教理で神祇を解釈した。密教自体が陰陽道的要素を含んでおり、伊勢神道も「神道五部書」には「心神は則ち天地の本基にして、身体はすなわち五行の化生れるものなり」とあるように陰陽五行説の影響が見られる。この陰陽道を神道の行法、祭祀の中に取り入れて完成させたのが吉田神道である。それは延徳元（一四八九）年、三月二十五日に伊勢神宮のご神体が吉田社の斎場所に自ら降臨したと吉田兼倶が土御門天皇に密奏したことから始まる。「三月の深夜、京都の大元宮の庭に光り輝く霊物が降り立ちました。十月には、快晴の日に天から光り輝く物が大元宮に神器が降ってきました」との奏上に対し、天皇が検分したところ伊勢神宮の本体であることが判明したというのである。

吉田神社の大元宮

これより以前に起こった応仁・文明の乱は各地に飛び火したが、それは伊勢神宮にも及び、内宮の門前町宇治と外宮の門前町山田はしばしば争い文明十八（一四八六）年十二月、外宮は放火され炎上してしまった。この混乱で外宮のご神体の安否が不明になった。混乱に愛想を尽かした伊勢の神様が各地に飛んでいったという噂が流れた。そして京都では風雲雷雨に乗じて伊勢神宮の神様が飛来する「飛神明」という現象が度々認知され、神様が飛来した場所に伊勢神宮の分社が建てられ、今神明と呼ばれた。この流行を利用したのが吉田社の吉田兼《かね》倶《とも》であった。

もともと吉田神社は貞観年間に中納言藤原山陰が春日大社から京都吉田山に分社したものである。その子孫が天皇と姻戚となることで、国家が祭祀する神社となった。応仁の乱で一旦は衰退したが、天皇の許可を得て神を祭る斎場所を造りその中心に八角形の茅葺きの大元宮を設置し、それを囲むように日本全国の三千の神様が祭られた。こうして吉田社は全国の神様の百貨店となった。しかしパワースポットの完成には、何としても伊勢神宮の神様が必要であった。それを加えることができれば、全国最強となる。吉田兼倶は伊勢から飛来し降臨したとされる霊物を天皇の綸旨を得て、吉田の太元宮に安置した。彼は伊勢の天照大神が京都に遷座したと触れ回った。これに驚愕した伊勢神宮側は、ご神体が吉田の斎場に降臨することはありえないとして綸旨の撤回を求めたが、受け入れられなかった。これ以後、伊勢神宮は吉田社を神敵として攻撃することになった。

陰陽道・仏教を取り入れた吉田神道

吉田神道は元本宗源神道を至高の神道とみなすが、それは天地開闢の時に現れた国常立尊《くにとこたちのみこと》から天照大神を経て天児屋命《あまこやねのみこと》へと伝承された神道は、吉田家にだけ伝わっているとして唯一神道と称した。ともあれ吉田神道によって日本の歴史上始めて「神道」が儒教や仏教などと対比される日本固有の宗教として登場した。吉田兼倶は仏法は万法の花実、儒教は万法の枝葉、神道は万法の根本とする三教根本枝葉花実説を理論とし、仏教に対抗する自立的な宗教に成長させた。

兼倶はその理論に道教の陰陽五行説や仏教説を巧妙に取り入れ、その著書『神道大意』には、神とは「天地に先立って天地を定め、陰陽を超えて陰陽を成す宇宙の本体」とする。また「諸源壇者、胎蔵界是也」「天に五大神あり。水火木金土之元気神なり」などは密教・陰陽道の言葉である。また符を神祇道霊符印として使用することを始め、それを広く頒布し、吉田神道の教勢を拡大した。そして江戸時代の寛文五（一六六五）年、幕府の諸社禰宜神主法度で、「無位の社人、白張を着すべし、その外の装束は、吉田の許状をもってこれを着すべし」とされた。当時畿内の有力神社の神職以外は位階は持っていなかったから、この法令はほとんどの神職に適用された。白張は無地の真っ白な装束であるが、それは身分の低い人が着るものとされていたから、それを着ることは屈辱的だった。それ相応の衣装を身に着けるためには、吉田神社の許状が必要となった。

こうして吉田神道は神道許可状を発給する権利を認められ、ここに吉田家は神道界の「天下人」となった。この後、多少の紆余曲折はあるが、この態勢は基本的に江戸時代の終わりまで変わることはなかった。そして明治政府は、仏教から独立させた唯一神道の路線の上に国家神道を創出していくのである。そういう意味で、吉田神道は明治国家の宗教的基盤の整備を行ったと位置づけることもできるのである。

神仏習合は日本独自ではない

神道は早い時期から仏教と習合した。仏教は宗教として壮大な体系を持ち、文化的に高度で壮麗な芸術の圧倒的な存在感があった。そして中華思想に基づく中国帝国の世界観を支える重要な位置を占め、先進文明の象徴であるため、全面的に受容するしかなかった。我が国で最初に製作された仏像の経緯について『日本書紀』は次のように記す。摂津国の泉郡の茅渟《ちぬ》の海で不思議な音が響き渡り、それは麗しく光輝いていた。大王は不思議に思い、使者に見に行かせた。すると巨大な樟木の流木が海中で照り輝いていた。そこで大王はその樟木から仏像二体を造らせ、吉野寺に安置した。それが我が国で造った最初の仏像である。その樟木は「奇すしき木」つまり神木で霊力が備わっているから、仏像を製作するのにふさわしい素材とされた。このように神の木と仏像が結びついている。

神が仏による救済を求めた最初は九州の宇佐八幡宮であった。養老四（七二〇）年に大伴旅人らによって南九州の隼人が平定された際、宇佐八幡宮もこれに協力した。多くの隼人の殺戮に加担した宇佐八幡は託宣を出して、自分は殺生の罪を犯し、その罪報におののいている。仏教の力で助けて欲しいと言うのである。そこで宇佐八幡のために神前読経が行われ、また寺も建てられた。こうして宇佐八幡は仏教によって苦悩を乗り越え、大仏造立の際には、その大事業を天神・地祇を率いて成し遂げるという仏教擁護の神となった。このように仏教による神の救済の最初は宇佐八幡であったが、その先蹤は朝鮮の新羅に見い出すことができる。それは新羅で行われていた仏教による神の救済の日本版であった。

平安期に仏教界に変革をもたらした天台宗の開祖最澄は比叡山の日吉山王神社に祭る山の神を尊重し、霊山として延暦寺を開創した。天台宗の教義に基づいて新たな教義を山王一実神道と称して広めた。また真言宗の開祖空海は、高野山に金剛峯寺を開山した。その守護神として丹生都比売神社を祭り、真言宗の教理である大日如来の慈悲の世界の胎蔵界と智徳の世界を表す金剛界の両界の尊像が神祇の神々の姿となって現れるとする両部神道説を説いた。このように、仏教と古くから祭られていた土地の神との一体化思想が広まった。

平安時代末期の院政期になると本地垂迹説による教義が進展し、神仏が融合・統合する方向に進んだ。神道は単独ではなく、仏教との共存の中で存在し、人間の営みで避けることのできない「死」に関わる葬式や死後の供養を仏教に委ね、自らはそれを排除することによって純粋性や清浄さを追求することができた。神道は「生」の領域に関わる出生や子供の成長や結婚などを担うという役割分担が可能だったから神道は仏教と共存できたのである。

神仏習合に関して鎌倉時代に成立した『今昔物語集』巻十九第二話の話が興味深い。大江定基は出家して寂照と名乗り、中国に渡った彼は唐の皇帝から鉢を飛ばす行法を強いられる。それが出来ずに困った寂照は日本の三宝に助け給えと念じたところ、鉢が飛んで面目を保つことが出来た。この話は『続本朝往生伝』三十三や『宇治拾遺物語』一七二にも見えるが、そこでは寂照は日本の三宝だけでなく、神祇や神明にも助けを求めている。ただ『今昔』だけは神祇を削除しているが、それは『今昔』の編者が神祇は仏法よりは能力が劣ったものと認識しており、日本の神は日本以外の地では機能しないと判断していたからである。このように一口に神仏習合と言っても、仏が主、神祇が従の関係にあり、またその神祇は日本という地域と不可分の関係にある地域神というべき存在であったと言えよう。

(三)　人が神となる宗教

三種類の神

体系だった神道の歴史は思うほど古くはないが、全てのものに神や霊が宿るとする八百万神の信仰はおそらく原始社会にまで遡る。古来の神は人知を越える力を持つ畏怖すべき存在であった。

我が国の神は大きく分類すると三種になる。第一は、『古事記』『日本書紀』などの神話に登場する神々でその数は三二七柱である。記紀神話は仏教以前の我が国の土着の「古層」信仰で、仏教とは無縁のものと考えられがちである。しかし『日本書紀』に登場する個性をもった神々は仏教の諸仏や菩薩の話を受容して形成されたと言われる。たとえば天照大神は素朴な日神信仰に由来するが、光輝く絶対者、最高神として天皇を守護するという観念は仏典の影響がある。『金光明経』では、仏が光り輝く絶対者として現れ、護国経典として国家との関係を強調する。天武・持統朝には『金光明経』は最も大きな地位を占めており、仏が護法の王を守護するという構造は天照大神のそれと近似している。このように日本の神々はその出発点からして仏との交渉の中で自己形成をしてきた。

第二は神話には登場せず、歴史の推移の中で新たに登場してきた神々である。東大寺大仏建立の際に宇佐八幡がその大事業を援助するために九州から上京した例などがそれに相当する。第三は、人を神として祭ったものである。これらの神々は分霊や分祀という形で別の場所で祭られるケースも多いことから、神の数は増えることはあっても減ることはない。

我が国では人が神になる例が多くある。その最も早い例は天武天皇である。『万葉集』に「大君は神にし坐せば赤駒のはらばふ田井を都となしつ」（四二六〇）「大君は神にし坐せば水鳥のすだく水沼を都となしつ」（四二六一）と見える。壬申の乱で勝利して即位した英雄の天皇を神であると歌い上げた。この現人神の思想は仏教に源流があるとする。その根拠の経典が旧訳『金光明経』と新訳『金光明最勝王経』で、そこには次のようなことが記されている。国王が王としての使命を受け、母后の胎内に宿るのは、神々の加護によるもので、その尊貴性は神と異ならない。つまり国王は神の子であるという帝王神権説を説いた。この経典は天武天皇以降、国家擁護の経典として重要視されたから、『金光明経』に基づいて現人神思想が成立した可能性は十分考えられる。もしそうだとすれば、天皇という神と仏教とが結びつく神仏習合は七世紀後半には成立していたと言えるのである。

吉田神道創見の人間の神祭り

天皇ではない人が神となった初見は『続日本紀』養老二（七一八）年四月条に見える筑後守道君首名《みちのきみおびとな》である。一般に知られた人物ではないが、彼は筑後守としての業績が素晴らしく、その国を豊かにし、人々は心服した。そこで彼の死後、国の人は彼を神として祭ったと言うのである。しかしこれ以後、そうした記事は平安時代に至るまで見えない。

平安時代には怨みをのんだ人の霊を慰めるために神として祭る御霊信仰があったが、それは権力者や歴史上の著名人を神とする極めて限定的なものであった。ところが歴史上、名もない人々の霊を神霊に昇格させ怨みや祟りの恐れのない者を神とするのは新しいタイプの神信仰である。それに大きな影響を与えたのが室町期の吉田神道の吉田兼倶である。

彼は「心とは神なり」とする神人合一思想を編み出した。神は人の心そのものだとして人の心と神とを同一視する。その理屈で言えば、肉体は滅びても神である心は祭られるべき対象となる。祟らなくても人が神になれるというのは神意識の大転換であった。その象徴的な出来事が、豊臣秀吉を神にしたことだった。それ以前、神職は穢れや不浄を避けるために葬儀に関与することを避けてきたが、新たに創出された葬送は吉田流の儀礼で行われた。神道はこれによって仏教から独立した。人間を神として祭る吉田神道の創見は後世に大きな影響を与えることになった。

織田信長はルイス・フロイスによれば、自らが神として崇められることを望んだというが、それは実現できず、後世になって京都船岡山にある建勲神社に祭られた。神になることを明確に表明したのが豊臣秀吉

織田信長を神とする建勲神社

であった。新八幡という神号を得て、死後も伊勢神宮と並ぶ神として君臨しようとした。しかし朝廷の認める所とならず、結局、吉田神道の方針で、豊国社に豊国大明神として祭られることになった。しかし豊臣氏の滅亡と共に豊国社もつぶされ、明治になって復活した。徳川家康も神となることを望み、吉田神道系の明神は秀吉の例から不吉とされ、家康のブレーン天海は天台系の日吉神社の山王一実神道の地位向上を目論んだ主張に従って東照大権現として日光東照宮に祭られた。権現とは本来、仏や菩薩が衆生を救うために仮に神として現れた考えに基づく。東照大権現は東を照らす仏で、東の仏は薬師如来だから、家康は本来薬師如来だったとするのである。

その他、神として祭られている例をあげよう。いずれも中世後期以後になって神格化した。奈良の橿原神宮は神武天皇を祭り、桜井市の談山神社は中臣鎌足の威徳を顕彰するためで、歌聖と言われる柿本人麻呂を祭った柿本神社は西日本に多くある。また平安京に遷都した桓武天皇は平安神宮の祭神、平安遷都を建議した和気清麻呂は京都護王神社の祭神とされ、陰陽師として知られる安倍晴明も京都の清明神社に祭られている。中世の人では楠木正成が湊川神社、楠木正行は四條畷神社の祭神で、戦国大名の毛利元就は豊栄神社、上杉謙信は上杉神社、明治以降には明治天皇を初め乃木希典や東郷平八郎なども神社に祭られている。一方、歴史上の敗者であった平将門や崇徳上皇、佐倉宗吾なども神として祭祀されている。このように、人が神として祭られる歴史は平安期の御霊信仰から始まり、吉田神道によって創出された人霊祭祀によって広く普及することになった。

人間を神として祭る神社は全国で一九五五社あり、そのうち古代に生存した人物を神とするのが五七五社あって三割を占めている。その祭神の生前の経歴で分類すると、貴族四十五神、武士四十九神、学者・文人十七社、女性十三神、その他十六神の百四十社である。貴族と武士が断然多いが、僧侶が一名もいないというのは注目される。それら祭神のうちで十社以上の神社で祭られているものを多い順で示すと、柿本人麻呂（二十八）藤原長良（四十一）鎮西八郎為朝（三十三）平景清（二十八）藤原鎌足（二十七）曽我兄弟（二十四）鎌倉権五郎景政（十八）坂上田村麻呂（十七）源義経（同）物部守屋（同）野見宿禰（同）和気清麻呂（同）平重盛（同）源義朝（同）となっている。ただそれらを祭る神社の創建時期は半数以上が不詳であるが、そのほとんどは鎌倉時代以後から室町時代にかけてであり、先に見た吉田神道の影響と考えられる。人神には数的制限はないから幾らでも増殖していく。たとえば作家で麻雀をこよなく愛し麻雀小説を書いた阿佐田哲也は京都伏見稲荷大社の背後にある稲荷山の中に「阿佐田哲也大神」として祭られている。これは新日本麻雀連盟が建立したもので、毎年四月には例祭も行われている。

安倍清明神社

現在の靖国神社も戦死者や戦没者を英霊として祭祀しており、名前の下に「命」という神の呼称が付けられている。これも吉田流の人霊観と神道理解に系譜を持っている。靖国神社の人神もその背景には、平安期の御霊信仰から吉田神道の人霊祭祀の長い歴史があるのである。

㈣　神・天皇と穢れ観の成立

天皇と奴婢身分は同時に成立

次は穢れと祓えの問題である。天武天皇の時代に奴婢などという差別されるべき賤民身分が成立した。天武十（六八一）年七月三十日条には、天皇は天下に命令して大祓を行わせた。この時、国造らはそれぞれ祓えの代償として奴婢一人を差し出した。古代の人々は、共同体の秩序やタブーを犯す罪人が出た時、その罪の穢れによって共同体そのものが汚染されることを怖れ、災いを祓うために大祓を行った。

それは天武の災気を祓い、その命を贖い、そして災いを奴婢に転嫁するためであった。そのことによって自らを清浄な存在にしようとした。こうして災気を除かれた唯一の清浄な存在である天皇とその対極に罪穢を一身に負う奴婢という構造が創出されたのである。

古代木簡などから七世紀半ば過ぎまでの大和王権の王は「大王」と呼ばれていた。その「大王」から初めて「天皇」と称したのがこの天武であった。天武六（六七七）年の小野朝臣毛人墓誌名には「飛鳥浄御原宮治天下天皇」とあり、天武八（六七九）年の薬師寺東塔擦盤銘の「清原宮馭宇天皇」などから天皇号は天武天皇の時代に成立したと見られている。その後も飛鳥池遺跡から天武六年の「天皇聚□弘寅」と記された木簡が出土しており、「天皇」号は飛鳥浄御原令で法制化されたことを裏付けている。天武の時代に天皇制の創出と同時に、その対極として賤民身分の奴婢もまた創出された。つまり天皇制は古代の奴隷制度とワンセットにして成立したと言うことができる。

天武天皇の都は飛鳥「浄」御原宮、制定した法律は飛鳥「浄」原令であった。ともに清浄を意味する「浄」の文字が付されている。天武十四（六八五）年には爵位が制定されるが、「明位」や「浄位」が定められるなど、王権の神聖意識や「浄」意識が急速に高められていく。

天武の没後、皇后の持統が天皇となるが、その七（六九三）年正月二日条に、初めて民衆の服色を定め、百姓は黄色衣、奴婢は皀衣《くろきぬ》であった。その皀衣は橡墨衣《つるばみすみぞめのごろも》とも言い、どんぐりの煎汁で黒く染めたもので、「賤」の可視的身分標識、同時に最下位の凶服であった。一方、服色の最上位は天皇の着衣で、清浄な白色である。このように服色の上でも白と黒という対極の位置関係とした。神聖であるべき天皇は、「浄」「白」で、穢れを一身に負うべき奴婢は、「穢」「黒」という身分構造が創出された。この身分制度は中世や近世の賤民制度と直結するものではないが、穢れ＝賤であり、彼らは差別される存在であるとする見方はここに成立した。

「神祇令」散斎条には、王権の始祖神たちの祭りに携わる者は、「穢悪の事に預からず」と定められていた。王権が祭る高天原は神々の絶え間ない努力によって穢れが完全に排除され、至浄の世界として王権を支え続けているという神話が律令国家成立と共に登場していた。律令王権の神話の核心は、穢れを払拭する行為で満たされており、その結果、高天原は至浄の空間として現世の王権統治を支える精神的拠り所となっていた。そこから至浄な空間に住まう神々を祭るにあたって穢れがあってはならないという論理が生まれ、法令に盛り込まれることになった。それが『延喜式』であった。

「延喜式」で法令化された穢れ

十二世紀半ばの貴族が「穢の事は律令載せず。式より出ず」と記すように、延長五（九二七）年に完成し、康保四（九六七）年に施行された『延喜式』で初めて穢れを正式に法令化した。その条文の一部を示す。穢忌条「凡そ穢悪しき事に触れて、応に忌むべきは、人の死は三十日を限り、産は七日、六畜の死は五日、産は三日、その宍を喫ば三日」、触穢条「凡そ甲処に穢ありて、乙その処に入らば、乙及び同処の人は皆穢とせよ。丙、乙の処に入らば、ただ丙の一身のみ穢とせよ。同処の人は穢とせざれ。乙、丙の処に入らば、人皆穢とせよ。丁、丙の処に入るも穢とせざれ。それ死葬に触れるの人は、神事の月にあらずと雖も、諸司并びに諸衛陣及び侍従所などに参着するを得ざれ」とある。

国家領域の中心に穢れが及ぶことは国家の秩序を揺るがす一大事だったから、至浄な空間を維持するために多大な努力が払われた。その代表的な行事が大晦日に行われる追儺《ついな》祭である。先の『延喜式』にはその実施方法が記されている。

その当日、内裏の庭には、反物・飯・酒・魚・塩など多くの品々を並べ、それを前に陰陽師が天地の諸々の御神に対して祭文を読み上げる。「事別て詔わく、穢悪き疫鬼の所々村々に蔵り隠うるおば、千里の外、四方の堺、東方は陸奥、西方は遠値嘉、南方は土佐、北方は佐渡より乎知能所、奈牟多知を疫鬼の住かと定め賜い、行け賜いて、五色宝物、海山の種々味物を給いて、罷け賜い、移し賜う。所々方々に急に罷き往ねと追い給うと詔うに、奸心を挟みて留まり、加久良波、大儺公、小儺公、五兵を持ちて追い走り、刑ち殺かん物ぞと聞き食えと詔う」所々に潜んでいる穢悪き疫鬼に五色の宝物や海山の種々味物を供え、当時我が国の領域の境界とされていた陸奥、遠値嘉、土佐、乎知能所の外、すなわち千里の外に追いやるというものである。疫病をもたらす穢悪き疫鬼を全て追い出し、新たな年を迎える極めて重要な行事であった。

『延喜式』には疫病防止のための祭祀が他にも見える。その一つが畿内堺十処神祭である。これは畿内に存在する国々との境、あるいは畿内と畿外との境で、祭物を供えて穢悪き疫鬼を境の外へ追いやるものであった。さらに宮城四隅疫神祭では、やはり多くの供え物を準備して平安宮の四隅にバリアーを設け、穢悪き疫鬼を追い出した。ただこうした神事には陰陽道の祓具が多く用いられ、またその文言の中に、皇天上帝、三極大君、東王父、西王母など、陰陽道の神々の名が見えるように、神道と陰陽道が習合している。宮城内の至浄の空間を維持するために何重ものバリアーを設け、そのための祭祀を行った。それほど清浄さを求めたのは、清浄であるべき神を穢から守ること、そしてその神事を予定通り無事に遂行することに責任を負っている天皇を守るためであった。

(五)　神とはどのような存在か

神は夜に示現

神社に人々が押しかけるほどの盛況になるのは初詣くらいであろう。その初詣の初見は『師記』永保元（一〇八一）年正月九日条である。その日記を書いた源経信が吉日を選び、陰陽師による祓え行った後、三人の侍を伴って平野・北野・賀茂社を廻り、ついで鞍馬寺に参詣し、翌朝に帰宅したとある。藤原宗忠の日記『中右記』にも「年首物詣」と称して、正月毎に吉田・大原野・春日・北野・賀茂・松尾社などに参詣しており、この頃から平安京の貴族たちの間で初詣が行われるようになった。

今日でも神社は地域社会にしっかりと根付いている。神社では氏神の依り代の御輿があり、それが祭の中心となる。近年神事は昼間に移行する傾向にあるが、それでも夜の宵宮に行われることが多い。それは神は夜に示現するからである。大和にある卑弥呼の墓とされる箸墓は、「昼は人が造り、夜は神が造った」と言われるように、人の時間と神の時間は明確に区分されていた。

神に供物を「たてまつる」ことが「まつり」の原義であるように、神社と祭りは切っても切れない関係にある。御輿を担いで巡行し、お旅所の仮屋に留まる。日本の神の特徴の一つは、旅をし道行くことで、また山・川・海から去来し田と家の間を往還する。神輿を担ぐ時、大勢で「わっしょい、わっしょい」という威勢のよいかけ声を出す。それは霊威のあるものを振ったり動かしたりすると、強い霊力が生まれ、神の霊威を増すからである。

神社に行くとまず大きな鳥居が目につく。鳥居は「鳥が居る」と書くように、神の使いの鳥が休む木の必要から設置された。その上に石が乗っていることが多いが、それは鳥居の上に鳥がいれば御利益があるとされるからである。そのため石を投げてその上に乗るとやはり良いことがあると思われるようになった。鳥居を通り神社の参道に向かう。真ん中を歩く人もいるが、そこは本来は神の通る道で人は端を歩くべきである。

古い神社では境内に巨木があり、その木の周囲にしめ縄が施されている。しめ縄は境界を示す。『万葉集』には、「あかねさす紫野行き標野行き　野守は見ずや　君が袖振る」という、額田王が天智天皇の弟大海人皇子に対して贈った歌がある。この「標野」はしめ縄の「しめ＝占め」と同じ意味を持つ。後には巨木や巨石は神が降臨する場所としてしめ縄を張るようになり、神聖さを象徴するようになった。聖域を作るには、それに先だって邪気や悪霊を追い払ったり、鎮めておく必要がある。神事としての相撲が四股を踏むのもそうした意味がある。

大山積神社の大楠

神社参拝の作法

参道を通り本殿でお参りをする。多くの人は賽銭を賽銭箱に入れて柏手をし、鈴を鳴らして拝んでいる。しかしこれは正しい作法ではない。それぞれの動作の意味がわかれば、そう難しいものではない。まず賽銭は九世紀頃の中国で、仏前に銭貨をまき散らす「散銭」の風習に由来する。日本では貨幣経済の発達が遅れたため、明銭が大量に輸入された室町時代から一般化した。その賽銭は神への供え物の代わりである。また鈴を鳴らすのは鈴に霊力があり神様に参拝に来たことを知らせるためで、柏手は神の霊を呼び寄せる行為である。『魏志』倭人伝には、倭の人は貴人に会うと手を打って挨拶をするとある。私たちは講演や芝居や音楽会などでも講師や役者や演奏家を祝福するために拍手をする。また三本締めとか一本締めといって手拍子を打ったりするが、これも古代の祭りで拍手で神を祝福した名残である。『日本書紀』には、持統天皇が即位した時、群臣が「拍手」したと見える。また奈良時代の元日朝賀儀礼や即位儀礼において、天皇に対する拝礼様式として拍手が行われていた。このように古代には神を拝むだけではなく、人に対する敬礼も拍手であった。ただその時代でも、渤海などの外国の使者が来た時の元日朝賀では、拍手は中止されている。それは拍手は我が国特有の土俗的拝礼様式であり、東アジア外交の場での正式な作法は中国的な儀礼だったからである。そして九世紀初頭以降は元日儀礼においても拍手を用いた儀式は消えていく。それは儀礼の唐風化と深く関係している。ともあれ拍手礼は天皇を神に擬する行為だったのである。

神社の前で柏手を打つ慣習は明治時代からで古くからのものではない。それ以前は伊勢神宮の参拝などでも柏手ではなく合掌するのが一般的であった。先に見たようにそれぞれの所作の意味を考えれば、その順序は次のようになる。まず柏手を打ち、鈴を鳴らして、神様に参拝に来たことを知らせ、神を招き寄せ、そのうえで賽銭をまくのがよいことになる。

結ぶ行為

初詣の参拝が終わると、おみくじを引く。当たりはずれはあると思っていても、年の初めのおみくじはこの一年の吉凶を占うものだけに、やはり気になる。読んだ後に木や枝に結んでいる人が多いが、それは縁結びの神の場合だけである。その縁結びの「結び」は、男女がかつて一種の呪術的行為として互いに紐を結び合うことを行っていたことに通じる。『万葉集』には、「我が待ちし秋は来りぬ妹と我と何事あれそ紐解かずあらむ」（二〇三六）「二人して結びし紐をひとりして我は解き見じ直に逢ふまでは」（二九一九）

のように、男女が共寝する際に互いに紐を解き、分かれる際には互いに結び合う習慣があった。また「我妹子し我を偲ふらし草枕旅の丸寝に下紐解けぬ」（三一四五）と言うように、結んだ紐が自然に解けると、恋人が自分のことを恋しく思っていると考えられていた。

魂が消えることはそのものの死を意味するから、魂は結んで体から脱出しないようにするのが「玉結び」である。縄文・弥生時代の人々が勾玉や管玉を結んで首飾りや耳飾りにしているのもそうした意味があった。抽象的な霊力を有するタマに対し、具体的に霊力を象徴するのが「玉」で両者の語源は同じであり、玉は人を見守り助ける働きを持つ精霊の依り代となる。だから玉は単なる装飾のためではなかった。

「結ぶ」という言葉は、もともと神霊と「魂を結ぶ」という意味を持っていた。古代の神々に「ムスビ」の名を持つものが多い。たとえば神《かみ》魂《むすび》・高御魂《たかみむすび》・神産日《かみむすび》神などがある。神霊と結ぶことは新しい生命の誕生を意味していた。今日では「結び」は「縁結び」くらいであるが、それでも縁結びの神社として名高い出雲大社には、多くの参拝客が訪れており、「結ぶ」ことを願う心情は健在である。

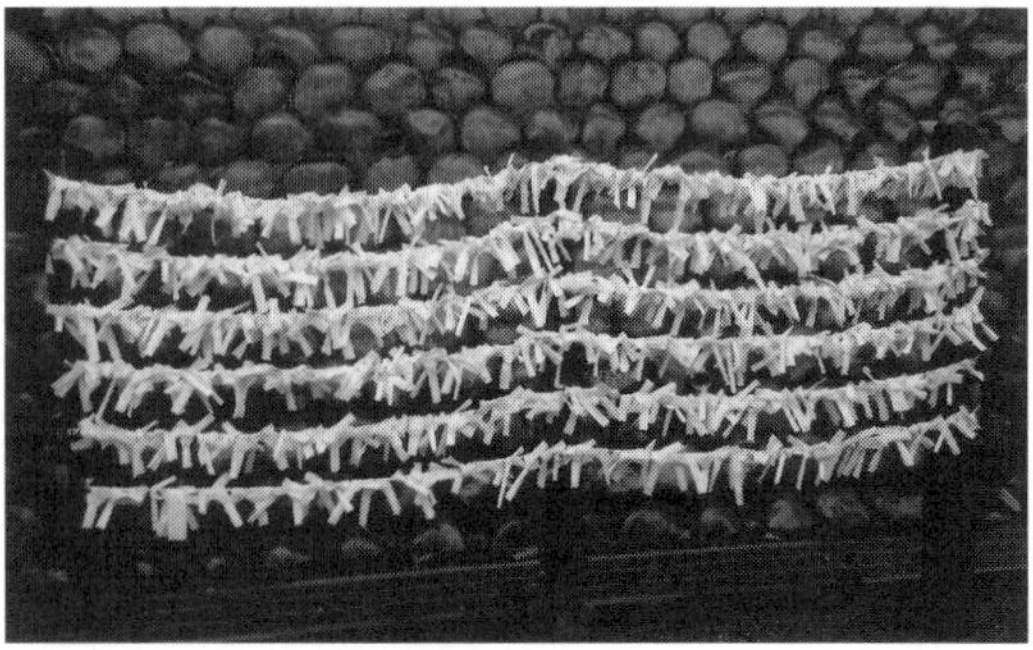

結ばれたおみくじ

人は魂の保管場所

仏教や儒教などの外来宗教が伝来する以前、我が国ではありとあらゆるものに霊魂（神）が宿るというアニミズム（精霊崇拝）の時代が長かった。霊魂は魂と同義で、生きている人の霊はイキミタマと言い、穏やかな先祖の霊はミタマ、新たに仏となった人の霊をアラミタマと言う。驚いた時に「タマゲル」と言うが、これは「魂消る」と記されるように、魂が消えてしまうことを意味していた。古代の人々にとって魂は外から自分の体の中に入ってきて宿ったものだから、その生命を支える力であるとともに、自己にとっては他者でもあった。人は魂を持つのではなく、魂の保管場所だった。だから魂は生存中であっても身体から分離すると考えられていた。個人の歴史でも命名とか成年式は新たな魂を付与し更新する儀式である。

魂は人の体から出入りするから、それが出ていきそうな時、また出てしまった時にその魂を呼び戻す招魂の儀式が行われた。ただその儀式も中国前漢の時代に編纂された『礼記』の招魂の儀礼に則って行ったものと思われる。

『紀』仁徳大王即位前紀には、菟道稚郎子《うじわかいらつこ》が異母兄の大鷦鷯尊《おおさざきのみこと》（仁徳大王）に皇位を譲るために自殺をするが、それを知って駆けつけた大鷦鷯尊が髪を解いて屍にまたがり「わが弟の皇子」と三度呼んで招魂の術を施したところ、蘇生して妹の八田皇女を献ずるという遺言を述べたあと、再び亡くなったと記す。また同書天武天皇十四（六八五）年十一月二十四日条に、天皇が病に臥した折、「是の日に、天皇の為に招魂しき」と見える。この「招魂」は「みたまふり」と訓じられているように、治療のための有力な方法であった。

さらに藤原実資の日記『小右記』には、万寿二（一〇二五）年八月三日に藤原道長の娘嬉子は皇子親仁（後の後冷泉天皇）を出産するものの、その二日後の八月五日に十九歳の若さで死去する。道長の嘆き悲しむ様は尋常ではなかったようで、六日の夜は風雨であったにも関わらず陰陽師中原恒盛らを嬉子の部屋があった寝殿の東対屋の屋根に登らせて魂呼を行わせている。ついで同書万寿四（一〇二七）年十一月三十日条には、藤原道長の死期が近くなった時のことである。陰陽師賀茂守道が道長のために招魂祭を行い、体から抜け出ていきそうな魂を道長の体に戻したことによって禄を賜っている。しかしその四日後に死去する。ただ実資は「近代聞かざることなり」と記していることからみると、平安中期頃にはほとんど行われなくなった儀礼のようである。それでも『吾妻鏡』文暦二（一二三五）年十二月十八日条に、鎌倉幕府四代将軍九条頼経が疱瘡にかかった時、陰陽師安倍国継が招魂祭を行っていると見えるから、鎌倉時代においても招魂の儀式は行われていた。

『万葉集』には茅上娘子が「魂は朝夕に賜ふれど我が胸痛し恋の繁きに」（三七六七）と詠んだ歌がある。魂が抜け出さないようにじっと体の中に留めておこうとするけれど、あなたを思う気持ちが強いので、魂が体の外へ出ようとしていて胸が痛いと言う。また『伊勢物語』百十段には、密かに通っている女のもとから「昨晩の夢にあなたの姿を見ましたよ」と言ってきたのに対し、男は「思ひあまり出でにし魂のあるならむ夜ふかく見えば魂結びせよ」と歌を詠んだ。「あなたのことを思いつのるあまり、身を離れた私の魂だったのでしょう。夜遅く現れたら、あなたの着物の棲を結んで魂結びをして留めておいてください」と言うのである。

その魂は気のようなものだから、睡眠中や失神した時に、鼻や口など体の穴から出入りした。『宇津保物語』「俊蔭」では、「口なくば、いづこより魂通はむ」とあり、魂は口から出入りするから、くしゃみなどをした場合には、魂が出ることもあった。平安後期の歌人藤原資隆の故実書『簾中抄』には、くしゃみをした時、魂が出て行くことを防ぐために「休息万命《くそくまんみょう》　急々如律令」という呪文を唱えたが、その「休息（くそく）」が「クサメ」になり、後に「クシャミ」になったという。

その「タマ」は様々あり、人の魂は人魂（ヒトダマ）、言葉の魂は言霊（コトダマ）、木の魂は木霊（コダマ）、稲の魂は稲魂（イナダマ）などと呼ばれた。これらの「タマ」は相反する二つの属性を備えている。一つは和魂（にぎたま）で、もう一つが荒魂（あらみたま）である。和魂は平和的な状態で、人々に作物を初め多くの恵みを、荒魂は無秩序な状態で、水害や地震や火事など人々に災厄をもたらす。どんな神にも和魂・荒魂の二つの属性があった。

「タマフリ」「タマシズメ」

古代にはタマフリという呪術があった。それは霊力のあるものを見たり、また頭巾などの呪物を振り動かす行為などが該当する。『万葉集』に大伴家持の「水鳥の鴨の羽の色の青馬を今日見る人は限りなしといふ」（四四九四）という霊力のあるものを見て生命力を強化したとする歌がある。それは古代人だけでなく、私たちも美しい風景や高い山の美しい姿を見れば、気が晴れる。

また領巾《ひれ》という布を振ることが呪力をもたらすという話がある。『肥前風土記』松浦郡の条には大伴狭手彦が朝命を受け、任那に渡ろうとする時、佐用媛はこれを悲しみ、領巾振《ひれふり》山に登って船の見えなくなるまで領巾を振ったとあり、九州松浦では佐用媛はそのまま石に化したとして、その石を望夫石とも呼んでいる。さらに『古事記』には須勢理毘売《すせりひめ》が大国主命と結婚する際、父のスサノオノミコトに紹介した記事が見える。スサノオノミコトは大国主命を試し、まず蛇のいる部屋に通したが、須勢理毘売が領巾《ひれ》を大国主命に渡し、「蛇が噛みつこうとしたら、領巾を三度振りなさい」と教えた。そのおかげで無事だった。その次はムカデと蜂の部屋に通されたが、ここでも領巾で鎮まらせ、熟睡できた。このように領巾を振ることはものを鎮めたり、また逆に活性化させる力があると考えられていた。『先代旧事本紀』には、饒速日命《にぎはやひのみこと》が大和に天下る時に、天照大神から十種の神宝を授かった。大別すると剣・鏡・玉と比礼（ひれ）である。女性が肩にかける細長い布の比礼を振れば、禍を除く呪力があると考えられていたからである。

今でも空港や駅で別れる時にハンカチを振るが、それは相手の魂を揺さぶるという昔ながらの方法なのである。スポーツの応援の時に旗を振るのも同じ事で、それによって選手の心を揺さぶり、鼓舞するためで、やはり古代からの観念は現在にも生き続けている。

次に『万葉集』に見える玉だすきの例である。「綿津海《やたつうみ》の手に巻かしたる珠手次《たまだすき》懸けて偲ひつ日本嶋根《やまとしまね》を」

(三六八六)「珠手次懸けぬ時なく息の緒に吾が思ふ君は」(一四五三)「珠手次懸けぬ時なき吾が恋は時雨し降らばぬれつつも行かむ」(一二三六)

珠手次は玉だすきのことであるが、それを懸けて故郷や恋人を切実に念ずればそれが実現すると考えられていた。それは肩や腕にかけるものではなく、首に懸けた玉を綴ったタスキであろう。古代遺跡から出土する玉などの首飾りはネックレスのような装飾品とされることが多いが、『万葉集』の例などからは、それは身から離れやすいタマを身に付けることで守るという呪的な意味もあったのである。

二　言霊信仰

(一)　言葉の中に神霊をみる

日本は「言霊の助くる国」

現在では神や霊の存在を信じる人は少なくなっているが、今日でもその信仰は連綿と続いている。たとえば験の悪い言葉を発すると、悪しき霊を呼び、悪い結果が生じるため、そうした言葉は忌み言葉として敬遠される。結婚式で「別れる」「切れる」「離れる」などは禁句とされ、披露宴の終わりを「お開き」と言う。それを守らない者は非常識とされる。それは日常生活の中でも見られる。「するめ」を「あたりめ」、「冬柿」を「富有柿」、植物の「葦」を「よし」と言い換え、貴人の死は「お隠れになった」という類いである。逆に良い言葉は、良い霊を招き、良い結果をもたらす。結婚披露宴の新郎新婦への祝辞は、一生に一度ほどの褒め言葉で満載となる。それは言挙げによって二人の門出を祝おうとするからである。言葉には霊がこもっていることは確かである。このように普段意識はしないが、結構日常生活の中に言霊信仰が浸透しているのである。

『日本書紀』には、天孫が降臨する以前の葦原中国のことを「葦原中国は磐根、木株、草葉もなほよくもの言う」とある。岩や木や草もよくものを言うのは、岩や木や草に人間と同様に霊魂が存在すると見ているからである。それをよく物語るのが「国見」「国讃《くにぼ》め」儀礼である。天皇などの統治者が高い場所に登って自分の支配する国土を見渡しながら、その素晴らしさを褒め称える。この儀礼を行うことで、そこを支配する神の霊異が高まり、国土に豊饒と繁栄がもたらされる。『日本書紀』『風土記』『万葉集』などには数十に及ぶ「国見」の記事が見え、それがいかに重要な儀礼だったかを物語っている。また全国に「国見」の地名が多くあるのも「国見」「国讃め」の名残である。

しかし逆にその儀礼に失敗した時には、政治的な混乱や禍が発生する。天界の支配者天照大神は自分の子の天忍《あめのおし》穂《ほ》耳命《みみのみこと》を地上界に天下らせた。命が天浮橋の上に降り立った時、地上の様子について「ひどく騒然としているようだ」と言った。この神は「国讃め」すべきであったにも関わらず、全く反対の言葉を発してしまった。そのために言霊が負のエネルギーを発生させ、意図していた地上の支配が不可能になるという混乱をもたらした。これも悪い言葉を発すれば悪い結果が生じるという言霊信仰である。

『古事記』の雄略段に葛城山の神の話が見える。雄略大王が葛城山で狩りをしていた時、大王の行列と同じ装いで山に登っていく者があった。不審に思った大王が名を問うとその者は「自分は悪事も一言、善言も一言、言離の神、葛城の一言主《ひとことぬし》の神である」と名乗った。大王は葛城の神であることを知り、刀・弓矢をはじめ従者の衣服までを献上した。葛城の神の「悪事の一言、善事も一言」の発言には、言霊信仰が凝縮されている。

さらに『土佐国風土記』逸文では、土佐の高賀茂大社の神を一言主大神とし、『日本書紀』天武元（六七二）

年七月条の事代主神の伝承なども言霊信仰が反映されている。また『万葉集』には柿本人麻呂が「言霊のたすくる国」と言い、あるいは山上憶良が「言霊のさきばふ国」と詠ったのもそうした思想を示している。

言霊と関係するのがお経である。経には大きな功徳があるとされ、なかでも重視されたのが読経であった。経の文字には霊力がこもっており、それを音に再生することで無限の力が得られるのである。言葉には霊力があるというのはこの時代の人々の共通認識であった。

『万葉集』には山上憶良の長歌がある。「そらみつ倭の国は皇神《すめがみ》の厳《いつく》しき国　言霊の幸《さき》はふ国と語り継ぎ言ひ継がひけり」(八九四)とある。また「言霊の八十の衢に夕占問ふ占正に告る妹は相寄らむ」(二五〇六)、「磯城島の大和の国は言霊の助くる国ぞま幸くありこそ」(三二五五)と詠われている。

このように歌には霊が宿ると信じられていたからこそ古くから歌の力を用いるために宮廷歌人がいたのである。その代表的人物の柿本人麻呂は様々な場で歌を詠んでいるが、その歌の鑑賞にあたってはそれに呪術的役割があったことを忘れてはならない。

九世紀の初め嵯峨天皇によって『凌雲集』『文華秀麗集』、淳和天皇の世に『経国集』という漢詩集が編纂されるが、その『凌雲集』の序に「文章は経国の大業にして、不朽の盛事」とあり、国家を治めるには文章が不可欠であるという認識があった。『経国集』の名はそのストレートな名称である。今の私たちの感覚では、漢詩を作ることは余技か遊びと考えられるが、「国を治め、家を治めるは、文より善きはなし」というように、まぎれもなく政の一環であった。

嵯峨・淳和天皇の次に即位したのは仁明天皇であるが、その四十歳の祝賀会に長歌が献上され、それについて『続日本後紀』嘉祥二（八四九）年三月条には、「日本の倭の国は言玉の幸ふ国とぞ、古語に流れ来れる、神語に流れ来れる」(この国の言い伝えてきた倭の国の言霊が幸福を与える国だ) と記す。平安前期に同じような天皇賀歌が作成されているが、その一つが『古今和歌集』の「わが君は千世に八千世にさざれ石の巌となりて苔のむすまで」（賀部・読み人知らず）である。言わずと知れた国歌君が代である。なお天皇を褒め称えた歌の「石が成長して巨石となる」というモチーフは国学者契沖が指摘しているように、中国の『酉陽雑俎《ゆうようざつそ》』という説話集の「石、遂に長じてやまず、年を経て主さ四十斤」が種本であった。

さらに遣唐使の航海のように苦難を伴う旅などの場合も「言挙《ことあ》げ」によって祝福し、その歌に送られて出発した。その一首である。「葦原の瑞穂の国は神ながら言挙《ことあげ》せぬ国　然れども言挙ぞわがする言幸く真幸く坐せと恙なく幸く坐さば荒磯波ありても見むと百重波千重波しきに言挙すわれは」反歌「磯城島の日本の国は言霊のたすくる国ぞま幸くありこそ」と詠まれている。日本の国は「言霊の助くる国」であり、「歌や詩の国」という認識を見てとることができる。

呪文

私がまだ小さかった頃、外で走り回り、よくぶつかって怪我をしたり、たくさん痛い目をした。その時に祖母が「オンコロコロセンダリマタオキソワカ」（私にはこのように聞こえた）と呪文を唱え、痛い所をなでてくれた記憶がわずかに残っている。呪文の意味はさっぱりわからなかったが、痛みが和らいだような気になった。

最近になってその呪文の意味がわかった。それは正しくは「オンコロコロシャンダリマトゥギーソワカ」で、その意味は「マータンギ族のシャンダリーの娘の呪術によって禍を除きたまえ」である。マータンギ族というのはインド北方の遊牧民族と言われている。それは薬師如来の真言だから病気や痛みを和らげるのに効果があると思われたのだろう。もう一つ仏教経典の『般若心経』の末尾にある「掲帝掲帝《ぎゃていぎゃてい》波羅掲帝《はらぎゃてい》波羅僧掲帝菩提蘇婆訶《はらそうぎゃていぼだいそわか》」も呪文である。一応、「行ける者よ、行ける者よ、ともに行ける者よ、悟りに向かって行ける者よ、悟りに栄光あれ」と訳されたりするが、本来は単語を寄せ集めた意味不明の言葉である。

これに似たものに「アビラウンケンソワカ」と唱える呪文がある。これは真言密教の中心の仏である大日如来の真言で、「地・水・火・風・空一切の法の如く成就す」の意味である。今日では元の意味を知る人はほとんどいない。これらまじないの多くは真言密教や修験道の加持祈祷の一部の文をとってきたものである。「言霊の幸ふ国」という観念の存在した古代では、言葉そのものに呪力がこもっていると意識されていた。

粟田娘子が大伴家持に贈った歌「思ひやるすべの知らねば片埦《かたもひ》の底にぞ吾は恋ひなりにける」（万葉集・七〇七）これは粟田娘子が家持への恋の思いを成就させるため、土器の底に「家持」の名を記して水や酒を飲んでいた様を記している。相手の名を記した器の水や酒を飲めば恋が叶うという俗信があったのかもしれない。今日でも壁などに相合い傘の中に男女の名を書いてあるのをみかける。やはりこれも恋を叶えるためであろうから、古代と変わることはない。これも墨書が呪力を持っていることを示している。

有名な小泉八雲の「耳なし芳一」の怪談話に、芳一が全身に経文を書いて平家の亡霊から身を守ったが、書き忘れた耳だけは削られてしまったという話も文字そのものに呪力のあることを示す物語である。また歌も人を動かすものだった。『梁塵秘抄』の三三九番には、「我を頼めて来ぬ男　角三つ生ひたる鬼になれ　さて人に疎まれるよ　霜雪霰降る水田の鳥となれ　さて足冷たかれ　池の浮草となりねかし　と揺りかう揺り揺られ歩け」（頼りにさせたくせに、来ない男。角が三つもある鬼になれ。そして人から疎まれよ。霜や雪や霰の降る水田に降り立つ鳥となれ。そして足が冷たいままでおれ。池の浮草となってしまえ。あっちこっちに揺り揺られて歩き回れよ）とある。言葉には「力」が備わっている。この当時の人々は言葉の力は人を活かすことも、殺すことも出来ると真剣に考えていた。その分、言葉が大事に扱われていた時代であったとも言えるのである。

呪文の「呪」とは祈ることで、「ちちんぷいぷい」などの言葉によって神霊に働きかけ、その助けを乞い、願いを達しようとすることである。節分の豆まきに「福は内、鬼は外」などはその例である。平城京出土木簡には、「善き妻娶る時来たれ」という下級官人の婚活願望が記されている。一方、次のような木簡もある。「南山之下有不流水其中有　一大蛇九頭一尾不食余物但　食唐鬼朝三千暮食」「八百　急々律令」（南山の下に不流水の中に一大蛇がいる。それは九つの頭と一つの尾を持ち、他のものは喰わないで、ただ唐の鬼を朝に三千、日暮れには八百食べる）とある。この木簡は天平七・八年頃のもので、天然痘が猛威を振るった時期にあたることから天然痘=唐鬼とし、これを喰い殺すことで疫神の退散を願ったものと考えられている。

この呪文のように最後に「急急如律令《きゅうきゅうにょりつりょう》」と記されていることが多い。それは藤原京だけでなく、地方官衙からも出土しており、一般の人々にも広く普及していた。元々は中国の漢代の公文書に用いられた法律用語で、「至急律令の如く行え」という上意下達の慣用句だった。それがやがて国家の絶対的権力を象徴する文言として人々の脳裏に刻まれ、これが道教の呪符に取り入れられ、「呪の威力を速やかに伝えよ」という意味の呪文として使用された。一般の人々にとっては「律令」という言葉は施行された法典の意味よりも、まじないの慣用句の方がなじみ深かったのであろう。

歌の霊力=歌徳

漢詩や和歌も言霊があり、それを「歌徳」と言った。たとえば『源氏物語』は長編小説で歌物語ではないが、しかしそれでも七九五首もの歌が載る。それは歌の力がストーリーを展開させる重要な要素となっているからであり、そういう意味では『源氏物語』も「歌徳」を紡いだ物語とも言える。その例をあげよう。

光源氏は朱雀院の皇女の女三宮を正妻に迎えるが、しかしあまりにも幼いため落胆と後悔をする場面（若菜上）に、彼女の歌は、「はかなくてうはの空にぞ消えぬべき風にただよふ春のあは雪」と詠み、それに続けて「御手、げにいと若く幼げなり。さばかりのほどになりぬる人はいとかくはおはせぬものをと目とまれど、見ぬやうに紛らわしてやみたまひぬ」と記される。皇女であるにもかかわらず、歌は自分を淡雪に見立てた単純なもので、筆跡も大変幼い。光源氏は彼女の名誉を考え、紫の上の前で端だけをさりげなく広げた。「歌徳」のないことを強調しているのは、それは歌の善し悪しだけでなく、その人の人格までを決定するからである。歌にはそれだけの力があると考えられていた。

二つ目は『大和物語』一五八段の話である。大和の国のある男が、新しい女性を屋敷の中に連れてきて、本妻は別な部屋に追いやられた。ある時、男鹿が女鹿を呼ぶ声が聞こえ、夫は本妻に、鹿の声をどのように聞いたかと尋ねた。すると彼女は「われもしかなきてぞ人に恋ひられし今こそよそに声をのみ聞け」と当意即妙に詠んだ。男鹿が女鹿を恋い慕って鳴く声を、昔の夫の姿に重ね合わせて過去を再現し、そして今は外から夫の声を聞いているという惨めさをくっきりと浮かび上がらせた。夫はこの歌に心を動かされ、新しい女性を追い出し、妻と以前のように暮らした。

三つ目は紀貫之編纂の『古今和歌集』である。この歌集について、俳句の革新者正岡子規は『歌よみに与ふる書』で酷評している。「貫之は下手な歌よみにて『古今集』はくだらぬ集に有之候《これありそうろう》。（中略）先ず『古今集』といふ書を取りて第一枚を開くと直ちに「去年とやいはん今年とやいはん」という歌が出てくる。実に呆れ返った無趣味の歌に有之候」と記す。子規が取り上げた歌は在原元方が「ふる年に春立ちける日、詠める」とあって「年の内に春は来にけり一年《ひととせ》を　去年《こぞ》とや言はむ今年とや言はむ」と詠んだものである。年の明けるのを待ちきれずに春の方から勇んで駆けつけてくれた。何とめでたいことではないか。それほど今の世は素晴らしい世の中だというのである。

『新古今和歌集』の序文において後鳥羽上皇は「世を治め民を和らぐる道とせり」と記す。歌によって世を統治しようとしたのである。歌は古代・中世では言霊そのものだった。『古今和歌集』は醍醐天皇の命によって編集されたから、この歌はその天皇の徳を称える寿ぎとして巻頭に置かれた。正岡子規はこれを無趣味と評したが、醍醐天皇の治世を褒め称えることに目的があったことを見落としていると言えよう。またその仮名序には、和歌は「力をも入れずして天地《あめつち》を動かし、目に見えぬ鬼神をもあはれと思はせ、男女の中をも和らげ、猛き武士《もののふ》の心をも慰むるは歌なり」とあるように、それ以前の歌謡以来の宗教性を帯びた歌集であった。ただこの表現は中国最古の詩集『詩経』の大序に出てくる記述を日本風に仕立てたものだった。

本来、言霊は神にだけ属するもので、人間が発した言葉が威力を発揮したように見える場合でも、人間の発した言葉を聞き入れた神がその霊力を発揮して現実に影響を与えるものであった。しかし時代が下って奈良・平安時代になると、それが人間の言葉にまで拡大され、人の言葉そのものにも霊力が宿るというように解釈されるようになったのである。

(二)　夢は神の世界

神意としての夢

我が国では多くの神が存在するため、祭祀のためには神の正体を知り、超越的な神の意志がどこにあるかを探ろうとした。その方法の一つが夢占であった。古代・中世の人々にとって夢はもう一つの現実だったから、人の人生を左右することは普通にありえた。中国の『周礼』には夢占いの官職が置かれているように、夢判断は洋の東西を問わず、極めて重要なものであった。

現代の私たちも夢を見る。何か心に不安があると、怖い夢を見る。現在の人々は、怖い夢を見たからといってそんなに深刻に自分の人生が暗転するなんてことは思わず、また逆に良い夢を見たからといって、自分の人生に幸運が訪れるとも考えないであろう。それは夢はあくまで非現実的な現象と自覚しているからである。だから見た夢は目が覚めると共に次第に記憶から遠ざかっていき、そのうち忘れ去られていく。

しかし古代の人々はそうではなかった。夢は「寝目《いめ》」を語源とする説が有力であるが、それは睡眠中の目のことである。夢は現実の世界とは異なり、神意を聞き、死者や会えない恋人に逢うことのできる場所で、古代ではそうした観念こそが主流であった。現実の身は遠く隔てられていても、魂は夢を媒介にして直接的に相対すると考えられていた。

夢は夜に見る。現在の我々は夜と昼との対立は明確な輪郭を失い、いわばなし崩し的に昼が夜になり、夜が昼になる。古代の人たちが日常的に体験していた真の夜の静寂や暗闇、そこに漂う神秘や恐怖や夢によって受けた衝撃の深さも経験できなくなっている。夢を信じるか信じないかは、時代の文化や精神の構造に関わる。夢が「うつつ」であることは今も昔も変わらないが、現在の人はそれを信じないから霊夢を見なくなったのである。

祭式的な手続きで見る夢

夢は私たちが想像するよりはるかに重要だった。『日本書紀』崇神四十八年春正月条には、慈愛深く育てた豊城命《とよきのみこと》と活目尊《いくめのみこと》という二人の皇子のどちらに大王の位を譲るべきか、判断に迷ったという記事がある。大王は二人に「それぞれに夢を見るべし。私がその夢を聞いて判断する」と言った。そこで二人の皇子は髪を洗い、祈願して寝た。そして二人とも夢を見た。兄の豊城命は「御諸山《みもろやま》に登って東を向いて八回槍を突き出し、八回刀を振った」と言い、弟の活目尊は「御諸山に登って縄を四方に張り、粟を食べている雀を見た」と言った。これを聞いた大王は、「兄は専ら東に向いて武器を用いたので、天下を治めるのに向かず、弟は四方に心を配って統治するのに適当」と判断し、弟に王位を継がせることにしたという。このように国家の最高権力者である大王の地位を夢の内容で決定するのだから、夢は仇や疎かにできるものではない。当時の人々にとって夢は神の意志を伝える手段、つまり夢託と考えていた証である。

崇神七年二月条に、もう一つ夢に関する話が載せられている。それによると大王は、自分の先祖の頃には国が栄えていたのに、私の時代になってしばしば災害が起こる。私の政治のどこが良くないのかを知りたいと言って神浅茅原《かみあさじはら》で神意を占った。すると神明倭迹迹日襲姫命《かみやまとびももそひめのみこと》（孝霊大王の皇女）が神懸かりになって「大王はどうして国の治まらないことを憂えているのか。もし私を敬い祭れば、必ず平穏になるだろう」と言った。大王は、「そのように言われるのは何という神であるのか」と聞いた。それに対し「私は大和国の境の内にいる神で、名は大物主神である」と答えた。大王は神の言葉を得て、言われたように祭祀したが、しかし何の効果もなかった。

そこで大王は川で水を浴び、そして建物の内を清浄にし、そのうえで再び神意を求めた。「私は神を敬い、祭ったが未だに何の効果もない。我々に幸福を賜うことは何と少ないことか。願わくば夢の中で慈愛を示したまえ」と言った。するとこの夜の夢に一人の貴人が現れ、自ら大物主命であると名乗ったうえで大王に「憂えることはない。国が平穏でないのは私の心である。もし私の子である大田田根子《おおたたねこ》をもって私を祭らせればたちどころに平穏になろう。また海外の国も帰服するであろう」と言った。話はここまでしかないが、おそらくはこのことによって災いは収まったと思われる。

ここで重要なことは夢を見るために大王は身と殿舎を清浄にしたうえで夢によるお告げを求めていることである。このことは神意を知るためにはこうした儀式が不可欠であることを示している。自然発生的な夢ではなく、一定の祭式的な手続きによって得られた夢だからこそそれは公的に信じられるものであった。それは私たちが何の準備や用意をせずに見た夢とは重みが違うのであり、逆に言えば、日常的に見る夢は神の世界への通路とはなりえなかったのである。

夢を見る建物・夢殿

　ところで世界最古の木造建築として、また聖徳太子の寺として知られる法隆寺に夢殿という建物がある。それはその名の通り夢を見るための特別な殿舎であった。『今昔物語集』に夢殿の話がある。「太子、斑鳩ノ宮ノ寝殿ノ傍ニ屋ヲ造リテ夢殿ト名付ケテ、一日ニ三度沐浴シテ入リ給フ。明クル朝ニ出デ給ヒテ、閻浮提ノ善悪ノ事ヲ語リ給フ。亦、其ノ内ニシテ諸ノ経ノ疏ヲ作リ給フ。或時ニ、七日七夜出デ給ハズ。戸ヲ閉ヂテ、音ヲモ聞カズ。諸ノ人、此ヲ怪シム。ソノ時ニ、高麗ノ恵慈法師ト云フ人ノ云ハク、「太子ハ是レ、三昧定ニ入リ給ヘル也。驚カシ奉ル事ナカレ」と見える。聖徳太子は夢殿に何日も籠もって夢託を求めた。そのようにして寝ることを「ウケイ寝」と言い、それは誓いを立てるという意味である。古代では夢は神や仏が人間に見させるものだったからそれは神的なものと信じたのである。

法隆寺夢殿

　さらに続ける。『古事記』垂仁段に、皇后のサホヒメは兄のサホヒコの謀反に加担して彼女の膝枕で昼寝している大王を短剣で刺し殺そうとした。しかし彼女はためらって大王の顔の上に涙を落とした。その時、大王は目を覚まし、今見ていた夢を話した。その夢は、佐保の方角から大雨が降ってきて大王の顔を濡らし、錦色の蛇が大王の頸に巻きついたというものであった。それを聞いたサホヒメは、佐保の方角からの大雨は兄の反乱で、錦色の蛇は自分の持っている短剣だという夢解きをして大王のもとから去ったとある。

　時代は下って承久の乱を引き起こした後鳥羽上皇の即位も夢が深く関わっている。九条兼実の日記『玉葉』によると、源平の争乱で安徳天皇が西海に落ちていくが、後白河法皇はその空位を高倉天皇の三宮と四宮のどちらにするか迷っていた。そこに源義仲が以仁王の子の常陸宮を皇位にと要求してきた。法皇はそれを拒否し、占いによって三宮か四宮かを決しようとした。占いでは三宮に吉と出た。ところがその後、法王の寵姫の丹後の局の夢に四宮が松の枝を持って行幸するのを見たというので、占いに背き、四宮を立てることにした。これが後鳥羽上皇で齢はわずか四歳であった。このように平安末期においても天皇の即位という国家の大事に、その夢や占いや託宣ということがなお重要な意味を持っていたことを示している。

橘嘉智子と藤原実資の夢

次に嵯峨天皇の皇后となる橘嘉智子も夢告の霊感に優れた女性であった。『続日本後紀』仁明天皇即位前紀には、皇子生誕にあたっての夢を記す。「かつて夢みたもう。自ら円座を引きて、之を積みかさぬるに、其の高きこと極みを知らず。一たび加えかさぬる毎に、且は卅三天を誦言す。因りて天皇をうみたまうと云う」という不思議な夢を見た。彼女が見た卅三天は忉利天《とりてん》のことで、須弥山の頂のさらに上にあり、そこには帝釈天が住み多くの眷属を率いている。この帝釈天を天皇位にたとえ、出生した皇子が天皇となる暗示と考えられたのであろう。

また彼女は「夫人」に立てられる数日前にも夢を見た。その夢は「針の孔より出でて、左市の中に立つ」と言うものであった。針の孔を通すのは希有なることを象徴し、中に立つことは天皇の夫人に立てられることを示しており、その通りになる。弘仁六（八一五）七月七日にも、「夢に、仏の瓔珞《ようらく》を著け、居ること五、六日」とあり、間もなく皇后となった。このように嘉智子は大事の際に、常に重大な夢告を受けたと伝えられている。

話は変わって、平安時代の半ば、摂関政治の全盛時代、藤原道長が実権を握っていた頃の右大臣藤原実資も夢を神仏のお告げと信じた。『小右記』治安三（一〇二三）年六月八日条には、「夢想の静かならざるに依る」とあるように、何か悪い夢を見たのであろう。これは凶事の予兆と考え、邸内の仏堂で読経を行っている。同年九月十四日、その十日ほど前に顔面に怪我をした。治療中だったが、夢で腫れている所にクチナシを付ければよいというお告げがあったので、そのようにすると実際に効果があった。さらに再び夢の中に薬師如来が出てきて、ザクロの皮を焼いて傷につけ、桃核の汁で洗えばよいと告げられた。彼は「随喜之心」は喩えようもないと記している。

万寿元（一〇二四）年十月一日の晩、実資の夢に弘法大師空海が現れ、娘の千古に関するお告げがあった。さらに詳しい夢告を得るために神護寺の別当を務めていた如念を空海開祖の東寺に派遣して祈らせている。さらに長元二（一〇二九）年九月条に、いささか品がないが、次のような記事が見える。実資はこの時、七十二歳だったが、清涼殿で道長の子の頼通を抱いて寝ていたら、「余の玉茎木の如し」という夢を見た。この夢を「若しくは大慶あるべきか」と占っている。ちょうどこの頃、娘千古の婚礼話が進んでいる最中だったので、それを吉と占ったのであろう。謹厳実直で理路整然と物事を解釈する実資もまた夢告を神仏からのお告げと考えて、信頼していた。

その実資のもとに、怪しげな人物が「あなたのことで良い夢を見た」と面会を求めにやってきた。『小右記』正暦四（九九三）年三月五日条に、自称良源正弟子と名乗る知らない法師が来たが、実資は物忌を理由に面会を断っている。この頃、吉夢を得たという口実で何らかの礼を求めて生活の便を得ている人物がかなりいたことがわかる。しかし知り合いの僧から、それは虚夢で信用できないとの解答を得ている。

吉夢や悪夢を見た時の対処方法が陰陽道にはあった。夢を見た時に唱える呪文歌があり、まず第一に、各月毎に「夢を語ってはならない日」が示される。次に夢を見た後で、定められた方角に向かって拝礼すると、罪を免れ福を得るということが、暦日毎に示される。このように夢はその内容だけではなく、いつ見たのかにも意味があった。占いによって吉凶が判断された場合、吉夢の場合は福徳が増すように祈り、悪夢を見た時には、悪いことが消滅・除去されるように祈る。夢を見てから三日間、その夢を語らなければ、吉凶の効力はなくなるという。

吉夢は他言すべからず

『日本文徳天皇実録』仁寿三（八五三）年九月一日条に吉夢は他言してはならないという話が見える。弟子延祥は師僧の護命に「夢を見るか」と問われたので、延祥は「七重塔の上で臥していると太陽が出て、自分の体を光り照らしたという夢を見た」と話した。すると師は「吉夢なので、言ってはならない。慎んで他人に語ってはいけない」と言った。後に諸宗の智者たちが論争した時に、延祥は滞ることなく見事に論じ、聴衆を感服させた。これは夢を人に教えなかった故に成功した話である。

一方『宇治拾遺物語』一六五「夢買人事」に奈良時代に地方豪族から右大臣まで異例の昇進をした吉備真備が人の夢を買う話がある。真備がまだ若い時分のことであるが、見た夢の吉凶を占うために、夢の意味を解く女のもとに行った。そこに国司の長男がやってきて自分の見た夢についてどういう意味かと聞いていた。女は大変素晴らしい夢で必ず大臣にまでなるでしょう。決して人に言ってはなりませんと言った。この男は嬉しげに衣を与えて帰って行った。その様子を穴から見ていた真備が出てきて、女にその夢を私に買い取らせてくれと頼んだ。国司は任期がきたら都に帰るが、自分は地元の人間だからそちらを大事にして欲しいとお願いした。了承を得た真備は先の男と少しも違わず夢語りをしたところ、女の方も先と同じことを言った。それから学問に目覚ましく上達して学識のある人物となり、遣唐使にもなって天皇の覚えめでたく大臣にまでなった。一方、夢を取られた国司の子は官職を得ることもなかった。されば「夢をとる事は実にかしこき（そらおそろしい）事なり」、また「夢を人に聞かすまじきなりとい言い伝へたり」と結ばれている。

夢解き人の出現

ただ夢は吉夢と悪夢だけではなく、夢を見た本人ですらよくわからないものも多くある。それでも夢の予兆性を信じていたなら、その夢の意味をどうしても知りたいと思うのも自然なことである。そこで登場するのが、夢を解釈する技術や夢の性格を見極める職業的な夢解き人である。中には夢解きの名人と称される人物も現れるようになり、『二中暦』一能歴の項には、「世児・世千成・院讃・都々・横頭」の五人がその名人として挙げられている。そういう人の姿が『蜻蛉日記』にも見える。その作者藤原道綱の母の場合は、三つの夢解きのことを記し、それはいずれも子息の道綱が大臣公卿に達すると判断され、それは可能性があると期待している。鎌倉時代に『愚管抄』を著した慈円の兄で、『玉葉』の著者九条兼実は当代有数の知識人だった。源頼朝とも懇意で、京都の政界で大きな影響力を有した彼もまた夢を多く書き記している。それは自分の夢だけでなく、側近の見た夢も書き留め、それに一喜一憂している。

ただ兼実は青年期や晩年にも夢を見ているはずであるが、その頃の日記には夢の記事はほとんど見られない。集中しているのは、彼が三十一歳から四十歳までの十年間である。『玉葉』の治承三（一一七九）年九月七日の条には、縁者の頼輔入道が、昨夕「太神宮と春日社の御神体が九条家の前庭の樹上に御座していた」夢を見た。そして姉の皇嘉門院聖子が一昨夜「兼実・良通親子が関白基房・隆忠親子の上位にあり、良通と隆忠が背くらべをしたところ、良通の方が高く、そしていつの間にか、基房・隆忠親子は消えていた」という夢を見た。兼実はこの二つの夢を「最吉夢」として喜んでいる。

彼は十三年間、右大臣のままで、彼やその周辺の人々にとって摂政になることは切実な願望だったが、これらの夢は現実に摂政になる可能性があっただけに「最吉夢」としたのである。しかし、この時の期待は夢のように消えた。実際に摂政・氏の長者となったのはさらに八年後のことで、「仏神の冥助、紅涙満眼」

と記す。そしてこの後は、夢に関する記事が急激に少なくなっている。

鎌倉新仏教の浄土真宗の開祖親鸞も夢を見たことで革新的な思想を実践することになった。世に言う「女犯偈《にょぼんげ》」の夢告である。建仁元（一二〇一）年、京都の六角堂で百か日の参籠を続けていた二十九歳の若き親鸞の前に僧形の救世観音が現れ、言葉を授けた。「たとえ行者が宿命によって女性と関係を持つことになっても、私は美しい女の身となって行者の相手を務めよう。生前は行者を守り、臨終には極楽に引導しよう」救世観音はこのように言い、この誓願をあらゆる衆生に説き聞かせるように指示した。幾千万の生きとし生けるものにこの言葉を伝えようと思ったところで、親鸞は夢から覚めた。

真言密教の『覚禅抄』という著作にこの偈と似た文があり、親鸞はそれを読んでいたにも関わらず、その夢告を得て初めて行動を起こし、法然の弟子となった。それはこの夢告が救世観音からの直々の啓示だったからである。親鸞にとって彼一人に語りかけた救世観音の言葉は、誰もが目にするどんな典籍よりも高い価値があった。それは中世に生きた人々に共通する認識だった。親鸞はこの夢告を自分の妻帯の許可という個人的なレベルに矮小化しなかった。観音との遭遇を原体験として、全ての人間は罪を犯さざるをえない存在であるという普遍的な人間観を獲得し、それに基づく「悪人正機説」を構築していったのである。

建武の新政を行った後醍醐天皇の夢である。南北朝の動乱を記した軍記物『太平記』には後醍醐天皇が鎌倉幕府を打倒するために元弘元（一三三一）年、元弘の変を起こすが失敗し、天皇は都を脱出して笠置山に逃れた。そこで不思議な夢を見た。夢の中に童子が現れ、天皇を南にある枝の茂った常緑樹の下の席に案内した。夢から覚めた天皇はそこで夢占いをし、「木」「南」であるから「楠」になる。それは「楠」という者を味方に付ければよいという意味から河内国の楠木正成を呼び出した。南北朝の動乱で目覚しい活躍をした楠木正成はこの夢によって登場の機会が与えられたのである。

さらに下って室町時代のことである。室町幕府四代将軍足利義持は父義満が絶大な権威を誇ったのに対し影の薄い人物である。この義持が重病に陥った。義持の子の五代将軍義量はわずか十九歳にして早世していたから、何としても六代将軍を決めておくことが必要だった。そのため管領以下の重臣たちが再三にわたって後継の決定を要請しても「自分が決めるつもりはない」と言った。そこで義持の信任の厚い僧満済に頼んだが、その時、義持は満済に自分が決定しない理由を語った。

子の義量が死んだ時に、今後子孫に恵まれるかどうかを八幡神に問うた。するとその夜、夢の中に八幡神のお告げがあり、それを深く信頼して跡継ぎを決めなかったというのである。この将軍の夢を満済から聞かされた重臣たちは畏まってそれを受け入れたという。中世になると古代に見られる夢の呪術性が薄れていくというが、このように夢によって次期将軍を決めようとしていることからみると、まだまだ夢は政治的な意味を持っていたと言える。

また慈照寺銀閣を建立したことで知られる八代将軍義政の時代、諸国は旱魃によって寛正の大飢饉と称される未曾有の大飢饉が起こった。餓死する者の数がわからないほどの惨状となったが、義政はその救済にあたる風もなく、銀閣や庭園の造営にいそしんでいた。その義政の夢にかつての六代将軍父義教が現れた。義教はくじ引きで将軍の座を射止めたため「くじびき将軍」と揶揄されたその反動か、有力家臣を次々と粛正し、恐怖政治を行った。その結果、家臣たちの怨みをかい播磨国の守護赤松満祐に謀殺され、「将軍犬死」と言われた人である。夢の中で義教は、自分は生前の悪行の報いを受けて大変苦しんでいる。もし助けてくれるつもりがあるのなら、眼前で飢えて苦しんでいる人を助けてほしいと訴えた。そこで義政は大金をつぎ込み、人々を施行したという。人々の餓死する姿に無関心を装っていたものの、夢の中にそうしたことが出てくるというのは、義政もまた多少の良心の呵責があったのであろう。

悪夢を吉夢に

夢は古代の人々にとって自分の人生だけでなく、世の中の重大な現象までも占うものであった。そうであれば良い夢であればそれにこしたことはないが、しかし夢は自分の意思を越えたものである以上、自分の思い通りにはならない。良い夢を見たいのに、それが実際に見たのは悪夢だった場合、それを神意としてすんなりと受け入れることができたのだろうか。夢の内容が重大であればあるほど、それを取り払おうという気持ちは強かったろう。

そうした人々の願いを叶えようというのが夢違観音である。悪夢を見た時この観音に祈れば吉夢にしてくれるのである。その信仰はかなり早くからあったようで法隆寺には七世紀後半の作といわれる夢違観音像がある。平安時代になると、長谷寺・清水寺・石山寺などが吉夢を見る聖地となっていった。

『大鏡』藤原師輔伝には、彼がまだ若かった頃、夢に「朱雀門の前に、左右の足を東西の大宮にさしやりて北向きにて内裏を抱きて立てり」と見て、それを人に語った所、小賢しい女房が「いかに御股痛うおはしまつらむ」と言ったので、夢は違い摂政・関白になれなかったという話がある。また『宇治拾遺物語』四「伴大納言の事」にも大納言が「西大寺と東大寺とを跨げて立てたり」という夢を見て、妻に語ったところ、妻が「そこの股こそ裂かれんずらめ」と言ったため、この夢も違うことになり、大納言にはなったものの、罪を蒙って流されたという。

艶めかしい夢を語るには、平安時代の絶世の美女小野小町が最もふさわしい。その容姿のようにその歌もたおやかで美しい。「うたた寝に恋しき人を見てしより夢てふものはたのみそめてき」（うたた寝の夢に恋しい人と逢えてから、夢というものはたよりにしてきた）恋しい人を「見る」という言葉には「契る」という意味があると言われるから、ため息のでるほどの色っぽさである。

よく偉大な人物や聖人・高僧は常人とは違う様々な能力を持っているため、生まれ方も不思議に描かれることが多い。その一つが懐妊した時に見る夢である。神仏に祈願し、その結果、観音や菩薩が現れるという瑞夢・霊夢を見て懐妊する神や仏の「申し子」として出生するというパターンが多い。たとえば聖徳太子を生んだ穴穂部間人皇女《あなほべはしひとひめみこ》は、夢の中に救世菩薩の化身である金色の僧が現れ、願わくば后の腹に宿らんと言って口の中に入ったという夢を見て太子を懐妊した。また天台宗の開祖最澄は、父の三津首百枝《みつのおびとももえ》が比叡山東麓の神宮に香花《こうげ》を供養して祈った結果、良い夢を見て授かったと言われ、真言宗の開祖空海の母の場合も、聖人が天竺から渡来して母の体の中に入ったという夢を見て懐妊している。

夢を克明に記録した明恵

夢について、これを克明に記した人物が紀伊国湯浅一族から出た明恵《みょうえ》（高弁）上人である。明恵は鎌倉時代、京都栂尾《とがのお》に高山寺を創建した華厳宗中興の祖である。彼は「あかあかや、あかあかや、あかあかや、あかあかや、あかあかや月」という歌を残した月の歌人でもあった。明恵は若い頃から見た夢を十九歳から五十八歳までの約四十年間にわたる記録で、『明恵上人夢記』はその半分が現存している。ただこの書は明恵上人の全生活の記録だから夢のことばかり書いているわけではない。しかし明恵にとっては覚醒時のことと、夢の中での体験は同じ価値を持つ考えたから、克明に記録したのであろう。夢は時間の経過と共に記憶が薄れていくために夢を見た直後に書き留めておく必要がある。そのためか書き留められた文章は速記で書かれている。見たままを正確にそしてできるだけ詳細に書いたのは、夢は単なる夢想ではなく、仏の世界からのメッセージと考えていたからであろう。また文字だけでなく、夢を絵にして描写しているものもあり、並々ならない努力をしている。その『夢記』には度々犬が登場する。高山寺では徹底的に殺生を禁断したために多くの犬が住みつき、それを明恵がかわいがっていたからであろう。

新年に見る夢で吉凶を占う風習がある。初夢の初出は平安末期の『山家集』と言われ、節分から立春の夜に見る夢を初夢としている。これは立春が新年の始まりと考えられていたことによる。他に大晦日から元日、元日から二日、二日から三日とする説もある。「一富士、二鷹、三茄子」は近世初期には縁起が良いとされていた。それは徳川家康が隠居する時に、駿府の良さは、一に名山の富士山があり、二に鷹がある。三に茄子が名産でどこよりも食べられ、そして美味であると言ったことに因むという。またそれは「無事（富士）、高（鷹）く、事を成す（茄子）」という語呂合わせにもなっている。最近ではそうした吉夢の話すらほとんど聞くことがなくなったが、それは夢の果たす役割が限りなく低下してきたからである。江戸時代の沢庵和尚は弟子たちが遺偈を求めると「夢」一字だけを大書して逝ったというが、今日、夢の復権はもう夢物語である。

三　善神と悪神

㈠　福の神

富貴をもたらす神

　今も昔も多くの人々の願いは富貴と長寿である。年末ジャンボ、サマージャンボなどの宝くじは何億円が当たるかもしれないというので売場に人が殺到している。しかし宝くじで俄に大金を手にしたため身を持ち崩したり、人間関係が険悪になったという話をよく聞く。幸福も度が過ぎると不幸になる。福の神と疫病神は紙一重の差であり、また一枚のコインの裏表とも言える。

　日本には「八百万神」というあまたの神が存在するが、人々から一様に歓迎されたのが福の神で、福の神と言えばすぐに思い出されるのが七福神だが、その成立は室町時代頃である。大黒神・夷神信仰から始まり、インド・中国より入ってきた種々の福の神が加えられて七福神が成立した。七福神は夷・大黒・毘沙門天・弁財天・福禄寿・寿老人・布袋を言うが、寿老人は福禄寿と同体異名だとして代わりに吉祥天または猩々を配することもある。

夷は鯛を抱え､釣り竿を持っている。生業を守り､福をもたらす神で夷三郎と言われ､事代主神ともされ、農村では田の神、漁村では大漁の神である。大黒は元々インドの神で、三宝を守り、飲食を司る戦闘の神だったが、南中国の諸寺で台所の神となり、日本に入って農産・福徳の神となったことから田の神、商売繁盛の神ともなった。そして大国主神と習合した。だから大黒天はインド出身で日本生まれの神、両者のハーフと言うことになる。毘沙門天はインドでは仏法守護の四天王となり、甲冑を着け、北方を守る。密教では国家鎮護の軍神で、財産を授ける福神ともされた。日本では武将たちが毘沙門天を信仰した。戦国大名の上杉謙信が毘沙門天を守り本尊としていたことはよく知られているが、それ以外にも足利尊氏や楠木正成も熱心な信者であった。楠木正成は両親が毘沙門天に祈願して生まれたから彼の幼名は毘沙門天の別名多聞天からとった「多聞丸」であった。

弁財天はインドの河神で、水の流れの響きは音楽として捉えられ、さわやかな流水は美しい言葉にたとえられる。そして言語・学問・音楽・技芸の神となり、「弁才天」となった。さらに「才」と「財」の音が同じことから「弁財天」の方がより一般的な呼称となり、日本で福神の性格がことに強くなった。梵天の妃となり、音楽・弁財・財福・智恵を備えた天女の姿で信仰された。吉祥天もインドの神で、仏教では毘沙門天の妃とされ、貧窮や罪業を除き、財宝を授けると信じられた。

布袋・福禄寿・寿老人は中国の福徳・財運・長寿の神・南極寿星の化身であった。布袋は七福神の中では唯一実在の人物で元々は中国の後梁の禅僧契此《かいし》という人物である。大きな腹をし、いつも布の袋を下げた杖をかついで放浪したので布袋和尚と言う。円満洒脱な風姿が福を呼ぶとし、福徳の神とされた。彼は吉凶を占ってはずれたことがなかった。この袋には生活用具から食料までを詰め、市で物を乞うた。休む時は膝を立てて座り、腹が一杯になると袋にもたれて眠った。子供を愛し、戯れて遊んだ。この異風の奇人に人々は禅味を感じて水墨画に描いた。またその袋には財宝が入っていて、それを人に分け与えると考えられた。福禄寿は中国の人の理想を体現している。「福」は家庭の幸福や家の反映で、「禄」は給料や財産などで、富と権力を手に入れること、そして「寿」は人生を存分に楽しむための長寿を願ったのである。猩々は中国の想像上の動物で、猿に似て人面をもち人語を解し、海中に住んで酒を好むという。

こんなにたくさんの神を欲張って船に乗せているのは庶民の様々な欲望や願いの現れである。七福神は日本出身の神は恵比寿だけで大黒天・弁財天・毘沙門天はインド仏教の天部の神、布袋は中国の実在の禅僧、福禄寿・寿老人は中国の道教の神仙であった。インド・中国・日本の神を組み合わせて宝船に乗せており、まさにインターナショナルな福神であった。

戦国時代に我が国にやってきた宣教師ルイス・フロイスは、日本人は神には現世の利益を求め、仏には霊魂の救いだけを求めると言っているが、そうした性格は時代を経ても変わっていない。

鬼も善神となる

子供の頃、鬼ごっこをして遊んだ記憶がある人が多いと思う。この遊びは鬼になった者が逃げる者をつかまえると、つかまった者が悪霊の依坐《よりまし》になるので、子供たちはその悪霊を畏れて逃げる。鬼は元々「隠《おに》」から転化したと言われるように、神と同じように目には見えないけれど、人に害をもたらす邪悪な存在と考えられていた。目に見えず、しかもいつどこからやってくるかわからないから、それは人々にとって大きな不安だった。平安時代末期に編纂された歴史物語『大鏡』には、太政大臣忠平が物の怪を「爪長く、刀の刃のやうなるに、鬼なりけりと、いと恐ろしくおぼしけれど」と表現している。また『出雲国風土記』には一目の鬼が来て農民を喰ってしまったという記事がある。様々な物語にも正体不明の怪物を鬼としている。

しかし鬼の中には禍をもたらすのではなく、逆に禍を防ぐ鬼もいる。たとえば節分の行事である。通常は「鬼は外、福は内」というかけ声をするが、地域によっては「福は内、鬼は内」と言うように、鬼を福と共に家に迎える「福鬼」もおり、京都の八坂神社などはその代表である。鬼は神と人との橋渡しをし、福神にさえなる。そういうこともあってか、それなりの形相はしているものの、妙に憎めない鬼が多い。

『今昔物語集』巻十四第四十三話「依千手陀羅尼験力遁蛇難語《せんじゅだらにのげんりきによりてへびのなんをのがれたること》」には千手陀羅尼を信奉する僧が鳩槃《くはん》茶鬼《だき》という鬼に助けられる話がある。また鬼は仏法を擁護もする。天邪鬼《あまのじゃく》は四天王に踏みつけられているが、興福寺の天燈鬼や竜燈鬼などは燈明を支え、仏に仕えている。さらに各地の祭りでは鬼の面をかぶって踊り、その鬼が悪霊を追い払う役になっている。鬼は強いイメージがあるが、多くの場合、一人ではなく大勢でぞろぞろと出てくる。主役になることはあまりなく、その他大勢という立場で結構謙虚である。東北の祭りとしてよく知られるねぶた祭りのなまはげも鬼の面をかぶり、悪を追放する神の役を果たしている。

和風住宅の鬼瓦も鬼神が家に近づかないようにするために憤怒の形相をしたいかめしい姿になった。既に飛鳥時代の寺院で鬼瓦が出土しているからその歴史は随分と古いのである。

(二)　悪神

鬼・もののけ

悪神の代表は鬼とものけである。まず鬼について、お伽話の桃太郎に出てくる鬼ヶ島の鬼などは既に定形化しているが、それは室町時代以降のことで、それ以前の平安期頃にはまだ一定の形もなく、複雑怪奇だった。そして凶悪な鬼はどこにでも自在に侵入したから、あらゆる人々が恐れをなしていた。とりわけ夜はその鬼の活動が活発となり、まさに「百鬼夜行」の世界であった。現在ではその「百鬼夜行」も観念上の表現に留まるが、平安時代にはそれは全くの事実と考えられ、人々は常にその脅威にさらされていた。『今昔物語集』はその鬼を次のように表現する。「物ヲ食ハザリケレバ、十余日ヲ経テ、飢ヘ死ニタリ。其後、忽ニ鬼ト成ス。其形、身裸ニシテ、頭ハ禿也。長ケ八尺許ニシテ、膚ノ黒キ事、漆ヲ塗レルガ如シ。目ハ鋺ヲ入レタルガ如クシテ、口広ク開キテ、剣ノ如クナル歯生タリ。上下ニ牙食ヒ出シタリ。赤キ裕衣《たふさぎ》（褌）ヲ搔テ、槌ヲ腰ニ差シタリ」とある。

これらの鬼を「物の怪」（もののけ）とも言い、また「霊気」「邪気」などとも呼んだ。アニメのもののけ姫で「もののけ」という言葉が若者世代にも知られるようになった。もののけの「もの」は本来は霊魂のことで、「け」は生霊や死霊の怨霊や妖怪の類のことで鬼ともされる。それらの邪気は人間に取り付いて病気にし、さらには死に至らしめたりする。

悪神の一つに天の邪鬼がいる。悪神といってもさしでがましく、干渉好きというくらいだから、それほどの悪さをするわけではない。天の邪鬼のルーツは『日本書紀』に見える天探女《あまのさぐめ》である。天照大神は大国主命に国譲りをさせるため、その使者として天稚彦《あめわかひこ》を送った。ところが天稚彦から何の連絡もないので天照大神は様子を見るために雉の鳴女を遣わした。鳴女が地上に降りると、天探女がいち早く見つけて天稚彦に、「怪しい鳥がいるので射殺してしまいなさい」と言った。そこで天稚彦は鳴女を殺してしまった。この天探女は「天にいる人の心の奥を探る」意味で、人の弱みにつけ込んで悪事を勧める悪神である。「あまのさぐめ」から「あまのさぐ」、そこからさらに「あまのじゃく」となった。

物の怪は広義には人間の深層心理に潜む不安・畏怖感に根ざすもので、平安時代の閉鎖的な宮廷生活に渦巻く嫉妬・怨恨・不満の幻影である。その「もの」は単なる物質ではなく、心を持っており、様々な声を放つ。その声を感受し、聞き取る心が本居宣長が喝破したように「もののあわれ」である。そして私たちが語る言葉も、その中に霊威が宿り働く時、「ものがたり」となる。

奈良県櫻井市に日本最古の神社とされる大神《おおみわ》神社があるが、その神の名は大物主神＝「大いなるもの」である。「もののふ」の場合の「もの」も同様な意味で使われる。したがってもののふは人を襲う獣や妖怪の類を退治する役割を持つ者のことで、それを専業としていたのが「もののふの部」とされる「物部」であった。一般に大和朝廷の時代、物部氏は朝廷の軍事力を支える有力豪族として君臨したが、物部氏が重視されたその背景には単なる軍事力を越えた霊的な悪しきものの侵入を防止する呪術の力があったのである。

「もののけ」の闊歩

文献上、「もののけ」という言葉が見えるのは『日本後紀』天長七（八三〇）年十二月二十四日条で、物の怪に謝するために僧に金剛般若経を読誦させている。そしてこれ以後、承和年間（八三四〜八四八年）以降に物の怪に関する記事が頻繁に見えるようになる。『源氏物語』の葵巻に、「大殿には、御物の怪めきて、いたうわづらひ」とあり、物の怪とは、人の心の鬼が凝り固まったものである。『宇治拾遺物語』には、「染殿の后、物のけに悩み給ひけるを」などとあり、病気の原因は物の怪であり、さらに進んで物の怪は病気そのものを指すようになった。それが当時の人々の一般的な認識となる。この物の怪には生霊と死霊とがあった。『源氏物語』には葵上に取り付いた物の怪は六条御息所の生霊であったと記す。物の怪を撃退しようとすれば、その霊が何者か、その正体を突きとめることがまず重要なことであった。

『紫式部日記』には中宮彰子のお産の際における物の怪の調伏の様子が記されている。「御帳のひんがしおもては、うちの女房まゐりつどひてさぶらふ。西には、御物怪うつりたる人々、御屏風一よろひをひきつぼね、つぼねぐちには几帳を立てつつ、験者あづかりあづかりののしりゐたり。南には、やんごとなき僧正僧都かさなりゐて、不動尊の生き給へるかたちをも、呼びいであらはしつべう、たのみみ、うらみみ、声みなかれわたりにたる、いといみじう聞ゆ。北の御障子と御帳のはざま、いとせばきほどに、四十人ぞ、後に数ふればゐたりける。いささかみじろきもせられず、気あがりて物ぞおぼえぬや」とある。「よりまし」となった人が物の怪の怨みとしてののしり喚き、叫ぶ。それを調伏するために多くの僧侶が声をからして読経する。総勢四十人に及ぶ人が狭い所にいて、大声を出すのだから、式部でなくとも「気あがりて物ぞおぼえぬ」状態になるのはもっともなことだった。

疫病と並んで人々を脅かしたのが凶作などによって発生した飢饉だったが、こうした現象も物の怪の仕業と考えられた。古代社会では農業生産力が低いため恒常的に食料不足だった。奈良時代の最盛期には天平文化が花開き、「青丹よし寧楽の都は」と詠われたが、その時代にも飢饉は頻発した。文武元（六九七）年七月は全国的な旱魃でその年の十二月には、伊予・讃岐・阿波・淡路・周防・備前・備中・播磨諸国が飢饉となっている。そしてその翌年もまた全国的な旱魃であった。大宝二（七〇二）年には、伊予・讃岐など十七カ国が旱魃と蝗と大風によって多大の損害を蒙っている。翌三年も「災異頻り年穀登らざる」とあり、その年以降も旱魃・疫病が頻発した。そして慶雲三（七〇六）年は「是年、天下諸国疫疾す、百姓多く死す」と言うように全国的な飢饉となった。この年から鬼を祓う追大儺《ついな》の儀式が始まるが、度重なる飢饉・疫病を鬼の仕業と考えたからであろう。

このように「もの」は人々にとって身近だったから、それにまつわる言葉も生じた。「もっけの幸い」という言葉の「もっけ」は「物怪」のことで、異変や凶兆をそのように呼ぶ。それは当然「もののけ」のことであった。しかしこの言葉は時代と共にその禍々しさを減少させ、「奇異」「不思議」という意味のようになっていった。その結果、思わぬ僥倖を「もっけの幸い」などという言葉が生じたのである。

今一つ、岩手県盛岡市で行われている盆踊りは「さんさ踊り」で、それも鬼と関係がある。昔、盛岡の城下に羅刹鬼《らせつき》という鬼がおり、悪さをして暴れ回るので人々は困り果てていた。そこで三ツ石神社に悪鬼の退治を祈願した。神様はその願いを聞き入れ、鬼を捕らえ、二度と悪さをしないことの証として、神社の境内にある三ツ石という岩に鬼の手形を押させた。その「岩の手形」が県名「岩手」の由来である。そして人々は鬼の退散を喜んで、三ツ石神社の周りを「さんさ、さんさ」と言いながら踊り回ったのがさんさ踊りの始まりという。

死霊の穢れ

平安時代の頃、人の死体は死霊として直接的な接触はなく遭遇しただけでも、人を他界に引き込みかねない禍々しい存在でそれへの恐怖感は大きかったから、葬送でも人との接触を極力避けた。したがって葬送は人の活動する日中は憚られ、夜に行われた。見知らぬ人の葬送に出会うことを嫌う人々の感情に配慮したからである。鎌倉時代の仙覚は、『万葉集注釈』で「ヨミトイフハ、ヤミトイフ也、冥途トモ黒闇処トモイフヲ、和語ニヨミトイフハ、スナハチ、ヤミナリ」と解釈している。夜は闇であり、夜を表象する闇と黄泉とが同義と考えられていた。夜は黄泉の他界に通じる世界であった。

ところが中世の室町時代になると、将軍足利氏の葬儀は昼に行われるようになり、豪華な葬具が発達し、「見せる葬式」という性格が顕著になる。夜の葬送から昼の葬送へと大きく変換するが、その背景には浄土思想や往生思想による死体観や他界観の変化があった。死者が人を死の世界に巻き込みかねない存在であることは変わりがなかったが、ところが極楽往生人の場合、その往生人の元に集うことは、それが自身の極楽浄土へ往生する機縁になると考えられるようになった。往生人が巻き込む他界は極楽浄土だったから、その死体は禍々しい存在ではなく、むしろ尊いものと観念されるようになった。そうなるとそれまで死体は恐怖の対象だったから闇夜に紛れて葬る必要があったが、それよりも人々が死後に極楽に往生する機縁を作る「結縁」ということの方が重要になってきた。それならば日中の葬送の方が、より多くの人と「結縁」することが出来る。こうして浄土信仰による他界観と死体観は夜に葬送を行う根拠を失わせていった。このように往生を体現した僧侶との「結縁」を求める「結縁の葬送」のあり方が夜型から日中型の葬送への移行を促したのである。

疫病神

どの時代にも疫病はあったが、大量の感染者が発生するようになったのは、都市化に伴う人口の密集と密接な関係があった。古代の都は整然とした佇まいをみせるが、その実、かなり不衛生な町でもあった。したがって一度疫病が発生すると猛威をふるうことになった。天然痘・麻疹・赤痢・流感など多種多様だったが、伝染性の強いものが多く、大流行すれば都の道路や河原には死体が充ち満ちた。中でも天然痘は古代最大の流行病だった。疱瘡・痘瘡・もがさとも呼ばれ、豆に似た発疹を伴い高熱を発し、死亡率は極めて高かった。

天平四（七三二）年から夏に雨が降らず、干ばつで秋に穀物が実らず、凶作となった。そして同七年には天然痘は一応の終息をみたが、八年には再び凶作が襲い、九年には、帰国した遣唐使が病原菌を持ち込み天然痘の大発生をみた。まず九州方面で発生し、やがて京にも及び、その被害は頂点に達し、「百官の官人疫を患う」とあり、公卿以下百姓に至る死者は「勝《あげ》て計るべからず」という状況であった。

その結果、当時権力の中枢にいた藤原不比等の四人の子、参議民部卿藤原房前、参議兵部卿藤原麻呂、右大臣藤原武智麻呂そして式部卿藤原宇合が次々と死亡し、四位以上の官人三十三人のうち十一人が没した。八世紀前半の日本の総人口は約四五〇万人と推定されており、全国でおよそ百万から百五十万人の人命が失われたという。この疫病の流行は近代以来、未曾有のことであると記す。

疫病の流行に対し該当地域に賑給《しんごう》を行ったが、主な対策は、この疫病を起こす原因となっている疫神の祭祀など、宗教的な儀礼が中心であった。中には疫神にご馳走をすることで病気から逃れようとする者や、わざわざ遠くの温泉に向かう者などもいた。しかし治病の手段を持たない庶民は呪術にすがるしかなかった。

平安時代の正暦五（九九四）年の五月から六月にかけて疫病が大流行した。『本朝世紀』には同年五月二十四日条に、「疾病は止まず。京中・外国は病厄の弥《いよいよ》盛んとなりと云々」とあり、さらに六月十六日条には、「今日に妖言あり。「疫神の横行すべし。都人士女は出行すべからずと云々」と見える。仍りて上卿以下庶民に至るまで門戸を閉ざす。往還の輩無し」と記す。人々は疫病の流行は疫神の仕業と考えていたから、疫神が自宅に入ってこないように固く門戸を閉ざした。疫病を終息させるためにはこの疫神を遠くに送り出すことが必要で、その行事が御霊会であった。

先の『本朝世紀』同年六月二十七日条には、「此の日、疫神の為、御霊会を修せらる。木工寮・修理職の御輿二基を造る。北野の船岡の上に安置し、先づ僧侶を屈して仁王経を講ぜしむ。城中の伶人の音楽を献ず。会集の男女は幾千人と知らず。幣帛を捧ぐる者は老少街衢に満つ。一日の内に事了はんぬ。此を山境に還して彼より難波の海に放つと云々。此の事は公家の定むるには非ず。都人の蜂起して勤修する也」とある。このように疫病は疫神がまき散らすものだったから、人々は経典の読誦や音楽を奏することでそれを都の外に追いやり、さらには海にまで放逐出来ると考えていたのである。

三月になると暖かくなり、花が散ると共に疫神も分散して、疫病を流行させるので、そうした疫神を鎮めるために祭りを営んだ。中世の頃には疫神は擬人化され、赤い着物を着け、青白い顔をした白髪の老人や、奇怪な老婆の姿とされた。そうした疫神がどこからともなく出現し、特定の民家の門から忍び込むと、そこの家人は疫病に侵されることになると信じられた。

『今昔物語集』巻二十七第十一話「ある所の膳部，善雄伴大納言の霊を見る語」に、「天下に咳病が流行し、多くの人が病に臥した。ある所に勤めていた料理人が皆が寝静まった頃、家に帰ろうとしたが、門の所で赤い上着を着、冠をした大変に気高くそして恐ろしそうな人に会った。その様子からそれなりの人物と思って畏まっていると、その人は、「私は昔この国にいた大納言伴善雄という者で、伊豆国に流されてずっと前に死んでしまったが、その私が「行疫流行神」となった。私は朝廷に対して罪を犯し、重罪になったけれど、それまでに朝廷の恩をたくさん受けました。今年、天下に疾病を起こして国中の人を病死させることになっていたけれど、私が咳病にとどめるようにお願いしました。だから今、世間では咳病がはやっているのです。そのことを伝えようとしてここに立っていたのです。あなたは怖がることはありません」と言って消えた。男はこの話を人々に伝え、これによって伴大納言が「行疫流行神」であることを人々は知ったという話である。ここにも疫病をもたらす神は赤い衣を着けており、疫病神＝赤色という認識が窺える。

そのような疫神を防ぐために門口に護符を貼ったり、鍾馗のような恐ろしい顔をした人形を置いたりすることが行われた。一般には疫病神を追放したり防ぐことに意を用いたが、逆に延命祈願のために疫病神や鬼を丁重に饗応することも行われた。『日本霊異記』中巻第二十五「閻羅王の使の鬼、召さるる人の饗受けて、恩を報ゆる縁」に次のような話がある。「聖武天皇の時代、讃岐国山田郡に居住していた布敷臣《ぬのしきのおみ》衣女《きぬめ》が病気になった時、たくさんの食べ物を用意して、門の左右に祭り、疫神を饗応した。閻羅王の使いの鬼が来て、衣女を召した。その鬼は走り疲れていたので、祭っている食料を食べた。鬼は衣女に「私はお前の饗応を受けたので、その恩に報いようと思う。同じ姓名の者はいないか？」と言った。そこで衣女は鵜足郡に住む同姓の衣女のことを教えた。すると鬼はその衣女を身代わりとして連れていき、山田郡の衣女は助かった。しかし閻羅王に身代わりを見抜かれ、結局は死んだ。一方、鵜足郡の衣女は蘇生したものの遺骸が火葬されていたため、帰ることができなかった。結局、山田郡の衣女の体に蘇生することになり、二人の衣女は一身となって両家の父母と財を得た」という話である。この他にも中巻二十四「閻羅王の使いの鬼、召さるる人の賂を得て免す縁」にも似たような話がある。いずれも疫病神や鬼でも祭り饗応すれば延命長寿は可能だというのである。

貧乏神

次は貧乏神の話である。仏教では人間のかかるあらゆる病気を四百四病と言うが、貧乏はそれよりも辛いとされる。それは医者でも薬でも治すことはできないからである。貧乏神も疫神の一つと考えられていた。鴨長明の『発心集』には三井寺の僧と貧乏神の問答を記す。三井寺の僧はあまりにも貧しいため、その土地を離れて他国に行こうとして旅支度をした。旅に出発する前の明け方に夢を見た。やせ衰え青ざめた若者が出てきたが、その男も旅装束をしているので、不思議に思い、「あなたは何者か」と尋ねた。するとその男は「いつもあなたから離れずにいる者で、この度もお伴をします」と言った。そして名を尋ねると、「貧報の冠者」と答えたところで目が覚めた。僧はどこに行ってもこの貧乏神がついてくる限りは貧乏から抜け出すことはできないとあきらめて旅に出るのをやめたという話である。

一方、無住の『沙石集』には円浄房という僧が貧乏神を追い払う話が見える。大晦日の日に、弟子の僧たちと桃の枝で家中を叩きまわりながら、貧乏神に出て来いと言った。するとその夜の夢の中に貧乏神が出てきて、長い間ここにいたけれど、追われたので出ていきますと泣きながら言った。貧乏神がいなくなったおかげで、円浄房はその後、不自由なく暮らしたという。中国の古い習俗には、一月の末に貧乏神を追い払う「送窮」という行事があった。この日には酒を注ぎ、外に向かって礼拝して貧乏神を追い出していた。しかし多くの家では「窮を送るも窮は去らず」という状態だったという。

このように貧乏神は忌み嫌われる存在だったが、江戸時代頃になると、逆に福の神として祭られるようになってくる。そしてそれまで貧乏神は様々な姿だったが、貧乏神の定番を作ったのが井原西鶴である。

その著『日本永代蔵』巻四の一「祈るしるしの神の折敷」に描かれている。その姿は怪しげなわら人形に渋紙の帷子を着せ、渋紙の頭巾を被り、破れ団扇を持つという格好で、これが定番となる。ここに登場する染物屋の夫婦は働いても働いても楽にならず、福の神などの神仏にも願をかけたが、一向に効果がない。そこで逆に貧乏神を祭ろうと考えて、厚くもてなした所、その七日目にもてなしに感動した貧乏神が夢に現れ、繁盛させるための方法を教えた。その言う通りにして一生懸命働いた夫婦は十年もしないうちに大変裕福になったという。つまり福の神よりも貧乏神の方が福の神としての威力があることになったのである。「貧は世界の福の神」という諺がある。貧乏であることが、かえって生きるための精進・努力を行わせ、結果的に成功や幸福がもたらされるからである。「貧にして楽しむ」心境になれば、貧乏も恐い物なしである。

(三)　天狗

天狗は天文や星に関わる現象

高慢な態度をとっている人を「天狗になる」、またその高慢な者をやっつけることを「天狗の鼻を折る」などという言葉があるが、いずれも天狗は良いイメージではない。一般に天狗の姿は白衣を着た山伏の格好をし、顔が赤く、鼻が高く、背中に羽をつけ、またカラスのようなくちばしをしている。そして金剛杖・太刀・団扇などを持ち、深山幽谷に住んで自在に飛行する。山中で大きな音をさせたり、石礫を飛ばしたり、空に火を灯したりというような奇怪な現象を起こすことから山神のイメージもある。

しかし天狗の観念が我が国にもたらされた頃には、そうしたものとはかなり異なっていた。古代中国では、天狗は天文知識に由来すると考えられていた。『史記天官書』には、「天狗はその有様が大流星に似ていて音を発する。地上に落ちてそこに留まるのを見れば子犬に似ている。落下する様を望見すると、火柱が炎々として天をつく勢いである。落下点一帯は円くなって数頃《けい》の田ほどの広さがある。その勢いは千里の内にある軍を破り、大将を殺すほどである」と見える。明らかに大火球または有音隕石のことである。天にあっては星、地上にあっては一個の獣に変ずる妖怪変化の類いであった。

天狗の初見は『日本書紀』舒明九（六三七）年二月条である。「大なる星、東より流る。便ち音有りて雷に似たり。時の人曰わく「流星の音なり」といふ。亦曰は、「地雷なり」といふ」これに対し、大化の改新のクーデターを実行した中大兄皇子や中臣鎌足らの師僧旻が「流星にあらず。これ天狗なり。その吠ゆる声雷に似たらくのみ」と言った。これも天狗は怪物・妖怪の類でなく、天文や星に関わる現象を指していた。

修験道の天狗

年配の人が立ったり座ったりする時に「どっこいしょ」と声を出している。これは元々「六根清浄」がなまったものである。霊山に登る時に「六根清浄」と声を出して登る人がたまにいる。六根というのは仏教で六つの器官で、眼・耳・鼻・舌・身・意のことで、それによって感知されるのが六境で、色・声・香・味・触・法である。六根を清浄すれば、余計な迷いが生じない。霊山に入るには身を清めるだけでなく、六根全てを清めることが必要なのである。

平安時代以後、修験道の発達に伴って山伏が活躍するにつれて、天狗は山の神が変化した怪物や妖怪の類とされるようになった。仏教の知識やインドの天魔思想と結びついて、人の姿をして深山幽谷の大樹に住み、飛行自在、大木の倒れる音をさせ、石つぶてを投げて天空に火を灯し、不浄な者や禁を犯す者を二つに裂いて木にかけることなどをするという。

修験道は中国の仙人の思想と密教の影響を受けた山岳信仰で、山を修行の場とする。しかし山には修行者の入る前から先輩たる山の神がいると考え、それを具体的に描き出したものが天狗である。一般に知られる鼻高の赤い面で羽を生やし高下駄をはいて空を飛ぶという天狗の姿は、山伏か修行の際の服装である白衣で描かれる。天狗で名高い山は鞍馬の僧正坊、比叡山の法性坊、比良山の二郎坊、富士山の太郎坊、羽黒山の羽黒坊、大山の伯耆坊、彦山の豊前坊などである。山伏が修行によって得た超能力を験力というが、天狗はそれを初めから持っていたと考えられていた。『平家物語』には、天狗は「人にて人ならず、鳥にて鳥ならず、犬にて犬ならず、足手は人、頭は犬、左右に羽はえ、飛び歩く」とされ、空を飛ぶ異形の存在で、山奥に独自の集団をなしているというイメージになっている。

天狗はさらに仏法の天魔の観念と結びつく。しかもこの天狗は帝王や高僧や貴顕の人が死後に転生した姿と考えられ、それらの住む魔道という世界まで考えだされた。彼らは驕慢の罪によって成仏・往生もできないが、しかし地獄道にも墜ちない存在で、仏法を妨げる悪霊であった。院政期には末法思想や世情不安を背景に、天狗の概念が拡大する。人心を狂わし、世の中を混乱させるものとして、怨霊と天狗が並行して語られ、また両者が重ね合わされ、一体視されるようになる。

世を広く乱す大天狗

世を乱す天狗の代表例が崇徳院である。保元の乱の敗北者崇徳院は生きながら怨霊と結びついて天狗となった経緯が『保元物語』に見える。讃岐に配流された崇徳院は、指先の血を使って大乗経を書写し、都に送って近辺の寺院に納めて欲しいと嘆願した。しかしその願いすら却下されたため、崇徳院は忿怒のあまり舌の先を食いちぎり、生きながらにして天狗になったとある。九条兼実の日記『玉葉』には、「天下の争乱はひとえに崇徳院の怨霊が原因であると、世間ではもっぱらの噂である」と記している。また室町時代の軍記物『太平記』にも、多数の怨霊や悪霊の集う場面に金色の鳶の姿をした崇徳院が、中央の高い位置に座している姿が描かれており、院はあまたの怨霊の中で上格で、疾病の原因や戦乱を引き起こす存在と考えられた。

修験道の経文集『万徳集』には「天狗経」が収められており、そこには日本各地に存在する大天狗の名が記されている。その筆頭にあげられるのが京都愛宕山太郎坊である。愛宕山は全国の天狗の本拠地で東の比叡山に対して、西に位置して都城鎮護の神として崇められていた。特に火災から守る神としての霊威が高かった。治承元（一一七七）年とその翌年と続いて京都の大火が発生する。これが世に言う太郎焼亡、次郎焼亡である。

『源平盛衰記』には、太郎焼亡とその延焼を予言した盲目の陰陽師の占によると出火場所は天狗の乗り物の「鳶」に通じる樋口富小路であった。天狗は愛宕山を本拠としているから、火は西北に広がると予言した。明らかに愛宕山天狗の祟りを説くものであった。天狗と鳶が結びつくのは、天狗が御霊に類似する鳥類と考えられたことによる。天狗は神通力を失うと糞鳶の姿となる。『今昔物語集』巻二十第十一話「竜王、為天狗被取語」では讃岐国満濃池に住む竜王が鵄の形をした比良の天狗に攫われたことが見える。竜王は最後には復讐を遂げ、竜王に蹴り殺された天狗は翼の折れた糞鵄となったという。

神道では『古事記』の天孫降臨条にみえる猿田彦神を天狗とする。『日本書紀』には、猿田彦神は怪奇な容貌をしており、鼻の長さが一・二m、身長は十二・六mほどあり、口と尻は光り、目はほおずきのように真っ赤で照り輝いていたと記される。民俗学では、山奥で大木の倒れるのを「天狗倒し」、大勢のどっと笑う声を「天狗笑い」、小石がどこからともなくたくさん飛んでくるのを「天狗つぶて」などと言っていたが、現在ではほとんど死語となっている。それは天狗の霊威の凋落と軌を一にしている。

天狗となった仏教者

私たちは一遍と言えば、鎌倉新仏教の一つ時宗の開祖を思い浮かべる。しかし当時には、一遍を天狗の長老として非難する人たちもいた。そこに中世の人々が天狗をどのように見ていたかを知ることができる。

松山市道後の宝厳寺は一遍生誕の地で、木造の一遍上人立像は往時の一遍の姿を写しているとされ、重要文化財に指定されていたが、先年火事によって焼失してしまった。彼は伊予国の名門河野氏の出身である。祖父は元寇の時に石塁の前に出て蒙古軍と戦い「河野の後築地」と呼ばれ、勇猛を馳せた河野通信で、その子通広を父として生まれたが、出家して浄土教学を学んだ。父の死にあって一旦帰国するが、三十二歳で再出家し自らの教学を確立した。そして熊野権現から「信不信や浄不浄の別なく南無阿弥陀仏と書いた札を配るべし」とのお告げを受け、以後諸国を遊行した。そしてその布教方法が踊念仏という特異な方法のため、多くの人々の注目を集め、「遊行上人」一遍の宗派は宗教界の一大勢力となった。

一遍の生誕地宝厳寺

「よろづ生としいけるもの、山河草木、ふく風たつ浪の音まで念仏ならずといふことなし」という言葉は人間の尊厳と平等を見事に表現している。この精神が庶民の心をとらえ、また多くの社会的弱者が一遍に従った大きな理由であろう。一遍の足跡は偉大であるが、こうした新興勢力の台頭は今まで宗教界をリードしてきた人々にとっては憂慮すべき大問題であった。鎌倉時代に南都・北嶺・念仏・山伏・禅宗などの僧侶が驕慢であることを七種の天狗にたとえて風刺をした『天狗草子』がある。そこでは一遍は世の中に災いをもたらす天狗の長老として描かれている。

『天狗草紙』の作者は天台宗系の学僧と思われ、旧仏教の立場から「南無阿弥陀仏」を唱えさえすれば救われるとする念仏系の宗派を敵視していた。「念仏する時はさはがしき事、山猿に異ならず。男女根を隠す事なく、食物をつかみくひ、不当を好む有様、しかしながら畜生道の業因とみる」と罵倒している。一遍の時宗は念仏だけでなく、鉦を打ち鳴らし、激しい踊りをする騒々しい踊念仏は彼らにとってありえない姿だった。さらにあろうことか一遍の股間に竹筒を入れ、尿を請う尼が描かれ、邪教であることを強調している。こうしたものを神聖視することや既成の秩序や風紀を乱す集団は支配者たちからはまさに天狗の所行として敵視され、一方では好奇な目で見られていたのである。

しかしその尼が尿を請う説明には、目が見えない子供に腹の病があるから所望したとある。確か私たちが子供の頃には蜂に刺されたらアンモニアが効くというので尿をかけた記憶がある。現在では排泄物は汚物と決めつけているが、治病の効果が実際にあったのである。ただ尿は誰のものでもよいかと言えばそうではない。健康人であることはもちろんであるが、とりわけ聖人とされる人の尿は効果があると信じられていた。彼ら遊行集団には病気になった時の治療や薬に対する知識を身に付けており、そうした経験から尿による医療法を知っていたのであろう。このように天狗は目に見えないものではなく、一遍のような人もまた天狗とされた。しかし一遍の時宗が一大勢力となったのは難解で抽象的な宗教とは異なり、歌とも詩ともつかないようなあるがままの自然の言葉と体の自然な動きによる踊念仏が庶民信仰を取り込むことが出来たからであろう。

片瀬の御堂で「花の事は花にとへ紫雲の事は紫雲にとへ一遍しらず」詠んだ。また「他力不思議の名号は、自受用の智なり。（中略）自受用といふは、水が水をのみ、火が火を焼くがごとく、松は松、竹は竹、其の体をのれなりに生死なきをいふなり」とする精神に通じている。（真理というのは水が水であり、火が火であり、松が松であり、竹は竹であるのと同じである。水には水の働き、松には松の姿があり、竹には竹の姿がある。松は松で生まれ松で死し、竹は竹で生まれ、竹で死す。それ自体それぞれに生死を超えているのである。孤独で独一なのである）

あるがままの自然を認め、計らいを拒絶した精神が発露している。捨て聖と言われた一遍はあらゆるものを捨てたものの、踊念仏は日本の伝統芸能という能や歌舞伎、あるいは全国各地で行なわれている盆踊りなどの起源となった。また全てを捨てたはずの一遍その人の名も特筆されて残された。

これより少し前のことになるが、『玉葉』を著わした藤原摂関家の九条兼実は、その書において源平の争乱の時代に院政を行った最高権力者後白河法皇を「日本第一の大天狗」と評した。しかしこの後白河法皇はその権力と財力にものを言わせて法勝寺などの大寺院を建立したり、仏道の修行にも熱心であった。このように一遍にしろ後白河法皇にしろ彼らは立場は違えど、仏道を極めた人たちであった。そうした人物が天狗と言われるのは、仏道を極めることによって生じる驕慢な心が世を乱すもととなっており、そのことが天狗とされる所以であった。であれば天狗は自分の心の中にこそ存在するということになろう。

四　御霊信仰

㈠　祇園信仰

祇園社の守護神はインドの神

私は学生時代を京都で過ごしたので、京都の町には特別な感慨がある。六畳一間の下宿の屋根裏部屋は

祇園信仰の八坂神社

障子一枚で外と隔てられ、暑さ寒さが身にしみた。京都の夏を彩るのが日本三大祭りの一つの祇園祭である。かつては祭りと言えば祇園祭を指し、「あとの祭り」という言葉も祇園祭に由来する。平安時代後期の陰陽道の大家安倍晴明が祭祀した泰山府君という神や、菅原道真の天神もかつては人々から大いに恐れられたが、中世にはその威力は低下し、恐れるに足らぬ神となっていった。それに代って新たに強力な陰陽道の神が登場する。その神の名はインドから伝来した牛頭天王で、京都の八坂神社（祇園社）に祭られた神であった。やり場のない都市民の不満を糾合する新たな御霊して信仰されるようになる。この祇園信仰の拠点の八坂神社の「八坂」の名はこの付近に居住していた渡来人の八坂造《みやっこ》という豪族や集団に由来する。

ただこの社名は明治になってから付けられたもので、それ以前は祇園牛頭天王社とか祇園社、祇園感神院などと呼ばれ、早くから仏僧の管理する仏寺とも神社ともつかぬものだった。

京都の祇園の地名は、『平家物語』の「祇園精舎の鐘の音、盛者必衰のことわりをあらわす」と見える祇園精舎に由来する。それは「祇陀園林精舎」「祇樹給孤独園精舎」の略である。前者は祇陀（ジェータ太子）太子が所有していた園林に建てられた精舎の意味であった。後者の「給孤独」は身よりのない孤独な人たちに食べ物を給していたスダッタという長者の別称で、ここは林があって緑が豊かで非常に美しい所だった。

この祇園精舎の守護神が牛頭天王で、また薬師如来の化身でもある。それが中国に入って陰陽道の様々な厄除けの呪法と結びつき、そして我が国ではさらに神道とも習合し、疫病・害虫その他の邪気を除去する疫神信仰として発展した。このように祇園社は長らく疫病を避けるため荒神の牛頭天王を祭ってきたが、それは高天原を追放された荒ぶる神のスサノオノミコトと結びつき、スサノオノミコトも疫病よけの守護神とされるようになった。現在の八坂神社の祭神はスサノオノミコト、稲田姫、八柱御子（八王子）で、完全に日本の神祇の系列に入っているが、古くは牛頭天王、もしくは武塔天神と言われる外国の神であった。

蘇民将来の伝説

牛頭天王の我が国への初伝は奈良時代に吉備真備が播磨広峯に祭った時で、その後北白川東光寺、さらに元慶年中(八七七～八八五)に感神院に移った。これが現在の八坂神社である。この神社は平安時代に度々京都で流行した疫病の恐怖を背景に広く信仰を集め、やがて全国の祇園信仰の中心となった。社伝では貞観十一（八六九）年に疫病が流行した際、六十六本の矛を立てて除去を願ったのが始まりという。祭礼は牛頭天王・婆利女《ばりめ》・八王子の神輿三基が京内の旅所に遷り、七日間逗留のうえ、六月十四日に盛大な巡行列が行なわれた。現在の山鉾にあたる山車は十一世紀初頭には既に見えており、見物人の注目を集めた。十二世紀も半ばになると、京内の富豪層もこの祭礼に参加するようになり、次第に民衆の祭礼という性格を強めていった。南北朝時代になると、祇園祭には神輿だけでなく山鉾が京の町組から出されるようになる。中原康富の日記『康富記』の応永二十九（一四二二）年条には、「鉾・山船以下の風流、美を尽くす」と賛嘆されるような華やかな祭りとなった。

その信仰のルーツは「祇園牛頭天王縁起」などに記された蘇民将来《そみんしょうらい》の伝説による。そのあらすじは次のようである。「インドのある国の王子として生まれた牛頭天王が、頭が牛で角がある異様な容姿のために結婚できなかった。その牛頭天王が南海沙竭羅竜王《なんかいさけつらりゅうおう》の第三女頗梨采女《はりさいにょ》を嫁に請う旅の途中、夜叉国で日が

大覚寺の茅の輪

暮れたので金持ちの巨旦将来《こたんしょうらい》の家に泊めてもらおうとしたが、断られた。仕方なく貧しい蘇民将来に宿泊を頼むと、貧しくて米はなかったが、粟飯を炊いて快く天王に提供した。天王はこれを大変喜び、恙なく竜王のもとに至り、頗梨采女を妃とすることができた。

帰る途中、再び蘇民将来の家に立ち寄った。そして今後、蘇民将来の子孫と名乗る者は常に疫病から免れるよう守護するとし、「大福長者蘇民将来の子孫人也」「蘇民将来の子孫人也、急々律令」という秘文を授けて約束した。「蘇民将来」というのは、「民を蘇らせ、将来にわたって守る」という意味である。こうして「蘇民将来の子孫と言う」ことが流行病から逃れる呪文としてもてはやされることになった。牛頭天王の信仰は、牛頭天王（天刑星）・頗梨采女（婆梨采女）・八王子（八将神）・八万四千六百五十四神王という体系を作り出し、それらの護符によって疫病の流行を撃退する呪符の世界を生み出した。

長岡京や壬生寺境内遺跡などを初め，各府県の三十余りの遺跡から五十数点の蘇民将来の呪符木簡が出土しており、この信仰はほぼ全国に広がっている。長岡京出土木簡には「蘇民将来之子孫者」と書かれたものがあり、上部中央に小さな穴があけられているから、そこに紐を通し、首か腕にかけたのであろう。伝承では「茅の輪を以て、腰の上に着けしめ」とある。「蘇民将来」信仰は人々の無病息災への切実な思いが背景にあった。

この説話は『備後国風土記』逸文に同国疫隅国社《えのくまのくにつやしろ》の縁起としても載せられ、そこには武塔の神と見えるが、その神は牛頭天王の十種の異名の一つという。祇園祭が都鄙を通じて夏に行われるのは、夏季が疫病流行の最盛期だからであろう。祭の中心となる山車や山鉾は依り代として神を遊行させ、十分楽しんだ後でお引き取りいただくものである。現在でも神社によっては「夏越しの祓え」と言って境内に大きな茅の輪を作り、茅の輪をくぐると無病息災になるとされる。今は呪文を唱えていないが、かつては「蘇民将来の子孫である」と唱えることが不可欠なことであった。

時代が下って明治初期の神仏分離令や廃仏毀釈の嵐の中で、神とも仏ともわからない牛頭天王は格好の攻撃の標的とされ、その結果、歴史の表面からは姿を消していった。この時、祇園社という名称も明治初年に八坂神社に変更され、牛頭天王という神格も国家神道を推進する明治政府によって消された。さらにその二年後の明治三（一八七〇）年十月には、いわゆる陰陽道禁止令が出され、不純な習合宗教として禁断され、陰陽道は非科学的、遅れた迷信、さらには邪教というレッテルを貼られることになった。

(二)　怨霊（神）となった人

最初の怨霊蘇我蝦夷

夏が近づくと、家の近くの川では時々蛍が飛んでいるのを見る。その名所のような場所にはたくさんの人が出て、浴衣姿で蛍を追う姿は夏の風物詩である。その蛍の多くは源氏蛍と平氏蛍で、その名は源平の合戦で亡くなった武将たちの霊が漂っているという考えが背景にある。このように闇に飛び交う蛍を霊魂とする歴史は源平合戦よりさらに遡る。

もともと我が国では神は恩恵をもたらすだけではなく、その祭祀を怠ると恐ろしい災厄をもたらすという考え方があった。福井県の観光名所の東尋坊の名は、崖から突き落とされて非業の死をとげた悪僧に因むとされる。春から初夏にかけて吹き寄せる西寄りの風は怨霊が吹かせるので、「トウジンボウ」と呼ばれている。このようにしばしば「荒ぶる神」となって人々を苦しめたが、それは怨霊が祟りをなすという観念と近い。平安後期に編纂された『扶桑略記』には怨霊として蘇我蝦夷・藤原広嗣・早良親王・真済・源融・菅原道真があげられている。その最も早い例は蘇我蝦夷で同書斉明七年条には、「群臣卒尓に多く死す、時の人云はく、豊浦大臣（蝦夷）霊魂のなす所なり」とあり、また同年冬には「天下大疫、ここに亡するの人やや過半に及ぶ、時の人おもへらく豊浦大臣の霊」と記す。そしてこの乙巳の変から四年後の大化五年には、右大臣の蘇我石川麻呂が異母弟蘇我日向の密告によって謀反の疑いがかけられ自害している。『日本書紀』にはその時の様子を次のように記す。「望むのは黄泉へは変わらぬ「忠」の心を抱いて亡くなっていきたいということである。（中略）「願はくば、我生々世々に君王を怨みまつらじ」と誓い、自ら首をくくって亡くなり、妻子ら八人も殉死した」非業の死を遂げた石川麻呂は怨霊になって祟ることが十分考えられた。だから「我生々世々に君王を怨みまつらじ」と誓って自害をしたならば怨霊が生じないことになる。ということは、この当時に怨みを生じて亡くなった場合には、死後に祟るという観念あったということになろう。したがって怨霊の思想は七世紀半ばには存在したようであるが、正史である『日本書紀』には、それが天皇や国家への批判につながる故に記述されなかったと思われる。奈良時代以前には怨霊が存在しなかったのではなく、それを史書に記さなかっただけであった。

「怨霊史観」の成立

淳和天皇は承和七（八四〇）年五月に没するが、その時の遺詔には次のように見える。「私は人は死ぬと霊は天に昇り、空虚となった墳墓には鬼が住みつき、遂には祟りをなし長く禍を残すことになる」と聞いている。死後は骨を砕いて山中に散布すべきである。骨を砕くことによって祟りが起こらないようにすることを命じているが、そのことは火葬された骨はそのままでは悪霊や怨霊が取り憑く媒介物になると観念されていたからである。

神と怨霊の違いは、神は元来人格を持たず、人前に姿を現す時は動物の姿になったり、人の口を借りて託宣を下したりするが、怨霊は最初から非業の死を遂げた者の人格をまとっている。神仏習合が神の人格化から始まったとすれば、怨霊とはまさに神の人格化が進む中で生み出された慰撫すべき新たな神とすることができる。

御霊信仰とは、非業の死を遂げた人の霊を畏怖し、これを慰め、祟りを免れ、安穏を確保しようとする信仰である。怨みをのんで死んだ者の霊、その子孫によって祭られることのない霊は人々に祟りをなすと信じられ、疫病や飢饉その他の天災や五穀の不作などの原因はそれらの怨霊の祟りとされた。「天下以てこの災いを御霊の生むところと為す」ということはこの当時の人々にとっては世間の常識であった。逆に言えば、勝者である政権の担い手は敗者の影に脅え、何か事が起こると、怨霊の祟りと結びつけて解釈した。権力を握る者はその代償として怨霊の影に左右される宿命を背負った。それが昂じると、怨霊たちが歴史そのものを作っているのではないかという「怨霊史観」が生まれる。古代・中世はこの怨霊史観に最もとらわれた時代であった。

その早い例が『日本霊異記』に見える。天平元（七二九）年に讒言によって服毒自殺した左大臣長屋王の骨を海に流したところ、土佐に流れ着き、その頃から土佐国で百姓が多数死んだのは王の怨霊が原因だという訴えがあった。また『続日本紀』には天平十八（七四六）年に僧玄昉が死んだのは、藤原広嗣の怨霊だという噂のあったことを記す。

反逆者とされた人々の怨霊が様々の災いをもたらすのであれば、これを丁重に祭り、鎮魂につとめれば、災いも収まると考えた。そこでこの怨霊を丁重に「御霊」と呼んで祭祀したのが御霊会である。

貞観五（八六三）年五月二十日に平安京の神泉苑で行われたのがその最初である。当時、朝廷では幼少の清和天皇が即位し、外祖父藤原良房が王権を支えていた。清和天皇の貞観年間は地震災害や火山噴火が頻発、また疫病が大流行、翌年の七月十七日には富士山が大噴火した。そして同月二十五日には次のような詔勅が発せられた。「国家を鎮護し災害を消伏するは、尤も是神祇を敬い、祭礼を欽むの致す所なり。是の以に格制頻りに下り、警告慇懃なりき。今聞く、諸国の牧宰制旨を慎まずして、専ら神主禰宜祝等に任せ、神社を破損し祭礼を疎慢ならしめ、神明其れに由りて祟りを発し、国家此を以て災を招くと」朝廷や国司という統治者は国家を護り災害を防ぐため、祭祀を厳格に実施する責務を持つとの認識を窺うことができる。

しかしその詔勅の効果もほとんどなかった。同九年には九州の阿蘇山が噴火し、十年には播磨・山城で大地震が発生し、さらに十一年には東日本大震災と同規模とされる陸奥国を中心に貞観地震と言われる巨大地震と大津波が発生した。さらに五年には咳の病が大流行し、十四年にも再び咳の病が流行し、多くの死者が出ている。

御霊会が行われる前年の冬からの咳病で死者が多数にのぼった。嵯峨天皇の皇子大納言源定《みなもとさだむ》、源弘《みなもとひろむ》兄弟が死去し、その他皇族・諸臣もこの病気で相次いで倒れた。「去年の冬末より是月に至り、京域及び畿内畿外、多く咳逆を患ふ。死者甚だ衆し」と記される。その災いは「御霊のなすところなり」とあるように、御霊こそがその原因とされた。その御霊の主体として特定の個人、多くは政治的に失脚した人が祭られるようになった。この王権主宰の御霊会を監督したのは良房の継嗣の基経らで、花や果実、薫香を供え、金光明経や般若心経を説かせ、咳病の蔓延防止に霊験ありそうな神仏を総動員した。さらに歌や舞を行ったり、また児童が化粧して馳射し、膂力の人が相撲をとり、競馬を行うなど、賑やかな行事で祭祀した。それを王侯貴族だけでなく、都人にも自由に観覧させ、集まってきた人々で祭の場が埋められた。

ところで御霊会を行った神泉苑は当時、内裏南東にあって南北五百m、東西二四〇mと広大な苑地であった。この大池には竜が住むとされ、祈雨霊場と認識されていたため異界につながるこの地で御霊会を行ったのである。なお神泉苑南側の通りは「御池通り」でそれは神泉苑にあった「大池」に由来する。

政府が直接怨霊を慰撫するようになるのは、桓武天皇の弟で潔白を主張し、壮絶な絶食死をした早良親王の時からである。罪人として死亡した親王に対する天皇号の追贈は桓武朝が初めてである。また井上内親王の皇后号を復活させるなど、桓武朝の怨霊に対する配慮は非常に手厚い。続いて謀反の疑いで死に追いやられた伊予親王とその母吉子、平城天皇の復位を狙って薬子の変で射殺された藤原仲成、承和の変で罪に問われ、配流先で死亡した橘逸勢《たちばなはやなり》、従者の密告によって謀反人とされた文室宮田麻呂らが、次々と御霊化されていった。

これが祇園祭の原形の御霊会の初見記事であるが、本来厭うべき怨霊（邪気）を敬意を込めて「御霊」として祭った。それは神と同様に扱うことだったから、怨霊（邪気）と神を分ける垣根が崩れ、後には神も怨霊（邪気）も区別されなくなっていく。

怨親思想

「勝者は歴史を作り、敗者は物語を作る」という。怨霊は敗れたものの歴史に他ならない。怨霊の鎮魂に対する考え方に怨親思想がある。神道による祈祷は対処療法的で、怨霊の場合には根本的な解決にならなかった。それに対し仏教では死後の世界の体系があり、成仏できずにさまよう霊魂を得道させる方策があった。だから原因が怨霊と特定されれば、その慰撫に関与するのはもっぱら仏教の役割だった。怨親思想は敵も味方も平等であるという立場から敵味方の犠牲者共に鎮魂するのである。その嚆矢となったのが天平宝字八（七六四）年に起こった藤原仲麻呂の乱の犠牲者の供養であった。亡くなった人々の冥福を祈るために、称徳天皇が百万塔陀羅尼を造り、南都十大寺に寄進した。戦没者には官軍も賊軍もない。怨みに対し怨みで報いたならば、怨みはとどまることなく、徳によって報いるならば怨みは消えると考えられていたからである。

ついで『本朝文粋』には天慶の乱における戦没者のために藤原師輔が奉じた願文がある。「官軍に在りといへども、逆党に在りといへども、既に率土と云ふ誰か王民に非ざらん。勝利を怨親に混じて、以て抜済を平等に頒たんと欲ふ」王土の日本に住む人は逆賊であっても王民だとする。亡くなれば官軍・逆賊の区別なく、つまり怨・親、敵味方の区別なく、平等に救済され、成仏することを祈願している。

また『鎌倉遺文』九三七によれば、源頼朝は全国に八万四千基の宝塔を造立している。保元の乱以来、亡くなった人は平氏を含めて多数にのぼり、遺恨を抱いて亡くなった者もいた。経を書写し諸国霊験の地において供養し、亡くなった人々を救うと共に多くの人を殺したことを懺悔した。

怨親平等の思想は蒙古襲来の時に一層明確になった。鎌倉の円覚寺は無学祖元を開山とするが、その建立は元寇によって亡くなった敵味方の魂の救済を行い、戦没者の菩提を弔うことにあった。供養にあたった祖元は「怨親悉平等」のためと述べている。この思想は室町時代にも受け継がれ、京都天竜寺を開山した夢窓疎石は南北朝の抗争で亡くなった多くの人々を敵味方なく供養するために安国寺利生塔を建立した。禅宗において怨親平等という考え方がここに定着した。室町期の多くの戦乱でも敵味方なく供養しており、また秀吉による文禄・慶長の役でも島津藩の島津義弘が自軍の兵士だけでなく、明や朝鮮の戦没者をも供養しているように、その思想は脈々と受け継がれている。

この伝統的な怨親思想に基づくのであれば、アジア・太平洋戦争で亡くなった人については、日本兵だけでなく敵国の中国やアメリカ兵をも祭るべきだということになる。敵味方の区別なく霊を祭るという歴史は長い。こうした日本古来からの霊の祭り方に改めて思いを致す必要があるのではなかろうか。死者の霊をどのように扱うかは決して過去の問題ではなく、すぐれて現代的な問題なのである。

五　神道の今をみる

㈠　八百万神の宗教

御利益を求め雰囲気を感じる

日本の神は八百万神と言われるようにたくさんの神がいる。そのほとんどの神を自然の中に見出しているが、それは人々が自然に順応した生き方を受け入れている証であろう。ただこれほどの神がいるのは、それぞれの神が違った個性や機能を持っているからであり、それは祭る側から見れば、それぞれ御利益が違うことになる。人々の御利益を願う気持ちが多くの神を生み出したと言えよう。疫病神や貧乏神ですら、御利益をもたらす福の神に変えてしまう国民である。遠い先の利益より出来るだけ安易に今の利益を求めるという精神性を見て取ることができる。

古来の寺社参詣には必ず肉体的な苦行の要素が伴っていた。巡礼の聖地とされる熊野三山も徒歩で参ることとされていたから、相当な苦行であった。『梁塵秘抄』巻二には、「熊野へ参らむと思へども　徒歩《かち》より参れば道遠し　勝《すぐ》れて山峻《きび》し　馬にて参れば苦行ならず　空より参らむ　羽賜《た》べ若《にゃく》王子」とある。また『新古今和歌集』の編者として知られる藤原定家は後鳥羽院の熊野詣に随行した際、道中の悪路に辟易し、疲労困憊となり、「心神無きが如し」「心中夢の如し」と音をあげている。先の『梁塵秘抄』には「馬にて参れば苦行ならず」とあるように、歩いて行くことこそが重要であった。つまり歩くことを自己目的化している。ただそうなればなるほど参詣の対象である霊場そのものは相対化され、参詣のための路程が大きな意味をもってくる。その点がキリスト教の巡礼との根本的な相違である。キリスト教の巡礼では単一の聖地を目指す直線型で巡礼の道はあくまでも巡礼者を導く手段で、決して目的ではない。我が国の巡礼は寺社そのものよりもそこに至る参詣のプロセスが重視されるが、そのことが結果的に参詣地の複数化をもたらし、また円環型の巡礼路を生み出したと言える。こうして西国三十三カ所や四国八十八カ所巡礼などという長大な巡礼コースが誕生したが、その周辺には番外の札所が設けられ、さらにその路程を伸ばそうとする試みも行われている。そこから繰り返し反復する苦しみに耐えることによってさらに大きな功徳を手に入れようとする日本人の言わば数量主義・苦行主義的な性向が如実に表れている。この熊野詣に限らず西国巡礼や四国八十八カ所巡礼の場合も難路が幾つもあり、肉体的な苦痛を伴っていた。そのように自分の身体に苦痛を与えることによって滅罪とともに精神を浄化し、霊の救済を求めたのである。

『西行法師家集』に見える歌の中に、大神宮御祭日よめるとあって「何事のおはしますをば　しらねども　かたじけなさに　涙こぼるる」という一首がある。

私たちも寺社への参拝のための旅をすることがある。熱心に祈願している人もいるが、寺院の本尊や神社の祭神が何であるかを知らないことが多い。その場所に行って厳かな雰囲気を感じることが大切だから、本尊や祭神に無頓着なのである。先の歌はそれを見事に表現している。伊勢神宮に詣でた時の歌であるが、そこにどのような神様がいて、どのような祭りが行われているか分からないが、その有難さにただただ涙があふれるというのである。自分が拝む神の名も知らなくても尊い雰囲気に涙がこぼれるというのは実に日本的な宗教感覚である。そこでは経典・教理・本尊・祭神などなくても一向に構わない。ここに原理・原則ではなく、感じることを重視する国民性を見てとることができる。

(二)　政治と神道

霊はどのように祭るべきか

神道では祭政一致が原則とされる。政治も祭祀も共に「まつりごと」と呼ばれるように本来的に神道は政治思想と深く関わっている。たとえば北畠親房の『神皇正統記』の冒頭は「大日本は神国也」とあり、それは伊勢神道の影響を受けて南朝の正当性を主張している。また平田篤胤の復古神道は太平洋戦争の正当性を鼓舞するためにもてはやされた。このように神道の思想は政治運動と結びつく傾向がある。逆に言うと、神道には時代を超えた普遍的な思想はないということである。それが神道の弱点でもある。

神道が政治と深く結びついた典型的な例が、日本の植民地や占領地の拡大と共に展開した海外神社である。現在でも少数ながらハワイや南米に日系宗教として存在しているが、日本の植民地や勢力圏の神社は日本の敗戦と共に千六百以上あった祭祀施設は全て廃絶した。それは神社を支えた営みと日本の支配が一体だったことを物語っている。日本の支配する地には日本の神々が降臨するという侵略の教義を前面に押し出して創建された。それは宗教侵略だった。しかし現地信仰を従える宗教的支配体制にまでは成長出来なかった。日本の敗戦によって日本人の引き上げ後、神社崇敬が信仰として現地に何の影響を残さなかった事実がこのことを示している。もう少し言うと、神道は我が国では長い歴史を持ち、荘厳で厳粛な宗教ではあるものの、日本の植民地や占領地の人々を心服させるだけの教義や哲学大系を持っていないのである。キリスト教の場合、征服地での布教によって後世に至るまで、多くの信者を獲得しているケースが幾つも見られる。神道でそれが出来なかったことは被征服地の人々の尊敬を抱かせるような精神文化を内包していなかったからであろう。そうした反省は今日の神道の世界にも必要なことだと考える。

次に霊の祭り方について見る。我が国では人を神とする考えが古くからある。土俗的信仰では人は死ねば仏となり、それが完全に成仏するのが五十年後で、その後は神となり、祖霊神と呼ばれるようになる。荒御魂としての霊が神になり、そして年末になると歳徳神となって門松に降り、子孫たちに新しい年をもたらし、その繁栄を保障する。このように仏と神が人を交えて循環するシステムがある。人間の霊魂は神から授かったもので、亡くなったら霊魂は再び神のもとに帰って行く。だから人が神となることは、特殊なことではなく普通のことだった。神と人との関係は近い。多くの人々は普段そうしたことを意識していないだろうが、意識の深い部分で定着していると思われる。

日本の文化はある意味霊魂の文化であり、死者に対する様々な儀礼が行われていて、死者の世界が生者の世界を大きく左右してきた。人柱や人身御供は何も古代だけの話ではない。人柱や人身御供として犠牲となった人に対して、それを強いた共同体ではその犠牲を崇高で美しい死として語る。英霊やヒーローとして追悼するあり方は軍隊や戦争への批判を免除することになる。崇高で美しい死としての英霊が語り継がれることによって、それを再現しようとする心が発動し、現実に人柱が作られることになる。国を守るとか家族を守るとか、そのような「美しい日本」の言説が犠牲的精神を肥大化させ、現実の人柱を生み出すのである。

第二次世界大戦の後半に行われた神風特攻隊や人間魚雷回天の乗組員の犠牲は、まさに現代における人柱である。軍神は壮絶死したその人の慰霊のためだけでなく、軍人の亀鑑として、その後に続く報国を誓って突撃死する兵隊を再生産する装置でもある。その死は崇高で美しいものとして讃えられる人たちを靖国神社に祭ることは次なる人柱を再現する役割があることを忘れてはならないのである。

敵味方を選別する靖国神社

靖国神社は御霊信仰に基づいて建てられた神社である。明治維新期の戦乱である戊辰戦争で戦死した多くの人々の霊を祭らなければ祟りが起こるとして九段に東京招魂社が建立された。そこに祭られたのは官軍の戦没者だけで、朝敵となった賊軍の戦没者は祭られていない。東京招魂社の創建は、政府軍の士気高揚の意味があったことから官軍と賊軍の差異を明確にすることになり、結果的に国内を分断することになっ

愛媛県の護国神社

た。こうして政府軍の兵士は戦死すれば東京招魂社で神として祭られることになった。そして西南戦争の後、神社に格上げし、名前も明治十二（一八七九）年に靖国神社と改称された。後には賊軍の戦没者は合祀しないという原則が維持できなくなり、中には合祀される者も出てきたが、それでも合祀する者としない者とを区別することは変わっていない。それはあるべき臣民の模範としての性格を与えられたからである。ただそこではもっぱら死に方が問題とされ、その人がどのように生きてきたかは問われなかった。だからどんな極悪人でも戦争で臣民として死ねば神になることになる。合祀基準の曖昧さは今日も同様である。

ところで一般の神社の管轄は内務省だったが、東京招魂社の場合は内務省に加え陸軍・海軍省が管轄し祭主は陸海軍の現役の武官であった。さらに陸海軍を統括する天皇自らが弔祭を行うことになった。現在でもほとんどの神社は神社本庁の傘下にあるが、靖国神社は単独の宗教法人である。

キリスト教でも人を聖人として祭っているが、しかしその聖人の認定は教会が決定するからむやみな拡大には制限がある。しかし我が国ではそうした制限は一切無いから、幾らでも増殖していく可能性がある。当初、靖国神社に祭られる祭神の大多数は旧武士層だったから、一般国民は直接関わりはなかった。ところが日清・日露戦争の戦没者を「英霊」としたことから、国民的基盤を持つ神社へと大きく様変わりした。氏名の下に「命（みこと）」という神の呼称が付けられ、これを神とすると、その総数は二四六万で最大の神を祭る神社となる。

このように人を神とする考え方や仏教思想による死者の平等主義が現在の靖国問題とも関係する。靖国は寺院ではないが、死ねばA級戦犯であろうが、同じ仏として供養するという考え方が影響している。しかも終戦の八月十五日は月遅れの盆日と重なっている。盆は死者の霊が生者のもとに戻ってくる日とされていることから、死者を悼むという感覚がより強いものになった。靖国では戦没者を神として祭っているが、盆行事では仏として祭っている。戦後になって新暦の盆の七月十五日に「みたままつり」を営んでいる。それは仏教に基づく奉納盆踊りがきっかけで出来た行事である。神仏習合の精神は靖国での死者の祭り方にも大きな影響を与えている。死者の霊の扱いは、すぐれて現代的な問題である。

戦死者の多くは家の墓や仏壇で祭られるだけでなく、各都道府県単位の護国神社で祭られ、さらには靖国神社で祭られるという多重祭祀である。普通の死者は家の墓に入れば、それで終了となるという単一祭祀である。戦死者に対し多重祭祀が自動的に行われていることに私たちはほとんど自覚していない。また戦死者の墓は墓地の中で際立っている。私の叔父も中国湖北省沖で敵の魚雷攻撃によって乗っていた船が沈没し二十歳の若さで戦死した。還ってきたのは遺骨ではなく、一片の紙切れだったと聞いているが、その墓は先祖代々の墓より高く大きく、墓の個性が強く、また露出性が高い。その墓は祈念の対象だけでなく、記念碑の意味を持っている。

このようにいとも簡単に人が神になるとする精神性は、それが個人や神祭りに限定されるのであれば別に問題ではない。靖国神社の問題にしても、国内に限定されるならば、大した問題にはならないが、世界に開かれた国となる時には、やはり重大な問題となる。靖国神社の最大の支援団体は日本遺族会であるが、あと三十年もすれば、かつての戦災遺児はほぼ皆無になる。あれだけの敷地と施設を維持することはいずれ困難になる。だから靖国問題も時間が解決するという見方もあるが、しかしこれも先送りに他ならない。曖昧な解決ではなく、根本的解決策を国民全体できちんと議論すべきであろう。招魂慰霊の儀礼によって創り出される神々は、その創出も祭祀も解釈も、その時々の人間の利害関係によって平和祈願のみならず、戦意高揚や戦勝祈願や戦死美化などの意味づけが無限に拡大されていく宿命にあるのであり、その特徴をしっかり認識しておく必要があるのである。

つまり靖国神社においては、死者の霊について二つの役割を持たせている。一つは「死者の霊魂を慰め、いたみ悲しむ」という慰霊追悼であり、それは宗教的行為である。もう一つ死者の功績などを世間に知らせ、顕彰することで、それは公的評価を与えるという政治的行為である。慰霊という宗教的行為と顕彰という政治的行為が密接に結びついていることが靖国の最大の特徴である。だからこそ閣僚などによる靖国参拝が問題となるのは、それが政治的行為と密接に結びついている故である。

二〇〇六年七月二十日、日本経済新聞が「A級戦犯靖国合祀、昭和天皇が不快感」との見出しで富田メモを報道した。メモの記録者は富田朝彦氏でかつての宮内庁長官である。そこには昭和天皇のA級戦犯合祀について語ったことが記されている。「私は或る時に、A級が合祀され、その上松岡、白取までもが、筑波は慎重に対処してくれたと聞いたが、松平の子の今の宮司がどう考えたのか、易々と松平は平和に強い考があったと思うのに親の心子知らずだと思っている。だから私はあれ以来参拝していない。それが私の心だ」とあった。平和主義的な筑波藤麿氏から元軍人の松平永芳宮司への交代によって、「慰霊」追悼と「平和」との結びつきが解体されていくことに対して憂慮の念を示したものだった。これに対しネガティブな反応もかなりあり、「多くの人は見たいと欲する現実しかみない」（ユリウス・カエサル）という警句を思い出させた。

靖国神社の問題について、人々は戦勝国がA級戦犯の祭祀に問題があるとするのは外圧で、それに屈することが政治的敗北のように思っている。しかしこの問題は外圧云々ではなく、本来は日本人として日本の内部から過去の政治的意思決定者の歴史的責任を問うべき事柄である。なぜ日本人自ら過去の侵略戦争や植民地支配の過ちを認め、それを推進していった体制側の政治責任を問う声もあげず、靖国参拝反対＝外圧への屈服という論調に収斂していくのか。私たち日本人はあまりにも自国の権力者に寛大過ぎるし、あまりにも責任という意識が希薄である。そのことが責任を問う声をあげない理由であろうし、だからこそ為政者も無責任に振る舞うことが出来る。責任を不明瞭にすることは我が国の文化に深く関わっているだけに大変厄介な問題ではあるが、今日、あえて正面から向き合うことが求められている。

㈢　神道の人間観

神道における人間観は「人は信ずべき存在である」という考え方である。つまり相互に信頼することで集団や共同体を維持しようとしてきた。西洋社会では、「人間は疑わしい存在」と考えるから、そういう状況では集団や共同体は維持できない。それらを共存させるために、一つは超越的な神による信仰、そしてもう一つが厳しい契約の精神が必要だった。我が国に超越的な神も厳しい契約観念も育たなかったのは、性善説的な人間観があったからであろう。神道で最も大切な心を詠んだ菅原道真の作とされる和歌がある。

「心だに誠の道に叶いなば　祈らずとても神や守らん」

この歌は神道での大切な心は誠の心、つまり正直な心であるという。それは神様に祈る儀式よりはるかに大切であり、形だけの祈りではなく、心からのものであるという内面的倫理の重要性を強調している。換言すれば、神道は目先の利益や政治的な思惑などという外面的な価値観に振り回されることなく、自らの心の中が「清き明き心」となることを人に求めている宗教だと言えるのである。

現在、若者の中でネット右翼と呼ばれる人々が多くいるという。とんでもない言葉で特にアジア系の人を中傷・非難する。自分たちが好き勝手なことを言っているが、そこにはその言葉の向こうにいる相手がどれだけ傷つくか、そうしたことへの想像力が欠けている。言葉には言霊が宿っているから、言葉は正しくそして慎重に使うべきである。そして何より我が国固有の宗教と思われている神道ですら中国で生まれ、朝鮮由来の神も多くある。中国や韓国・朝鮮という東アジア諸国からの文化を取り入れることによって今日の日本社会の根本が成り立っているという歴史的事実を知っていれば、少なくともあのような誹謗・中傷は行えないと思われる。このように長い時間の単位、つまり歴史的時間で物事を考えれば、過激で極端に走ることも少なくなるのではなかろうか。こうした穏健的な物の見方の醸成こそが「中庸の歴史学」の目指している方向である。

今一つは人を神として祭ることの伝統について見てきた。我が国では死ねば仏になり、しばらくの時間を経ると祖霊という神になる。このように人は仏にも神にもなって祭られる。ただ仏教では怨親思想によって敵味方はもとより日本人だけでなく外国人も共に葬り祭るということが行われている。それは世界のどこでも通用する普遍的思想になりうる。しかし、神道では靖国神社に見られるように天皇の統率する軍隊のために忠節を尽くした死者のみを祭っているが、それは日本という閉じられた地域の中でしか通用しない論理である。

実はその靖国神社にも本殿左横に小さな社殿の鎮霊社があり、それは国内ばかりでなく、全世界の戦没者を祭っている。不特定多数を祭ることに異議もあったが、筑波宮司の強い意向で実現した。社前の立て札には「明治以来の戦争・事変に起因して死没し靖国神社に合祀されぬ人々の霊を慰める為、昭和四十（一九六五）年七月に建立し、万邦諸国の戦没者も共に鎮斎する。例祭日七月十三日」と記されている。まさにそれは亡くなった者には敵味方はない、共に供養すべきという奈良時代以来の伝統をもつ怨親思想そのものである。この頃は靖国が「顕彰」から切り離され、「慰霊」追悼が模索され、平和と結合した例外的な時期であった。国を越えた過去の様々な被害者を想起し、想像することによって死者と対話をし、慰霊することになる。そこに国境を設けるべきではない。私は日本の長い伝統をもつ怨親思想に基づく慰霊のあり方に光を当てるべきではないかと思う。それは日本国内だけでなく、世界中全ての戦争を嫌悪する絶対的な平和主義の思想であり、普遍的思想になりうるものである。靖国を政治的「顕彰」から解き放ち、日本だけでなく世界の戦没者に対する「慰霊」追悼に特化することによって、根本的に問題を解決できるのではないかと考える。

【参考文献】

・坂江渉「播磨風土記の民間神話からみた地域祭祀の諸相」『交錯する知　衣装・信仰・女性』（思文閣出版・二〇一四年）
・松村潔『日本人はなぜ狐を信仰するのか』（講談社・二〇〇六年）
・山折哲雄・末木文美士『名僧たちの教え』（朝日新聞社・二〇〇五年）
・高取正男『神道の成立』（平凡社・一九九三年）
・田村圓澄『仏教伝来と古代日本』（講談社・一九八六年）
・新木直人「心と物の結界」『日本文化の源流を求めて』（文理閣・二〇一二年）
・田村圓澄『仏教伝来と古代日本』（講談社・一九八六年）
・追塩千尋「『今昔物語集』本朝部の神について」『日本社会における仏と神』（吉川弘文館・二〇〇六年）
・加藤直弥「多様化する神道」『日本神道史』（吉川弘文館・二〇一〇年）
・三橋正「神祇信仰の展開」『日本思想史講座一古代』（ぺりかん社・二〇一二年）
・上山春平『続神々の体系』（中央公論社・一九七五年）
・吉野裕子「伊勢神宮考」『民族学研究』三九巻一号
・井上智勝『吉田神道の四百年』（講談社・二〇一三年）
・鎌田純一『神道概説』（神社新報社・二〇一二年）
・下出積與『日本古代の仏教と神祇』（吉川弘文館・一九九九年）

・三宅和朗『古代の神社と祭り』（吉川弘文館・二〇〇一年）
・上野誠『日本人にとって聖なるものとは何か』（中央公論新社・二〇一五年）
・菅浩二「海外神社論」『日本歴史』第二〇巻（岩波書店・二〇一四年）
・桑原武夫「歴史の思想序説」現代日本思想体系『歴史の思想』（筑摩書房・一九六五年）
・服藤早苗『平安朝の女と男』（中央公論社・一九九五年）
・笠原一男・児玉幸多『続々日本史こぼれ話』古代・中世（山川出版社・二〇〇三年）
・岡泰正「「寿」の力」『日本の国宝』（朝日新聞社・一九九八年）
・島田裕巳『神道はなぜ教えがないのか』（ＫＫベストセラーズ・二〇一三年）
・伊藤聡『神道とは何か』（中央公論新社・二〇一二年）
・井上亮『天皇と葬儀』（新潮社・二〇一三年）
・山田雄司「「怨霊」以前」『古代東アジアの「祈り」』（二〇一四年・森話社）
・原田信男『なぜ生命は捧げられるのか』（お茶の水書房・二〇一二年）
・鎌田東二『神と仏の出逢う日』（角川学芸出版・二〇一〇年）
・三橋正「神祇信仰の展開」『日本思想史講座』一古代（ぺりかん社・二〇一二年）
・神野清一「良と賤」『朝日百科日本の歴史』七六（朝日新聞社・一九八七年）
・義江彰夫『神仏習合』（岩波書店・一九九六年）
・末木文美士『日本宗教史』（岩波書店・二〇〇六年）
・吉村武彦「ヤマト王権と律令国家の形成」『列島の古代史八古代史の流れ』（岩波書店・二〇〇六年）
・平川南『日本の原像』（小学館・二〇〇八年）
・武光誠『日本の風習』（青春出版社・二〇〇六年）
・岩井宏實『日本の神々と仏』（青春出版社・二〇〇二年）
・西郷信綱『古代人と夢』（平凡社・一九七二年）
・井上辰雄『古代王権と語部』（教育社・一九七九年）

・萩原秀三郎「鬼の原点と縄文世界」『本郷』No.五〇（吉川弘文館・二〇〇四年）
・佐佐木隆『日本の神話・伝説を読む』（岩波書店・二〇〇七年）
・筧敏生「神・天皇への拍手儀礼」『ヒストリア』第一六八号（大阪歴史学会・二〇〇〇年）
・川尻秋生『揺れ動く貴族社会』（小学館・二〇〇八年）
・川村裕子「貴族生活と物語」『和歌と貴族の世界』（塙書房・二〇〇七年）
・上野英二「古今和歌集」『週刊日本の歴史』一五（朝日新聞出版・二〇一三年）
・保立道久『黄金国家』（青木書店・二〇〇四年）
・佐佐木隆『言霊とは何か』（中央公論新社・二〇一三年）
・直木孝次郎『額田王』（吉川弘文館・二〇〇七年）
・木村紀子『原始日本語のおもかげ』（平凡社・二〇〇九年）
・工藤浩『氏族伝承と律令祭儀の研究』（新典社・二〇〇七年）
・松尾光『古代の社会と人物』（笠間書院・二〇一二年）
・伊藤博明『一遍と夢告・一遍聖絵を読み解く』（吉川弘文館・一九九九年）
・西郷信綱『古代人と夢』（平凡社・一九七二年）
・岡田精司「大王の夢と神牀」『古代祭祀の史的研究』（塙書房・一九九二年）
・井上辰雄『嵯峨天皇と文人官僚』（塙書房・二〇一一年）
・新村拓『日本医療社会史の研究』（法政大学出版会・一九八五年）
・上野勝之『夢とモノノケの精神史』（京都大学学術出版会・二〇一三年）
・芳賀幸四郎「九条兼実と夢」『日本歴史』第二六〇号（吉川弘文館・一九七〇年）
・佐藤弘夫「記録される思想・流通する思想」岩波講座『日本の思想第二巻場と器』（岩波書店・二〇一三年）
・酒井紀美「将軍の夢」『日本歴史』第六〇九号（吉川弘文館・一九九九年）
・水原紫苑「小野小町」『本郷』No.五〇（吉川弘文館・二〇〇四年）
・和田萃「道術・道家医方と神仙思想」『列島の古代史七信仰と世界観』（岩波書店・二〇〇六年）

・小原仁『源信』（ミネルヴァ書房・二〇〇六年）
・岡泰正「ドライブインの布袋様」『日本の国宝』〇七四（朝日新聞社・一九九八年）
・岡泰正「宝尽くし」『日本の国宝』〇七七（朝日新聞社・一九九八年）
・下出積與『日本古代の道教・陰陽道と神祇』（吉川弘文館・一九九七年）
・島津毅「中世における葬送の時刻…「夜の葬送」とその変化」『ヒストリア』第二四二号（大阪歴史学会・二〇一四年）
・鎌田東二「「もの」の世界」（愛媛新聞二〇〇八・二・二日の記事）
・新藤協三「平安時代の病気と医学」『平安時代の信仰と生活』（至文堂・一九九一年）
・服部敏良『王朝貴族の病状診断』（吉川弘文館・二〇〇六年）
・岡本堅次『浮浪と盗賊』（教育社・一九八〇年）
・阪下圭八「もののけ・もっけ・もっけの幸い」『朝日百科日本の歴史』一（朝日新聞社・一九八六年）
・岡田良朗・松井吉昭『年中行事読本』（創元社・二〇一三年）
・吉川真司「律令体制の展開と列島社会」『列島の古代史八古代史の流れ』（岩波書店・二〇〇六年）
・山田雄司『跋扈する怨霊』（吉川弘文館・二〇〇七年）
・山田雄司『怨霊とは何か』（中央公論新社・二〇一四年）
・山田雄司『怨霊・怪異・伊勢神宮』（思文閣出版・二〇一四年）
・荒井秀規「神に捧げられた文字」『文字と古代日本四神仏と文字』（吉川弘文館・二〇〇五年）
・勝崎裕彦『ことわざで学ぶ仏教』（ＮＨＫ出版・二〇〇八年）
・鈴木晋一「貧乏神」『日本歴史』第六二〇号（二〇〇〇年）
・千葉徳爾「天狗」『朝日百科日本の歴史』一五（朝日新聞社・一九八六年）
・本郷恵子『古今著聞集』（山川出版社・二〇一〇年）
・村山修一「神門の方忌」『日本歴史』第六二〇号（吉川弘文館・二〇〇〇年）
・加藤麻彩子「鳶と火事」『日本歴史』第七〇三号（吉川弘文館・二〇〇六年）
・大橋俊雄「一遍聖の治病知識」『日本歴史』第五一〇号（吉川弘文館・一九九〇年）

・竹内光浩「一遍と時宗にみる「狂気」の中世的転回」『歴史評論』№五六〇（青木書店・七九九六年）
・吉田一彦『古代仏教をよみなおす』（吉川弘文館・二〇〇六年）
・松波弘道『仏教の常識がわかる小事典』（ＰＨＰ出版・二〇〇二年）
・松前健『大和国家と神話伝承』（雄山閣・一九八六年）
・関和彦『日本古代社会生活史の研究』（校倉書房・一九九四年）
・水野正好「「護符」の成立と展開」『歴史と地理』四四二（山川出版社・一九九二年）
・斎藤英喜『陰陽道の神々』（思文閣出版社・二〇〇七年）
・佐々木恵介『平安京の時代』（吉川弘文館・二〇一四年）
・笹生衛「古代祭祀の形成と系譜」『古代文化』第六五巻第三号（古代学協会・二〇一三年）
・『週刊日本の歴史』一四（朝日新聞出版・二〇一三年）
・服部幸雄「牛に乗る神と牛飼舎人」『日本歴史』第五八四号（吉川弘文館・一九九七年）
・林陸朗「古代史、丑年生まれの人々」『日本歴史』第五八四号（吉川弘文館・一九九七年）
・三浦佑之『古代研究』（青土社・二〇一二年）
・橋本政宣「神道は季節の宗教である」『本郷』№五一（吉川弘文館・二〇〇四年）
・武光誠『神道…日本が誇る「仕組み」』（朝日新聞出版・二〇一四年）
・島田裕巳『靖国神社』（幻冬社・二〇一四年）
・赤澤史朗『靖国神社ーせめぎあう〈戦没者追悼〉のゆくえ』（岩波書店・二〇〇五年）
・中村生雄『日本の神と王権』（法蔵館・一九九四年）
・岩田重則『「お墓」の誕生』（岩波書店・二〇〇六年）
・新谷尚紀「追悼と慰霊」『本郷』№六〇（吉川弘文館・二〇〇五年）

第三章　道教（神仙思想・陰陽道）

宗教編の最後に道教を取り上げる。仏教は心の解脱を目指す宗教で、儒教は社会を統治する技術とすれば、道教は個人の長寿・延命の技術と言うことができる。中国では「昼は儒教、夜は道教」という言葉がある。社会生活の規範は儒教であるが、それは表向きのことで、日々の暮らしの裏側には道教がしみこんでいる。

ここでは次の点について述べていく。①不老長生の思想はある意味で養生法である。仙人なることは無理でも、ものの考え方や健康法は現在に通じるものがあるのではないか。②我が国の昔話には道教思想がしっかり入り込んでいる。道教の視点から昔話を検討してみたい。③陰陽道は古代の最先端の思想であった。それはどのような理論によって構成されているのか。④陰陽道は日常生活のあらゆる所に及んでいる。現在なお生きている陰陽道を取り上げたい。⑤道教は「道」と一体化する老荘思想的な神秘思想を核としている。その思想はどのようなものなのか。

ただ現在の多くの人にとっては仏教や儒教や神道とは違って道教や陰陽道ということを耳にすることすらないと思われるが、古代の飛鳥時代から明治初年にかけての千年以上の間、日本人のものの考え方に大きな影響を与えてきた。普段は意識しないが、道教は地下水のような形で私たちの生活の中に深く入り込んでいるのである。

一　神仙思想

(一)　不老不死の仙人

道教思想は弥生時代から

道教は中国古代の様々な民間信仰を基盤とした思想で、神仙思想はその一部を構成していて、それは不老長生の仙人になることを目指す宗教である。まず道教の内容を具体的に説明することが必要だが、改めて道教とはどのようなものかと言われると、何となく生活の中に入り込んでいるため、これを説明することはなかなか難しい。そもそもこの道教の成立時期も誰が始めたのかということすらわかっていない。一応、老子を教祖とするが、それも七世紀頃からで、それ以後も最高の神格が様々に変わっており、絶対的なものではない。

雑多な民間信仰の集大成と言えるが、大きく分けると四分野からなる。①天地万物の根源の天道について説く道教の神学。②肉体的生命の維持、不老長生を得る医学的分野。③まじない、呪文、お札などによって祟りを消滅させたり、鬼神を自在に駆使することが出来るという方術。④長生のためには悪事を避けるという道徳観。この四分野が有機的に体系化されて道教という宗教が形成されているのではなく、それらが雑然として重なり合いながら混合している。換言すると分野別には神仙思想・陰陽五行思想（陰陽道）・医学・天文学・易学・暦学・呪術などで、それが学問的なものと民間習俗が入り交じっている。

その道教が我が国に体系的でなく、バラバラに入ってきた。早いものでは弥生時代にまで遡る。近畿地方で製作された銅鐸には、古代中国の神仙世界の女神である西王母を描いたものが数点あり、弥生時代には既に中国思想が流入し、それを取り入れていることがわかる。同じく弥生時代には三角縁神獣鏡が製作されているが、これも中国の神仙思想で邪気を避けるための祈りに使用されたと考えられている。

仙人になる方法

人は誰しも長生でありたいと願う。そのため時代を越えて健康や養生に対する関心は高い。その長生の究極の姿が仙人であり、また不老不死である。それを実現するための方法は三つある。第一は、仏教者としての修行、苦行を積む。我が国の不老不死は仏教思想が強く影響している。仏法を修行、法華経を読誦することで仙人になる。第二は、特別な食事をする。普通の人は五穀を食して体を維持しているが、その五穀を絶つ断穀・断食である。長く米穀を絶つ代わりに菜や松・柿・栗を食したり、甘みや塩を絶つなどである。第三は、薬物の使用である。薬剤が不老不死をもたらすというのは、ある意味科学的な手法と言え、『竹取物語』の「不死の薬」などがこれにあたる。仙人になるための薬には上薬・中薬・下薬の三種がある。上薬はこれを飲めば命が延びて天に昇り、鬼神を使役して望むものを呼び寄せることが出来る。中薬は体を丈夫にし、下薬は病気を治す。古代の医学書『医心方』には、服諸丹方・服金液丹方・延年方・断穀方などが見え、実際にそうした治療が行われていた。なかでも金液丹は、別名「不老不死丹」と言われ、万病を治す仙薬の代表的なものだった。

こうして仙人になることができれば、不老不死・不老長生だけでなく、飛行するようになる。日本の仙人、あるいは修験道の草分けの人物の役小角は孔雀王の呪法を修め、それによって異しき験力を得て、現に仙人となり天に飛んだという。また陽勝仙人は身の中に血肉なくして、異なる骨奇しき毛あり、両の翼身に生えて虚空を飛行すること、麒麟・鳳凰の如しと称された。このように超人間的現象が可能になると、鬼神をも駆使できるようになる。『今昔物語集』巻十一第二十四話に見える龍門寺に住む久米仙人も空を飛んでいる。彼は深山に入って仙法を学び、松葉を食して空を飛ぶようになったが、ある時、空を飛んでいたら、吉野の川辺で洗濯をしていた若い女の脛を見て地に落ちたという有名な話である。禅定に通暁した僧が山林修行を行い、穀断などをすることで空を飛べる神仙になれるとの観念があったことから生じたのであろう。

我が国における最初の仙人の記事は『紀』斉明元（六五五）年五月条である。そこには「空中にして龍に乗れる者あり。貌（かたち）、唐人に似たり。青き油の笠を着て、葛城嶺より馳せて生駒山に隠れぬ。午の時に至りて住吉の松嶺の上より、西に向ひて馳せ去ぬ」と記す。龍に乗る仙人で「唐人に似たり」とあるから、唐服をまとった中国の仙人と思われる。日本出自の仙人のことを記すのは、『日本霊異記』上巻第十三「女人の風流なる行を好みて仙草を食い、現身をもって天を飛びし縁」で、『今昔物語集』巻二十第四十二話「女人、心の風流により感応を得て仙人と成る語」にも似たような話が見える。

仙人は人里から離れた特別な場に住んでいた。中国では仙人の居住地は海中にあるとされ、それは蓬莱・方丈・瀛州の三神山である。後には人の住まない山もそれにふさわしいと考えられるようになった。それは古くからの山岳信仰と結びつき、葛城・金剛・大峰・吉野・熊野・愛宕・比叡・出羽・石鎚などの特定の山が仙人の居住地とされた。

仙人になれない人・なれた人

仙人にもレベルの違いがあり、最も位の高いのが天仙で、現実の肉体のままで大空を自由に飛び回ることが出来る。次は地仙で、大空を飛ぶことは出来ないが、名山でいつまでも長命を保って暮らす。最後が尸解仙《しかいせん》で、死後、魂が天に昇り、あるいは屍そのものが消え去る仙人のことである。『日本書紀』にはヤマトタケルノミコトの肉体が消え、白鳥となって飛び去ったとあるが、それは尸解仙のことであろう。

『梁塵秘抄』三〇六番「聖の好むもの　木の節・鹿角・鹿の皮　蓑笠・錫杖《しゃくじょう》・木欒子《もくれんじ》・火打笥《ひうちけ》・岩屋の苔の衣」

（聖の好むものは、木の節で作った椀、鹿角の杖、鹿の皮の衣、蓑と笠、錫杖、木欒子の数珠、火打箱、それに岩屋の苔むした衣）と聖の七つ道具を列挙している。また四二五番には「聖の好むもの　比良の山をこそ尋ぬなれ　弟子やりて松茸・平茸・滑薄《なめすすき》　さては池に宿る蓮のはひ・根芹・根ぬなは　牛蒡・かうほね・うど・蕨・つくづくし」（聖の好むものを知りたければ、比良の山を尋ねなさい。弟子に命じて採るものは松茸・平茸・なめたけ、それに池に生える蓮根・芹・じゅんさい、牛蒡・こうほね・うど・蕨・つくしなど）と食材を列挙している。どれもこれも野山で採れる山菜で、これを食していれば、神仙にはなれないまでも、長生きは出来そうである。しかし通常の人にとっては魚肉を食する魅力に負けてしまい、それさえもなかなか難しい。今も昔も仙人になるのは至難の業なのである。

『十訓抄』には、河内国金剛寺で仙人になろうとした僧侶の話が載せられている。この僧は三年間、五穀を絶ち松葉を食べて次第に身軽になった。彼は弟子たちに「我は仙人に成りなんとする也」といい、飛ぶための稽古を行った。そして必要な物を弟子たちに分け与え、別れを惜しんだ。仙人になって空を飛ぶという噂を聞いて多くの人が集まってきた。彼は空に昇る前に谷の松の枝で遊んでみようと言って飛んだが、谷底に真っ逆さまに墜落した。衆人から嘲笑されたが、九死に一生を得て奇跡的に助かった。その後は仙人になるのをあきらめ、五穀をむさぼり食ったという。

石鎚山の仙人

ところで愛媛県西条市にある石鎚山に仙人がいたという話がある。石鎚山は言うまでもなく西日本の最高峰で、信仰の山としても有名である。石鎚山は修験道の開祖役小角が山岳道場として開いたと伝えられる。彼は大和葛城山にいた呪術者で、石土毘古命《いしづちひこのみこと》蔵王権現を合祀したと伝える。毎年七月に行われる山開きの行事には、白い装束に身を包んだ多くの信者たちが列をなして登頂する姿は壮観である。

『日本文徳天皇実録』には「その昔、伊予国神野《かんの》郡に灼然《しゃくぜん》という高名な僧がおり、聖人と言われていた。その弟子の中に上仙《じょうせん》という者がいた。上仙は、石鎚山の山頂で厳しい修行を行い、鬼神をも思うがままに操ることができるようになった。上仙はある時、人に「私は来世は天子となって生まれる。その時、石鎚山のある郡（神野）の名を称する」と言い、その年に他界した。その頃、神野郡の橘里に橘媼《たちばなのおうな》という一人暮らしの老婦人がいた。彼女は上仙のため懸命に供養を行った。媼は涙を流しながら、私は、来世は和尚（上仙）と共に生まれ、一緒になりたいと言い残して俄にこの世を去った。やがて、都の宮廷では皇子が生まれ、乳母の名をつけて神野《かみの》親王となった。夫人は橘夫人であった。つまり嵯峨天皇は石鎚山の仙人の上仙の生まれ変わりで、橘夫人は上仙を供養した橘媼の生まれ変わりと言うのである。

現在の愛媛県の西条市や新居浜市はかつて「神野」郡とされていた。しかし嵯峨天皇が加美能《かみの》（神野）親王と呼ばれたため、その名をはばかって「神野」を改め、「新居」となった。現在の「新居浜」の地名は遡ってみると嵯峨天皇に由来するのである。その嵯峨天皇は不老不死を謳う神仙思想に傾倒し、自らを神仙になぞらえていたようである。神仙思想に傾倒していた者を隠士《いんし》というが、その隠士が隠れる山林の岩石を「嵯峨」と言い、そこから「嵯峨野」の地名が生まれた。また神仙の居所は「仙洞」であり、京都御所は「仙洞《せんとう》御所」とされる。ともに神仙思想と深い関係がある。

また橘媼の生まれ変わりとされる橘婦人とは橘嘉智子のことである。彼女は嵯峨天皇の後宮では仁明天皇及び淳和天皇の皇后正子の母

橘嘉智子を祭る檀林寺

であり、「国母」として大きな権威をもった。才色兼備で夫の死後は冷然院にあって朝廷を圧した。朱雀院とその所領を経営し、亡き母の供養ために檀林尼寺を建立し、檀林皇后と呼ばれた。また橘氏の子弟の勉学のために学館院を創設するなど勢威をふるった。

石鎚山の名は、これ以外にも『古事記』の「石土毘古神《いしづちひこのかみ》」、万葉歌人山部赤人が詠んだ「伊予の高嶺」、弘法大師空海が著した「聾古指帰《ろうこしいき》」の「伊志都知能太気《いしづちのたけ》」、『日本霊異記《りょういき》』の「伊與の国神野郡の中の山」など多くの文献に見える。ただ山岳修行は常人の想像を超えるため、常人にはない能力も身に付くと考えられた。その一方では怪しげな者も混じり、修験道が盛んになるとその傾向が強くなった。だから「ホラをふく」という言葉は山伏の法螺にかけて発生した。どの時代にも宗教の尋常と異常の境目を見分けるのは難しい。

不老長寿の食材

愛媛県のイメージの第一はミカン、あるいはミカンジュースである。しかし全体的にはミカン好きの人が減少している。かつて冬にはこたつを囲んでミカンを食べるという風景は全国で見られた。このような日本人の定番といえるスタイルが様々な分野で消滅している。ところで、ミカンは古代には橘と呼ばれた。この橘は常世の国に生えている不老長寿の果物だった。そして橘の木そのものも一年中青々とした葉をつけているので大変めでたいとされた。古代の貴族たちもこの橘に多大の関心を示し、『万葉集』には六十八首の歌が詠まれている。これは萩の百四十一首、梅の百十八首についで三番目の多さである。そのうちの一首である。

「橘は　実さへ花さへ　その葉さへ　枝に霜降れど　いや常葉の樹」（三九一六）（橘は実も花も葉も霜がふってもびくともしないめでたい木である）「橘の匂へる香かもほととぎす鳴く夜の雨にうつろひぬらむ」と花の香りを詠むことの少ない万葉集の中で注目すべき歌である。また「豊の宴、見す今日の日はもののふの八十伴《やそとも》の緒の島山に赤る橘　うず刺しに…」（四二六六）という歌もある。「赤る橘」は橘の赤く熟した表現で、その色彩・光沢は常世の果実であった。さらに『常陸国風土記』香島郡の条にも、この地が神仙の地で、美しく豊かな地とし、「たくさん橘を植えて、その味はたいへんおいしい」と記す。

橘はビタミンCが多く、また酸味のもとになるクエン酸も含まれ、薬用としても用いられた。これを食すると血行が良くなり、疲れがとれ、さらに病気への抵抗力もつき、老化防止に効果がある。ただそれらが多く含まれるのは果肉よりも皮や袋の部分で、これを意図的に食すると良い。このように良いこと尽くしである。古代の人々も同じような認識を持っていたから橘の実を「霊菓」「仙菓」と表現したのであろう。現在、世はまさに健康ブームだから、健康に関心の高い人に対して橘の「長寿」「若返り」という文句は極めて宣伝効果が大きいのではないかと思われる。

橘（ミカン）は初夏になると白い五弁の花を咲かせ、強い香りを放つ。橘は随分昔から自生していたようで『魏志倭人伝』の中に、「橘、椒《しょう》あるも、滋味となすことを知らず」とあり、既にあの卑弥呼の頃にはあった。しかし倭人はまだおいしく食べることは知らなかった。この橘の重要性の認識はそれが不老長寿の果物と考えられるようになってからである。

『日本書紀』の垂仁《すいじん》九十年二月条に、「大王が田島間守《たじまもり》を常世国《とこよのくに》に派遣し、時じくの香の実（橘）を持って帰るように命じた。田島間守は大変な苦労をした末に持ち帰ったが、大王は既に死去していた。田島間守は、「私は命を受け、はるか遠く、万里の波を越えて常世《とこよ》の国に行った。そこは神仙の住む所で俗人の行ける場所ではない。そのため十年かかった。そうしてやっと持ち帰ることが出来たのに、大王が亡くなってしまった今となっては、何の役にも立たない」と言って大王の陵に赴き、そこで自害してしまった。皆、涙を流して悲しんだ」と記す。

田島間守の行った常世の国は、古代の人々が存在すると信じていた国で、海のはるか彼方にあり、神仙の住む不老不死の楽園だった。そこでは穀物や果実も季節に関係なく常に熟している。この常世の果実の橘について、万葉歌人大伴家持《おおとものやかもち》は、「天皇の神の大御代に　田島間守常世に渡り、（中略）この橘を　時じくのかくの菓《み》と名付けらしも」「橘は花にも実にも見つれどもいや時じくになほし見が欲し」(四一一二)(橘は花になった時も、実になった時も、いつまでも飽きずに見ていたいものだ）と詠んでいる。また『続日《しょくに》本紀《ほんぎ》』天平八（七三六）年十一月条には、聖武天皇が「橘は菓子の長上で、人の好むところである。霜や雪、寒暑の中でも生い茂り」というようにその味わいや橘の木の繁茂している様子を賞賛している。その聖武天皇は奈良時代中期に政界をリードした橘諸兄・佐為兄弟に「橘」の姓を賜与した。

平野神社の左近の桜（手前）と右近の橘（向こう側）

『万葉集』には「わがやどの花橘をほととぎす来鳴き動《とよ》めて本に散らしつ」（一四九三）の歌があり、ホトトギスの鳴く五月に橘の花が咲き、野山に彩りを添えた様子を詠っている。このように可憐な橘の花は自然の景物として詠まれた。橘は極めて珍重すべき不老不死、若返りの果実で霊果だったから人の名前にもなった。ヤマトタケルノミコト伝承に見える弟橘比売、允恭大王の皇女の但馬橘大娘皇女、用明大王の橘豊日皇子などである。

平安時代には平安京の紫宸殿《ししんでん》の南庭階下の東西に左近衛府と右近衛府の官人が陣列を整えるあたりに植えられた桜と橘を「左近の桜、右近の橘」と言う。その由緒については諸説あるが、この地にはかつて平安遷都以前に橘の木があったが、桓武天皇が紫宸殿を建てた時に、橘の東隣に梅を植えた。この当時、唐風文化の隆盛期で梅も橘も中国伝来だから、それを象徴する意味があった。しかし仁明天皇の承和年間（八三四〜八四八）に梅が枯れたので、代わりに我が国古来の

山桜を植えた。それは唐風と和風の融合した姿である。その後、内裏の焼亡や改築があったがその度に植え替えられ、現在に至っている。現在では紫宸殿になぞらえて平安神宮や平野神社などの前庭にも左右に桜と橘が植えてある。

橘の話をさらに続ける。橘（ミカン）は大変な効能を持つ果実だが、愛媛県には果実の橘だけでなく、地名の橘も多くある。『和名抄《わみょうしょう》』によって古代の行政地名を知ることができるが、橘の地名は現在の県名で言えば、茨城・千葉・福岡・山口・徳島・神奈川県などにある。これらは総じて暖かい土地であり、実際に橘が自生していた所なのであろう。

愛媛県には、三つの橘（立花）がある。さすが代表的なミカン産地のことだけはある。古代の温泉郡（松山市）、越智郡（今治市）、神野《かんの》郡（西条市）である。この温泉郡には『正倉院文書』に橘樹郷戸主として秦勝《すぐり》広庭という渡来系の出自を持つ人物がおり、越智郡・神野郡にも秦氏の存在が確認され、橘を我が国にもたらしたという田島間守もまた渡来人だった。彼らの常世信仰が橘の地名の背景にあった可能性も考えられる。ただ現在とほぼ同じ蜜柑は室町時代に中国から入ってきたものである。それ以前はこみかんなので柑子（かんし・こうじ）と呼ばれていたが、中国から入ってきたものは甘かったので蜜柑と表された。

なお橘と立花は同じであるが、一般的には「橘」の方が「立花」より古い表記である。和銅六（七一三）年に政府は全国に『風土記』の編纂を命じた。その時に、一字の地名は中国にならって二字の好い文字を付けるように指示している。この結果、全国の地名は全て二文字となった。「橘」は「立花」に、「林」は「拝志」のように書き換えられたのである。

蓬・枸杞

神仙思想は仙人と不老不死と仙境という三本柱からなっている。仙境は東の海にある蓬莱・方丈・瀛州の三神山で、この島には黄金や銀で造られた宮殿が建ち並び、そこの獣や物産はみな白く、仙人が住み、不老不死の薬がある。しかし遠くから眺めると雲のようで、船で近づいても波間に沈んでなかなか上陸できない。今一つの仙境は西方にある昆崙山である。三つの峯があり、その峯の周りは吹けば飛ぶような軽い羽さえも沈めるという溺水という川に囲まれている。

三神山の理想郷の「蓬莱」の「蓬」はヨモギのことで「莱」はアカザのことである。どちらも生命力が旺盛で繁殖力が強い。ヨモギは抗酸化作用が強く、細胞のガン化を抑え、体の老化を防ぐ。老化の引き金となる活性酸素を消去し、疲れを除き、イライラを解消するビタミンB_1・B_2や感染症に対する免疫を強くするビタミンCも含まれている。またヨモギの繊維は長いため、整腸作用があり、通じをよくし、大腸ガンや動脈硬化、心臓病や肥満を防ぐ働きをする。灸に用いるモグサも原料はヨモギである。仙人が手にする杖はアカザの茎で、それを用いると長生きすると言われる。

古代の書物には不老長寿の食べ物の中でも枸杞《くこ》が特に優れていると記す。枸杞はナス科の植物で、我が国では全国の至るところで自生している。秋から冬にかけて透き通るような赤い実をつけ、果実は食用や薬用となる。根皮は強壮、疲労回復、解熱、血圧安定、若葉は煎じて薬湯となる。とりわけ枸杞酒にするとその効用は絶大という。枸杞の赤い実をひいて粉末にしてふるいにかけ、匙一杯分を上等の酒の中に入れ、日に三回これを服用する。十日たつと百病が除かれ、二十日もすると身体壮健となって気力が増し、老人も若者になる。二百日以上続けて服用すると、気力が旺盛になり、ゆっくり歩いていても馬と同じくらいの速度が出ると『医心方』の「延年の方」に記されている。

菅原道真を左遷に追い込んだ一人の三善清行は『服薬駐老験記』を著し、服薬によって長命を保った人物のことをまとめた。最初に登場するのが竹田千継という人で、枸杞の「駐老延齢」の効能を記す。竹田千継は十七歳で典薬寮に入り、薬草の本を読み、枸杞が長寿に良いことを知り、二段の畑を買い求め、枸杞を栽培した。春秋にはその実を食べ、秋冬にはその根を食した。そして常には茎根を煮て汁を取り酒に浸して飲んだり、枸杞風呂に入ったりすること七十余年に及んだ。顔色は大変よく髪は黒々として肌は艶々とし、耳は良く聞こえ、目も良く見え、抜けた歯もなく、まるで少年のようであった。

このことを知った文徳天皇は召し出して年齢を聞いてみると、九十七歳だと言う。そこで天皇は典薬寮の役人にして薬園に枸杞を植えさせ、管理させた。ところが他の役所に欠員ができたため、そちらの方の仕事を命じられた。従七位上相当の仕事だったから千継は出世したが、しかしそこは大変多忙で枸杞を飲む閑もなかった。そのため二年後には白髪になり、足腰も弱って杖がなければ歩けなくなった。そしてとうとう百一歳で亡くなってしまったという話である。

次は外従五位下の春海貞吉である。貞吉は二十六歳の時に医者から枸杞が体に良いことを聞いたので、一町の畑に枸杞を植え、水の代りに必ず枸杞を煎じて飲み、枸杞風呂にも入っていた。百十六歳にして少年のような容貌をしていた。様々な養生の方法を清行に語ったが、しかし三年後、病気の知人を見舞った時に感染して結局百十九歳で死亡した。

三例目はさらに長寿である。ある時、道路で幼い少女が老婆を鞭打っている所に出会った。その光景が異様なので訳を聞いた。すると鞭打っていた幼女と見えた女性が、「この娘が枸杞を食べなければ年寄りになってしまうというのに、枸杞を食べないためにこのように白髪の老人になってしまった。どうしても言うことを聞かないので、このように鞭を打っている」と言うのである。そこで幼女と見えた女性の年齢を聞くと、何と三百七十三歳であった。この良薬というのが枸杞だった。枸杞の効用はかくまでの効果があると言うのである。

実際の長寿者としては『続日本後紀』承和十二（八四五）年条に、尾張連浜主の名が見える。彼は百十三歳だったが、大極殿の前で舞を舞った姿はまるで少年のような身のこなしであったという。この浜主も枸杞を食していたのかもしれない。

時代はかなり下るが、江戸時代の三代将軍徳川家光も堺から献上された枸杞茶を愛飲していた。堺は茶の湯の本場で漢方薬の取引場でもあったから、この地で枸杞を調達するのは容易だったろう。ただ、家光は強壮剤の効果を期待して飲んでいたようである。茶人の小堀遠州も枸杞茶の効用を宣伝し、豊臣秀吉の妻北政所も愛飲していたと言うから、結構な広がりがあったのであろう。

不老不死の薬

道教では煉丹術で不老不死の薬が作れるとしたから、中国の貴族たちは金に糸目をつけずその薬を求めた。唐皇帝のうち六人までもが金丹の毒にかかっているのは、この時代に不老不死の薬を求めることが爆発的に流行していたことを示している。

『新唐書』李抱真伝には、李抱真が二万丸の丹薬を飲んで死にかけたが、小康を保ったのでさらに三千丸を呑んで、絶命したという。この金丹石の金は黄金、丹は丹砂（朱砂）石は玉石であるが、具体的にあげると丹沙・雄黄《おおう》・白礬《はくばん》石・曽青《そうせい》・磁石の五石であった。その調合は超人的な修行をした人格高邁な人にだけに伝えられた。それは仙薬で死を招くかもしれない薬害もあったからである。ものすごい頭痛・失明・呼吸困難・知覚麻痺・吐き気・高熱など、様々な症状が生じたから、生半可な俗人には扱うことが出来なかった。水銀（丹砂）は古くから古墳の石棺の中に敷き詰められたりしているように邪気を封ずる役割があると考えられていた。

我が国でも寛弘八（一〇一一）年に三十六歳で即位した三条天皇は、若くして眼疾に苦しんでいた。長和三（一〇一四）年三月に、天皇の片目が見えなくなり、片耳も聞こえなくなった。天皇は若い頃より金液丹を服用していたため、その中毒症状が原因であるという噂がたった。症状は良くなったり悪くなったりを繰り返していたが、翌年十月には全く目が見えなくなり、書は読めず、足が動かなくなって、とうとう譲位を決断した。そして眼病平癒の祈願もむなしく、寛仁元（一〇一七）年五月に四十二歳で死去した。

これより以前になるが、嵯峨天皇の第一子で淳和天皇の後をうけて二十四歳で天長十（八三三）年に即位した仁明天皇も老荘思想を好み、神仙思想に傾倒した一人だった。『続日本後紀』嘉祥三（八五〇）年三月二十五日条には仁明天皇の崩伝によると、漢音に習熟し、儒教の経典や歴史書ばかりでなく、老荘思想その他通じないものはなく、書・弓射・楽器の演奏などにも優れ、さらには医術や医学にも詳しく、よく医学書をそらんじていた。「医術に留意し、尽く方経を諳んず。当時の名医、敢て抗論せず」と記されている。聡明で器用な人物だったのであろう。

その一方で、三善清行の醍醐天皇に奏上した「意見封事十二箇条」の一節には、「仁明天皇位に即きて、尤も奢靡《しゃび》を好みたまふ。雕文刻鏤《ちょうぶんこくろう》、錦繍綺組、農事を傷り女功を害するもの、朝に製り夕に改め、日々変り、月々に悛まる。後房内寝の飾、飫宴《よえん》歌楽の儲、麗靡煥爛《れいひかんらん》にして、古今に冠絶せり。府帑《ふと》これによりて空虚にし、賦斂これがために滋く起る。ここに天下の費、二分にして一」とある。先に見た金液丹も莫大な経費を要したから、「奢靡」の極みと言われても致し方ない面もあった。

天皇は虚弱な体質のため幼少から種々の病気にかかり、養生に多大な関心を示した。父嵯峨天皇や淳和天皇の助言を得て、不老不死の薬とされる「丹薬」を好んで服用したためか、病気は治り、二十五年余にわたって帝位を保った。その即位儀式の大嘗祭の様子が『続日本後紀』に詳細に記されている。「其の標悠紀は則ち山上に梧桐を栽え、両鳳其の上に集り、其の樹中より、五色の雲を起し、雲上悠紀近江の四字を懸け、其の上に日像あり、日上に半月像あり、其の山の前に天老及び麟像あり、其の後に呉竹あり。主基は則ち慶山の上、恒春樹を栽え、樹上に五色の卿雲を泛べ、雲上に霞あり。霞中に主基備中の四字を掛け、且つ其の山上に西王母の益地図を献じ、及び王母の仙桃を偸む童子、鸞鳳麒麟等の像あり、其の下に鶴立つ」とある。

この中に「老公」「卿雲」「西王母や仙桃」「五色の雲」及び「麒麟」「鳳凰」などの動物など、全て不老長寿を主たる内容とする神仙思想に因むものである。まさに神仙思想一色に塗りつぶされた儀式と言ってよい。この大嘗祭は大和王権の成立以来、連綿と続いてきたもので、天皇一代で一回の極めて重要な儀式である。それが神仙思想に集約されているのは、仁明天皇の意思だけでなく、それを受容する貴族社会の雰囲気があったからと思われる。

この仁明天皇が四十歳になった祝賀の時のことが『続日本後紀』に見える。「天人芥子を拾わず、天衣石を払うを罷め、翻して御薬を擎《ささ》、倶に来りて祇候す。及び浦島の子しばらく雲漢に昇りて、長生を得、吉野の女眇上天に通じて来り且つ去る像」など神仙に関わる像を作り、それらの来歴を読み込んだ長歌を献上している。『丹後国風土記』逸文の浦島子は玉手箱を貰って、開けるなと言われていたのに開けたため老人となって死ぬが、平安期の『本朝神仙伝』では、浦島子は大きな亀を釣り、その亀が美しい女性となり、二人は夫婦になって蓬莱山に行き、長生を得たというようになっている。おそらく浦島子は常世の世界に行って長生を得た代表的な存在となっていたから、それにあやかって長生を願ったものと思われる。金液丹の服用に見られるような不老長生に過度にこだわった人は、いずれも短命に終わっている。やはり何事もほとほどが良いということであろう。

時代は飛ぶが、江戸時代の徳川家や有力大名家では若君や姫君が幼少で亡くなる者が多かった。亡くならないまでも身体に異常をもつ者がかなりいた。その原因が最近になってわかってきた。赤子が生まれると奥方に代わって乳母が乳を含ませた。その乳母は赤子とはいえ身分の高いお方に素肌の乳房を見せるのは恐れ多いとして、乳房に白粉を塗った。この白粉には水銀が含まれている。だから赤子は乳を飲む度に水銀を摂取していたのである。これでは異常にならない方が不思議であろう。

㈡　物語の中の神仙思想

浦島太郎

私たちがよく知っている物語の中にも神仙思想に関わるものがある。最初に浦島太郎の話を見ていこう。浦島太郎と言えば、子どもたちにいじめられていた亀を太郎が救い、その恩返しに竜宮城に案内され、夢のような時を過ごしたが、帰郷の念が強くなり、乙姫たちは仕方なく玉手箱を渡して別れる。地上に戻った浦島太郎は見知った人は誰もおらず、そこで玉手箱を開けて、あっという間に白髪のおじいさんになったという話である。

子供の頃、この話は何回も聞かされたが、何となく腑に落ちなかった。それは多くのおとぎ話は勧善懲悪のストーリーで、良いことをした者は良い結果をもたらし、悪いことをした者は悪い結果を招く。しかし浦島太郎の話は、亀を助け良いことをした若者が急におじいさんになるという悲しい結末になっている。これを聞いた子供は困っている動物は助けてはいけないと思うのではなかろうか。

この話は人口に膾炙しているが、ルーツは室町時代の御伽草子である。しかし、浦嶋子の話そのものは古代にまで遡る。浦島伝承は『日本書紀』や『万葉集』及び『風土記』にも載る。初めに『風土記』の話を見てみよう。『丹後国風土記』逸文には、浦嶋子は丹後国與謝《よさ》郡日置《ひおき》里の筒川の住民で、日下部首《くさかべのおびと》の先祖である。丹後国と言えば日本三景の天の橋立の地として知られているが、同書には、「国生みましし大神、イザナギノミコト、天に通ひ行《い》でまさむとして、椅を作り立てたまひき。故、天の椅立《はしだて》と云ひき」とある。天の橋立はイザナギノミコトが天に通う道であったとあるように、この地は古代には天上世界や常世の国への通い路と考えられていた。ここに見える浦嶋子は、その容姿は麗しく、風流なること類なしと形容されている。私たちは腰蓑を付けた風采のあがらない浦島太郎をイメージするが、そうではなく大変美しく雅《みやび》な人物なのである。また子供たちが浜辺で亀をいじめているのをやめさせ、亀を助けたという話もない。

風土記の話は概ね次のようなものである。ある時、浦嶋子は小舟を浮かべて釣りをしていたが、三日間、一匹の魚も得られなかった。しかし、五色の亀を得た。その亀は船の中で浦嶋子の寝ている間に類まれな美しい娘になった。そしてその娘の言葉に従って東の大海の中にあるという神仙境に行き、亀姫と夢のような時を過ごした。（以下のあらすじは同じ）この話は、「旧の宰の伊預部《いよべ》の馬養《うまかい》の連《むらじ》が記せるに相乖《あいそむ》くことなし」とあり、伊予部連馬養がかつて丹後国の国宰（のちの国司）だった時に浦島伝承を記したという。この伊予部連馬養は『大宝律令』の撰定にも参加した学者で、しかも「伊予部」の表記から、伊予国の出身者であった可能性が強い。また馬養は持統三（六八九）年六月に「撰善言司《よきことえらぶつかさ》」という官職に任命されている。この役割の内容は明らかでないが、「めでたい言葉を集める」のは史書編纂に関わる仕事であったと考えられている。馬養は律令と史書編纂の両方に関わるなど国家的事業に深く関与した当代一流の学者であった。

馬養は丹後の国宰から、晩年には皇太子学士に任ぜられ、我が国最古の漢詩集『懐風藻』にも作品が載るように、中国の法や文学に精通していた。しかも神仙思想にも傾倒し、『大同類聚方』という医学書に「伊与陪薬、伊与部馬養ノ家ノ方」とあるように薬物にも詳しかった。その馬養がなぜ浦嶋子伝承を記すことになったのだろうか。それについて興味深い指摘がある。「おそらく、七世紀末に伊預部馬養という人物によって書かれた作品として「浦島子伝」は存在した。そして、この書物は、「日本書　伝」の一部に収めるために書かれた作品であった」というのである。

ここで少し『日本書紀』について述べておきたい。その成立は養老四（七二〇）年五月、「是より先、一品舎人《とねり》親王、勅を奉けたまはりて日本紀を修む。是ら至りて功成りて奏上ぐ。紀三十巻系図一巻なり」とある。しかしここに見えるのは『日本書紀』ではなく『日本紀』である。後に我が国の正史とされる六国史は『日本書紀』『続日本紀』『日本後紀』『続日本後紀』『日本文徳天皇実録』『日本三代実録』を指すが、『日本書紀』に続く三つの史書は全て「書紀」ではなく、「紀」である。『日本書紀』の編纂は、史書編纂の大国中国を意識し、それに匹敵する書を意図した。またやや侮蔑的な意味をもつ「倭」から「日本」という名称の変更は、強烈なナショナリズムを伴っていた。国の誇りをかけた史書の編纂だったから、当然中国の「漢書」「後漢書」のように「書」の形態を目指した。「書」の形態というのは、その中に「紀」「志」「伝」の三つが揃ったものである。したがって「書紀」という形態はありえないことになる。養老四年に完成したというのは「紀」だった。だから『日本書』という題名の下に、小字で「紀」と記し、「日本書　紀」とあったのが、転写されるうちに「日本書紀」になったという。この説は当時の高揚したナショナリズムの雰囲気の中では十分ありうる話である。したがって『風土記』の編纂は、それ一個が独立しているのではなく、国土と人民の掌握を目的とし、「志」の資料を収集するものであった。つまり『日本書』の編纂の一環だった。そうすると『丹後国風土記』逸文の「浦島子」の話は『日本書　伝』の一部に収めるために伊与部馬養によって書かれた作品であったかもしれないのである。

　浦嶋子の出身氏族は日下部だが、近年平城京から出土した木簡に和気郡・伊予郡に日下部のいたことがわかっており、また馬養の所属する伊予部連そのものが海人族と推定され、決して無関係とは思えない。伊予国にもこのような浦島伝承を有するような多くの海の民が存在していたのであろう。

もう一つの浦島子伝承

『日本書紀』の雄略二十二（四七八）年条には、もう一つの浦島伝承が見える。「丹波国余社郡《よさのこおり》の管川《つつかわ》の人、瑞江浦嶋子《みずのえのうらしまのこ》、舟に乗りて釣す。遂に大亀《かめ》を得る。便《たちま》ち女《おとめ》に化為《な》る。是に、浦嶋子、感《たけ》りて婦《め》にす。相逐いて海に入る。蓬莱山に到りて、仙衆《ひじる》を歴《めぐ》り観る。語《こと》は別巻に在り」とある。ここの浦嶋子は、美しい仙女を娶り、常世の世界にある蓬莱山に到るという話は、もはやこの世の物語ではなくなっている。

最後に、『万葉集』巻九「水江の浦島の子を詠む一首」に見える浦嶋についてである。これは墨吉の海岸で春のある日に釣り船が通過するのを見ながら、古代のことに思いをはせた長歌である。釣りに出てから七日間、海原を漕いでいると、わだつみの神女に出会い、結ばれて、常世に行った。わだつみの宮殿では死にもせず、老いることもなく、永い時を過ごしたが、しかしそれでも故郷の家に帰りたいという望郷の念が強くなった。神女は再び逢おうと思うなら決して箱を開けてはならないと言った。故郷墨吉に帰ってみると、家も村もなかった。この貰った箱を空ければ元のように家が現われるかもしれないと思い少し開けると白雲が出てきて、常世の方にたなびいていった。浦島は走り回り、叫んで袖を振り転げ回っているうちに気を失い、若々しい肌は皺だらけ黒髪は白髪になり、ついには息絶えてしまった。

反歌には「常世辺《とこよへ》に住むべきものを剣刀《つるぎたち》己《な》が心から鈍《おこ》やこの君」（世の中の人が求めてやまない常世で暮らすことができたのに、自ら棒に振ってしまうなんて、何と間抜けな人間なんだろう）とある。ここでは浦島子は大坂の墨吉の人で、亀も現われない。このように「浦島子伝承」と言っても少しずつ異なっており、どれが元の形に近いのかはわからないが、いずれにしても「浦島子伝承」が多く残されていることは、古代の人々に神仙世界の象徴の浦島子が歓迎され、人口に膾炙したことを示している。

平安時代後期の歴史書『水鏡』には、浦島太郎が帰ってきたのは淳和天皇の天長二（八二五）年七月七日のことだと記す。もし『日本書紀』の記事を信じるなら、浦島子は実に三四七年という長きにわたって竜宮城にいたことになる。しかし八世紀の初頭には浦島伝承は成立しているから、『水鏡』の説は誤っていることになる。この浦島子と似た話は『今昔物語集』巻十六第十五話「観音ニ仕ヘル人ノ竜宮ヘ行キテ富ヲ得タル話」に見える。

こうした神仙思想への傾倒は伊予国出身の人たちにも強い影響を与えている。伊予国越智郡の出身と思われる越智直広江は、我が国最古の漢詩集『懐風藻』に漢詩を残している。「文藻は我が難みする所、荘老は我が好む所。行年に半ばを過ぎぬ。今更に何の為にか労《いたつ》かむ」とある。越智直広江は大学博士だったが、当時の大学は儒教の講習や教育を行う国家の中枢的役割を果たしていた。その職にあった広江が道教の中心的教義の一つである老荘思想を「我が好む所」と言ってはばからない。単なる個人的な知識や趣味ではなく、当時の貴族たちの心情に深く浸透していたのである。神仙思想への憧れは、仙人や不老長生を求めることだけでなく、先進国中国の文物そのものへの憧れであった。

桃太郎

桃太郎の話を知らない人はいないだろう。昔々のこと、おじいさんは山へ柴刈りに、おばあさんは川へ洗濯に行った。ある日、おばあさんが川で洗濯をしていると川上から大きな桃がどんぶらこどんぶらこと流れてきたので、それを持って帰ると、中から立派な男の子が生まれた。そこで桃太郎と名付けたが、気は優しく、力持ちであった。おばあさんに吉備団子を作ってもらい、それを腰に付けて鬼退治に出発する。その途中で吉備団子を与えた犬・猿・キジを家来にして、鬼ヶ島に行って鬼を退治し、金や銀などの宝物を山と積んで帰ってくるという話である。

この物語の骨子は、鬼を退治するのは、「桃」太郎でなければならなかったところにある。その話の前に、鬼のことに触れたい。鬼の頭に角があり、虎の皮の褌というのは鬼の典型的なスタイルである。そのような姿をしているのには理由がある。それは鬼（悪霊）の出入りする方向が鬼門だったことによる。鬼門は北東の方向を意味し、その方向は丑寅《うしとら》と呼ばれていた。このことからウシとトラを組み合わせることによって、ウシの角とトラ皮の褌というスタイルになった。

この鬼門のルーツは中国で、我が国ではあまり広がりを見せていなかった。それが平安末期になって急に広がったのは都の大火だった。治承元（一一七七）年の太郎焼亡・二年の次郎焼亡と相続いて起こり、甚大な被害をもたらした。それが京の東北にある天台宗の総本山延暦寺との関連で説かれるようになった。したがって鬼門はどうも天台宗の中から唱えられ始めた疑いが濃いのである。

もとにかえって、その鬼を退治するのが、「桃」太郎でなければならなかった理由である。桃は五行の精の仙木で、邪気を遠ざけ、百鬼を殺す力があると信じられていた。中国では女性仙人の頂点にいたのは西王母《せいおうぼ》だった。一名を金母、不老不死の女神で、西方の異郷の霊域崑崙山に住む。西王母への信仰は前漢頃より盛んとなるが、西王母の持物は三千年に一度実るという不老長寿の仙桃（蟠桃《ばんとう》）だった。因みに江戸時代の学者山片蟠桃の「蟠桃」もこれに由来する。三千年に一度、蟠桃が実ると、神仙たちが集まって西王母の長寿を祝った。これが蟠桃会である。不老不死の西王母の持物である桃には邪気を封じ、百鬼を殺す力があるから鬼退治には最適なのである。

清明神社の桃

『古事記』では、イザナギが妻のイザナミの死体に群がる蛆を見て、驚いて冥界から逃げ帰ろうとした時、追いかけてくる黄泉醜女《よみのしこめ》に桃の実を投げつけて逃げ帰ったとあるように、それもそのような効果の故である。その場面を記している『日本書紀』一書第九には「此桃を用《も》て鬼を避《ふせ》く縁《このもと》なり」とあるように、古くから鬼を追う効果があると認識されていた。古墳の内部から桃の実が検出されている例からも、桃は早春に花咲く陽性の植物で、百鬼を殺す力が期待されたからである。

雄略朝の時代に渡来した今来漢人《いまきのあやひと》が置かれた飛鳥川の川辺の地域は上桃原・下桃原と言い、彼らによって開発された地である。その地名の由来は、桃畑が広がっていたことによるが、その背景には彼らが信じていた神仙思想があったからであろう。現在でも邪気を防ぐために桃の木を植える風が残っている地もあるという。また桃は「兆」の語から、非常に多い数を意味するだけでなく、実際に桃は多くの実をつける。そのため、中国では多産に通じる。したがって女性から男性に桃を贈ることは、「あなたの子をたくさん産みたい」というメッセージになり、バレンタインデーのチョコよりもはるかに強烈なアピールになる。相手を射止めるなら、チョコより断然桃である。

ところで、仙人の西王母は人間とは違って蓬髪虎歯《ほうはつこし》で尾があるが、絶世の美女だった。その西王母の次に位置したのは麻姑《まこ》という仙人である。麻姑は十八歳くらいの若い美女で、長い髪を腰まで垂らし、そして鳥のような長い爪を持っていた。また彼女の衣はきらきらと輝き、麻姑が米を手にとって地面に播くと米は真珠になったという。蔡経《さいけい》という人物が絶世の美女の麻姑の爪を眺め、あの爪で背中を優しく掻いてもらったらさぞかし心地よかろうと心の中で考えていたら、仙人の王遠に心をよまれ、打たれたという。そういうことから「麻姑の手」という言葉が生まれた。日本にもこの話が伝えられたが、麻姑の名はあまり馴染みがなかったとみえ、音が似ていることから「孫の手」と言われるようになったそうだ。それはともあれ、桃を食べれば不老長寿になることから、桃林のある場所を桃源郷と言う。

古代医術では桃の薬効は果実だけでなく、花・葉・根・樹皮などにも及んでいる。血液の循環を良くし、消化を促し、腸の機能を高める。さらに樹皮はツツガ虫病に対する治療にも効果があった。かつてはツツガ虫病で多くの人が死亡していたから、「つつがない」ということは健康であることを意味した。この病気は新潟・秋田・山形など日本海側の三県で、夏になると発生した。ケダニという毒虫に刺されると、突然高熱や発疹が出て、二週間から二十日以内で死ぬことが多かった。その恐ろしい病気に桃は有効で、邪気を封ずると実感されていたから絶大な人気を博したのである。

竹取物語

竹取物語も誰でも知っている話だろう。ある日、おじいさんが根元が光っている竹を見つけた。切ってみるとその中に三寸ほどの愛らしい女の子がいたので家に連れて帰り、大切に育てた。竹から生まれたかぐや姫はわずか三ヶ月ほどで成長して類まれな美しい娘となる。その美しさは「屋のうちは暗き所なく光満ちたり」と表現されるほどで、たちまち世の男を虜にした。

そのかぐや姫に対して五人の貴公子たちが彼女の歓心を買おうと様々の努力をするが、彼女の心を動かすことはできなかった。おじいさんは姫の将来を案じていずれかの人物と結婚するように勧めた。そこで姫は彼らの愛情の深さを試すために様々な難題を突きつけた。

石作皇子には天竺にある仏の御石の鉢を持ってくることを条件とした。彼は天竺に行ったふりをして三年後に鉢を持って現れるが、偽物だった。二人目の車持皇子には金や銀の実のなる蓬莱の玉の枝を要求するが、これも偽物だった。三人目は右大臣で、決して焼けることのない火鼠の皮衣を持ってくるように言った。彼は金に糸目をつけずそれらしいものを手に入れたが、火の中に入れると燃えてしまった。四人目が大納言大伴御行《おおとものみゆき》で、龍の首の玉を求められ、自力で探し求めるために航海に出かけるが嵐に遭い失敗した。五人目は中納言の石上麻呂《いそのかみのまろ》で、ツバメの子安貝を要求されるが、人の意見に振り回され結局命を落としてしまう。こうして五人の貴公子は全て失敗し断られた。

かぐや姫の噂を聞いた天皇は彼女に宮仕えを強引に迫った。しかし彼女が月に帰ることは天皇の力をもってしても阻止できなかった。かぐや姫は「いまはとて天の羽衣きるおりぞ　君をあはれと思い出でぬる」という和歌を残し、天皇に「不死の薬の壺」を贈った。これに対して天皇は「あふこともなみだに浮かぶわが身には　死なぬ薬も何にかはせむ」という返歌を詠んで、「不死の薬の壺」を富士の高嶺で焼いてしまった、という話である。

この物語は全て架空の話だと思っている人が多い。確かに竹の節の中にいた十㎝ほどの小さな女の子が三ヶ月ばかりで一人前の女性となる髪上げまでに成長する話などは現実にはありえない。おそらくそれは竹が三ヶ月ほどで親竹と同じくらいの大きさになることを比喩したものであろう。

実はかぐや姫に求婚した人たちの中に実在の人物が何人もいる。五人の求婚者は石作皇子・車持皇子・左大臣阿部御主人《あべのみうし》・大納言大伴御行・中納言石上麻呂である。このうち後の三人はいずれも七世紀後半の頃に活躍した人物で、その中で阿部御主人は大和の伝統的な大豪族で、左大臣という極官まで上り詰め、彼の子の阿部広庭は伊予国の国司となっている。これほど実在の人物を登場させていることからみて、この物語は単純なフィクションではない。

天武天皇の時代を反映

竹取物語の時代設定について、二つの説がある。一つは明確に実在がわかる三人の活躍した時期からみて天武天皇の時代で、物語の中の帝は当然天武天皇ということになる。天武は言うまでもなく、兄天智大王の頃には皇太子で、天智の死後、その子の大友皇子を壬申の乱で破り王位に就いた人物である。

竹取物語のテーマの一つは富士＝不死の山とするように、いわゆる不老不死を中心とする神仙思想や道教思想である。天武天皇が豪族の身分秩序を示すために制定した八色の姓の最上位は「真人」、天武のおくり名は「天瀛中原真人天皇《あめのぬなかはらまひと》」で、その中の「瀛」は道教で神仙の住む不老不死の蓬萊・方丈・瀛州《えいしゅう》という三つの島のうちの「瀛州」に由来する。

またかぐや姫は天に昇ったとあるように天女・仙女の観念で書かれている。実は奈良県の吉野には天女にまつわる話がある。吉野は大海人皇子（のちの天武）が壬申の乱を決断した地で、その後もしばしば吉野を訪れ、特に天武八（六七九）年に皇后持統と六人の皇子を伴って吉野を訪れ、いわゆる「吉野の盟約」

を行ったことでも知られる。

このように吉野は「王家の聖地」とされていた。『竹取物語』は天武の草創した律令制王国の新たな王権神話を反映した可能性が高い。天武は古来よりの吉野神話を継承・発展させ、天女と交通しうる神秘的な力量を持つと、自らをカリスマ化することに成功した。かぐや姫伝説は王権中枢の歴史に直結する神話的物語を原形としていたのかもしれない。

『万葉集』巻十六には由縁ある雑歌として哀しい恋の歌が収められているが、その中に竹取翁の物語がある。「昔老翁ありき。号を竹取翁と曰ひき。此の翁、季春《きしゅん》の月にして、丘に登り遠く望むときに、忽に羹《あつもの》を煮る九箇の女子に値《あ》ひき。百嬌《ひゃくけう》儔《たぐい》無く、花容止むこと無し。時に、娘子等老翁を呼び嗤ひて曰はく、叔父来りて此の燭《そく》の火を吹けといふ。ここに翁唯唯《おお》と曰ひて、漸くおもむき除く行きて座の上に着接《まじわ》る。良久《ややひさ》にして娘子等皆共に咲を含み相推譲《あいゆず》りて曰はく、阿誰《たれ》か此の翁を呼べるといふ。爾乃《すなわち》竹取の翁謝して曰はく、盧《おも》はざるに偶《たまさか》神仙に逢へり、迷惑《まど》へる心敢へて禁ふる所なし。近づき狎れし罪は、希はくは贖《あが》ふに歌をもちてせむと」（昔。竹取翁という人がいた。この翁が春に丘に登って遠くを望んでいると、羹を煮ている九人の女子に会った。すこぶる愛嬌が良く、姿形も形容することができないくらい美しかった。その娘たちがにこにことして翁を呼び、ここにきて火を吹いてくださいと言う。翁は「はい、はい」と言ってそこに行き、座に座った。娘たちはにこやかに語りながら、「誰が、この翁を呼んだの」と言う。そこで翁は「おもわぬ所でたまたま神仙に出会い、迷ってしまった。自分は禁を破るつもりはなかった。なれなれしく近づいた罪は歌をもって許してください」と言った）

乙女が九人というのは中国の奇数(陽数)を貴ぶ道教思想を受けている。竹取翁の物語は、『万葉集』によって初めて脚光を浴び、以後、徐々にその内容を豊かにしながら、九世紀に至ってついに哀恋・非情の雰囲気に包まれた『竹取物語』に発展していった。『万葉集』には「愛《は》しきやし翁の歌に鬱悒《おぼぼ》しき九の児らや感けて居らむ」（三七九四）という歌があり、仙女たちは翁の歌を良しとしたらしい。なお『古事記』には垂仁大王の妃に迦具夜比売《かぐやひめ》がいるが、この女性とかぐや姫の関係は定かではない。

生臭い政治状況を反映

今一つは、『竹取物語』は八世紀初めの文武天皇の時代を背景としていたとする説である。それによれば、実在が確実な三人以外、残りの二人も石作皇子は丹比真人島、車持皇子は藤原不比等、さらに帝は文武天皇に比定する。そうすると物語の内容は七世紀末から八世紀初め頃の政治状況を反映していることになる。五人の求婚者はいずれも難題をふっかけられ、浅はかな計略や虚偽が見破られ、メンツは丸つぶれになり、恥をかかされる。その中でも「くらもちの皇子」に対しては最も辛辣で、恥をかく場面に多くの紙数を費やしている。「くらもちの皇子」を藤原不比等に比定するのは、不比等の母が車持氏の出身で「くるまもち」と「くらもち」が極めて類似しているからである。その「くらもちの皇子」は「心たばかりある人」とあり、権謀術数の悪者として描かれる。彼には「蓬莱山の、銀を根とし、金を茎とし、白き玉を実として立てる木の一枝」の入手を要求したが、彼はそれを手に入れることがどんなに大変だったかという自慢話をする。しかし実際には蓬莱山には行かず、腕利きの鍛冶職人を監禁して偽物を作らせた。それが極めて精巧に出来ていたためかぐや姫も負けを覚悟したが、彼が職人たちに金を払わなかったことから事は露顕し、真相が明らかになった。皇子には「一生の恥、これに過ぐるはあらじ」と言わせている。そして身の置き所のなくなった皇子は山奥に身を隠し、二度と姿を現すことはなかったという。

もし「くらもちの皇子」を藤原不比等とすれば、この話は反藤原氏の物語ということになる。竹取翁はかぐや姫に自らが名前を付けず、斎部《いんべ》という人物に名付け親になって貰っている。名付け親は有力者に頼むものであるが、この頃の忌部《いんべ》氏は凋落の一途にあった。しかし伊勢神宮の祭祀を行う斎王の役所斎宮寮では、忌部氏は上層部にいた。その斎宮寮は伊勢国の多気郡竹村にあり、そこは「竹の都」と呼ばれていたように竹林の繁茂する場所だった。だから忌部氏と竹林は深い関係にあった。そしてこの斎宮寮の上層部には忌部氏と並んで後に藤原姓を名乗る中臣氏がいた。この両氏が中心となって多くの祭儀を行っていた。しかし忌部氏は停滞・斜陽化していったのに対し、中臣改め藤原氏は貴族社会の中枢を担うようになる。こうした状況からすれば、忌部氏が藤原氏への反感を持つようになるのは自然のなりゆきであろう。つまり『竹取物語』の作者は反藤原氏、さらに言えば、忌部氏に近い一族の者と想定されるのである。このように一見すると他愛のない話に思える『竹取物語』も時代は天武朝、文武朝のいずれかの時代の生臭い政治状況を反映しているのである。

『竹取物語』のもう一つの側面は遣唐使の記憶を留めていることである。たとえばくらもちの皇子の偽の漂流譚である。くらもちの皇子はかぐや姫の要求した蓬莱の玉の枝を持って竹取の翁の家を訪れ、「蓬莱」にたどり着くまでの航海の様子を得意げに語った。「ある時は浪荒れつつ海の底にも入りぬべく、ある時には、風につけて知らぬ国に吹き寄せられて、鬼のやうなるものいで来て、殺さむとしき。ある時には、来し方行く末も知らず、海にまぎれむとしき。ある時には、糧つきて草の根を食物としき」と記す。実際の遣唐使の航海も何度も暴風雨にあって漂着し、南海の島で殺害されたり、食糧が尽きて草の根を食料とすることもあった。

大納言大伴御行の場合も同様である。かぐや姫から龍の頸の玉を求められた御行はそれを求めて航海に乗り出すが、やはり暴風雨に遭う。「ここらふねにのりて、まかりありくに、まだかかるわびしき目を見ず。御船海の底に入らずは、雷落ちかかりぬべし。もし幸に神の助けあらば、南海に吹かれおはしぬべし。うたてある主の御許に仕うまつりて、すずろなる死にをすべかめるかな」と楫取泣く」とある。これも遣唐使船が南海に流された恐怖の体験が下敷きになっている。実質的に最後となる承和の遣唐使でも多くの者が溺死し、賊地で殺害されたという事実を背景にしていることは明らかである。このように『竹取物語』は神仙思想の面だけでなく、様々な読み方が出来る書なのである。

二　陰陽道

(一)　中国の最新思想

中国道教をベースにした宗教

道教思想が我が国に入ってきたのは、七世紀前後の頃である。推古十（六〇二）年十月条には、百済僧観勒が暦本・天文地理書・遁甲方術書を伝え、書生を選抜してそれを学習させたと見える。このように陰陽道は来朝した学問僧によって伝えられた仏教に随伴して伝来した外来文化である。

しかし日本は道教を正式に受け入れなかった。それは鑑真を招聘した遣唐大使の藤原清河らの対応によって知られる。時の唐皇帝玄宗は遣唐大使に仏教の僧侶にあたる道教の道士を付して帰国するように指示した。しかし遣唐使は「日本の君主、先に道士の法を崇めず」と答えている。だから我が国には教団組織もなく、正式な道士は一人も存在しないし、道観という宗教施設もない。とはいえ道教思想の一部を構成する陰陽道については、律令制の組織の中務省に陰陽寮という役所が設けられていたから、国家としてそれを受容していたことは確かである。その陰陽寮には、陰陽頭・暦博士・天文生・漏刻博士陰陽師・陰陽博士・陰陽生などがおり、天文・暦・風雲気色のことを司ったが、それは科学としての学問であった。それらの分野では常に最新式の知識が求められたから、それに登用されたのは殆どが渡来人で、そうでない者も新羅への留学経験者であった。

天文暦法では天体の運行を観測して暦を作るだけでなく、曜日・干支・五行、そして天一神という神のいる方角等を記入し、その一つ一つに吉凶を記した。ただ奈良時代から平安時代初期には、律令制という儒教的合理主義が強調された時代だったから、その吉凶が世の中全体を覆う状況にはなかった。たとえば平城天皇は、陰陽師の言うことはみな虚妄であると言ったり、次の嵯峨天皇も「卜筮を信じること無かれ。俗事に拘わること無かれ」というように、陰陽師による吉凶判断を否定している。ところが、律令体制が次第に弱体化すると、それに伴って合理主義精神が後退してくる。承和の中頃（八四〇年代）から、陰陽道の呪術による吉凶主義が台頭し、また仏教でも天台・真言宗による呪術的な密教が宮廷行事の中に取り入れられるようになる。

道教によれば万物の根源は「気」で、宇宙も人も「気」によって成立する。したがって「気」が病めば病気になるし、「気」が活発であれば、元気になる。さらにその「気」が永遠に輝けば、その時には不老不死を得ることが出来ると考えた。この道教の教理を下敷きにしてできたのが陰陽道である。陰陽道は陰陽説と五行説とからなり、前者は、天地、男女、日月、明暗、寒暑など相対するものを陰と陽に分け、その消長変化によって万物の生成を説明するものである。後者の五行説は、人々が生活するために必要な素材である木火土金水の五材の盛衰・循環により万象の変転を考えるもので、自然や人間生活の全般を説明する中国の哲学思想であった。中国では陰陽思想や陰陽五行説は、道教や儒教などを構成する要素となり、それ自身が独自の展開をすることはなかった。つまり陰陽思想はあっても陰陽道という展開はなかったのである。

その思想に祓えや祭祀などを含めて日本で独自に体系化され成立したのが「陰陽道」であり、その用語は十世紀の日本で使用されはじめた。陰陽道は神祇信仰や仏教、とりわけ密教と深く関係し、それまでになかった新しい儀礼を生み出した。日本密教はインド密教や中国の占星術に由来する宿曜道を取り入れ、七曜（日・月・木・火・土・金・水）などの動きで運勢を占う星宿信仰を重視した。こうしたものと結びついた「陰陽道」は、中国道教の陰陽五行説や天文説などをベースにしながら、密教や神祇信仰などとの交渉の中で編み出された信仰及び知の体系であった。

古代の人々にとって病気や災いは我々が考えているよりずっと身近な存在であった。災いをどうやって避けるかは重大な関心事だったから、予め起こるであろう出来事や現象を知ることに意を注いだ。様々な怪異は将来の前兆や予兆と考えられ、その吉凶を陰陽師に占わせた。その占いを「怪異占」と呼んだ。それは当時の人々の生活全般を覆うほどの影響力を持っていた。その結果、呪術は政治の中に深く入り込み、また沐浴や爪切りといった個人の小事に至るまで規制するようになった。このようにして平安時代の貴族社会では方違や物忌などが彼らの生活を縛ることになった。しかもその歴史が長かったため、この思想は日本人の意識の中に深く浸透している。

政治と深く関与・壬申の乱

道教思想を伝来した百済僧観勒は蘇我氏の氏寺飛鳥寺に住し、蘇我馬子に近く、そのため陰陽道は政治性を帯びることになった。推古末年から舒明大王の時代に天変地異が頻出するが、観勒はそれを蘇我氏の立場から判断した。一方、中大兄皇子や中臣鎌足らの側で陰陽道に通じていたのが学問僧旻であった。舒明九（六三七）年二月条に、多くの流星が見られ、雷のような音や地雷がしたが、旻はこの流星を天狗とし、それは軍が敗れ、将兵が殺される予兆だと言った。そして同年条に、東北の蝦夷を討伐する軍が大敗を喫し、大将の上毛野形名《かみつけのかたな》が一時敵軍に捕えられている。僧旻の予言が的中したのである。また同十一年正月条には、彗星が現れたが、旻はこれは飢饉の予兆であると予言している。このように陰陽道は政治と深く関わるようになってくる。

聖徳太子の事績として知られる冠位十二階や憲法十七条も陰陽道と関係がある。冠位十二階の徳目の徳・仁・礼・信・義・智は陰陽五行説によるものである。それぞれの冠の色も五行に配当された色で定められた。木に配した大仁・小仁は青、火に配した大礼・小礼には赤、土に配した大信・小信には黄、金に配した大義・小義には白、水に配した大智・小智には黒色があてられた。そして最高位の徳には紫があてられたが、それは陰＝黒色と陽＝赤色を合わせたものであった。これは陰陽五行を調和し、祥福を招くためであった。また憲法十七条は陰の極数の八と陽の極数の九を合わせて十七としたものである。混乱していた当時の日本を普遍的な思想や理念によって固めようとした。その骨組みとなった思想や理念に陰陽道は重要な役割を果たしていたのである。

『日本書紀』によれば、天武天皇は生来、人に抜きんでた立派な容姿で、青年に及んでは勇壮で人間業とは思えない武徳を備え、天文・遁甲によく通暁していたと記す。天皇は「二気（陰陽）の正しきに乗り、五行の序を斎へ」と評されるように、陰陽五行の思想を強く反映していた人であった。中国から伝来したこの最新思想は、不可思議に見える社会現象や人間生活の諸相を冷徹に把握し、将来の予測を可能に出来ると考えられていたから、それは為政者にとって大変魅力的な思想と映った。

壬申の乱では、大海人皇子側の兵士は「赤色を以て衣の上に着く」とあるように赤色衣・赤色旗で軍勢を整えていた。それは漢の高祖は火徳王・太陽王・赤帝の子とされ、軍旗は赤旗を用いており、大海人皇子もその高祖にならって自らの朝廷を五行・五徳の説により火徳と位置づけた。それは陰陽道の五行相克説（五行相勝説）に基づいている。それによれば、水は火を消すから水は火に勝ち、火は金属を溶かすから火は金に勝ち、金属の斧は木を伐ることから金は木に勝ち、土を破って木が生えるから木は土に勝ち、土の堤防は水をせき止めるから土は水に勝つとされる。

敵対していた大友皇子の近江朝廷側では敵味方を識別するために自軍の兵士に合い言葉として「金」と言わせ、言わない者は敵として切り捨てていた。近江朝廷が「金」徳とするならば、それに勝利するには火徳・赤色でなければならなかった。「火剋金《かこくきん》」で、火徳は金徳・白色に勝つということになる。だから大海人皇子側は赤色の旗や布を用いたのである。このように壬申の乱はある意味で陰陽道による戦いでもあった。もちろん歴史は勝者が作るものだから、本当にそうだったかは確かめようがない。しかし大海人皇子の側が勝つべくして勝ったということを主張していることは疑いない。

壬申の乱で勝利した大海人皇子は天武天皇として即位し、天武四（六七五）年正月条には占星台を設置した記事が見られるように、彼は陰陽五行説に基づく占星術などを積極的に取り入れた。また飛鳥「浄」御原宮を都とし、飛鳥「浄」御原令を制定し、天武十四（六八五）年には「明」位・「浄」位というように「浄」「明」へのこだわりを確認することができる。また「明」＝「アカ」については「朱鳥」（あかみとり）という年号を使用している。

天武・持統天皇が重視した吉野は水銀（丹砂・朱砂）の有数の産地である。水銀の赤色には邪気を封ずる呪術力

木生火《もくしょうか》
火生土《かしょうど》
土生金《どしょうきん》
金生水《きんしょうすい》
水生木《すいしょうもく》
水剋火《すいこくか》
火剋金《かこくきん》
金剋木《きんこくもく》
木剋土《もくこくど》
土剋水《どこくすい》

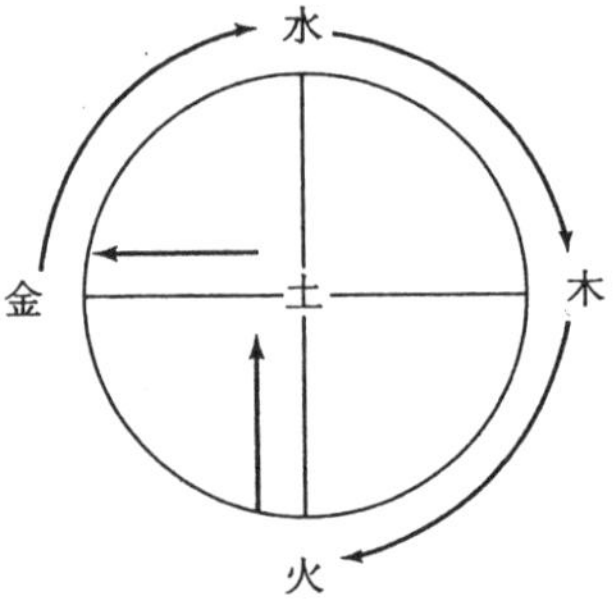

五行相生

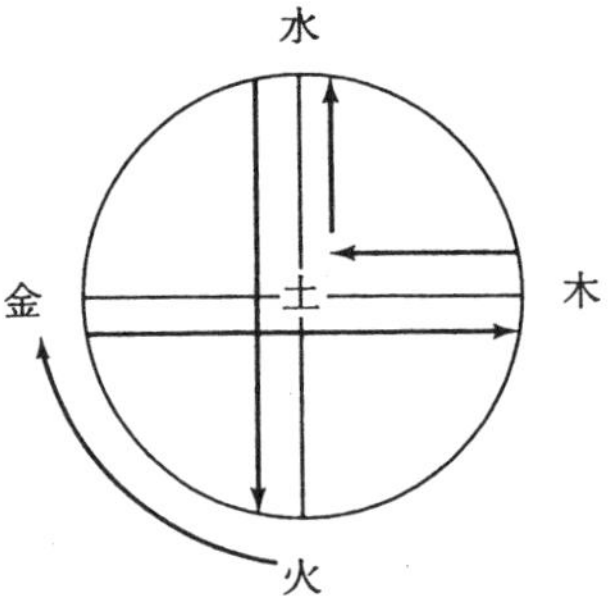

五行相勝（剋）

があるとされ、古墳の石室などに朱が施された。天武天皇が危篤に陥った時に百済僧の法蔵と優婆塞《うばそく》の益田直金鐘《ますだのあたいこんしょう》を美濃に遣わしてオケラを求め、煮て献上した。この法蔵はほどなく陰陽博士になっていることからみて、オケラの処方は陰陽五行説に基づくものと考えられている。このように、天武天皇の時代に陰陽道に関する記事が集中的に現れ、以後、この思想が様々の面に影響を与えるようになるが、まだ世の中全体を覆い尽くすところまでにはなっていなかったようである。

天武四（六七五）年正月条には、陰陽寮が初めて見え、奈良時代になると太政官八省の筆頭中務省に陰陽寮という官庁が設置される。その官人は天文学・暦学・地勢学などの分野に精通し、それを背景に様々な国家的儀礼や祭儀に深く関与していった。奈良時代の陰陽寮の任務は、天帝から命令を受けて地上を支配する天皇に代わって天から送られるメッセージを解読することであった。天文・陰陽・暦・筭《さん》・医・針の学は国家の要とされたり、陰陽寮は陰陽暦数、国家の重する所と位置づけられ、それゆえ天皇側近の役所である中務省の所轄であった。この時代には陰陽寮の職務は占事と相地であり、祓えや祈祷、祭祀などは行っていなかった。律令体制の下では祟りなどの現象は、神祇官の卜部の占いによってその祟りの神を特定し、祟り解消の対処を行った。神祇官の卜部が律令国家の正式見解を担っていたから、祟る祟らないの判断も神祇官の管轄下にあった。ところが、九世紀後半になると、神祇官だけでなく、陰陽寮も祟りの認識を示すようになり、この頃から祟りの記事が頻繁に史料に現れるようになるのである。

（二）　陰陽道の原理

地下水脈の思想

次に陰陽道の陰陽五行説の概略を説明する。全ての物事は陰陽の交合によって生死・盛衰を繰り返すが、

五行	五色	五方	五時	五事	五徳	五星	五天帝	五人帝	五官神	五臓	五常	五虫	五味	五声	十干	十二支	易卦	月
木	青	東	春	貌	明	歳星(木星)	青帝	大皞	句芒	肝	仁	鱗	酸	角	甲乙	寅・卯・㈸	震☳	旧一・二・三月
火	赤	南	夏	視	従	熒惑(火星)	赤帝	炎帝	祝融	心	礼	羽	苦	徴	丙丁	巳・午・㊍	離☲	四・五・六月
土	黄	中央	土用	思	睿	塡星(土星)	黄帝	黄帝	后土	脾	信	贏	甘	宮	戊己	辰・未・戌・丑		
金	白	西	秋	言	聡	太白(金星)	白帝	少皞	蓐収	肺	義	毛	辛	商	庚辛	申・酉・㈫	兌☱	七・八・九月
水	黒	北	冬	聴	恭	辰星(水星)	黒帝	顓頊	玄冥	腎	智	介	鹹	羽	壬癸	亥・子・㈪	坎☵	十・十一・十二月

五行配当図

その作用が具体化したものが五行である。五行とは木・火・土・金・水の五元素で、それが生じたり対立することによって様々な現象が生まれる。五行相生説によれば、木は燃えるから木は火を生じ、燃えると灰になるから火は土を生じ、土中から金属が産出するから土は金を生じ、金属は溶けて液体となるから金は水を生じ、水をやると植物が生えるから水は木を生じることになる。このように万物の循環を説明する原理とされた。さらに木火土金水は、単に元素であるにとどまらず、色彩・方位・季節・時間・惑星・十二支・内蔵・人間の精神に至るまでこの五つの中にあてはめられる。

木は、色は青、方位は東、季節は春、惑星は木星、十干は甲乙《きのえきのと》、十二支は卯である。同じように火は、赤・南・夏・火星・丙丁・午となる。土は、黄・中央・土用・土星・戊己であり、金は、白・西・秋・金星・庚申・酉、最後に水は、黒・北・冬・水星・壬癸・子となる。複雑になるので表で示す。

青春・赤夏・白秋・玄冬という言葉がある。ここで木の項目をよく見ていただきたい。木の色は青、季節は春である。つまりこの二つを合わせると「青春」となる。若々しく躍動感にあふれる青春という言葉はまぎれもなく陰陽五行説に基づいている。

話は変わるが、北原白秋は明治から昭和時代にかけて活躍し、「からたちの花」など、名作を残した国民的詩人である。彼は感覚的・官能的な象徴詩体を創始した先駆者と言われるが、彼の「白秋」の名も実は陰陽五行説からとっている。金の項を見ると、色は白、季節は秋であり、この二つを合わせて「白秋」となった。時代を切り開いていったという北原白秋の意識の中にも陰陽五行説があった。皇太子のことを東宮と言うのも陰陽五行説に基づいている。この説による占いの書『易経』では、長男を震と呼び、震は東を表すとされる。そこで古代中国では皇帝の後継者の御殿は宮殿の東方に造られた。そのため東方の宮に住む方＝皇太子となった。この東宮は春宮とも記される。五行説では東は春の季節に該当するからである。陰陽道は日本の歴史の中で仏教や儒教のような華々しさはないが、地下水脈のような形で社会を動かしてきたのである。

十干

十干は甲乙丙丁戊己庚辛壬癸のことである。十干の「干」は細い竹の棒でものを数えることを表す。「若干」などはそうした例である。現在ではせいぜい甲乙が番地の表示として使用される程度で、あとはほとんど忘れ去られている。しかしかつては人々の日常生活に深く浸透していた。十干は黄河流域で農耕生活を営んでいた漢民族が、四季の推移にしたがって動物・植物が成長・変化していく様子を観察し、それを文字化した知恵であった。それは極めて正確な自然科学的な観察によって導き出されたもので、日を数える数詞として用いられた。甲から始まり、癸で終わる十干にはそれぞれに意味がある。

まず十干の「干」は幹で日の単位、十日つまり一旬を示す。最初の「甲」は、冬に樹木や穀物の種子が寒さを防ぐために地中で固く閉じている状態。以下、順に「乙」は暖かい春の到来によって万物が種子の表皮を解き、屈曲しながら抜け出す、「丙」は地表に出た生物が成長して柄を取るように両側に広がり、「丁」は物が成長していく時、一旦停止して休息をとる状態である。「戊」は武器の矛のように草木が盛んに繁茂する、「己」は筋道のことで、繁茂する時、一定の秩序・法則がある。「庚」は「更」で、成熟した状態になると幼虫から蝶や蝉になるように姿を変えること、「辛」は万物が変化し、新しいものになる。「壬」は「妊」で、姓名が滅ぶ前に子孫（種子）を残さなければならない。最後の「癸」は「揆」（はかる）で、種子を残し、次の生の機会をはかることである。このように十進法によって日を数え、その一巡を「旬」として一つの節目とした。

十二支

十二支の「支」は枝分かれする有様をさしている。十干十二支の組み合わせを「えと」と呼ぶのは、十干は兄（え）と弟（と）とからなるからである。十二支も十干と同様に、生物が芽生え、成長し、衰滅して次に芽生え

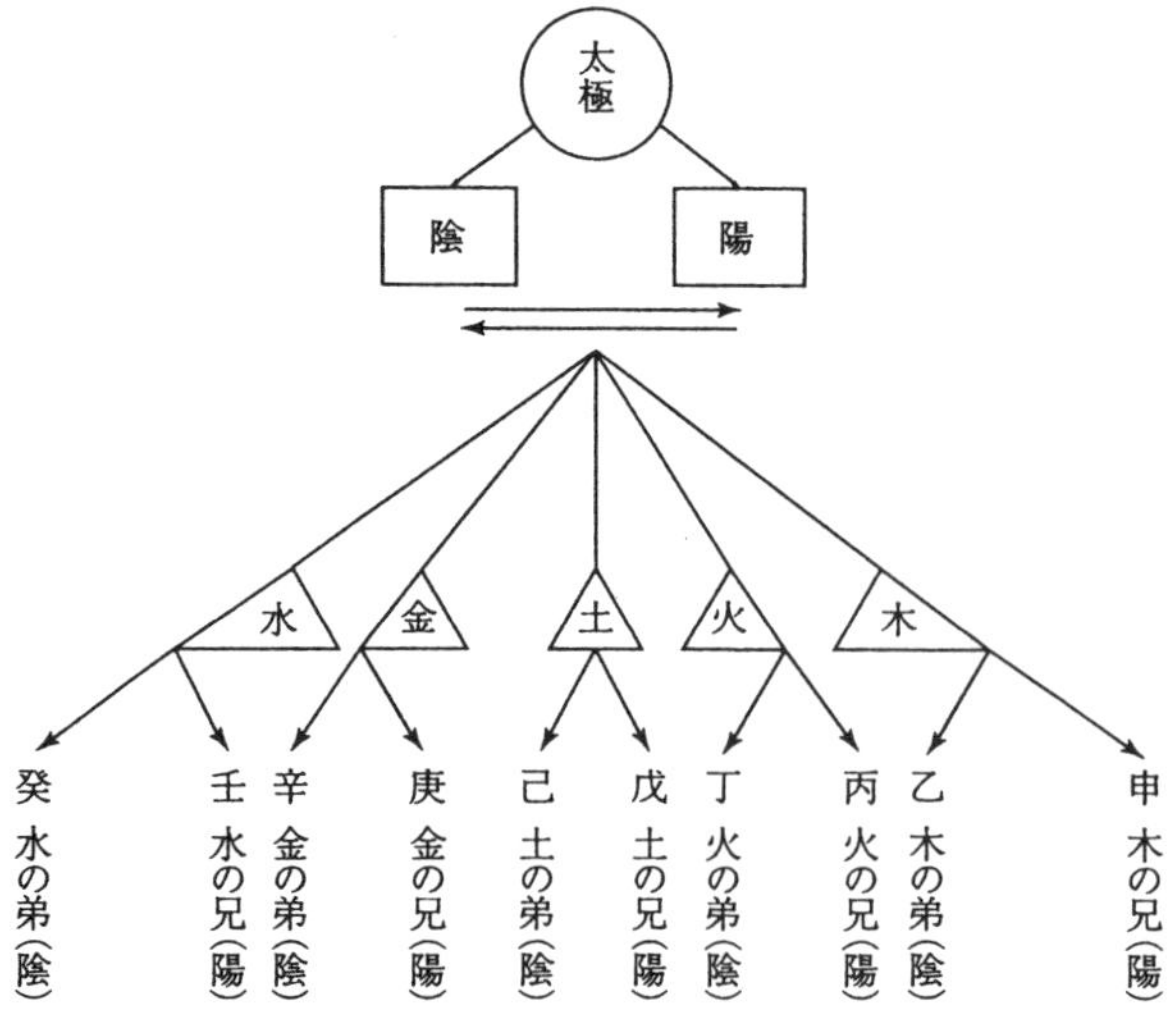

る過程を表現したものである。ただ十二という数字は一年が十二ヶ月であることと関係がある。まず「子」は「孳」（しげる）で、陽気が動き出し、万物が芽生え、「丑」は「紐」（紐でしめる）で、生物が次第に芽生えて大きくなるのをしばる、「寅」は「引」で、芽が地表から出たのを引っ張り伸ばすこと、「卯」は「冒」（かくす）ことで、生物が大きく成長し、地面を覆い隠すこと、「辰」は「震」（ふるう）で、万物が震動して元の体から抜け出すこと、「巳」は「胎」で、胎児が子宮の中に生じること、「午」は「互」で、万物が盛大になり、枝が相互に入り交じって盛んに伸びること、「未」は「昧」（くらい）で、陰気が芽生え、万物が次第に衰え体が隠れて暗くなること、「申」は「伸」で、万物が衰え老いて引長すること、「酉」は「老」で、老いが極まること、「戌」は「滅」（ほろびる）で万物が寒気のために滅びること、「亥」は「核」（たね）または「閡」（とざす）で、種の中に入ることである。

現在ではこの十二支を動物にあて、それが一般に普及して、本来の意味が忘れられているが、もともとは農耕を背景にした生物や季節の循環を示したものであった。その十二支の動物の多くは我が国でも馴染みがあるが、その一方で疎遠なものもいる。大陸から導入されたものを我が国に似合うように変えていくのが日本流であるが、その例が猪である。猪は中国では豚のことを指すが、日本では疎遠な豚でなく文字が同じということもあって猪に変えてしまった。

この十干と十二支の組み合わせによって年を表す。その一番初めが甲子の年となる。大正十三（一九二四）年の甲子年に完成した野球場を甲子園球場と名づけた。今なお若き球児たちの聖地とされる甲子園は青春を躍動させる場であるが、その「甲子園」や「青春」も人々から迷信として捨てられた陰陽道に基づく命名だったのである。

一方で不吉とされた十干と十二支の組み合わせもある。その代表は丙午《ひのえうま》である。丙と午はともに五行説では火気に相当するため、その年に生まれた女性には火の燃えるような気性が宿ると考えられた。そして江戸時代に放火の罪で処刑された八百屋お七が丙午の生まれだということから、丙午生まれの女は恐いという風潮が強化された。しかし実際のお七は戊申《つちのえさる》の生まれだったが、あれだけの大火を起こすのは丙午であるとの憶測が事実として受け止められた。以後、江戸時代には丙午生まれの女子を間引いたり、明治になっても同三十九年生まれの女性は婚期を逃した人が多かった。最も直近は昭和四十一（一九六六）年であるが、この時も出生率が極端に低くなっており、まだまだその俗信が人々の間で生きていたことを示している。次の丙午は二〇二六年であるが、生まれ年による差別、しかも女性だけをのけものにすることは、完全に過去のものにする必要があろう。

㈢　迷信化する陰陽道

方角の吉凶

先に見た干支は時間だけでなく、方角にも用いられた。干支の循環をもとに式占を行い、避けるべき方角や時間を割り出していった。それが物忌や方違という慣習を生んだ。

陰陽道のタブーには空間的なものと時間的なものがある。前者は方位で後者は日時である。方位の基準は日月星辰の運行で、その基礎となるのは暦と時刻をはかる漏剋《ろうこく》である。だから陰陽寮には陰陽博士のほかに天文博士・暦博士・漏剋博士がおり、彼らは様々な出来事について吉凶を占った。その主なものは宮殿や邸宅の地相、新築・改築・転宅にあたって鬼門などを見る家相、そして人の顔を見る人相などであった。

陰陽道では凶方・凶日は多くあり、そうしたものの他に個人的な厄年や衰日などがあり、たいへん厄介だった。平安時代中期に編纂された『口遊《くちずさみ》』には凶日として衰日・五貧日・十死一生日・百鬼夜行日・復日・坎日・帰忌日・下食日・往亡日・滅門日・道虚日などがあげられており、凶日は時代と共に増えていった。平安時代中期の歴代の天皇は五日ないし六日に一度は凶日があり、朝廷の儀式を行おうとすれば、天皇だけでなく皇后や皇太子の凶日にも配慮しなければならなかった。さらに万人に共通する凶日も多くあったから、儀式や行事の日取りを選ぶのは非常に困難を伴った。暦は単に月日を知るだけでなく、その時々に応じて為すべき行動を規定するものだったから、正月の元日から一日毎にその日がどのような日か克明に書かれていた。

方位のタブーも多く大将軍・大陰神のいる方向は常に凶、ことによっては忌むことが必要な王相方・太白方・天一方・金神方・暗剣殺方などあり、その星の位置は年によって異なるので煩雑だった。しかしこれほど多く不都合な方角があるとなると、日常生活にも支障が出る。そこで考えられたのが方違である。しかしこれも時間と経費がかかるため、陰陽道の神を祭っている神社に詣で厄除けの護符やお守りを頂いて帰るという簡便な方法が行われた。

大将軍を祭る大将軍神社

陰陽道では吉方・吉日と言うのは少ない。その中で恵方《えほう》は数少ない吉方の一つで、結婚・建築・移転など全てに吉の方角である。恵方は年神の来る方角とされ、正月に歳徳棚を設けて祭る習俗がある。また恵方詣と言い、利福を求めて恵方にあたる神社仏閣に参拝する。藤原道長の日記『御堂関白記』には、長和四（一〇一五）年正月九日に「皇太后より出でて、雲林院に詣づ。是吉方なり。女方同じく参る」と見える。吉方はその人の生気や養気を指し、また年齢によっても違いがあった。この年五十歳の道長は生気＝北西、養気＝北東で、二歳上の正妻倫子は生気＝南東、養気＝北西であった。そこで二人に共通するのは北西だから、彼らの居住していた土御門邸から北西の方角にある雲林院に詣でたのである。

方位を示す石塔

もう一例、院政時代の最大の権力者白河法皇の例をあげよう。白河法皇の専制ぶりについては、様々な逸話がある。『源平盛衰記』には「賀茂川の水、双六の賽、山法師、これぞ朕の意に従はぬ者」という天下三不如意の話はよく知られている。また『古事談』には、法勝寺で法会を行おうとしたところ、いざ始まると雨が降り出し、延期すること三度に及んだ。激怒した法皇は雨水を器に入れ、獄舎に押し込めた。これが「雨水の獄」である。

三不如意以外は全て意のままにできると豪語した白河法皇でも、方違となれば春の一夜を西洞院五条坊門付近の路上に止められた牛車の中であかさなければならなかった。いかに高貴な身分の人であっても盗賊などの襲撃が予想されるような危険を冒してまで行っており、陰陽道の俗信がいかに深く当時の人々の心にくい込んでいたかが推察される。江戸時代の暦には正月三日には「ひめはじめ」と書いていたという。そのことにあたっても方角が大切なこととされ、女房の頭を恵方の方に向けた。「ひめはじめ　恵方を向けと　馬鹿亭主」という愉快な川柳があるが、この迷信も平安時代の医学書『医心方』から伝えられたものである。同書第二十八には、「交接所向、時日吉利益損、順時効此大吉、春首向東、夏首向南、秋首向西、冬向首北」とある。男女が愛し合う場合でも、天地陰陽の理法に基づいて、女性の首を春は東、夏は南、秋は西、冬は北にして行えば大吉になると言うのである。

今日でも新年に書をしたためる書き初めは、若水で墨をすり、その年の恵方を向いて書く。また節分には年神のいる縁起の良い方向（恵方）を向いて、太巻き寿司を無言のまま丸かじりする。巻き寿司は「福を巻く」、丸かじりするのは「縁をきらない」ためと言われる。これが広まるようになったのは海苔問屋が節分のイベントとして行ったのがきっかけという。今や節分の時期ともなると、スーパーやコンビニなど至る所に恵方巻きの宣伝をする旗が立っている。本当に恵方を向いて食べれば御利益があると思っている人はあまりいないと思うが、少しだけでもと期待しているのであろう。信仰においても、あらゆる方法を取り入れ、また手軽に出来ることをしようという国民性に根ざしている。

物忌

物忌は平安時代には人々の全ての生活に強い影響を与えていた。魔物や不浄に触れないようにするために謹慎したり、また神霊を迎えるに際して、不浄を遠ざけ、心身の安静な状態を保ち、潔斎・おこもり・参籠などを行った。後には仏教の精進と結びつき「潔斎精進」とも称された。

物忌の初見は『日本書紀』神武即位前紀で「斎戒して諸神を祭りたまふ」と見える。崇神七年条にも「沐浴斎戒《ものいみ》して、殿の内を潔浄《きよまは》りて、祈《の》みて曰く」とある。「斎戒」は神を祭るために心身とも清浄に保つことであるが、このような斎戒は早くから制度化されていた。神祇令によれば、散斎《あらいみ》と致斎《まいみ》の二段階に分け、散斎は、喪を弔うこと、病を問うこと、肉を食うこと、刑殺を判ずること、罪人を決罰すること、音楽を奏することを禁じる、いわゆる六禁を掲げ、穢悪の事に触れないようにとある。

致斎はただ祭祀のみを行い、他の一切のことを行わないと規定した。つまり致斎は散斎の後に行う最も厳重な斎戒で、祭事のとり行われる三日前から始まる。これは国の規定であるが、物忌の生活や思想は民間の祭りなどにも顕著に見られる。祭りの前夜に行われる夜宮・参籠などは神を迎えるに際しての一種の慎みの期間がそれである。そもそも穢れを嫌うのは人ではなく、神であった。日本の神々は清浄な場に鎮座し、自然災害・疫病・飢饉などが起こると、それは神々が怒って祟りをもたらしたと考えた。そして天皇は神を祭る人の代表で神に最も接近することから、ほとんど神と同じくらいに穢れを忌避する必要があった。たとえば『日本書紀』雄略七年七月条に、大王が斎戒をしないで三諸岳《みもろのおか》の神を見ようとしたが、神は雷のように鳴り輝いて見ることができなかった。神に近づくためには物忌が不可欠なのである。

穢れの伝染

ケガレのことが明確に見えるのは、『続日本後紀』承和三（八三六）年九月十一日条である。宮中に穢れがあるとの理由で神嘗祭の奉幣を中止している。そしてその穢れを忌避するために物忌という方法が正式に採用されたのは『弘仁式』であった。その条文によれば、穢れとなる対象は人の死（三十日の忌み）・人の産（七日）・六畜の死（五日）・六畜の産（三日）・六畜の肉食（三日）・弔葬（三日）・問疾（三日）というように具体的に特定し、さらにその忌む期間を細かく定めている。これによって穢れの忌みの種類と重さが決められた。そして穢れの発生場所から「甲」へ、さらに「甲」から「乙」へと伝染するという「触穢」も規定された。穢れに感染した者は自宅に籠もり、四方の簾に忌中と書いた札をかけ、穢れが完全に消滅するまで外出を避けるのである。

ただこの段階では、奈良時代同様、穢れの忌避は、王権神話と祭祀の場にしか適用されていなかった。しかし『貞観式』(八七一年)『延喜式』(九二七) などでは王権祭祀に限るという枠が順次取り外され、天皇・貴族の全てが、日常生活において物忌を守らなければならなくなった。こうして穢れ忌避の観念が急速に拡大していった。

このように穢れは感染するとされたから、そうするとどの範囲まで感染するかが問題となる。第一次感染は同一の垣根で囲まれた空間にいて着座した場合のみ生じる。第二次感染は第一次感染した者が他所に入った場合と、その他所へ入ってきた者のみに限るとされた。こうして王権の存在する内裏・宮中を可能な限り穢れのない清浄な状態にしようとした。

また物忌はその穢れの種類によって軽重があり、そのため家に引きこもるといってもその方法や程度が異なるため、大変複雑な様相を呈した。『宇治拾遺物語』には、「左大臣殿にかたき物忌出きにけり、御門のはざまにかいだてなどして仁王講おこなはる、僧も高陽院《かやのいん》のかたの土戸より童子なども入れずして僧ばかりぞ参りける」とあるように、固い物忌の場合は、完全に外気を遮断して慎み、僧侶に読経を行わせている。このような場合には、当然のことながら勤務を休む十分な理由になった。

長岡京左京三条三坊一町から完全な形の物忌木簡が出土した。「今日物忌此處不有預人而他人輒不得出入」とある。これは「ここには預かる人がいないから、他人は出入りしてはならない」という意味で、門の前に立てて、人々に知らせたのであろう。ただこの木簡では預かる人は出入りできたから、門を閉めただけの軽い程度の物忌であろう。

平安時代には穢れの思想は人々の生活を大きく拘束した。『今昔物語集』から、穢れに関する説話を一例だけあげておこう。（巻二十九第十七話）「摂津国の小屋寺に八十歳くらいの老法師が来て、しばらく寺に置いてくれと頼んだ。同情した往持は鐘堂の下に泊めてやったが、間もなくして死んでしまった。僧たちは寺に穢れが起きたと騒ぎ、それを恐れて死人に手を触れる者は一人もいなかった。そこに二人の男がやって来て死んだ老法師は父親だと言って涙ながらに引き取った。僧たちは穢れのある三十日は鐘を撞くこともしなかった。十日の忌みが明けて行って見ると、鐘堂の大鐘は盗まれていた」そら死に、そら涙にまんまと一杯くったという話である。死の穢れを恐れ、忌み嫌った風潮を悪用した盗賊であった。死人だけでなく、死人の灰を飯に混ぜて食べれば自殺が出来ると考えられ、実際にそれで自殺を図ったことが『左経記』に見えている。穢れ意識はこの時代に最高潮に達した。

土忌

次に土忌である。平安貴族にとって土公神《どくしん》（つちぎみのかみ）は家宅毎に住み着いている土地の精霊のような存在である。『和名類聚抄』には、「土公　董仲舒書の云はく、土公は鴑空《どくう》也。春三月は竈に在り。夏三月は門に在り。秋三月は井に在り。冬三月は庭に在り」とある。これによれば土公神は家宅に住み着き、季節毎に竈・門・井・庭に宿る神であった。『御堂関白記』長和二（一〇一三）年四月十一日条には、「悩む事は猶ほ例に非ず。吉平を以て解除せしむ。竈神《そうじん》の祟なるに依る也」とあるように、藤原道長も竈神の祟りを原因とする病気を患っている。したがって彼らにとっては最も身近な神だったが、一方でその神を粗略に扱えば、祟るため、危険な存在でもあった。祟りがあるのは、土を掘り起こす犯土があった場合である。三尺以上地面を掘り起こせば、土公神による祟りが生じ、それが自宅であれば、自宅の敷地全体に及ぶと考えられた。しかしその程度地面を掘り起こすことはままあることだったから、犯土が起こった時の対処方法が必要であった。

『蜻蛉日記』には、「二十七八日ほどに、土犯すとて、ほかならぬ夜しも、めずらしきことありけるを、人告に来たるも、何事もおぼえねば、憂くてやみぬ」と見える。作者の藤原道綱の母は珍しくも夫藤原兼家の使者が自宅に訪ねてきたが、あいにく彼女は自宅を離れていた。それは犯土があったために他家に宿を借りていたからである。

『更級日記』にも、「三月つごもりがた、土忌に人のもとにわたりたるに、桜さかりにおもしろく、今まで散らぬもあり」とある。『浜松中納言物語』（巻三）にも、「この大弐の土忌に、旅所にありけるを」とあり、また『狭衣《さごろも》物語』にも、「妻の同胞なん、中務の姫君の御乳母にて、土忌・方違などには、時々渡り給うとぞ申す」とあるように土忌の時には、親類縁者を旅所とした。この習俗は平安貴族の間では広く行われていたことが窺える。

それらは緊急避難方法だったが、土公神そのものの祟りを鎮めるのは土公祭という呪術を行うことのできる陰陽師だけだった。藤原実資の日記『小右記』正暦元（九九〇）年十二月十四日条には、「今夜、陳泰朝臣を以て土公を祭らしむ」とある。また『左経記』万寿三（一〇二六）年八月三十日条「守道朝臣を以て左金吾の家に於いて土公祭を行はしむ」とある。陰陽道ではとりわけ土用の期間に土を掘り起こすことや、秋七月から九月には井戸に土公神がいるとして井戸掘を避け、その祟りを恐れた。後の時代になるが、室町時代の庭園師は「山水河原者」として賤視された。庭造りや井戸掘りのためには土を掘り起こす必要があり、それは土公神の居場所に立ち入ること（犯土）となるから一般の人は従事しなかった。賤視された人々には、立ち入ることを忌避しない能力、危険な作業をこなす能力、土公神に対するタブーを打破する力があると考えられていたからであろう。中世においても土公神に対する信仰は根強く生きていた。

歳徳神と大舎神を祭る大将軍神社

この他、家の中には水神・厠神・納戸神・箒神などがあったが、中でも『御堂関白記』に見える火所を守護する竈神は強力だった。不浄を嫌う潔癖な竈神は粗略に扱えば、恐ろしい祟りをもたらす荒ぶる神になったから荒神と呼ばれた。

『小右記』万寿四（一〇二七）年八月条には、関白藤原頼通が実資に穢れのことを尋ねたことに対し、実資は「天竺触穢を忌ざるは、余答て云く、穢は日本の事、大唐すでに忌穢を忌ず」と答えている。穢れは天竺や中国には忌むことはなく、日本独自のものというように、彼ら自身も我が国の穢れ意識が肥大化していたことを自覚していたのである。

王朝時代は美や季節感などは日本的美として賞賛され、後世に大きな影響を与えているが、その国風文化の中にはそうしたプラス面だけでなく、穢れや祟り意識という負の文化遺産も含んでいた。穢れ忌避の意識が最も高揚した時期で、そのため天皇はほとんど御所の外に出なくなった。しかし過剰な穢れ忌避は結果的に運動不足を招き、不健康になった。平安時代の天皇の平均寿命は四十二歳で、どの時代と比べても短命だった。因みに奈良時代五十九・二歳、鎌倉時代四十三歳、安土・桃山時代五十二・五歳、江戸時代四十八・七歳である。徹底して命を守ろうとして短命になっているのは何とも皮肉である。

陰陽道のタブー

陰陽道が貴族たちに広く受け入れられるようになったのは平安中期頃である。人臣で初めての摂政藤原良房は自らが外戚となった幼年の清和天皇の身辺を警戒し、些細な事も物の怪として陰陽道の吉凶判断にかけ、タブーを神経質なまでに励行した。またそれを司った陰陽寮が自らの職分の拡大を意図し、ことさらに凶兆を強調したことも、それを助長した。

藤原実資の『小右記』寛和元（九八五）年五月七日条には、彼が長らく留守にしていた小野宮邸に再び住むことになった時、陰陽師懸泰平《あがたのときひら》を呼んで反閇《はんぺい》という呪術を行わせている。これは危険が予想される場合には、それを事前に除去する必要があったからである。空家となった邸宅には鬼・霊など良からぬ物が住み着くと考えられていたから、実資としてはごく当然のことをしたまでであった。

関白藤原忠平は物忌などを忠実に行った人物で、その子の師輔《もろすけ》は陰陽道の禁忌を詳細に記録し、『九条殿遺誡《ゆいかい》』や『九条年中行事』を著しそれを貴族の常識として有職化した。その日記からは几帳面な人物のように見える。その一方で妻を五人、子供を十九人を持つ艶福家でもあった。それはともかくこの頃に陰陽道は宮廷世界においてその地位を確立した。

『九条殿遺誡』によると、まず起床すると属星の名号を七遍唱える。密教によって属星信仰が強まり、星は仏尊としても祭られるのでそれは仏名であろう。ついで鏡で顔を見て体調を知り、その日の運勢を知るために暦でその日の吉凶を調べ、それによってどのように行動すべきかを考える。楊枝で口を洗い、西に向かって手を洗う。西に向くのは阿弥陀仏のいる浄土への往生を願うためである。仏名を誦し、神社を念ずる。昨日のことを日記にしたためるが、書くことが多ければ日中でもよい。次に粥を食べ、頭髪を梳るが、それは三日に一度でよい。爪を切るのは、丑日に手、寅日に足の爪を切る。日を選んで五日に一度沐浴する。沐浴にも吉凶があり、毎月一日に行うと短命、八日は長命、十八日は盗賊に遭い、寅辰午戌の日は悪日で沐浴してはならないなど、実に細かい。『土佐日記』の承平五(九三五)年一月二十九日条には、「爪のいと長くなりにたるを見て日を数ふれば、今日は子の日なりければ切らず」とある。爪は子の日にではなく、翌日の丑の日に切る。このように爪切りのような日常の些事にまで吉凶が及ぶようになっていった。

吉凶判断を励行

仁明朝以後、陰陽道の卜占が重視され、次第に貴族層から一般社会にも及び、人々は卜占による吉凶判断を基準に行動するようになった。『日本三代実録』元慶三（八七九）年十月条には、陽成天皇が宗叡《しゅうえい》という僧は父清和天皇の幼少の時からの護持僧だったと述べている。護持僧は天皇の寝所の隣で毎晩、天皇を守護するために呪文を唱えながら仕える僧のことである。良房は幼帝清和天皇を守るために、陰陽道だけでなく、仏教も動員し、あらゆる手段で天皇を擁護した。そしてこの清和天皇を境として天皇が人前に姿を見せなくなる。それは穢れ思想の広がりとともに、それを怖れ天皇は清浄な内裏・宮中で生活するようになった。

天皇が方違を初めて行ったのは貞観七（八六五）年で、それも清和天皇の時である。続く文徳・陽成天皇も幼帝だったため、物忌・方違は頻繁に行われ、官僚もこれに追随した。そして陰陽寮も天文災異現象を占うようになり、それによって各種の祈祷・奉幣・行事、さらには改元まで行われた。これ以後、物怪・災異の報告や俗説が急増する。奈良時代にはめでたい現象の祥瑞で改元していたがそれは元慶までで終わり、この頃からは物怪・災異による改元と様相が一変する。

またこの頃は、「公」から「私」の転換期にあたり、個人意識が台頭し、個人の救済が信仰の重要なテーマとなってくる。現世利益の傾向も強くなり、呪術的宗教に身を委ねるようになる。そして穢れ意識が増長する中では、清浄でなければならない神職の活動範囲は制限され、穢れの場所にも自由に出入りできる陰陽師が重宝されるようになる。こうして平安時代の人にとっては陰陽師は日常生活を送るうえで不可欠な存在となり、陰陽師がいなければ普通の生活を送ることが困難になった。たとえば藤原道長の日記『御堂関白記』では、物忌は約二十年間の間で三百数十回に及び、年に五十回を越え、月に十数回に達することもあった。関白藤原忠実も一年のうち三分の一くらいは物忌で公務から離れ私邸に籠もっていた。

多くの人々の社会生活を縛っていた、その例をあげよう。『今昔物語集』巻二十八第二十九話「中納言紀長谷雄家顕狗語」の話である。文章博士で、当代一流の詩人・学者の紀長谷雄《きのはせお》は陰陽道にはあまり詳しくはなかった。ある時、犬がいつも柴垣を越えて小便することを妖しく思って陰陽師に尋ねた。すると陰陽師は、何月何日に家の中に鬼が現れる。ただその鬼は祟りをもたらすものではないが、その日は物忌をするべきであると言った。ところが、当日そのことを忘れて物忌せず、学生たちの作文指導をしていた。すると塗籠の中に大変恐ろしいような声で吠えているものがあった。見ると、そこには長さ二尺余りで体は白く、頭は黒く、角が一つ生え、足は四本で白かった。勇気のある学生がその頭を蹴ると、湯水の容器に頭を突っ込んだ白い犬がその正体だった。そこで本当の鬼ではないが、人の目には鬼と見えたから、鬼と占い、さらに人に祟りをもたらすものでないと占ったことは大変素晴らしいと陰陽師を讃えている。一方、著名な学者でありながら物忌を忘れるのはふがいないと、世間の笑い者になったという話である。どんな素晴らしい学者であっても物忌を忘れると笑い者になるくらい、その風習は日常生活の中に深く浸透していた。

呪詛の歴史

呪文は自分の願い事を叶えるために使われるが、一方では憎む相手に禍が及ぶ呪詛にも使用された。呪詛は相手の身体に付いているもの、たとえば髪・爪・衣服・足跡など、また相手に似せて作った人形を焼いたり、突き刺したりする。よく時代劇などでは「丑の刻参り」で、真夜中に神社の境内の樹木に呪う相手を形どった藁人形を五寸釘で打ち付けるシーンがある。これは一定期間毎夜続けなければならず、しかも人に見られたら効能がなくなるというから呪詛にも相当のエネルギーが必要だった。

呪文や呪詛の歴史は古く、『日本書紀』神代第七段にはスサノオが天上世界で乱暴狼藉の限りを尽くしたため天上界から追放されるが、その時に髪を抜いたり、手足の爪を抜いたりして償わせたとあるが、それも髪や爪など体の一部（呪物）があれば、相手の生命をも自在にできると考えられていたからである。

「養老律」には呪詛の罰則があり、「およそ憎《にく》み悪む所ありて、厭魅《えんみ》を造り、及び符書呪詛を造りて、以て人を殺さむとせらむは、謀殺を以て論じて二等減ぜよ」とある。また神亀六(七二九)年四月の勅には、「厭魅呪詛して、百物を害《そこな》い傷つける者あらば、首は斬し、従は流さん」とあって極めて厳しい刑罰が科せられていた。つまり奈良時代の刑法では、呪詛は殺人と同様の凶悪犯罪として扱われていたのである。

平城京大膳職の井戸から出土した人形は胸と両目に釘を打ち込まれ、表と裏に「坂部秘□」と墨書されている。「坂部秘□」という人物が呪詛の対象となったのであろう。また苑池から出土した人形にも胸に釘が打ち込まれていた。さらに二条大路の側溝から出土した人形には胸から腹にかけて道教の秘文が書かれ、その下に「依□死死」とあり、裏にも「重病受死」（重い病気を患って死ね）と記している。

平安時代の清少納言や藤原実資も呪詛されている。『枕草子』の「心ゆくもの」には、「物よくいふ陰陽師をして、河原に出でて呪詛の祓したる」と見える。弁舌さわやかな陰陽師に「呪詛の祓」をさせることが彼女のお気に入りだった。「呪詛の祓」というのは呪詛返しの呪術である。清少納言も呪詛の脅威にさらされ、そのために陰陽師に呪詛返しをさせたのである。藤原実資の日記『小右記』には、「少し夢を見た。呪詛をかけられている気配を感じた。そこで陰陽師に祓えをさせた」と記す。夢見が悪いというだけで呪詛に脅えるのだから、病気にでもなろうものなら当然のように呪詛が原因と考えられた。

今一つ『堤中納言物語』の例である。姫君が夫の急な訪れに慌て、白粉で化粧をするところ、間違えて掃墨《はいずみ》を塗ってしまった。その容貌は、父母も脅えて倒れ臥すほどの奇怪なものだった。その顔で出迎えを受けた夫は腰を抜かさんばかりに驚いて、その場を立ち去った。姫君の家の人々は姫君の夫の旧妻が呪詛をかけたと思い込み、大騒ぎになった。これは一種の笑い話であるが、化粧の塗り間違いぐらいのことでもすぐに呪詛と結びつけられている。このように彼らが生きた平安時代中期の王朝時代はそのような呪詛が横行し、生活の一部となっていた時代でもあった。

引目鉤鼻の絵画は呪詛防止

白鳳時代の頃、高松塚古墳壁画のように当時の人物を彷彿させるような写実的な技法はあった。ところが、『源氏物語絵巻』に代表される平安時代の絵巻物は引目鉤鼻という手法で、どの人物も誰が誰だかわからない描き方をしているのか長い間、疑問に思っていた。

実はこれも呪詛が背景にある。平安時代の貴族たちは呪詛の力を信じ、それから逃れることに腐心していたが、そうであれば写実的に描けば描くほど、呪詛の道具として使われる可能性が強かったからである。

それでも鎌倉時代になると、法然や一遍のような高僧や源頼朝などに対しては写実的な絵が描かれるようになる。それは彼らは僧と武士の違いはあれ、共に呪詛をかけられたとしてもそれを跳ね返す能力を持っていると考えられたためであった。

当時の人々は病気や体調不良の原因には呪詛が関わっていると考えていた。『小右記』寛仁二（一〇一八）年六月二十四日条には、藤原道長の病気を巡って「太閤の所悩、貴布禰明神の祟り有り。これ院御息所の祈りなり」という噂を記す。後一条院の御息所が貴布禰明神に道長の罹患を祈願し、その願いが叶って道長が病気になったというのである。その呪詛された道長は貴布禰明神に対して、私は神馬を奉納するのでどうか守護して欲しいと持ちかけ、神はそれを承諾し、買収に応じている。また同書長徳二（九九六）年三月二十八日条には、東三条院の病気について、「或いは人の呪詛なりと云々。人々、厭物を寝殿の板敷の下より掘り出すと云々」という噂がたったとある。それは厭符という呪物を埋めるという方法で、式神を動員する行為だった。このように呪詛は式神を動員してある特定の人の体調を悪化させたり、病気にかからせたりした。そうした場合の対処方法が祓えで、それを行えば神をなだめ退去してもらえると考えられていた。

清明神社の式神

藤原行成の日記『権記』長徳四（九九八）年十二月三日条には、この日の明け方に男子が誕生して喜んでいたが、その後、産婦が変調をきたしたことを記す。「産事は遂げると雖も、今一事は未だ遂げず。邪気の為す所か。僧都来臨すと雖も、触穢を忌みて着座せず。早退去す」とある。産婦の胞衣が排出されないのは邪気が原因であると判断したため、僧都に来てもらったが、その僧都は触穢を嫌って着座せず、早々に帰ってしまった。驚いた行成は僧都を産所に連れ戻し加持を行わせた。彼は着座せず立ちながら加持したが、無事に胞衣が排出された。「邪気、妨げを成すと雖も、仏力に限り無きに依りてなり。歓喜歓喜」と記す。僧都は産婦の穢れを恐れているが、陰陽師はその穢れがある場所にも自由に出入りできたから、人々から重宝されたのである。

摂関政治の頃になると、地方においても陰陽道を国家的行事として推進し、貞観十四（八七二）年から寛平三（八九一）年にかけて、諸国に陰陽師を置いた。また、庶人も陰陽道の神を拝むようになった。様々な星祭を行ったが、それは道教で司命神とされた北極星、北斗七星、泰山府君などの信仰を取り入れたものである。卯の刻には庭先に座を敷き、北を向いて属星を拝し、乾に向かって天を拝し、地を拝する。次に東西南北を再拝し、大将軍、天一太白、次に氏神、竈神、墳墓などを再拝する。陰陽道の神はこれ以外にも太白神・王祖神・泰山府君・雷公・土公神・宅神など多くいた。陰陽道を背景とする様々な行事やその考え方は人々の奥深くまで浸透していった。ただ陰陽道は特定の怨霊の調伏や死者追善には関わらなかった。陰陽師が病気を邪霊の祟りと判定すると、それを調伏するのは密教験者の加持であった。陰陽道は独自の来世観を持たず、死者追善や来世の役割は仏教が担っていたからである。浄土教の浸透と共に、賀茂氏や安倍氏の陰陽師が晩年を迎えると出家するのもそのためであり、陰陽道はあくまでも現世利益を目的とした世俗的な宗教であった。

百鬼が横行した一条戻橋

現在では陰陽道の神は京都市大将軍八神社の大将軍神像のようにわずかに残っているにすぎない。陰陽道が衰えると共に、その神々も消えていったのである。

㈣　日本文化への影響

我が国最初の史書『記』『紀』

我が国初の正史『日本書紀』の冒頭部分は次のように記す。「古へ、天地未だ剖《わか》れず、陰陽の分かれざりし時、渾沌《まろかれ》たること鶏子の如く、溟涬《くぐも》りて牙を含めりき。その清陽《すみあきらか》なるもの薄靡《たなび》きて天と為り、重濁《にご》れるもの、淹滞《とどこほ》りて地となるに及びて、精妙《たえ》なるが合ひ搏《あふ》ぐは易く、重濁れるが凝りたるは竭り難し。天まづ成りて地、後に定まる。然の後に、神聖その中に生れましき」とある。

この『日本書紀』の文は前漢の武帝の時代に成立した『淮南子《えなんじ》』の「天文訓」の天地創世と極めてよく似ている。その文は次の通りである。「天地未だ形《あらは》れざるときは、馮々翼々、洞々たり、故に大昭といふ。（中略）清陽なるものは薄靡《はくび》して天となり、重濁なる者は凝滞《ぎょうたい》して地となる。精妙の合専するは易く、重濁の凝固するは難し。故に天、先づ成りて地、後に定まる」とある。

『日本書紀』は明らかに「天文訓」を借用している。初めて「日本」という国号を明記した画期的な書の冒頭に中国文化の影響を強く受けた文を載せている。ともあれ天地の成り立ちそのものが陰陽の対立・和合によるとされ、陽神と陰神が様々な神を生み出し、それによって我が国の歴史が始まるという。

また和銅五（七一二）年に太安万侶によって編纂された『古事記』の冒頭に「夫れ、混元既に凝りて、気象未だ効《あらは》れず。名も無く為も無し。誰れか其の形を知らむ。然れども、乾坤《けんこん》（天地）初めて分かれて、参神造化の首《はじめ》と作《な》り、陰陽斯に開けて、二霊群品の祖と為りき」とある。天地万物の初めは混沌として名も形もなかった。しかし天地陰陽の運行によってイザナギノミコトとイザナミノミコトの二神と万物の祖が誕生した。そして「陽」の男神のイザナギノミコトと「陰」の女神のイザナミノミコトが天の御柱で結婚することによって大八島国が生成する。このように陰陽の働きで世界が成り立ち、神もまたその運動の中に組み込まれている。

富本銭

長い間、和同開珎が我が国最古の貨幣とされてきたが、現在では和同開珎は「最初の本格的な銭貨」と記述されるようになった。それは飛鳥池遺跡で富本銭が出土し、間違いなく和同開珎に先立つ貨幣があったと確定されたからである。ただこの富本銭が「我が国最初の貨幣」とマスコミでは報道されたが、それは必ずしも正確ではない。『日本書紀』天武十二（六八三）年四月十五日条には、「今より以後、必ず銅銭を用いよ。銀銭を用いることなかれ」という詔が出されているが、ここに見える銅銭が富本銭に相当すると考えられているからである。つまり富本銭に先立って既に銀銭が用いられていたから、これを禁じた。だから最初の貨幣というのであれば、それはこの銀銭のことになるのである。

ともあれこのように事実が判明すると、後になって様々な疑問が氷解することが多くある。実は富本銭は随分前から人の目に触れられていた。江戸時代の古銭の世界では富本七星銭と命名され、厭勝銭《ようしょうせん》の一種と考えられていた。厭勝銭の「厭勝」は「まじない」の意味で、災いを避け、吉祥をもたらすものである。昭和六十（一九八五）年に平城京右京八条の奈良時代に廃されたと考えられる井戸の中から和同開珎などと共に一枚の富本銭が出土した。しかしこの段階でも古銭界では江戸時代の貨幣が混入したと考えていた。そして平成三（一九九一）・平成四（一九九二）年、藤原京の側溝から二枚の富本銭が出土し、さらに平成十（一九九八）年の飛鳥池遺跡で富本銭の鋳型などが見つかったことにより富本銭が古代の貨幣であったこと、そしてそこが富本銭の製作工房であったことが判明した。

「富本」という言葉は厳選のうえにも厳選されたものである。「富本」とは文字通り富の根源を意味する。

『晋書』の食貨志に「富国之本、在於食貨」とみえるが、そのルーツは儒教の経典『書経』にある。国家を治める八つの基本政策のうち第一が「食」、第二が「貨」であるとする。食物が充実し、貨幣によって交易が盛んになり、民が豊かになると、理想的な国家統治が可能になるという富国安民の儒教思想である。このような銭文は初めて発行する中国式の銅貨にふさわしい。当時の為政者の理想的な国家統治の政治理念が反映されている。富本銭は長い歳月を経てようやく「我が国最古の貨幣」となったが、当時の東アジアでは先進国中国につぐ画期的な国家的事業であった。

次に左右にある七星は、陰陽五行思想で、陽（日）陰（月）それに木火土金水を総称した七曜にあたり、陰陽五行思想のシンボルが七曜文であった。陰陽と五行の象徴とも言えるこの七曜がデザインされていることは、やはり五行思想や天文暦数の知識を背景とする自然の不可思議な力への思いがあったのであろう。中国では古くから円形方孔銭の形状が天円地方を象徴し、円形の天（陽）と方形の地（陰）が調和・和合する姿を示すと考えられていた。

それだけにその発行にあたっては用意周到な準備が行われ、その偉業を誇示する必要があった。富本銭の発行の意図を新都造営にあてるためという見方もあるが、この都城に居住する都市住民生活を支える流通経済を整備することが主たる発行の理由と考えられる。また「和同開珎」の銭文も、元明天皇の仁徳により、天地万物が和同して陰陽の調和が保たれ、天がこれに応えて和銅という宝を現わしたことを讃えている。

慶雲年間には全国で飢饉・疫病が猛威をふるった。『続日本紀』には、慶雲二（七〇五）年、二十の国々が飢饉と疫病になった。翌三年、天下諸国で疫病が起こり、百姓が多く死んだ。翌四年、天下、疫病と飢饉が起こった。飢饉や疫病が慢性化し、京の内外でも死臭が漂う状態であった。文武天皇は慶雲二年四月三日の詔で、「皇位にある自分の徳が薄いために天帝の心を動かすことも、仁政を民に施すこともできない。

そのために陰陽の調和が乱れて天候不順や凶作を招き、民を飢えさせることになっている」と述べている。これはまさに天人相関説に基づく祥瑞災異思想である。自らの不徳を告白した文武天皇であったが、慶雲四年六月には死去してしまった。この深刻な社会不安を沈静化させるためには陰陽の調和がぜひとも必要であった。災いを取り除き福を招くために平城京遷都、「和銅」への改元、新銭発行という人心の一新を図る三位一体の政策がとられた。この経緯からすると貨幣というのは全て流通貨幣と考えられ、それが常識とされてきたが、まじないに関わる厭勝銭であった可能性を真剣に考える必要がある。

少し後のことになるが、十二世紀後半の平清盛の頃、中国から宋銭が輸入され、経済取引が活発になってくる。しかしその頃でも疫病が流行すると、それは銭を使う「銭の病」だという噂が広がっており、まだまだ貨幣を呪物とする見方が根強く残っていたことを物語っている。

古代の都は四神相応の地

我が国では推古十（六〇二）年に百済僧観勒が「天文地理書」を献上して風水思想を伝えた。高松塚古墳やキトラ古墳には、四神像が描かれていた。四神は東の守護神が青龍、西が白虎、南が朱雀、北が玄武で、墓域を守るために描かれた。我が国最初の都城とされる藤原京の造営にあたっても陰陽師が同行し、風水思想に合致しているかを考慮している。その平城の名は中国北方の遊牧民が建国した北魏の首都平城城（山西省大同市）に由来する。和銅元（七〇八）年の遷都の詔には、「方今平城の地、四禽図《しきんず》に叶い三山鎮《しずめ》を作《な》し亀筮《きぜい》並びに従う。宜しく都邑を建つべし」とある。平城の地は青龍・朱雀・白虎・玄武を都の東南西北に配する吉祥図の構図と一致し、三山（春日山・生駒山・奈良山）も都の鎮めを果たしている。そして亀甲を焼く占いの結果も吉と出た。風水思想に基づく四神相応の地である奈良に都を造るべきであると言う。

次いで長岡京の選地では陰陽助が参加し、また平安京でも相地に長じた僧侶が同行しているように都の選定には陰陽師が深く関与していた。桓武天皇の平安京造営の大きな理由の一つは怨霊から逃れることだった。新しく造営される平安京は怨霊や悪霊から完璧にシャットアウトする必要があり、都の至る所に厳重に結界を廻らした。東に流水の賀茂川、南に沢の巨椋池、西に大道の山陰道、北に高山の船岡山があり、まさに四神相応の地である。

こんな手紙が残っている。平安中期の頃、因幡守藤原某が陰陽頭に、最近山荘を手に入れたが、その場所を四神相応の地としたいが、玄武に見立てる高台がないため、どのようにすればよいかと相談している。北側には丘はなく沼があるが、それを解消する方法として沼の前に林を置けばよいのではないかと提案している。彼らは都を離れても四神相応の地に強いこだわりを持っていたのである。

次に都の至る所に厳重に結界を設けたが、中でも邪気が出入りする鬼門を封じることが重要だった。鬼門にあたる北東方面に上賀茂・下鴨神社を置き、さらにその延長線上に比叡山延暦寺を建立して念には念を入れた。東山の丘陵に将軍塚があるが、これは熊でさえ睨まれると倒れたという伝説をもつ猛将坂上田村麻呂の塚であり、ここから京を睨み、守護するためである。

現在では風水や鬼門を気にする人はほとんどいなくなったが、それでもなお家相などにこだわる人もいる。思わぬ所で陰陽道が生きているのが大相撲の世界である。大相撲では四角に土で固められた所に丸い土俵を造る。それは古墳時代の前方後円墳以来の伝統があり、方＝四角と円＝まるいの組み合わせで、陰陽道でも重要視されていた。そしてその土俵の上につり屋根があるが、その四隅にそれぞれ青房・赤房・白房・黒房が東南西北に配されている。そして中央が土俵の黄色であり、これによって陰陽五行の木＝青、火＝赤、土＝黄、金＝白、水＝黒という五色となり、まさに小さくとも四神相応の地を創りだしている。そのように結界された神聖な地で最も強い力士である横綱が腰にしめ縄のかわりの綱をしめ、四股を踏む。

この土俵入りの姿はまさに陰陽道の世界を体現しているのである。このように陰陽道は私たちが普段意識しないところでまだその名残を留めているのである。

(五)　今日の生活に生きる陰陽道

幽霊

日常生活に根ざしている事例をあげよう。子・丑・寅・卯・辰・巳・午・未・申・酉・戌・亥の十二支と甲・乙・丙・丁・戊・己・庚・辛・壬・癸の十干を組み合わせると全部で六十の熟語ができる。六十年で暦が一巡するので、これを「還暦」と呼び、今でも目出度いこととしてお祝いしている。また歴史的事件についても十二支・十干による命名が多くある。中大兄皇子らが蘇我入鹿を殺害した「乙巳の変」、天智大王・持統天皇らが作った「庚午年籍」「庚寅年籍」、大海人皇子が大友皇子を滅ぼした「壬申の乱」など、枚挙にいとまがない。

幽霊も陰陽道に由来する。古代の人々にとって一日は昼と夜という別々の時間帯から構成されると考えられていた。昼は全ての人や物が秩序だって安心できる時間に対し、夜は神・鬼・妖怪など人間以外の異類が活動するいわゆる百鬼夜行の時間だった。換言すれば、昼は人間の世界、夜は神・鬼・妖怪の世界で、昼と夜は明確に区別されていた。そして昼と夜が交錯する朝・夕の時間帯は異類と人とが交錯する時であった。祭りの時に神を迎える儀式や再び神が元の場に納まるのも、夜に行われることが多いが、それは神は夜に活動すると考えられていたことに基づく。平安時代の王朝社会では、熾烈な権力闘争の結果、敗残者は怨霊となって権力者に祟り、政局にも深い影響を及ぼした。誰かへの怨み、あるいは心に残る何事かの思いを生前と同じく死後にも抱き続ける怨霊は、それは今日の幽霊に近い。だから幽霊はこの時代に誕生したと考えてよかろう。

幽霊は死んだ人というだけでなく、この世に怨みや心残りがあって成仏できないためこの世に姿を現す。この幽霊も決まったスタイルがある。幽霊は納棺された時の姿で現れ、人魂を従え三角の額紙に白い帷子を着ている。さらに次の五つの条件が必要である。①大体は女である。②足がない。③手は重ねて下に垂らす。④出てくる時刻は丑の刻（午前二時頃）。⑤出てくる所は柳の下である。この五つの要件も陰陽説で説明できる。もとよりこの世は陽で、幽霊の世界は陰である。男女で言えば男は陽、女は陰、手足はよく動くから陽で、足がなかったり、手が垂れ下がっているのは陰、深夜の二時半は夜明けの近い昨日と今日の境目、またこの世とあの世の境目である。柳の下と決まっているのは「柳」は「木」篇に「卯」である。卯月は万物顕現の象を示し、また柳は弔い上げの塔婆に用いられる木でもある。柳の下は他界とつながる象徴的な場所とされていたから、幽霊が出るには好都合だった。そして夏に出るのは、盆に帰って来るとされる祖霊と結びついたためである。

幽霊は床に入るときに多く見られ、丑三つ時になま暖かい風、暗さや寒気と共にやってくる。『番長皿屋敷』では古井戸の中から響く細々としたお菊の一枚、二枚と皿を数える声は人々に薄気味悪さを感じさせる。また『東海道四谷怪談』では床入りの場面で新妻のお梅の顔が、殺害した元の妻のお岩の顔に変わり、夫がお梅を抜き打ちにして切る。そのお岩の顔は人々の恐れを引き起こしてきた。

ところで古代には幽霊でなく怨霊と呼ばれていた。幽霊も怨霊もこの世に怨みを持っているが、幽霊は個人への怨みをはらすのに対し、怨霊はその個人だけでなく、社会全体に影響を及ぼし、ひいては政治的な意味をもって登場する。したがって怨霊から幽霊への変化は、霊そのものの神秘性や力の減退を示していると言える。

五臓六腑

次に五臓六腑である。居酒屋などに行くと、乾杯でビールを飲み干し、「五臓六腑にしみわたるねえ」などという会話をよく耳にする。しかしこれほど日常会話で使われる言葉でありながら、改めて五臓六腑というのは一体どんなものかと聞けば、五臓はともかく六腑というのはほとんどの人が知らない。五臓は肝臓・心臓・脾臓・肺臓・腎臓の五つでいずれも私たちにもなじみの器官である。ただ古代中国の人たちはこれら五臓はそれぞれ精神作用を分担していたと考えていた。心臓は「神」（知性や理性のような精神作用）、肺臓は「魄」（呼吸作用・思慮・計画）、肝臓は「魂」（視覚作用・記憶・弁別）、脾臓は「意」（意識・心の動きの顕在化）、腎臓は「志」（意思）をそれぞれ内臓しているとされた。

一方、六腑というのは大腸・小腸・胃・胆・膀胱・三焦で、いずれも中腔性器官である。それは水や穀物を受け入れ、それを消化し、経絡というネットワークによって手足など体の各部分に転送するものである。しかし最後の三焦というのは見慣れない臓器の名である。焦には三つあり、上焦・中焦・下焦というが、これが何をさすのか、現在もわかってはいない。水液運行の通路で、消化・呼吸を助けて大小便を司るとされる。これらの器官の働きは、古代の時代には想像の域を出ず、陰陽五行説が盛んとなると、荒唐無稽の議論が行われるようになった。

土用の鰻

次は土用の鰻の話である。日本人は鰻をよく食する。何せ日本人は世界の七割の鰻を胃袋に収めている。そのため、養殖用にするために稚魚のシラスが世界中から買い集められ、その結果、世界の鰻が激減し、最近日本鰻は絶滅危惧種に指定された。

子供の頃、川や田圃で捕まえてきた鰻を父親がさばいていたが、何個かに切り分けられてもまだくねくねと動き、その生命力のすごさが印象に残っている。今、天然物はめったに口にすることはなくなったが、スーパーマーケットで鰻は山積みされ、特に夏場には「土用の鰻」が夏ばてに効くと宣伝され、あたかも国民的行事のようになっている。

鰻は古代には「うなぎ」ではなく、「むなぎ」と呼ばれていた。万葉歌人大伴家持が『万葉集』巻十六に鰻のことを詠んでいる。「石麻呂に吾物申す　夏やせに吉しと云う物ぞ　むなぎ取り食せ」（吉田連石麻呂に私が言ってあげよう。夏やせによいという食べ物を。鰻を食べたらどうだ）「痩す痩すも生けらばあらむを　はたやはたむ　むなぎをとると河に流るな」このように「むなぎ」とあるが、それは「胸黄」とも記すように鰻の胸の部分が黄色いからである。夏やせに良いというように、健康回復の強壮剤として鰻を食べる習慣は古くからあった。

ただ鰻の調理方法については地域差があるようである。江戸は武士の町であるため「腹切り」を嫌い背開きで皮の方から焼き始めるのに対し、関西では腹開きにして身の方から焼き始める。「鰻の蒲焼き」の名は蒲の穂の形か、あるいは蒲の色に焼き上がることからきている。蒲焼きは鰻を頭から尾までを串刺しにしたその形が蒲の穂に似ていたからである。ところが現在の鰻の蒲焼きは割いて開くため蒲の穂とは似ても似つかぬものになっている。そのため蒲焼きの名の由来を知る人が少なくなっている。

ただ串刺しにして中まで火を通すように焼こうとすれば、皮はもとより皮に近い部分の肉はぼろぼろになる。そのため古代から近世に至るまで、鰻は大しておいしいものではなかった。しかし江戸時代の半ばに鰻を割いて内臓と骨を取り除いて焼く方法が普及すると、それまでの蒲の穂の形をした鰻の蒲焼きはすぐに姿を消した。そして鰻は美味中の美味として賞賛されるようになった。貝原益軒は『大和本草』の中で、「河魚の中、味最美し」と記す。我々は日本人は昔からうまい鰻を食べていたと思っているが、そうではなく、江戸時代半ばから初めてうまい鰻の蒲焼きを食べれるようになったのである。山椒をふることは今と変わらないが、この鰻と山椒の組み合わせは絶妙である。

ところで鰻は一kgから二kgある大きいものはメスで、オスは五百gから七百gと軽い。鰻なのにノミの夫婦である。その鰻は土用に食べるのが良いというが、その土用も陰陽五行説からきている。五行が木火土金水を指すことは既に触れたが、そこで季節の春を木、夏は火、秋は金、冬は水をあてた。しかし土が残ったので、そこで各季節の終わりの十八日あまりを土用としたのである。したがって土用はそれぞれの季節ごとに四回あることになるが、現在では立秋前の土用だけに特別なものを食べる風習が残った。

先にみたように鰻を食べる風習も古くからあったが、ただそれが土用の鰻となって庶民にまで広がったのはかなり後のことで、江戸時代の半ば頃に平賀源内が提唱したからと言われる。とはいえ、夏に鰻を食べることは理に叶っている。ビタミンA・B・E、カルシウム、鉄分が豊富だから、疲労回復に効果があり、血行を良くし、肌や髪に潤いがもたらされる。また知能や記憶力を増進させ、精がつく。江戸時代に吉原などの遊郭に行こうという男たちは鰻屋に寄って蒲焼きを食べていたという。近年の夏は温暖化のせいか、気温が「うなぎ登り」になって猛暑日が多くなっている。夏やせになっている方には、昔も今もおすすめの食材である。

食の中の陰陽五行

現在、「食育」という言葉がかなり普及してきた。それは「食」が子供の成育に大きな影響を与えることがわかってきたからである。それは一方では、現在の食が危機に瀕していることの証でもある。それぞれの部屋で食べる「個食」、一人だけで食べる「孤食」、柔らかい者だけを食べる「粉食」などの言葉も一般に認知されるようになった。かつて当たり前だった「一家団欒」が少なくなり、その言葉は今や家族の絆を取り戻す重要なキーワードになっている。このように「食」の崩壊が指摘されるようになって久しいが、それを回復するためには、場違いなことを言うようであるが、陰陽五行説に基づく食事の在り方が見直されてよいと思われる。そんな古い考えが何の役に立つのかと訝る向きもあろうが、こと食事に関しては実際に役立つと思われる。

体を冷やす食べ物は陰、体を温めるものは陽で、一度の食事でこの両方のバランスをとることが大事である。夏の暑い盛りには体を冷やす陰の食事を多めにとり、逆に厳寒の冬には体を温める陽の食事を多くする。つまり外の気と体の中の気とのバランスをとることが基本となる。次に五行説では、木火土金水はあらゆるものに適用されるが、色彩の場合は、木＝青、火＝赤、土＝黄、金＝白、水＝黒となる。よく色彩の豊かな食事を心がけるようにと言われるが、この五色が全て揃うことで完璧な料理法や食事となる。私たちは普段意識しないが、日本の伝統的な食事である和食はこれを基本、もしくは前提として作られている。「おせち料理」「懐石料理」「鮨料理」「鍋料理」など、いずれも五色の食品が入って色とりどりに並べられている。このような和食の原理は、陰陽にしろ、五行にしろ、バランスを重視している。和食は長い歴史を経て形成され、日本人にとって最適な料理法と言えよう。

ただ一方で、陰陽道の食事法が迷信的となったことも確かである。その代表的なものが食い合わせを忌むことである。医学書の『医心方』には、しし肉と魚肉を食することは良くないとか、乳酪と魚と膾を合わせて食べると、腸の中に虫が生じるなどとある。多く食べてはならないものに棗・柑子・李・柚・生柿・杏などがあり、月によって食べてはならないものとして正月には蒜・葱・蓼、二月には蓼・兎などがあげられている。このような栄養の偏りよって多くの病気にかかり早死にする結果にもなったのである。

食事で大事なことは、単に食材のバランスだけでなく、それに心のバランスが加わってこそ本当の健康食となる。日本の女性は心臓死やがんによる死亡率が少ない。それは彼女たちは料理に関する知識を自分の趣味＝楽しみとしてだけ使うのではなく、家族皆なのために役立ててきたからだという。そういうことであれば、男性も積極的に料理に関わることが必要と思える。『論語』には、「知者は楽しみ、仁者は命長し」という言葉がある。また「情けは人の為ならず」とも言う。相手のことを思い、行動する利他の精神が、ひいては自分のためになるということである。このことは食に限らずあらゆることに通じる精神であると思われる。

三　道教・陰陽道から今をみる

(一)　老荘思想

老子とその言葉

中国には「人生に成功したら儒教、失敗したら道教」という言葉がある。王朝が度々交代してきた中国社会では、今日は日の目をみていたが、明日はどん底に落とされる、あるいはその逆もあるのは当然であった。人生はあざなえる縄のごとく成功と失敗を繰り返していくが、今はどんなに惨めで辛くても、いつの日か陽のあたる時がくるかもしれない。道教はそのような融通のきいたしたたかさと懐の深さを持った宗教と言える。

現在、上寿の百歳となった人が全国で数万人を数える時代になった。寿命の短かった古代の人々は強く不老長生を願ったが、それは既に実現している。だからそれで十分満足すべきかもしれないが、人の生への欲求は尽きるところがない。臓器移植・遺伝子診断・再生医療などによって、今まで治らないとされていた病気を治し、また未然に病気を防ぐことが出来るようになった。とはいえ古代の人々が究極の理想とした不老不死の世界は、人が生命体である以上、その実現は不可能である。不老不死の神仙境はどこかにあるというのではなく、命をつなぎ、また心をつないでいった先にあると思われる。

道教の教祖とされる老子は二百歳まで生きたとする説もあって老子は長生術にたけた仙人のようにみなされ、後世には老子を神格化し、太上老君や玄元皇帝などに祭り上げられ、道教の最高神ともなった。唐王朝の始祖李淵が隋の将軍と対峙した時、雨が続いて食料が底をつき、撤退を命じようとした折、白衣を着た老人が「間もなく雨は止み東南に道ができる。「我は唐軍を守るであろう」というお告げをした。その神託に従って敵を破り平定することができた。この白衣の老人は太上老君の命を伝えたもので、その太上老君が老子とされた。そして老子のまたの名は李耳で、唐朝も李姓であることから、唐朝の先祖が太上老君となった。こうして老子は唐朝の祖先神として崇拝されるようになったのである。

道教の教祖とされる老子の言葉には含蓄がある。その内容には中国のスケールの大きな思想が詰まっており、現在のように目先の損得に汲々としている時代にあっては干天の慈雨のような言葉に思える。あくせくせず、悠然として生きるにはどういう心構えが必要なのかを示している。

最初は「上善は水の如し」である。「上善は水の如し。水は善く万物を利して而も争わず。衆人の悪む所に処る」老子は水のような生き方が理想だと言う。水は万物に恩恵を与えながら、競い合うこともなく、人の嫌がる低い所に流れていく。一般に、人は競い合って高見を目指し、それによって自己実現を図る生き方を理想としているが、そうではなく、自らを低い場所に置き、万物に恩恵をもたらす生き方が良いと言う。水の深い淵のように心が落ち着き、誰彼なく与え、言葉に偽りがなく、行動は時宜を得、そして万物に従って争わず、争わないから問題も生じない。つまり自分を主張したり争わない、全て作為を捨てて自然に従う。それによって人は本当に善なる生き方ができ、自在な力を発揮できるのである。

また水のような柔弱な生き方が良いとも言う。「天下に水より柔弱なるはなきも、堅強を攻むること、これによく勝るものなし」（水ほど柔らかいものはないが、これほど強く、相手に勝つものはない）水は四角な入れものに入れれば、四角になり、丸いものに入れれば丸い形になるように、自在に形を変えていく。この考えは柔道の「柔よく剛を制す」という考え方に通じる。また高層ビルなどの耐震構造は地震のエネルギーを吸収する柔構造になっている。かつては地震の揺れにも負けない堅固な構造のものが良しとされていたが、しかし想定以上の地震の場合には、倒壊する危険のあることがわかってきたためである。まさに「柔弱は剛強に勝つ」なのである。

「知るものは言わず、言うものは知らず」も老子の言葉である。本当に知っている人はしゃべらない。よくしゃべる人は、実は何もわかっていないという。老子の言うのはこの世界の根本原理である「道」のことについて言っているが、それとは別に現実世界でも案外当てはまることが多いと思われる。

「禍にはいつも福が寄り添っており、福には決まって禍が潜んでいる」禍福は誰も見極めることは出来ない。善そのものが悪となったり、悪がまた善にもなりうる。正は邪になり、邪は正になる。このように一つの価値観をもって固定的に考えるのではなく、まさに融通無碍なる考え方が老子の思想の特徴である。最後に「足ることを知る者は富めり」と少欲知足を説いているが、あくなき欲を追求することが善とされる世の中で、この老子の言葉は箴言というにふさわしいと私は思う。

荘子の言葉

次に荘子の言葉である。「大鵬」と言えば、私たちがよく知っているのは大横綱の大鵬であるが、本来は逍遙遊篇に出てくる空想の大鳥のことである。大鵬が羽を広げると空は真っ黒になるほどで、九万里の高さまで飛び上がる。地上の塵など大鵬の目には入らず、青一色に見える。その志は小鳥などにはわからない。人間の小賢しい知恵や俗世間の価値観にとらわれない生き方を示すものである。

「混沌」は元々は宇宙の始め、天地がまだ分かれていない状態を示していた。応帝王篇によると、大昔、南海に儵《しゅく》という神、北海に忽という神、そして中央に混沌という神がいた。儵と忽はよく混沌のもとを訪れたが、いつも手厚いもてなしを受けたので、何かお礼をしようということになった。人間には目耳口鼻など七つの穴があるが、混沌にはそれがなく不便だろう。穴をあけてやろうではないか。そして毎日一つずつの穴をあけてやったが、七日にして混沌は死んだという。これも人間の小賢しい知恵がかえって迷惑なことを起こすという寓話である。

大同小異もよく使われる言葉である。宇宙から見れば、山も野も平たく見えるが、地上で見れば高低がある。また今日は昨日から見れば明日だが、翌日から見れば昨日になる。全ての区別は相対的なものに過ぎない。これも世俗的価値に重きをおき、それに拘ることの無意味さを説いたものである。

「酒に対す　蝸牛角上　何事をか争う　石火光中に　この身を寄す　富みに随い　貧しきに随いて　且《しば》らく歓楽せよ　口を開きて笑わざるは　是れ癡人《ちじん》」（蝸牛の触角の上のような小さな世界で、いったい何を争うのか。石と石を打ち合わして出る火のような短い時間の中に、身を寄せているだけだのに。富めば富んだで、貧しければ貧しいなりに、まずは人生を楽しんで暮らすことだ。口を大きく開けて笑わぬやつは阿呆だ）という歌がある。これは荘子の「蝸牛角上の争い」（とるに足らないつまらぬ争い）の話をもとに唐の白楽天が詠ったものである。

老荘思想の意義

私たちの社会には様々な形での序列主義や権威主義がはびこっている。また強く自己主張することを良しとする風潮もあるが、老荘思想はそうした考え方とは対極にある思想である。無抵抗主義、平和主義、圧政反対、世俗道徳の欺瞞性への批判、欲望のむなしさなどの指摘は、今日の私たちの生き方にも重要な示唆を与えている。天地自然の立場から序列主義や権威主義の虚妄を指摘し、また自己主張に対しては「無私」を対置させる。老子の処世は消極・虚静・謙譲を旨としている。「跂者は立たず。跨者は行かず。自ら是とする者は章かならず。自ら見す者は功なく、自ら矜る者は長からず」（つまさきで立つ者はずっと立ってはいられない。大股で歩く者は遠くには行けない。自分で自分を正しいとする者は本当はわかっていない。自己顕示する者は手柄なく、尊大な者は長くは続かない）背伸びをしたり、見栄をはったり、したり顔や手柄顔してはダメだ。いずれ馬脚を現すものだというように、自己主張することを正面から否定したものである。

老荘思想では、世俗の価値観を不変のものとして固定的に考えるのではなく、逆に社会の多様性を認める立場をとる。固定的に考えることは、社会から異質なものを排除し、圧殺する方向に向かうことになる。考えてみれば、人間や民族、社会や国家が多様であることは自明なことである。しかしそれを有り体に認識するのは実は至難のことなのである。多様性を多様性として認めるというのは、多くの日本人に欠落しがちな心情であり、そういう意味で、老荘思想はとかく一つの方向に猛スピードで進もうとする日本社会に対する警鐘の役割を果たすことが出来ると思われる。

(二)「畏れる」ことの大切さ

次に陰陽道は過去の迷信の類いであって、今日では私たちの生活と無縁だと思っている人がほとんどだろう。確信を持っている人には「迷信」が入り込む余地はない。しかし心のどこかに「不安」がある時、何かにすがったりする心の状態の時に入り込んでくる。運勢の占いや手相による占いなど、今日においてもまだ根強い人気がある。それは誰しも将来のことは見通せないだけに不安があるからである。結婚式や家の建前などは依然として大安吉日に行うことが多いが、これも他の日に行ってうまくいかなかったらどうしょうという不安心理からであろう。

考えてみれば大した根拠もないと思われることも多い。たとえば友引には「友を引く」として葬式をせず、また仏滅は釈迦の死に関わる日だから縁起が悪いとして結婚式をしない。さらにキリスト教の国でもないのにホテルに十三号室がなく、また病院に死を予兆させることから四号室がないように、それらの数字は嫌われている。タブーは人間が世間体を気にし、生活習慣を守っていく限り、人間生活の中に存続していくものといえるが、一方で食べ合わせのタブーなどが消えていったように、歴史的には変化消長するものなのである。

逆にめでたい時には紅白の幕を張ったり、紅白の水引をかけた贈り物をしたりする。また年末恒例の紅白歌合戦の「紅」（赤）は火で全てを焼いて穢れを消滅させ、「白」は清廉潔白を示している。それは陰陽道の名残である。

陰陽道が迷信として排除されることになった直接的な原因は、明治三（一八七一）年、天社神道（陰陽道）禁止令と神仏分離令である。陰陽道は明治以降の神道の国教化また国家神道とは相容れない宗教、邪教として排撃された。また神仏分離令によって仏教は廃仏毀釈の嵐に巻き込まれ、大打撃をこうむったが、仏教と習合していた陰陽道も排撃の対象であった。同年には、天武天皇の時に成立し、実に千二百年もの長い歴史を持つ陰陽寮が廃止され、そして翌年には陰陽道に基づく宮中の祭祀も廃止された。

陰陽道が排撃された理由は陰陽道そのものの内容にもあった。本来それは宇宙をシンプルな基本原理で理知的に説明する科学だったが、日本化されていく過程で祈祷・卜占・呪法などを駆使しながら現世・異界の双方を統御する呪術体系となっていった。科学は後景に退き、呪術が前面に出てくる宗教であったから、非科学的と断じられたのも仕方のないことであった。さらに欧米にならった明治政府は西欧近代化や文明開化の象徴として太陽暦の導入を図ったから、太陰暦に基づく陰陽道の暦は反近代的として徹底的に禁断された。こうして現在ではわずかに神社の発行する暦の中に陰陽道の世界を留めるに至っている。

日本の近代化は陰陽道を全面的に排除することによって成し遂げられたと言ってもよい。陰陽道の支配していた社会は、迷信や多くのタブーがあって、日々の生活がそれにしばられることは大変窮屈だったろう。明治以降の近代化政策がそうした生活様式を排除し、豊かさを手に入れることを可能にしたことは率直に評価できる。ただそれと共に失ったものもまた大きい。陰陽道は人々が様々な災いを避けるために「目にみえないもの」を「畏れ」、「謙虚さ」に生活し、またその正体を知ろうとし、あらゆる手段を尽くして努力していた。だから陰陽道の消滅は「目に見えないもの」を「畏れ」、「謙虚さ」を失うことでもあった。現在、福島の原発事故によって目に見えない放射線が大きな社会問題となっているが、それは現代人の「目にみえないもの」を人が全て制御できるという考えや傲りや思い上がりに対する警鐘と思われる。

【参考文献】

・下出積與『日本古代の道教・陰陽道と神祇』（吉川弘文館・一九九七年）
・笠井昌昭「平安貴族の生活意識」『日本思想史講座１古代の思想』（雄山閣・一九七七年）
・深沢徹「物語と〈語り手〉」『朝日百科日本の歴史』六二（朝日新聞社・一九八七年）
・井上満郎「王朝貴族と「不老不死」」『古代・中世の政治と文化』（思文閣出版・一九九四年）
・和田萃「道術・道家医方と神仙思想」『列島の古代史七信仰と世界観』（岩波書店・二〇〇六年）
・松田智弘「古代日本における仙人信仰について」『古代文化の展開と道教』（雄山閣・一九七七年）
・和田萃「日本古代の道教」『古代日本人の心と信仰』（学生社・一九八三年）
・五味文彦『梁塵秘抄のうたと絵』（文藝春秋・二〇一二年）

・目崎徳衛『王朝のみやび』（吉川弘文館・二〇〇七年）
・増尾伸一郎「金液丹と禅師」『日本歴史』第七七六号（吉川弘文館・二〇一三年）
・永島福太郎「将軍徳川家光と枸杞茶」『日本歴史』第四四〇号（吉川弘文館・一九八五年）
・三浦國雄『不老不死という欲望』（人文書院・二〇〇〇年）
・槇佐知子『日本昔話と古代医術』（東京書籍・一九八九年）
・槇佐知子『医心方の世界』（人文書院・一九九三年）
・酒井シズ『病が語る日本史』（講談社・二〇〇二年）
・楠戸義昭『老益』（日本放送出版協会・一九九四年）
・井上辰雄『古代王権と語部』（教育社・一九七九年）
・下出積與『神仙思想』（吉川弘文館・一九六八年）
・三浦佑之『古事記のひみつ』（吉川弘文館・二〇〇七年）
・鄭大聲『朝鮮半島の食と酒』（中公新書・一九九八年）
・下出積與『古代神仙思想の研究』（吉川弘文館・一九八六年）
・村山修一「神門の方忌」『日本歴史』第六二〇号（吉川弘文館・二〇〇〇年）
・岡泰正「不思議なピーチ」『日本の国宝』〇九〇（朝日新聞社・一九九八年）
・岩淵匡監修・佐藤美智代著『日本語の源流』（青春出版社・二〇〇二年）
・保立道久『物語の中世』（東京大学出版会・一九九八年）
・三舟隆之「浦嶋子伝承と神仙思想」『歴史手帖』（名著出版・一九九〇年）
・村山芳昭「『竹取物語』と文武、元明朝」『東アジアの古代文化』一三三号（大和書房・二〇〇七年）
・上井久義『日本古代の親族と祭祀』（人文書院・一九八八年）
・山下克明「陰陽道の祈り」『古代東アジアの「祈り」』（森話社・二〇一四年）
・前川明久「日本古代年号使用の史的意義」『日本歴史』第二四二号（吉川弘文館・一九六八年）
・水谷千秋「古代天皇と天命思想」『日本史研究』五二三（日本史研究会・一九九一年）

・亀井輝一郎「近江遷都と壬申の乱」『日本歴史』第五五七号（吉川弘文館・一九九四年）
・新川登亀男『道教をめぐる攻防』（大修館書店・一九九九年）
・斎藤英喜『陰陽道の神々』（思文閣出版・二〇〇七年）
・大江篤『日本古代の神と霊』（臨川書店・二〇〇七年）
・細井浩志『日本史を学ぶための〈古代の暦〉入門』（吉川弘文館・二〇一四年）
・中村璋八「中国における陰陽五行説」『陰陽道叢書一古代』（名著出版・一九九一年）
・原田実『もののけの正体』（新潮社・二〇一〇年）
・繁田信一「陰陽師と空家の霊物」『本郷』№五八（吉川弘文館・二〇〇五年）
・滝川政次郎「恵方詣でと八方除けのお守り」『日本歴史』第三九二号（吉川弘文館・一九八一年）
・滝川政次郎「ひめはじめ雑考」『日本歴史』第四八八号（吉川弘文館・一九八九年）
・丸山裕美子「律令」『文字と古代日本一支配と文字』（吉川弘文館・二〇〇四年）
・滝川政次郎「急々律令」『律令の研究』（名著刊行会・一九八八年）
・下出積與『日本古代の道教・陰陽道と神祇』（吉川弘文館・一九九七年）
・義江彰夫『神仏習合』（岩波書店・一九九六年）
・山里純一「呪符の機能」『文字と古代日本四神仏と文字』（吉川弘文館・二〇〇五年）
・繁田信一『平安貴族と陰陽師』（吉川弘文館・二〇〇五年）
・服部英雄『河原ノ者・非人・秀吉』（山川出版社・二〇一二年）
・村山修一「陰陽道」『平安時代の信仰と生活』（至文堂・一九九四年）
・保立道久『平安王朝』（岩波書店・一九九六年）
・岡田荘司「陰陽道祭祀の成立と展開」『陰陽道叢書一古代』（名著出版・一九九一年年）
・繁田信一『陰陽師』（中央公論新社・二〇〇六年）
・平川南『日本の原像』二（小学館・二〇〇八年）
・和田萃「道術・道家医方と神仙思想」『列島の古代史七信仰と世界観』（岩波書店・二〇〇六年）

・繁田信一『呪いの都平安京』（吉川弘文館・二〇〇六年）
・松尾剛次「叡尊寿像の背後にあるもの」『本郷』五二（吉川弘文館・二〇〇四年）
・木村茂光『「国風文化」の時代』（青木書店・一九九七年）
・吉野裕子『陰陽五行思想からみた日本の祭』（人文書院・二〇〇〇年）
・松村恵司「富本銭と藤原京」『歴史と地理』五三五（山川出版社・二〇〇〇年）
・松村恵司「古代銭貨の銭文」『文字と古代日本四神仏と文字』（吉川弘文館・二〇〇五年）
・東野治之『貨幣の日本史』（朝日新聞社・一九九七年）
・井上満郎「平安京と「風水」」『恒久の都平安京』（吉川弘文館・二〇一〇年）
・繁田信一「陰陽師と四神相応の地相」『本郷』№六五（吉川弘文館・二〇〇六年）
・井上満郎「平安京と風水思想」『東アジアの古代文化』一二四号（大和書房・二〇〇五年）
・三宅和朗『古代の王権祭祀と自然』（吉川弘文館・二〇〇八年）
・福井栄一『鬼・雷神・陰陽師』（ＰＨＰ研究所・二〇〇四年）
・山田雄司『跋扈する怨霊』（吉川弘文館・二〇〇七年）
・鈴木晋一「古製鰻蒲焼実験始末」『日本歴史』第四七六号（吉川弘文館・一九八八年）
・渡辺実『日本食生活史』（吉川弘文館・二〇〇七年）
・家森幸男『脳と心で楽しむ食生活』（生活人新書・二〇〇七年）
・瀧川政次郎「和同開珎の一緡」『日本歴史』第四七六号（吉川弘文館・一九八八年）
・蜂屋邦夫『老荘を読む』（講談社・一九八七年）

第四章　日本人の宗教観

一　宗教的世界は現実

㈠　見えないものを見る

大切なものは見えない

ある日、車に乗って帰宅途中、信号待ちで止まっていた時、そこを通りかかった散歩中とおぼしき女性が立ち止まって手を合わせていた。よく見てみると、女性の足下に小さな地蔵さんが安置されていた。おそらくこの女性は地蔵さんを見て、その地蔵さんに込められた人の思いを考え、思わず手を合わせたのであろう。私はこの光景を見た時、神社や寺院での参拝などを除けば、しばらくこうした姿を見たことがないと思った。日常的に人の祈りや願いに思いを致すこと、しかも自分と関わりのない地蔵さんに。こうした「見えないものを見る」姿はしばしば目に焼き付いた。

それは私自身が忘れていたことでもあったが、今の世の中もまた「見えないものを見る」姿勢が忘れ去られているのではなかろうか。目先の損得に血眼になったり、猛烈な成果主義を優先させる所にはそうした想像力を働かす余地はない。年間二万五千人近い自殺者の数や学校現場でのいじめなどもまた人の心をみないこと、想像力の欠如が根本的な原因であると言ってよい。そうした想像力を涵養することは簡単ではないが、しかし私たち日本人は「見えないもの」を大切にしたり、畏敬の念をもって接してきた長い歴史がある。一時、「すべて金で買えないものはない」と言い切る人がおり、時代の寵児としてもてはやされたことがあった。しかし私には金にあまりにも価値をおきすぎる拝金主義の考え方は大変危険で、また人としての品性も感じられなかった。金の使い方によって人は上品にも下品にもなる。だからこそ金を持てば持つほど己を律することが必要である。「見えないもの」を大切にすることが人としての謙虚さや包容力、さらに言えば美しく生きることにつながる。その意味で「見えないものを見る」ということは極めて現代的な意味を持っているのである。

古代の人々は病気や災厄など、目に見えないものを常に恐れ、それから逃れるためにあらゆる方法によってその予兆はないかと目を凝らした。目に見えないものの姿を捉え、あるいはその前兆を知ることに相当なエネルギーを費やした。陰陽道の発達はそれを如実に物語る。災厄から逃れるために自らの身を清浄にし、慎むことを重要な手段としていた。古代・中世の人々にとって神仏の宗教的世界は現実そのものであった。

私は現代の人間も見えないものを大切にする姿勢を学ぶべきだと思っている。たとえば科学技術の発展によって今まで見えなかった微少な単位のものから、ハイビジョン映像のように鮮明な画像で見ることも可能になった。しかし従来見えなかったものが見えるようになった反面、社会全体にそうした努力をしようとする姿勢が退化してきている。さらに言えば見える世界が全てと考えている人さえいるのではないかと思える昨今である。しかし人の心が見えないように大切なものの多くは依然として見えないのである。

(二)「慎ましさ」「謙虚さ」の価値観

宗教は「大本の教え」

現在の私たちが失ってきたものの一つに慎ましい生活態度や考え方がある。国際化のもとグローバリゼーションという価値観が世界中を覆い尽くし、それを金科玉条のように言う人たちもいる。成果主義や利益優先主義は儲けさえすればよいという風潮を生み出している。私はそうした風潮に強い違和感を覚える。そこには日本人が長い間、大切にしてきた「慎ましさ」や「謙虚さ」、そして先人たちが蓄積してきたものに対する「畏敬の念」というものが感じられないからである。成果主義を全否定するつもりはないが、今、日本人は自らの足下を見つめ直す時期にきているのではなかろうか。

二〇一一年三月十一日に起こった東日本大震災は、その災害の凄まじさと共に、多くの人々に今までの生活や考え方の再考を迫ることになった。阪神・淡路大震災以降、我が国にボランティア活動が確実に根付き、東日本大震災にも日本中からたくさんのボランティアが殺到した。ボランティアを行った彼らは一様にその行為のしんどさなどではなく、「ありがとう」という感謝の言葉がとても嬉しかったと言う。

それと同じような経験がある。私がかつて勤務していた学校の周辺地域が台風による豪雨災害のため多くの家が床上浸水になり、家の中が泥だらけになった。学校にもボランティアの要請があり、午後の授業をやめて被災住宅に生徒を連れて手伝いに行った。引率した生徒は授業中は決して真面目といえなかったが、被災の惨状を目の当たりにして、実によく働いた。水浸しになった畳みやタンスなど、大変重かったが、休みもせず文句も言わず、黙々と作業をした。その彼らの姿を見て被災された方々は、口々に「ありがとう」「お陰で前向きになれた」など、感謝の言葉をかけられた。おそらく彼らにとって心からの感謝の言葉をこれほどかけられたことはそれまでの人生で経験がなかったのだろう。学校としては数回しか手伝うことはできなかったが、生徒の中には、授業が終わった放課後に自主的に参加するものもみられた。こういう彼らの劇的な変容をみて、ボランティアは決して人のためだけでなく、自らの「利他の心」を育むことにつながると痛感した。

人間は、人間関係の中でしか本当の喜びを見出すことはできない。非婚化の傾向が強かった若者たちが、東北大震災後に、結婚したいというようになったと言うが、それは改めて目には見えない人間関係の中にこそ幸せがあると気づいたからではなかろうか。また盛んに人の「絆」が強調されるようになったが、それは人間関係が希薄に、またバラバラになっていたことの裏返しである。

現代では人は一人になっても生きていくだけは何とかできる。しかし、古代や中世の時代では一人になることは、「死」と隣り合わせになることだった。強い共同体の中で生きていたから、人間関係は濃密で、そうしないと生活そのものが成り立たなかったからである。そうした社会では「絆」はあまりにも日常的だったから、それを声高に叫ぶ必要はなかった。豊かな時代になった今だからこそ「目に見えない絆」の復権が望まれるのである。宗教はその文字のとおり「宗たる教え」、すなわち「大本の教え」という意味である。人生にとって、人間にとってなくてはならぬ唯一つの教えが宗教だと言われる。だから科学技術の発達した社会にあっても宗教はずっと生き続けていくことになるだろう。最近のパワースポットブームや古寺や古社巡りのブームはそれを雄弁に物語っている。

古代の人々はアミニズムの世界にいた。万物に霊魂があると信じ、精霊・悪霊などに対して、害する霊は威嚇し、益する霊に対しては柱を立てて迎え入れた。斎戒せずに神に接したり神を象徴する聖獣に危害を加えたり、神意を信じなければ、たちまち異変が生じ、時には死に至ることもあった。だから神の前に平伏しなければならなかった。たとえば祝詞の末尾の言葉は「畏こみ畏こみ申す」であるように、神に対して、怖れつつも感謝する怖れ畏こむ心情が込められていた。

一方で『風土記』などには神の存在を否定し、追放する話も見える。神と人との関係、あるいは宗教的権威と世俗的価値の地位が逆転するからである。伝統的な神への信仰は氏族性や地域性があったが、画一的な全国統治体制を確立するためには、そうした神への信仰は排除・払拭される必要があった。また経済開発の進展は、自然を克服できると考えられるようになり、自然の神秘性は薄れ、非合理的な神の霊威は衰退していった。

六世紀前後、仏教・道教・儒教が伝来

六世紀前後の頃、仏教的・道教的・儒教的な総合未分化のカルチャーが、濃淡の差はあるにせよ、抱き合わせで多くの渡来人を伴ってまとまって日本列島に押し寄せてきた。これらの中で特に選び取ったのは儒教だった。儒教は極めて合理主義的な思想で、その始祖孔子が「鬼神を論ぜず」と言うように、目に見えないあの世のことを語ることもなく呪術とも無縁であった。我が国はこの儒教の優れた統治制度である律令制を明治初めまで千数百年の長きにわたって枠組としてきた。儒教は宗教と呼べるのかどうかが問題となるほど現世的な教えであるから、その移入にあたって仏教のような摩擦は生じなかった。儒教を基本とする大学寮で官僚が養成され、その官僚たちが律令国家の中枢にいた。儒教の理念は公的生活だけでなく、貴族や官人層の内面的な規範にまで関わるものであった。儒教は本来、開明的合理主義を基調とするが、平安期にはその時代の典型的な儒家であった三善清行は怪異への関心を持ち、神秘的呪術的傾向が強かった。彼に見られるように儒教の開明的合理主義は、我が国の貴族や知識人層に深く根をおろすことができず、それとは無縁のはずの呪術に傾斜していくのである。

律令制の時代には、中国を手本として様々な制度が整えられていったが、中国にはないものもある。その一つは呪禁《じゅごん》師・呪禁博士・呪禁生などが医療にあたる正式職員とされていることである。呪禁というのは、

呪文を唱えて病の悪気を祓うことを言う。それは当時、病気にかかるのは体の中に悪霊が宿ったためと考えられていたから、呪文を唱えて悪気を体外に出すという呪術的治療法が重要な位置を占めていた。このように大陸から入ってきた最先端の制度を導入しながらも、古くからあるアニミズム的精神は脈々と受け継がれていた。

儒教に基づく律令体制は中国の伝統である家父長制度を前提にした男性優位の体制だった。ところが我が国では、女性がまだ蔑視されていなかったから制度と実体がかなり異なることになった。それは仏教においても同様である。仏教も女性排除の思想を伴っていたが、仏教伝来の当時、それは人々にとって理解出来なかったようで、我が国で最初に出家したのは女性だった。元々日本では女性を宗教行事から遠ざける発想自体がなかったのである。

二　日本の宗教の特徴

㈠　無限抱擁性

中核の思想の不在

日本の思想の伝統というべき「無限抱擁性」について、丸山真男氏は次のように述べる。我が国には、自己を歴史的に位置付けるような中核あるいは座標軸に当たる思想的伝統は形成されなかった。仏教は、キリスト教のような唯一絶対神を持たず、様々の如来や菩薩の大群が存在する。いわば汎仏論的性格を持つために、中核あるいは座標軸といったときの単一の明確性には欠けている。密教風の無限抱擁性と、また幾つかの信仰を同時に修する「雑修」の伝統があり、神仏習合の観念も根強く永続し、日本古来の「神ながら」の道と仏教信仰とが、信仰自体を巡って激しくぶつかりあう「思想的事件」もない。これが習慣化され、長い間に惰性となり、思想享受における無拘束性を形成してきた。神あるいは仏と対決して、それを信じるか信じないか、神や仏に対する自己の精神的位置を決定するための持続的な闘いが、思想形成の基本である。信、不信、あるいは懐疑の心の戦いなくして、思想形成は不可能である。日本の精神史においてそうした戦いはほとんど見られない。ただ一人の思想家もいないと言われる根本の原因は、肝心のこの点が空白だからである。信ずるにせよ、否定するにせよ、それに直面して、自分の心に問いただすといった態度のなかったところに、日本の思想の脆弱さがあったのであろうと言う。

　私は丸山真男氏の言う「無限抱擁性」や「精神的雑居」の根本は、我が国の宗教の受容がすべからく「呪術」や「儀礼」と認識されていたことにあると思われる。まず前者についてである。神道も仏教も道教も優れた「呪術」として効果が期待された。たとえば奈良時代の仏教は鎮護国家仏教と言われるが、経典の理解や深い学識も僧侶に必要であったが、それらはあくまで修行によって高い呪力を身に付け、そうした僧の力を国家の繁栄のために用いるためだった。平安時代には天皇の側に仕える内供奉十禅師が置かれるが、それは彼らが持つ優れた呪力によって天皇の身体を護持するためであり、最澄がその一人に加えられたのも修行によって得られた呪力を期待されたからである。また空海も密教の修法を多く行っているが、『今昔物語集』には、天長元（八二四）年に神泉苑で行った祈雨の修法で、蛇の姿をした善如竜王を招き寄せて大雨を降らせることに成功し、天皇を初めとする人々が感嘆したと言う。これも当時の人々が空海に何を期待していたかを物語っている。宮廷貴族たちが空海や真言密教に引きつけられたのは一貫してその呪力であり、その修法がもたらす効果であった。

　日本密教はインドを源流とする本来の密教から逸脱し、異様なほど祈祷呪法に傾斜していき、仏教の根本思想とも異なる迷信的性格を帯びるようになった。一方、南都系の仏教者たちは神祇信仰にも篤く、貞慶や明恵らは興福寺の守護神の春日明神（春日大社）を崇拝し、東大寺大仏殿を再建した重源は伊勢神宮を参拝し、叡尊らの流れをくむ律宗も伊勢信仰に積極的だった。新仏教の時宗の開祖である一遍も熊野信仰と深く関わっていた。

儀礼と情緒的な宗教へ

次に後者の「儀礼」について見てみよう。仏教も神祇も陰陽道も修験道もそれぞれ独自の特徴をもった「儀礼の体系」である。多様な信仰形態を時と所に応じて適宜使い分ける宗教構造が成立した。様々な思想や教義をも全て生活の中の風俗や儀礼・儀式にしてしまう、生活次元で変容させてしまう思想は、いわば無思想の思想、信仰のない宗教だからである。キリスト教も異国への好奇心と憧れから受け入れ、教会は若い男女の交際場となり、美しいマドンナと、讃美歌、鐘の音、復活祭やクリスマスの行事などからロマンチシズムが形成された。信仰を美的側面においてとらえ、美化することは、仏教の場合でも同様で、ここに日本人の思考の特徴がある。

たとえば平安仏教の旗手、最澄の弟子の円仁は中国五台山で流行していた浄土教を比叡山にもたらし、常行三昧堂で行われた緩急の曲調をつけた音楽念仏とも言われる念仏三昧を行った。僧侶たちが阿弥陀仏像の周囲を巡りながら阿弥陀仏を観想しその名号を大合唱する念仏法要は美しい都の夜を彩る「山の念仏コンサート」だった。その音楽的な魅力もあって貴族層の人気をさらい、浄土信仰が比叡山を中心として広がっていく。最新流行の教えよりも念仏を音楽的な心地良さと捉えている。また法会の空間では、その場を美しく飾り、芳しい香をたきつめていた。こうした仏教的世界を五感で感じる情緒的な仕組みになっていた。

再現された長明の方丈

もう一例あげよう。「祇園精舎の鐘の声、諸行無常の響きあり。沙羅双樹の花の色、盛者必衰の理をあらはす。奢れる人も久しからず、唯春の夜の夢のごとし。たけき者も遂にはほろびぬ、偏に風の前の塵に同じ」これは言わずと知れた『平家物語』の冒頭である。この『平家物語』が多くの人に受け入れられたのは、それが音楽に乗せた語り物だったことが大きい。物語の内容はもとよりであるが、琵琶の伴奏に合わせたこの七五調の語りだったことが人々の心をうった。当時の仏事法会では音楽性の高い声明が朗唱されたが、それは美文調で書かれ、語られるのが常であった。この仏事法会の延長線に『平家物語』は生まれたと言える。詠嘆的な美文調の悲しみに満ちた韻律にのせて語られることで、人々の心に響き、染み渡ったのである。それは浄土教の流布に多大な貢献をした『往生要集』の著者源信が『発心集』で「聖教と和歌は、早くに一つなりけり」の言葉に通じている。こうして平安中期から鎌倉前期にかけて仏典の無常と和歌との距離はどんどん縮まっていった。そうした情況を背景に成立したのが「ゆく河の流れは絶えずして、しかももとの水にあらず。よどみに浮かぶうたかたは、かつ消え、かつ結び手久しくとどまりたる例なし」と書き記した鴨長明の『方丈記』であった。

根付かなかった罪悪感と戒律厳守

古代から現代まで、日本人の歴史を見ると、親鸞の罪悪感や道元の戒律厳守などを除けば、日本人がかつて罪悪感の苦悩を味わっていないことがよくわかる。罪悪感と戒律厳守は日本人の精神史を一貫して貫く伝統とはなりえなかった。日本の宗教の伝統は、修行という身体的行為を伴わない点が特徴である。日本の仏教は戒律を軽視し、自分たちの都合の良いように原則を変える。それは内容は伴わなくても形式を重んじることにつながる。それは肩書や戒名のランクにこだわる日本文化の重要な側面である。

日本以外にも仏教の盛んな国は多くある。スリランカ・タイ・ラオス・ミャンマー・カンボジアなどである。これらの国々では原始仏教教団を手本にして僧侶は出家者として厳格に戒律を守っている。不殺生・無所有・飲酒・肉食・妻帯の禁止などは当然である。日本の僧侶の場合、守っているのは不殺生ぐらいだろうか。日本仏教の伝統は、罪悪感より無常観が強く、それが感情化して哀感となり、美感となり、ついに風流という美意識に転化していく。信仰を美的側面においてとらえる傾向が強く、それだけに罪悪感は稀薄である。無常とは仏教の根本原理の一つで、あらゆるものは変化して一瞬たりとも同じ状態に止まらないということである。その無常観は既に『万葉集』の時代には受け入れられている。

「巻向の山辺とよみて行く水の水沫《みなあわ》のごとし世の人吾等《われ》は」（一二六九）「世の中は空しきものとあらむとぞこの照る月は満ち欠けしける」（四四二）「こもりくの泊瀬《はつせ》の山に照る満ち欠けしけり人の常なき」（一二七〇）などがある。少し時代の下った大伴家持にも「世間の無常を悲しぶる歌一首」があるように、無常観への親和的な感情を読み取ることができる。

信仰の純化とは、その最も深い所で言えば罪の凝視である。人間の罪の意識において、生死の根本は鮮明にされなければならない。ところが、日本人の善悪の判断の曖昧で妥協的なこと、道徳的弛緩など、ぬるま湯的な精神風土がその鮮明化を妨げた。日本人社会では善悪の判断は曖昧でも社会全体の秩序は保たれ、混乱が生じないのは、個人としての倫理観は極めて低いものの、人々が世間的な常識に従っているからである。

(二)　重層的な日本の宗教文化

聖と俗が曖昧

我が国の宗教は、重層構造をなしている。たとえば先に見た陰陽師たちは、同時に仏教徒でもあった。『小右記』の作者の藤原実資が惟宗文高という陰陽師の建立した寺院を見学したことを記しており、また陰陽道の第一人者と言われた賀茂光栄が法華八講に参加したりしているが、それは通常のことだった。光栄の玄孫の賀茂家栄は陰陽頭であったが、彼は『後拾遺往生伝』に往生を果たしたというほどの熱心な仏教徒だった。彼らが陰陽道と仏教の狭間で悩み苦しんだとする史料は見当たらない。

仏教は「悟りの宗教」、キリスト教は「救いの宗教」と言われるのに対し、神道は「畏怖の宗教」と言われる。その所以は、神道は天地自然や宇宙の声を畏敬・畏怖の念をもって聞き取ろうとする根本的な態度がある。万物の声に耳を澄まし、それとの共生・調和を図っていこうとする志向性を持っている。我が国の神々は八百万神と言われるほど多いが、さらにその一つの神が別の神にもなる。たとえば大国主命は『紀』『記』の中では数個の異なる名を持っている。これは一つの神に幾つもの神の歴史や働きが込められているからであろう。このように実に多くの神々が交差しているのが、古代日本の宗教的な有り様であった。

そして神道では仏教のようにあの世とこの世は世俗の世界と神聖な世界とに区別がなく、イザナギ・イザナミ神話に見られるように、黄泉の世界も現実世界と地続きになっている。聖なる世界と俗なる世界の区別がないため、神道では厳密な意味での聖職者、つまり世俗を捨て出家した者はいない。だから神主を含め祭祀を行う者も俗人の生活を送ることができる。こうした聖と俗の曖昧さが人々の日常生活に浸透した一つの理由ではないかと思われる。

神道では他の多くの宗教のように、確たる教祖・教義・教典・教団を持っていない。そして自らの信仰する宗教は神道であるとする人たちの割合は極めて少ない。今信じている神が絶対とは考えていない。その神よりもっと御利益があるのであれば、いつでも勧請・合祀できる。しかしながら今日までそれが継承され続けているのも事実である。

神道は自然界のあらゆる事物に魂があるとする霊魂思想が背景にあり、それを感じさせるのが季節の移ろいである。四季の変化に対する鋭敏な感覚は万葉の時代からであり、神道は月の移り変わりに根ざした季節の宗教として理解するのが適当ではないだろうか。四季宗教と言うのが最も適当な命名ではないかと思う。

四季の変化から生まれた文化

稲作農耕の生活体験から生まれた日本人の価値観や自然観は、自然の恵みに感謝しながら自然と共生することを求めてきた。時には台風や地震などの天変地異もある。自然に対して畏敬しながら恵みを感謝しつつ生きてきた伝統がある。四季の変化に恵まれているために、日本人の感性はきめ細かく、情感が豊かである。こうして長い時間をかけ、日本列島に住んでいた日本人の祖先の価値観や感性や精神構造などは培われた。日本の文化を歴史的にみると、日本人の持っているアイデンティティーを軸に、外来文化を導入しながら日本化を試みてきた。先進文化に全てを包含されることなく、和魂漢才・和魂洋才で今日まで文化を築いている。

日本では尋常な死に方でなく、怨みを持ったまま死んだ者の霊魂を御霊として信仰する宗教的習俗が見られる。御霊とは怨霊であり、人々に災厄をもたらすと考えられ、災厄除去のために荒御魂を鎮めることが行われた。ただここで重要なのは、対立し、殺し合うこともあるが、死んでしまったら敵も味方もなく、両者を区別することなく供養するという怨親思想が背後にあることである。その歴史は長い。

飛鳥時代に崇仏派の蘇我馬子や聖徳太子が廃仏派の物部守屋と戦った。敗れて殺された守屋の首などを地中に埋め、聖徳太子はそこに四天王寺を建立した。ここには勝者が敗者をも含めて冥福を祈ろうとする姿を見てとることができる。さらに南北朝の動乱で足利尊氏は勝者となり、後醍醐天皇は敗者となった。尊氏らが帰依していた夢窓疎石は後醍醐天皇の霊を弔うために天竜寺の建立を勧め、また全国に安国寺利生塔を造り、敵味方の区別なく供養した。こうした怨親平等思想はそれ以後も長く歴史の中で生き続けた。

「日本教」の成立

日本人は仏教の深大な教理には関心を持たなかった。日本における宗教は今日に至るまで国家や社会の利益を妨害してはならず、むしろいつも有用なものでなければならなかった。それを象徴的に示すのが現世利益の思想である。日本人の信仰の根底にあるのは、「現世安穏、後生善処」と言われるように、現世を安楽に過ごし、来世も浄土での生活を享受したいという願いである。戦国時代に我が国にやってきた宣教師のルイス・フロイスはその著『日本史』の中で、「われらは唯一で万能なるデウスに現世および来世の幸福を冀う。日本人は神に現世の利益を求め、仏には霊魂の救いだけを冀う」と記す。つまり日本人はこの世の問題の解決は神に願い、死後の世界の極楽往生は仏に祈る。このように願いの内容によって神と仏を使い分けるという。それはその時代だけでなく、今日の人々にもあてはまる。神様・仏様・ご先祖様の三位一体の観念こそが日本人の宗教観と言うべきで、その融通無碍な多神教は「日本教」としか言いようがない。神と仏の本質は同じとする本地垂迹説の理解によって信仰形態が統一され、神祇信仰や修験道なども理論的に整備され、それらはいずれも異なる儀礼体系として信仰された。仏教思想を共通の理論的基盤としながら、時と所に応じて仏教や神祇信仰・修験道・陰陽道などを適宜使い分けながら精神的な安穏と魂の救済を得るという日本に特有の宗教がここに成立したのである。

【参考文献】

・下出積與『日本古代の道教・陰陽道と神祇』（吉川弘文館・一九九七年）
・平林章仁『鹿と鳥の文化史』（白水社・一九九二年）
・佐々木恵介『平安京の時代』（吉川弘文館・二〇一四年）
・蓑輪顕量編『事典日本の仏教』（吉川弘文館・二〇一四年）
・平野多恵「無常観の形成」『日本思想史講座』二中世（ぺりかん社・二〇一二年）
・藪内佐斗司『ほとけの履歴書』（ＮＨＫ出版・二〇一〇年）
・亀井勝一郎解説「内村鑑三」現代日本思想体系『内村鑑三』（筑摩書房・一九六三年）
・脇本平也「日本仏教の展開」『日本の宗教』（大明堂・一九八五年）
・鎌田東二「神道とway of life」『本郷』№五一（吉川弘文館・二〇〇四年）
・橋本政宣「神道は季節の宗教である」『本郷』№五一（吉川弘文館・二〇〇四年）
・平山郁夫「日本文化の歴史を考える」『本郷』№五二（吉川弘文館・二〇〇四年）
・森田悌『王朝政治と在地社会』（吉川弘文館・二〇〇五年）
・藤原克己「平安朝の漢文学」『古代史研究の最前線第四巻』（雄山閣・一九八七年）
・神崎宣武『酒の日本文化』（角川学芸出版・二〇〇一年）
・河上邦彦「古墳時代の人の心を観る」『古代の日本一三心の中の宇宙』（中央公論社・一九八七年）
・丸山真男『日本の思想』（岩波書店・一九六一年）
・藪内佐斗司『ほとけの履歴書』（ＮＨＫ出版・二〇一〇年）
・井上寛司『「神道」の虚像と実像』（講談社・二〇一〇年）

第二編　衣食住の歴史

従来、歴史学の世界では政治史や経済史や制度史が主流で、人々の日常生活に関することは傍流とされていた。また光があてられるのは、時代を転換させるような重大な事件やそれを行った人物などであった。直截に言えば、天下国家を論じることが歴史学だと思っている人も多い。実際に高校の日本史の教科書を見ても、重大な事件や重要人物を覚えることが主流で、人々の生活史を重視している風はない。従来、「正統な歴史学」ではあまりにも日常的な衣食住の生活などは顧みられることはなかった。しかしそうした歴史教育は、生徒たちの歴史への関心と乖離し、また日本史全体を薄っぺらなものにしている要因となっている。歴史は人の営みの集積だから、その人たちが食べて寝て、働いて家族を持ち、そしていずれは老いて死んでいく姿や、どのような文化を持っていたかということは重要なテーマのはずであるが、それらはあまりにも当たり前のことすぎることだった。そのために軽視された結果、過去の歴史と現在とが密接に結びついていることが忘れられ、今日に至っている。そういう意味で、今後歴史学では生活文化史の分野がもっと見直される必要があると思うし、それを重視するのが「中庸の歴史学」の狙いの一つである。

翻って考えてみれば、歴史始まって以来、人々は食料の確保に膨大な努力を払ってきた。人々の価値観や思想を根底から規定しているのが食である。食料の確保は、為政者にとっては国家支配の根幹をなすもので、重大な事件の戦争にしても、大量の兵糧を確保しているか否かによって勝敗を決することが多かった。その兵糧の調達には支配地における安定的な収穫が必要だった。また古代における浮浪・逃亡、中世に多発した一揆、近世の打ちこわしなどいずれも食料を求めて行った行動である。日常茶飯事と思われる生活もその当時の政治・経済と密接に関わっており、したがって人々の生活史を知ることで、逆に天下国家が見えてくる場合もあるのである。

既に宗教編において我が国の宗教は外来文化の影響が濃厚であると述べてきたが、それは宗教だけに留まらず、衣食住の全般に及んでいる。我々の日常生活全般も外来文化を基盤としている。衣の分野では、日本の伝統服とされる和服は呉服とされるように、中国や朝鮮の呉に因む服装であり、王朝文化を彩る十二単衣は唐衣とされるように中国ブランドそのものであった。食の分野では、主食の米は大陸伝来のもので、日常使用している二本箸は唐箸という中国伝来で、茶碗もそうである。世界遺産となった和食も中国禅宗の料理法にルーツがある。住の分野では、我が国の伝統的建築とされる寝殿造も建物を「コ」の字形にし、その前に池を配するレイアウトは唐の長安の興慶宮をモデルにしているとされるように、寝殿造建物自体も唐に起源がある。またその内部の家具ついても中国ブランドのものが権威の象徴として大きな役割を果たしていた。

このように衣食住全般にわたって当時の為政者がいかに中国・朝鮮文化の摂取に熱心だったかを窺うことができるとともに、現在の私たちの生活に大陸文化が深く入り込んでいることを確認できる。外来文化の摂取こそが日本文化の基盤だったのである。

第一章　衣服・衣装・おしゃれの歴史

一　衣服と衣装

㈠　中国ブランドのコスチューム

十二単

現在、和服をつくる反物を呉服と言い、かつてはどこの町にも呉服屋があった。呉服屋＝和服屋というイメージが定着している。しかし本来、呉服は和服ではなかった。呉服はもともと高級な絹の衣服を指すもので、当初は「くれはとり」と呼ばれていた。『日本書紀』雄略十四年条に、揚子江下流にある呉の国に使者を送り、絹の衣服を作る呉服（くれはとり）を招いたと見える。それは呉（中国）の機織＝服部のことであるから、呉服は中国呉の国の服である。純日本風と考えられている和服のルーツは中国なのである。

古代の女性の衣装といえば、思い浮かべるのは十二単であろう。そしてそれを着た女性たちは深窓に育ち、寝殿造の邸内で静かに暮らしていたイメージである。しかしそれより以前、女性は随分と活動的であった。大宝令や養老令にも男女の区別はなく、男性と対等に礼服や朝服を着て儀式に参加していた。馬に乗って疾駆することさえ行っていたから、十二単のような活動の自由を制限するような服は着ていなかった。ところが八世紀半ば頃から男女を区別しようとする動きが顕在化する。たとえば男女同時に行っていた叙位を男女別々の日にしたり、身分に関わりなく集会の際に男女混合を禁じる法令が出され、違反者には刑罰を科すようになってくる。それは儒教の考えが徐々に浸透してきたからで、『礼記』には、女性はしとやかで、目上や年上の人によく従い、家の奥にいて、みだりに外に出ることはせず、外出の場合には必ず顔を隠すようにすべきことが説かれている。こうして平安時代前期の貴族社会では女性は奥にいるのが善しとされ、仏教界でも女性は五障があるとされ、政治社会の表舞台での活躍の場から閉め出されていく。その結果、誕生したのが膨大な衣服を重ねる十二単と顔隠しの風であった。このように衣装もその時代の社会的環境の制約を強く受けている。

その十二単は晴れの日の装いで、「和装」の極地のように思われている。しかしそれは舶来ブランドのコスチュームでもあった。『枕草子』「関白殿、二月二十一日に」の段には、中宮定子の正装の姿が記されている。「まだ、御裳、唐の御衣奉りながらおはしますぞいみじき。紅の御衣どもよろしからむやは。中に唐綾の柳の御衣、葡萄染の五重襲《いつへかさね》の織物に、赤色の唐の御衣、地摺の唐の薄物に象眼重ねたる御裳など奉りて、物の色などは、さらになべてのに似るべきようもなし」と見え、また同書「宮にはじめてまゐりたるころ」にも、「宮は、白き御衣どもに、紅の唐綾をぞ上に奉りたる。御髪のかからせたまへるなど、絵にかきたるをこそ、かかる事は見しに、うつつにはまだ知らぬを、夢の心地ぞする」とある。

さらに『宇津保物語』蔵開上巻にも、女一宮の衣装を次のように記している。「赤らかなる唐綾の袿の御衣一襲奉りて」あり、「楼の上下巻」には、仲忠の母内侍の衣装について、「紅の黒むまで濃き唐綾の打ち袷一襲、三重の袴、龍胆《だう》の織物の袿、唐の縠《こめ》、薄物重ねたる地摺りの裳、村濃の腰さして、唐の糸木《いとゆ》

女性の衣装

綿《ふ》、赤色の二藍重ねて、唐衣着たまへり」と見える。

そこに描かれているのは、「唐の御衣」「唐綾の柳の御衣」「赤色の唐の御衣」「地摺の唐の薄物」「紅の唐綾」「唐綾の袿の御衣」「唐綾の打ち袷」「唐の穀」「唐の糸木綿」など、当時の高級ブランドの中国伝来の唐物尽くしであった。『栄華物語』「かかやく藤壺の巻」に、「八重紅梅を織りたる表着はみな唐綾なり」とあるように、「究極の和装」と考えられている十二単も中国発のブランドなしには成立しないものであった。最高級の豪勢な衣装は唐物であり、それが富と権威の象徴でもあったのである。今も日本人はブランド物に弱いが、それには古代以来の長い歴史があったのである。

このように裳と唐衣は公の場での女性の正装であった。宮仕えの女房だけでなく、身分の高い人も公の場では着用していた。また私用であっても下位の者は上位の人に敬意を払う意味で裳・唐衣をつけるのが礼儀であった。『紫式部日記』には、土御門邸に里下がりした中宮彰子とその母倫子が同席する場面があるが、彰子は「葡萄染めの五重の御衣、蘇芳の小袿」であるのに対し、母の倫子は「赤色の唐の御衣、地摺の裳」であった。それは娘と言えども公的には中宮の方が身分が高いからであり、それをわきまえた倫子の態度を、紫式部は「かたじけなくあはれに見ゆ」と評している。服装は身分の表徴であったことを示している。

(二)　男女差のない服装

女性の簡略なスタイル・単と袴

ただ彼女らはいつもそのような格好をしていたわけではない。その基本となるのはまず袴である。テレビなどでは袴の下に丈の短い白い小袖を肌着にし、その上から袴をはくスタイルになっているが、それは平安末期から鎌倉時代頃からと言われる。それ以前はいきなり袴を素肌のうえからはいた。そして上半身には単と呼ばれる衣服を着た。袴と一枚の単という単・袴姿が当時の女性の一番簡略なスタイルであった。その布地の厚さなどは季節にもよるが、清少納言が『枕草子』の中で「やせ、色黒き人の、生絹の単着たる、いと見苦しかし」とあるように、肌が透けるほど薄いものだった。

単・袴の上に袿を重ねるが、それは一枚の時もあれば、数枚の場合もあった。そして一番上に着る袿は下に着ているものより上等なものだったため、表着《うはぎ》といって区別した。これが日常的な衣装だったが、これらの衣装を重ねて着たものの、衣服をくくる帯や紐はまだ使われてなかった。そうすると活動的な動作をすれば、前が簡単にはだけてしまう。平安時代の貴族の女性たちは随分とおしとやかにみえるが、それはこうした衣服による規制があったことも重要な要因である。『源氏物語』の空蝉の巻「軒端萩」には、「白き羅の単襲、二藍の小袿だつものないがしろに着なして、紅の腰ひき結へる際まで胸あらはにばうぞくなるもてなしなり」とあるように、小袿を着ていても胸がはだけている様子が記されている。『狭衣』にも「単の御胸のすこし開きたるより、さばかりうつくしき御乳」とあるように自然と胸が見えることも多くあったのである。

正式な衣装には裳と唐衣を身につけなければならなかった。裳には紐が左右に付いており、これで全ての衣装を結んだから、少々のことでは着崩れはしなかった。当時の貴族たちにとってその衣服に心地良い薫物を焚きしめておくことは大事なエチケットであった。清少納言の「心ときめきするもの」の段には、「よき薫物たきて、ひとり伏したる。唐鏡の少し暗き見たる。（中略）頭洗ひ、化粧じて、香ばしうしみたる衣など着たる。ことに見る人なき所にても、心のうちは、なほいとをかし」とある。上等な薫物をたいて一人で横になり、頭を洗って化粧をして薫物がよく染みた衣を着る、それは特に見る人がいない場所でも、自分の心の中では趣深いという。お洒落をした時のうきうきとした女心が伝わってくるようである。

一般庶民の女性の場合は、労働をするため、活発に動けばはだけるような服を着るわけにはいかなかった。だから小袖形式の衣装などに細い帯を巻いたり、褶《しびら》という短いスカート状のようなものを裳のように巻き付けていた。衣装は身分の表徴であった。

性差のない下着

ところで院政期には『とりかへばや』や『有明けの別れ』という男が女装し、女が男装するという異性装の物語が生み出される。当時は水干に短刀を腰にさした烏帽子姿で男装をした白拍子がもてはやされているという時代背景があった。また女人禁制の寺院では、化粧を施し女性と見まごう美麗な姿で奉仕する稚児と呼ばれる少年たちも存在した。男性が女を演じる歌舞伎、女性が男を演じる宝塚歌劇のように、日本では異性を演じる者を快く受け入れてきた。しかしそのような歴史を持たない欧米では、歌舞伎や宝塚歌劇は純粋な芸術として理解されることは難しいという。西洋人に比べると日本人は体型の男女差があまりなく、中性的で、そのうえに服装の面でも王朝装束では女性に袴の着用を認めていたから、衣服でも男女の差を分かつ意識は薄かった。男女ともに肌やボディーラインを隠すゆとりのある性差の少ない衣服を身につけていた結果、異性装しやすい文化が生まれたと考えられている。

この『とりかへばや』の衣服について検討した武田佐知子氏は我が国では衣服の性別分化が希薄だという文化があり、それが現在の着物に受け継がれているという興味深い指摘をしている。一番肌の近くに単衣をまとうことは男女共通で、しかも男女が単衣を交換する例もあるように、その単衣は男女同形であった。『落窪物語』には、継子いじめによって着るものをまともに与えられなかった落窪姫のもとへ少将が忍び込んでくる場面がある。思いがけない成り行きに、「女、死ぬべき心地したまふ。単はなし。袴ひとつ着て、所々あらはに、身につきたるを思ふに、いとどいみじとはおろかなり。涙よりも汗にしとどなり」とある。袴を着ただけで、単衣も身につけていないことを死ぬほど恥ずかしがった。単衣を着ていないから胸が露わになっていることに羞恥を感じたのである。少将は自分の着ていた単衣を脱いで置いて帰った。つまり少将の単衣は姫にも着ることができるものだから、単衣に男女の性差はなかった。そして下半身には男女ともズボン形の紅袴を着ていたから、下着については全く性差がなかったのである。

二　化粧

(一)　化粧道具

呪具から化粧道具・鏡

鏡は現在は化粧や身支度をするのに必要な日常的な道具に過ぎないが、古代には不思議な力を持つため権力の象徴や呪物であった。鏡は元々「影見」とされるように、神や人の姿を映し出す霊力のため三種の神器の一つとなっている。『古事記』には「宇都志国玉（うつしくにたま）神」という神の名が見える。「宇都志」はもとより「映す」ことで「顕現」に通じる。それは神を映し、現すことである。また『日本書紀』神代上にはイザナギノミコトが自分の後継者となる貴い子を誕生させるために白銅鏡を手にし、それを左手に持った時に天照大神、右手に持った時に月弓尊（月読命）が誕生した。そして斜めに見た時にスサノオノミコトが生まれた。天照大神と月弓尊は共に立派な子だったので、天地を照らすことにさせた。しかしスサノオノミコトは性質が残忍で、他を害することを好んだ。そうなったのはイザナギノミコトが首を横に向けて斜めに姿を映したために、乱暴者のスサノオノミコトが誕生したのである。

『古事記』の「天の石屋戸」の段に見える八咫鏡《やたのかがみ》は巨大な鏡で天の岩戸に隠れた天照大神を引き出す際に使われている。スサノオノミコトの乱暴狼藉に怒り、天照大神が岩戸に隠れたため高天原は真っ暗になった。そこで天照大神を引き出すために、岩戸の前で天宇受売命《あめのうずめのみこと》が神懸かりになって淫らな踊りをし、八百万の神は高天原が動くほど笑った。不思議なことだと思った大神が岩戸を細めに開けたところでこの八咫鏡を見せると、大神は自分とは別の太陽神がいると思い、不審がってもう少し岩戸を開けた。この時に隠れていた天手力男神《あめのたぢからをの》が天照大神の手をとって引き出したので、高天原も葦原中国も明るく輝くようになった。

『日本書紀』天孫降臨条には、「この時、天照大御神、手に持つ宝鏡を天忍穂耳尊《あまおしほみみのみこと》に授け、祝福しておっしゃった。「我が御子よ、この宝鏡を御覧になることは、私を見るのと同じと思いなさい。その鏡と床を同じくし殿を共にしてお祭りする鏡としなさい」と。この八咫鏡が地上に降り立つニニギノミコトに剣や玉とともに授けられた。降臨した尊《みこと》は鏡を天照大神と思い、住居の床に飾り祭った。これが三種の神器の起源である。

また『万葉集』には、「まそ鏡　見ませ吾が背子　吾が形見　持てらむ時に　逢はざらめやも」（二九七八）という歌がある。自らの姿を鏡に留めて贈り、それを形見とせよと歌っているが、鏡には人の魂や姿形が宿るからである。つまり「かがみ」は「光見《かがみ》」や「霊見《かがみ》」でもあった。『延喜式』の「出雲国造神賀詞《かむのよごと》」という祝詞の中に大穴持命が「己の和魂を八咫鏡に取り託け」とある。自分の温和な魂を八咫鏡に込める意味で、ここでも鏡に霊魂が籠もると考えられていた。

『落窪物語』は落窪の姫君が虐げられていた継母から三条殿という屋敷を奪還するが、その引っ越し儀礼の中に鏡が出てくる。姫君が母から受け継いだ形見の鏡は、姫君の血統の由緒正しさの象徴で、その鏡を持っていることが母方の三条殿の所有権の伝領者であることを示す。鏡は姫君の正当性を間接的に主張する役割を担っている。

『殿暦』には関白藤原忠実が三条第から東三条第に引っ越す時の記録がある。その時、忠実と妻は引っ越しの移徙儀礼で移徙の車に乗る際に「家母把鏡、当胸向外」とあり、新宅に移動したあと「家母置帳中鏡。枕方也」と記す。つまり引っ越しの車に乗る時は、家母が鏡を胸に当て、新宅ではその鏡を枕上に置いた。寝室に置かれた鏡は「寝室の守り神」で、それを持って移動するのは家妻の役割であり、家における権利を保有することを象徴する意味があった。鏡は呪具として長く使われ、死者と共に墓に埋葬されたり、女性の護身具とされ、妊娠中は鏡を身に付けておれば、火事や葬式の時も悪気を避けることができた。それが実用本意の調度品となるのが平安時代後期であった。ここに至って神の呪具から人の道具になったのである。

中国を模倣した化粧

化粧の歴史は古く縄文時代の土偶や古墳時代の人物埴輪には頬や顔全体を赤くしたものがある。また『魏志』倭人伝の中に「鯨面文身」とあるように、朱や丹を体に塗っていた。中国で用いる粉のようであると記されている。このように元々化粧は「よそおう」ことで、赤い色を塗ってその力を利用して邪悪なものに打ち勝つという魔よけの意味をもっていた。それが身を飾るという意味に転化していった。

中国でも化粧料のことを「紅」と言う。濃い赤色のことをえんじ色と言うが、漢字で書くと臙脂色と大変難しい文字になる。「脂」は、古代中国では、化粧紅は朱に山羊の脂を加えて作ったことに由来する。そしてその「脂」は燕の国のものが優れていたので「燕脂」という言葉が生まれ、それが後に「臙脂」に変化し、また朱に代わって紅花が使われるようになったと言われる。

紅花は染料や化粧の紅に用いられる。原産地は中近東やエジプトで、日本には六世紀頃に伝わった。『日本書紀』によれば、天武十四（六八五）年から四年間、紫にかえて紅染の一種である朱花《はねず》が最高の服色と定められていた。奈良の斑鳩にある装飾古墳の藤ノ木古墳の石棺の中から紅花の花粉が見つかっている。

飛鳥・奈良時代に大陸との交渉が盛んになると、上流階級では中国の模倣が行われ、その美意識が我が国の基準となった。同書持統六（六九二）年に、唐からやってきた奈良元興寺僧観成が唐の製法で白粉を作り、持統女帝に献上したところ、帝は大変喜ばれたくさんの褒美を賜った記事が見える。その頃から白粉が国産されるようになった。

眉作りは蛾眉の形（三日月）が喜ばれ、花鈿《かでん》と称する眉間や頬・口の両端に紅で印を付ける化粧法も行われた。当時の化粧法は高松塚古墳壁画や正倉院にある鳥毛立女屏風などによって窺うことができる。推古十八（六一〇）年に高句麗僧の曇徴が来朝し、紅を献上している。それは着色料や医薬にも使用された可能性もある。

このように化粧に紅は欠かせないが、化粧の下地となる白粉の原料には植物性と鉱物性のものがある。植物性は米粉・粟粉・麦粉・葛粉の類で、『延喜式』典薬寮にも白粉は糯米《もちごめ》と粟で作ると記す。また鉱物性は、鉛を酢で蒸して生じた白粉による「ハフニ」（鉛白ともいう）と水銀化合物の辰砂に塩を和し、加熱して生じた白粉による「ハラヤ」（軽粉ともいう）である。鉱物性の白粉は大陸伝来の技法による顔料で、対馬産の鉛は良質として知られ、その白粉は潔白光艶で顔料に最適とされた。

(二)　化粧の原料と化粧法

水銀のおしろい

水銀は水俣病の原因となったように体内に入ると、有毒物質となる。その水銀は化粧と深く関わっている。水銀は天然の硫化水銀を成分とする辰砂を焼いて作る。成分の純・不純、色などによって丹砂・朱砂・真砂などと呼ばれた。『魏志』倭人伝には、卑弥呼が賜ったものの中に「真朱」があり、これは朱と考えられている。

古墳時代にも岡山県倉敷市楯築《たてつき》の弥生墳墓や奈良県天理市天神山古墳では大量の朱が出土しており、この時期に朱の需要が急増している。文武二（六九八）年に伊勢・常陸・備前・伊予・日向・豊後の諸国に朱を献上させている。これらの朱が何のために使用されたかは不明であるが、少なくとも奈良時代以降には彩色顔料と共に見えることから、朱も顔料として使用されていたのであろう。水銀は中央構造線に沿った地域から産出され、大和の吉野川、四国の吉野川、大分県などでは水銀に因む「丹生」の地名が多く見える。中でも伊勢は古くから水銀の最大の産出国として知られていた。『続日本紀』和銅六（七一三）年五月条に伊勢から水銀が貢上されたことが見え、『延喜式』民部下にも水銀四百斤とある。

『今昔物語集』巻十七第十三話「伊勢国人依地蔵助存命語《じぞうのたすけによりていのちをそんすること》」には伊勢国飯高郡丹生で水銀の採掘が行われていたことを伝えている。さらにそこを舞台とした話が同書巻二十九第三十六話「於鈴香山蜂螫盗人語《すずかのやまにしてはちぬすびとをさしころすこと》」に見える。「昔、京で水銀の商いしていた商人がいた。長年、商売をしたので、大いに富み、財産が増え、豊かだった。水銀のある伊勢国に通い、馬百匹余に絹・布・糸・綿などを負わせて常に京との間を往復していた。見張り役に小さな子供が一人いて、馬を追っていた。年をとるまで、盗人に紙一枚盗られることはなかった。そのおかげで増々富み栄えた。ある時、盗賊集団がこの無防備な水銀商に目をつけ、襲ってきた。水銀商も少年も命からがら小高い丘の上に逃げた。盗賊たちは思い思いに財物を盗っていた。水銀商は、高い峰の上に立って「どうしたどうした遅いぞ遅いぞ」と言っていたが、一時間ほどすると、大きさ九㎝ほどもある蜂が現われて、高い木の枝にとまった。水銀商はさらに「遅い遅い」と念じて言うと、空に赤い雲が現われた。道行く人たちも「何という雲だろう」と奇妙に思ったが、盗人たちは財物を分け合うのに夢中だった。その雲は盗人のいる谷に向かって行ったが、雲と見えたのは蜂の大群だった。盗人一人に百、二百の蜂がとりついたため、盗人はみな刺し殺されてしまった。その後、蜂は飛び去ったので、雲も晴れたように見えた。珍しい蜂の報恩譚である。

古代の人は美しくなることと引き替えに公害病の原因となった水銀を顔に厚く塗っていた。今となれば、随分と怖いことをしていたものである。遣唐使が廃止された頃から中国基準の化粧法から日本的な化粧法へと変化する。女性の髪型が結髪から垂髪に変化し、白粉で厚く塗り、眉を抜いて黛で引眉をし、頬と唇に紅を施す化粧が高貴な婦人間で行われた。化粧は「顔づくり」と言われ、おしろいの濃い厚化粧の時代となる。また成人女性については、歯を黒く染める鉄漿《おはぐろ》が行われた。

清少納言の『枕草子』二十七段「心ときめきするもの」三十一段「説経の講師は」、二六〇段「関白殿、二月廿一日に、法興院の」などには姫君たちが大変きれいに化粧をして、香がよく染みている着物を着て、優雅でなまめいている様を描写している。やはり清少納言も化粧には強い関心があったようである。

厚化粧の時代

平安時代の貴族の女性は黒髪の美しさ、長さを美の象徴とした。『源氏物語』の桐壺のモデルとされる村上天皇の寵愛を受けた宣耀殿の女御芳子《ほうし》は才色兼備で美人の誉れが高く、しかも髪の長さは車に乗った時に、髪がまだ建物の中にあったという。長い黒髪は優雅であるが、当時の貴族たちの入浴は五日に一度くらいで、しかも女性の洗髪は四・五・九・十月などは忌むべきとして洗わなかったというから、実際にはかなり不潔だったようである。

平安時代の化粧は、今からみれば大変な厚化粧だからそれが剥がれ落ちた時には無残な姿になった。『枕草子』一二四段には、一条天皇が自らの行列を見物していた母藤原詮子に挨拶をしたが、母に礼を尽くす姿に感極まった清少納言は涙がこぼれ落ちるので、化粧した顔もすっかりはげ落ちて、さぞみっともない姿になっているのではないかと心配している。『紫式部日記』にも、「小中将の君は、常に化粧などきちんとした優雅な人で、この日も明け方に化粧をしたが、目は泣き腫れ、涙で濡れて所々化粧が崩れてあきれるほどの変わりようで、とてもその人とは見えなかった」とある。

あるべき女性像と対照的なのが『堤中納言物語』の虫めずる姫君である。「眉はさらにぬきたまはず、歯黒、さらにうるさし、きたなしとて、つけたまはず、いと白らかに笑みつつ、この虫どもを朝夕に愛したまふ」とある。眉を抜かないためゲジゲジ眉、お歯黒をしないで、白い歯で不気味に嗤った。髪は短く刈り、男が着る白い袴を着用し、大きな声で会話をし、乱暴な振る舞いをした。これと反対のことをするのが大人の女性の姿だった。眉は抜いて描き眉をし、歯は黒く染め、口を大きくあけて笑わず、和歌を小さな声で歌い、女童ともおつきの女房を介して話をする。簾の中でも立ってうろうろせず、膝でにじって移動する、これが貴族女性のあるべき姿であった。また髪の長さが美人の基準だったから短い者は「足し毛」をした。しかし庶民は長い髪ではなく、適当な長さで切り揃え結んでいた。

江戸時代になると鏡や鏡台が庶民階級に普及し、今日に続く化粧法がそろった。「皺をのばし少女のごとくわかやぐ薬の法」「目の大なるを細く見する法」「口唇のあつきをうすう見する法」「丸き顔を長く見する法」などと宣伝された。今と違って目は細いのが好まれ、目が大きいというのは見苦しかった。ともあれ美容法への関心の強さは現在と何ら変わるところはない。

男の化粧

ここまで女性の化粧について見てきたが、男も化粧に対する関心は高かった。『養老令』軍防令五位子孫条によれば、五位以上の貴族の子や孫が仕官する時、「性識聡敏」「儀容取りつぐべき者」を取り立てるとしている。つまり賢いうえに見栄えのよい者が条件だった。平安時代後期には、男性もメークをするようになる。『枕草子』には、身分の低い使用人の舎人の地肌が黒くなっており、白粉が雪が消え残ってむらになっているようで大変見苦しいとあるように、舎人のような身分の者も化粧していた。

また、宮廷文化に憧れた平氏の公達や武士たちが、貴族に倣って化粧をするようになったことが『平家物語』に見える。源氏方の武士である熊谷次郎直実が一ノ谷で馬に乗った身分の高そうな武士に出くわした。よく見ると十七歳ほどの少年で薄化粧をし、お歯黒をしていた。このことで平家の公達の平敦盛とわかったという有名な話がある。このお歯黒は戦国時代の武将にも受け継がれた。ただそれは大将など身分の高い武士に限定されていたから、武士のお歯黒は身分の高さの証となった。このように男も時代を越えて化粧に凝っていた。それは権力や財力の象徴であった。

歴史的にみると男が化粧をしなかったのは明治から昭和までの百年の間だけである。近代的な性別役割分業による「男らしさ」「女らしさ」が強調され、男は国のために兵力や産業の担い手として化粧などは邪魔とされた。軍国主義の時代は、男は「外見より中味」が大事とされ、その意識は国民に広く浸透していた。しかし今日では男性が化粧することも見られるようになり、その呪縛からようやく解放されつつある。ただ化粧をすることは顔をきれいにする意味になっているが、体全体から言えば枝葉である。やはり化粧の王道は「からだ」は「幹《から》だ」に通じるように、全体の健康の上に成り立っているのであり、そのことの方にもっと注意を向けるべきではないかと思われる。

現在の私たちには意外かもしれないが、香もまた身分を示す重要な道具であった。我が国の香の初見は、『日本書紀』推古三（五九五）年四月条である。「沈水」というものを薪に混ぜて焼いたところ、その烟気が遠く薫ったとある。ついで天平勝宝六（七五四）年に鑑真が中国から仏典と共に香を薬用として持参し、その調合香料の秘伝を伝授したことから次第に薬用から仏事用や薫物用になった。とりわけ薫物の合香の素材は唐物だったから、貴族層でなければ容易に入手できなかった。また衣服に焚かれた香は、その人の品格や身分を表すものとして『源氏物語』などには多く描写されている。

三　色とおしゃれ

(一)　身分を示す色

身分で統制された禁色《きんじき》

四十年前までは男の色、女の色というのがあった。しかし現在は個人の好みで自由に色を選べるようになったことは有り難いことである。ただ色というのは見方や、おかれた状態などによっても違って見えることがしばしばある。たとえばリンゴや夕焼けや空の色など、熟知の対象物と結びつく色は記憶色と言われ、実際よりも鮮やかさを増して記憶される。また現代の日本人の場合、色白願望があるため、肌色は薄い方向に変化して記憶されるという。また色は単なる色彩だけではなく、顔形を「容色」、戦況を「勝ち色」「負け色」、音を「音色」、男女間の情愛を「色」と言い、男同士の場合は「男色」と言う。さらに暖かさ寒さを「暖色」「寒色」で現すなど、色にまつわる言葉は多くある。

ところで古代の社会では色や衣服に対して厳しい制限があった。それは色彩が権力や身分を表徴するものだったからである。我が国では服の色は天皇から賜り、許されるものだった。奈良時代の節会などで天皇から臣下に服を賜うことが多いが、それは天皇と官人との間の人格的結合を強める意味があった。天皇から賜った衣服には天皇の霊が宿っていると観念されていた。平安時代になると大臣の子孫などの優遇策として位階を越えた服色を着ることを特別に許す「禁色勅許」があった。身分と色の秩序は厳然としてあった。

衣服令七服色条には「凡そ服色は、白、黄丹、紫、蘇方、緋、紅、黄橡、纁、蒲萄、緑、紺、縹、桑、黄、揩衣、秦、柴、橡墨、此のごときのたぐひは、当色以下、各兼ねて服することを得」と定められていた。このように官人の装束は位によって服の色が決められ位階の標識としていた。これを位色《いしき》と言ったが、自分のランクより上階の位色は僭越として禁じられていたので、広義には上位の色はいずれも下位の者にとっては禁色であった。

したがって一般の禁色は昇進すれば解消されたが、絶対に許されない禁色は、天皇と皇太子の礼服の色であった。二番目の黄丹は皇太子、三番目の紫は親王以下の位色である。そうすると一番上の白は当然のことながら天皇の服色となる。『令集解』本条令釈では「帛衣《はくい》とは、白練衣なり」、「我朝白色を以て貴色と為す、天皇の服なり」とあるように、最高の貴色は白であった。これは中国にはないため、それは我が国固有の習俗と考えられている。十世紀頃に編纂された儀式書の『西宮記』には女帝の服である「白の御衣」が内蔵寮に保管されていたと見えるが、それは孝謙（称徳）天皇の礼服である。天皇が神事に際して着用する正装は白服であった。

白を尊ぶ意識は古くからと思われるが、それは服色だけでなく、天がめでたいしるしを現すという祥瑞にも見られる。祥瑞の色彩は陰陽五行思想の正色である黄・赤・青・白・黒から構成されている。この思想は中国から導入されたが、こと色彩については日本固有の感覚が反映されている。奈良時代以前から改元は祥瑞が関係しているが、白雉・霊亀（左目白、腹下赤白両点）・神亀（白亀）・神護景雲（五色）・宝亀（白亀）・嘉祥（白亀）・仁寿（白亀）・天安（白鹿）・元慶（白雉）とあるように、祥瑞による改元は基本的に白だったと言える。

さらに天皇の黄櫨染《こうろぜん》と東宮の黄丹《おうだん》も礼服であるが、これらは高価な赤色染料の紅花と黄色染料のクチナシを用いて染めた。紅花で染められたものは「くれない」「べに」と呼ばれた。『万葉集』に「紅の八塩の衣朝な朝な馴れはすれどもいやめづらしも」と詠まれている。「紅の八塩」というのは深紅の色で、それを染めるのに何度も浸して染めたから手間もかかり、さらに紅花の使用量も大量だった。絹一疋（二反）を染めるのに、紅花が二十斤（約十二kg）で、平安時代の米価で十三石に相当したと言われるから、大変高価で贅沢なものだった。江戸時代でも、紅花で染めた赤色は七両染めと言われた。それは紅花は栽培に手間がかかり、色素の抽出量も少なく「紅一匁金一匁」と言われるほど高価だったからである。

また位色の以外でも不吉の相のある色や奢侈に過ぎる色は禁色とされた。延喜十七（九一七）年に三善清行が深紅の色は火色《ひいろ》や焦色《こがれいろ》とも呼び、焦火の妖語であるため禁止するように奏上している。それは、深紅の色が流行してから火災がしきりに起こったからである。しかしこの後も深紅の色は流行していたようで、承平七（九三七）年と天慶五（九四二）年にも禁令が出されている。

紫の服色も一貫して高位に位置づけられていた。法衣でも紫と赤は後世まで禁色であった。江戸時代に後水尾天皇が僧沢庵に紫衣を与えたことから幕府と朝廷の争いにまで発展した紫衣事件が起こるが、それは紫衣が禁色とされていたためであった。紫色は紫草の根を染料として染色したものだが、それには深紫・浅紫・黒紫・赤紫など、さまざまの色合いがあった。

衣服を赤く染めるのは紅花の他に茜が用いられ、茜で染めた色は緋と呼ばれ、五位官人の袍の色として定着したが、平安中期以降、茜に紫草を合わせた紫がかった濃い赤（深緋）になった。一方、染め色の赤色は上皇の袍の色で禁色とされた。

青は元来は白と黒の中間の広い範囲で、衣服の青系統の染色には藍が使用され、衣服の色名としての青は緑色系統の色をさした。袍の色としての青色は平安時代、天皇の袍の一つとして禁色とされたが、六位以上の蔵人が特に着用を許されることがあり、名誉なこととされた。

この時代、衣服の色はステータスを表わす指標だった。一目で相手の身分が分かり、年齢には関係なく自分より上位の者がやってきたら、直ちに道を譲り会釈をしなければならなかった。貴族社会というのは徹底的なあるいは過酷な身分社会であり、そこから逸脱することは許されなかった。『延喜式』弾正台条によると禁色は上着だけでなく、下着でも使用を許さないと厳しく制限されている。衣服の制限は色だけでなく、文様にも制限が加えられた。桐竹鳳凰の文様は天皇にのみ限られ、臣下は厳禁とされていた。

位階によって定められていた服の色を当色と言い、禁色を許された人は禁色の人と言った。公家の家族の衣服の色は父の位階に準じて使用することになっていた。このように衣服について厳しい制限があったが、しかしそれが厳格に守られていたかどうかは別問題である。三善清行は「意見封事十二箇条」の中で、近頃の人々の暮らしは誠に贅沢になり、たった一枚の着物に全財産をかけたり、衣服の厳しい規制を守っていない。しかも、まず法を破るのは身分の高い者たちであり、下の者がそれを見習っていると記す。

時代が下って江戸時代、幕府はしばしば華美贅沢を禁止する法令を出したため、富裕な町人たちは、目立たぬように粋なお洒落として着物に鼠や茶、黒系統の色合いのバリエーションを取り入れた。その数は「四十八茶百鼠」と言われるように、鼠色の呼称だけで七十種に及ぶほどで、同色異名を含めれば、鼠色系は百を越えると言われる。その中でよく知られているのが「利休ねずみ」である。この色は千利休の好んだ黒楽茶碗の色調と溶け合うもので、利休の理想とした茶の湯の世界を象徴する色だった。利休の生存していた頃、世間ではそれが流行し、「宗易がかり」（利休風）になったという。

(二)　貴族のおしゃれ

「いだし衣」

位色の規制はあったが、貴族たちは華美な出で立ちや贅をこらして競い合い、またおしゃれを心掛けていた。分に過ぎる贅沢を「過差」として朝廷は度々過差禁止令を出した。その例をあげる。平安時代の賀茂祭は年を追うごとに華美になったため、その分に過ぎた贅沢を取り締まった。天延三（九七五）年三月一日の太政官符には、祭使が非色の衣・袴を着用しているとしてこれを禁止している。非色の衣・袴というのは身分不相応の装束のことである。『小右記』長和二（一〇一三）年四月二十四日条には、賀茂祭を見学した藤原実資は祭の行列について、「過差のはなはだしき、例年に万倍す」と非難している。さらに同書寛仁三（一〇一九）年四月二十三日条には、賀茂祭の行列は「過差、極無し」、万寿元年四月十七日条には「狂乱の世」であると書き付けている。飢饉・疫病・災害などは、人のおごりに対する天罰と考えられていたからである。

おしゃれの一つが下襲《したがさね》で、束帯からはみ出るところに鮮やかな色目を使い、華やかさを競った。また公式な場でない所で着用する現在の略服にあたる狩衣では位色の規制を受けないため、一層それが顕著だった。また女性の場合には重ね着によって色目を出したり、また裏地をせり出して仕立てることも行われていた。より華やかに飾るために内側に着ている衣をわざと出して見せることもあった。『枕草子』には中宮定子の兄の伊周がやって来た時、「大納言殿、桜の直衣のすこしなよらかなるに、こき紫の固紋の指貫、白き御衣ども、うへにはこき綾のいとあざやかなるを出だして参りたまへるに、」とあり、白い衣とその上の赤紫の衣をつけているが、それらの裾を直衣の下から出している。これは「いだし衣」という見せるがための装束であった。

貴族たちは細かい部分にまでおしゃれを心掛け、そして色彩も季節ごとに決まった色目にし、その季節ならではの名前をつけて楽しんだ。日本人の色彩感覚もこのような細やかな季節感によって磨かれていった。

【参考文献】

・増田美子「服飾からみた日本女性」『本郷』No.八五（吉川弘文館・二〇一〇年）
・本田明日香「日本古代における祥瑞の色とその意義」『日本歴史』第六五〇号（吉川弘文館・二〇〇二年）
・河添房江『光源氏が愛した王朝ブランド品』（角川学芸出版・二〇〇八年）
・石埜敬子・加藤静子・中嶋朋恵「平安時代の容儀・服飾」『平安時代の信仰と生活』（至文堂・一九九四年）
・馬場淳子「男女、家族と文学」『日本文学史』（吉川弘文館・二〇一四年）
・武田佐知子「平安貴族における愛のかたちと衣服のかたち―『とりかえばや』の復権―」『交錯する知　衣装・信仰・女性』（思文閣出版・二〇一四年）
・野田有紀子「行列空間における見物」『日本歴史』第六六〇号（吉川弘文館・二〇〇三年）
・中江克己『色の名前で読み解く日本史』（青春出版社・二〇〇三年）
・笠原一男・児玉幸多編『続々日本史こぼれ話』古代・中世（山川出版社・二〇〇三年）
・安田政彦『平安京のニオイ』（吉川弘文館・二〇〇七年）
・小泉和子「鏡と鏡台」『朝日百科日本の歴史』八八（朝日新聞社・一九八七年）
・中西進『日本人の忘れ物』（ウェッジ・二〇〇一年）
・丸山伸彦「移ろう色の軌跡を捉える」『本郷』No.九九（吉川弘文館・二〇一二年）
・大津透『古代の天皇制』（岩波書店・一九九九年）
・村山修一「陰陽道」『平安時代の信仰と生活』（至文堂・一九九四年）
・阿部猛『摂関政治』（教育社・一九七七年）

第二章　食の歴史

一　料理と調味料

(一)　和食のルーツ

中国禅宗の影響

奈良・平安時代の貴族の食卓は中国大陸から伝わった食品が彩った。特に遣唐使は様々な大陸の文化を伝来したが、それは食物についても例外ではなかった。米粉や小麦粉をこねて油で揚げたものは「唐菓子」と呼ばれ、「酪」「蘇」「醍醐」などの乳製品も珍重された。また中国からやってきた鑑真は、薬草に大変詳しかったが、その薬として持ち込まれたものに砂糖がある。

ところで現代は多くの食品が溢れる飽食の時代である。しかしそれらの食品の多くは海外から輸入したもので、食の一番の根本となる穀物の自給率は二十八％まで下がっている。この数字はアフリカの飢餓の国と同じ程度の数字である。そして日本は世界全体の農産物の一割を輸入している。これだけの物を一国で消費し、そのうえ食べられずに捨てられているものもある。農産物の輸入が止まれば大変な事態になるのであり、現在の飽食はそういう危うい仕組みの上に成り立っている。そろそろ食の原点に立ち返って考えてみる必要があるのではなかろうか。

しかし飽食の時代というのは、我が国においてもせいぜい六・七十年の歴史しかない。むしろ人類の歴史は飢えとの闘いであった。洪積世の時代は氷河期と言われるように、寒く食料の確保は容易ではなかった。当時の化石人骨からは、身長が伸びる年少期でも骨の成長が止まっている状況が見られ、それは飢えの時期があったことを示している。弥生時代以降の水田農耕の進歩と共に食生活は豊かになったとはいえ、奈良・平安時代でも一旦、天候不順が続いたり、病害虫が発生するとそれは飢饉に直結した。だからこそ食品を大切にすることはもちろん災厄をもたらす神々を丁重にもてなす祭祀が重視され、それが現在の年中行事につながっているのである。

二〇一三年、日本の和食が世界遺産に登録されることになった。季節に合わせた色とりどりの和食料理は見た目にもおいしそうである。それが世界遺産になったことは素直に喜ばしい。しかしその一方で、和食は多くの普通の家庭からは消えて料亭や料理屋で出されるものになってきている。

ところでその和食には単なる調理方法でなく、どこかに精神的な意味が込められているように思える。それは中国から伝来した禅宗の影響が深く関わっているからである。世界遺産の和食のルーツもまた中国にある。食べ物を作るのも、食べるのも「行」であるとすることが一般社会にも影響を与えている。日本人の心性には、喫茶であれ、食事であれ、単に味わいを追及するだけでなく、人の生き方と呼応させ「道」に高めようとする傾向がある。そうしたことが厳格な調理論や食事作法論を生んだ。ただ純粋に日本的と思える和食もまた中国禅宗の強い影響のもとに成立したことをしっかり認識しておく必要がある。

なお鎌倉時代の禅宗がもたらした宋の文化は、それ以前の唐風文化とは異なった深みのあるもので、武家文化の形成に大きな貢献をした。食で言えば、豆腐・納豆・饅頭・蒟蒻などの製法が伝わり民間に普及した。禅宗の点心（斎食以前にとる小食）は武家に伝わって朝夕の間に「お八つ」食をとるようになり、今日の三食の基礎を作った。これ以外にも建築の唐様や書院造、絵画の新技巧主義、朱子学の発達、木版印刷の改良、喫茶の風など、生活全般にわたって中国文化の大きな影響を受けている。

精進料理

我が国の主食は米であるが、それは縄文時代の終わり頃に大陸からもたらされた。したがって米を中心とする食文化そのものが外来文化ということになる。食材自体が外来のものだから、その料理法もまた大陸からの影響を強く受けている。その代表が精進料理である。それは中国の唐の時代に著しく発達した料理法で、平安から鎌倉時代にかけて中国に渡った僧侶たちが修行の一環として学び、伝来した。もともと「精進」は釈迦が主張した八正道の一つで、正しく見て考え行いを慎み、雑念を払ってひたすらに物事にうちこむことである。また精進は菩薩修行の五行の一つでもあり、他は布施・持戒・忍辱・止観である。それは障害を克服する五力（五根）や悟りを得るための七覚などの要素の一つでもあった。

その精進が我が国では願い事をする際の精進潔斎という形で一般化し、やがて仏道修行のために肉食を遠ざける精進料理を意味するようになった。精進の初見は『平安遺文』仁寿三（八五三）年十二月二十二日の太政官牒案に、僧尼の規律の乱れを正そうとした文に「漸く精進の輩絶え」とあるが、この段階ではまだ仏道修行の意味であった。精進は食事や調理法とは無関係だったが､不殺生戒が重視されたことから、精進に肉食せず、菜食するという意味が含まれるようになった。

この料理法は中国の禅宗寺院で発達し、独自の工夫が施された。殺生戒を守るために魚肉を初めとする動物性タンパクをとることはできず、生臭さを避け、野菜や海草を中心とする料理となった。宗教上のタブーは世界各地にあるが、我が国では獣肉・鳥肉・魚肉などを食することをタブーとした。こうしたことからお寺の料理＝精進料理となった。その代表の一つが湯豆腐である。有名な竜安寺で庭を眺めながら湯豆腐を食したことがあるが、いかにも京風の雅さがあった。

精進が食物や料理を意味するようになるのは九世紀後半の頃からであるが、それは優雅なものではなく、粗食の意味であった。『西宮記』寛平九（八九七）年七月四日条に、「また若し御精進あらば、其由の仰せに預かり、雑菜を以て之を進《まい》らさしむ」とある。また『日本紀略』長徳元（九五五）年九月二十七日条に、藤原実方が正四位下に叙され、殿上で酒肴を受けた際に物忌であったため「精進肴」を賜った記事をはじめ多くの物語や記録類などに「精進物」という名称で見えるようになる。たとえば『宇津保物語』蔵開上には「御粥の合せ、魚の四くさ、精進の四くさ」とある。

また『枕草子』五段には「かわいい子を僧にするのは心苦しいことだ。（中略）精進料理のようにまずくて粗末なものを食べ、就寝時間の制限もある。若い僧だって見たいもの、聞きたいものがあるだろうに、女性がいてもおそるおそるしかみることができない」と記す。『宇津保物語』国譲上にも、人の容色を形容して「精進にて害《そこな》はれたれど」とあるように豊かな飲食物のイメージはない。精進料理は特に調理の工夫をするわけでもなく、質素な野菜・海草料理で、粗食の意味で使われていた。

精進料理の応用が本膳料理で、さらに日本独自の美意識に裏付けられた懐石料理が成立した。したがって和食の代表とされる懐石料理も中国からの精進料理の移入なしには生まれなかったと言える。肉食を禁じた仏教の経典は『大般涅槃経』で五世紀初頭の中国で成立した。「一切衆生悉有仏性」という立場から、肉食の全面禁止を最初に説いたが、それが天台や華厳宗の教学に取り入れられたことから、本格的に日本にも伝えられ、日本仏教界だけでなく、食生活にも大きな影響を与えることになった。

道元は食事や炊事などの作務を重視

平安時代の貴族の食事は、華美ではあるが実質的な内容が伴っていなかったと評される。主食はもち米を蒸してつくった「強飯」で、副食には鮑・サザエなどの海産加工物が出され、それを酢・塩・醤・酒という四種の調味料を好みで付けて食べた。素材に味付けして食べる習慣はまだなかった。複雑な味は出せなかったから今日の私たちから見れば、それほどおいしい食事ではなかったろう。そのため味よりも見た目を重視した料理になった。

鎌倉時代になると禅宗の盛行と共に精進料理が大いに発展する。曹洞宗の開祖道元や臨済宗の開祖栄西などが中国禅宗の食の作法を持ち帰り、それに我が国の風土にあった料理法を工夫したことで、精進料理の基盤が出来た。特に道元は「法は菩提のごとし、食もまた菩提」と言うように、法と食を同等にするなど、食の重要性を説いた。

道元は二十四歳の貞応二（一二二三）年に中国の宋に入国した。上陸の許可が出るまで寧波の港で三ヶ月も船の中に留め置かれた。その船に阿育王山の食事の責任者の典座が日本の干し椎茸を求めに来た。道元はその六十過ぎの典座と話が合ったのか、宿泊してもっと話を聞かせて欲しいと言った。しかし彼は阿育王山まで遠く、明日の食事を作るために椎茸を持って帰らなければならないと答えた。道元は、あなたほどの方が食事の用意をせずとも、もっと若い僧侶に任せたらいいのではないですか、と言って引き留めた。するとその典座は、あなたは修行とは何であるかをわかっていない。しかしあなたならいつかきっとわかる日が来るだろうと言い残し、帰っていった。これによって道元は、座禅や典籍を読むことだけではなく、食事の用意を初め日常生活の全てが仏道修行の実践であることを教えられた。座禅をしている時と同じ状態で日々を過ごすことができれば、いつも自分が仏でいられる。つまり日常生活の全てが禅であるから食事や炊事などの作務が禅修行の大きな柱となった。道元は『典座教訓』『赴粥飯法《ふしゅくはんぽう》』という調理や食事の心得・作法のテキストを著し、細かく指導している。食事は身を養うだけでなく、心も養う。食事を頂く時には五つの偈文である「五観偈」を唱えるが、その一つが「己が徳行の全欠を忖《はか》って供《く》に応ず」（自分がこの食事を頂くに値する行いをしているかどうか、深く反省していただきます）である。

身体を通じての修行を第一義とする禅宗では、これを支える不可欠な食の問題を避けて通ることはできなかった。それまで我が国では飲食の問題が根本から論じられたことはなかったから、道元の食に対する哲学的な考察は、日本における「食」の思想の先駆をなすものと言える。今でも雲水らが修行する専門道場では、典座役には修行を積んだ人しかなれないように定められているという。「理」を「料る」意味の料理を行う典座の重視は変わっていない。このように食が重視されるようになると、それをどのようにして提供するかが問題となり、様々な工夫が凝らされるようになった。それまでの我が国では、食べる時に自分で食材に味付けしていたが、そうではなく味の調整の済んだものを提供するという、それはある意味で料理の革命であった。

本膳料理

中国からもたらされた豆腐は植物性タンパクを最大限活用できる食材として優れ、様々に料理することができた。魚肉に似たような味を出せるようになり、「がんもどき」などはまさに「雁」の肉に似ている味ということからその名となった。植物性油脂や味噌や醤などの調味料を多用することで動物性食品に近い味付け法を考え出した。そして室町時代には納豆や麺類なども現われ、料理の内容が格段に多様化した。その精進料理の調理法の中から、日本料理と言える本膳料理が成立した。それは公家の有職故実の饗宴料理から脱皮して武家が確立した料理法であった。本膳料理では一人分を基本とする銘々膳が用いられ、昆布とカツオだしをベースとする調理法が考案された。これによって完成度の高い日本料理が成立したが、見た目の豪華さばかりを追求するようになると、その料理も形骸化してくる。そこで心からのもてなしや味を求める気風が起こってきた。それが懐石料理である。その最大の特徴は見た目の美しさを重視する盛りつけにある。味覚だけでなく、彩りや器の質感、盛り方の立体感、四季折々の季節感といった食膳の妙が大切な要素とされる。懐石料理は精進料理と本膳料理の長所を取り入れて成立したもので、それは日本料理の頂点を示す。

懐石料理は禅宗の僧侶から広がった。道元は、その時々の材料を好ましい形に調理し、禅僧たちに喜ばれるように努力するのが典座（料理人）の大切な心得だと説いており、それは懐石料理の精神に通じる。茶の湯の作法や形式が整ってくると、その茶席で供される料理が必要となってくる。「懐石」は元々「温石を懐に抱いて空腹をしのぐ」という禅の修行上の言葉であり、空腹をしのぐ程度のささやかな食事という意味が込められていた。禅風の質素ではあるが、茶人山上宗二の言う「一期に一度の会」の心遣いのように、心のこもった茶席の食事である。あくまでも懐石料理の原点は「質素」である。わび茶を具現化したものだから、食事の分量は少ないが、精進料理と違うのは、魚や鳥などの動物性食品が見られることである。そして食材は吟味され、暖かく調理された料理を最もおいしい時期に供すること、季節感を大切にすることである。

織田信長の時代に我が国にやってきた宣教師のルイス・フロイスは『日本史』の中で、懐石料理のことを次のように記している。「日本はものの出来ない土地で食物は決して甘味とは言えないが、そのサービス、秩序、清潔及び器物はあらゆる賞賛に値する。これ以上の調った宴会はちょっと比を見ないだろうと思われた。食事中の人、数多なるに係らず、侍者の話し声一つ聞こえず、驚くべき静粛な調った宴会であった」という。

こうした茶懐石料理は会席料理とも称される。本来会席料理は人々の集まりの席に出される料理の意味だから、豪華なものもあれば、質素なものもあった。江戸中期から料亭が盛んに会席料理を看板にして営業したのを茶人が嫌って禅的な響きを持つ「懐石」を用いるようになったと言われる。

懐石料理と割烹料理

日本料理の中でも少々高級料理の意味を持つのが、この懐石料理と割烹料理である。「割烹」は料理の意味だから割烹料理とは「料理料理」となるからその命名にはいささか問題があるが、言葉の歴史としては料理より割烹の方が古い。割は「さく」と訓読し、割鮮、則ち刀で切り裂くことで、火を加えないで食べられるものを言う。刺身や酢の物や膾などは「割」となる。一方「烹」は加熱して作る料理だから、焼き物や揚げ物や煮物などである。このように生で用いられるものと、加熱して用いられるものを組み合わせたものが割烹料理ということになる。一般に日本料理は「割主烹従《かつしゅほうじゅう》」と言われる。つまり加熱する料理よりも材料を切り裂く技術が高度に発達している。それは揚げたり炒めたりせずに、素材そのものを活かした調理法である。どのように切ったらおいしいか、口当たりがよいか、美しいかという工夫から生まれた技術である。刺身の盛りつけなどはそのよい例である。なお刺身のことを「お造り」とも言う。それは刺身は男言葉で、「お造り」は宮中の女房言葉である。平安時代には食べ物について話をすることは下品なことで、そのものをずばり口にすることは憚られた。そのため「お造り」「造り身」という言葉が使用されていたが、それが今日にまでつながっている。それ以外にも「卵」は生々しく感じられるが、料理されると「玉子」に変わり、「蝦（えび）」は「海老」、「海胆（うに）」は「雲丹」のように日本人は婉曲表現やきれいなものへの比喩を好む。

次に「〇〇膳」などと名付けられたその「膳」は古代の料理人の「膳夫《かしわで》」に由来する。『古事記』神武条に「八十膳夫」の話が載せられている。そして料理人を「かしわで」と呼んだのは「かしわ」が食器がわりに使用されていたことに由来する。柏は「炊《かし》ぐ葉」とされるように、炊いた飯を盛る器でもあった。食器には自然素材の柏のような広い葉を使うこともあった。『日本書紀』武烈即位前紀には「玉笥《たまけ》には　飯さへ盛り　玉盌《たまもい》に　水さへ盛り」とあり、また『万葉集』に「家にあれば笥に盛る飯を草枕にしあれば椎の葉に盛る」という有馬皇子の歌がある。椎や柏の葉も食器がわりに使われていたことがわかる。

松・竹・梅メニューの由来

ところでよく和風の料理店にいくと、松・竹・梅のメニューの並んでいることがある。お客さんが最も多く注文するのは竹だそうで、人並みや横並びを重視する日本人らしい行動様式である。

『論語』に「三友」という言葉がある。孔子は「直を友とし、諒を友とし、多聞を友とするは益なり」と言う。「正直な人、誠実な人、見聞の広い人を友人とすれば益がある」という意味である。この三友の中で正直と誠実な友を一・二番に持ってきているのは同感である。三つ目の見聞の広い人は役に立つから美徳であるが、それは損得に絡んでくる。しかし正直・誠実は損得を超越しているところに価値がある。これを受けて君子が人生に親しむべき三種として「詩・酒・琴」が考え出された。また「郷に君子なければ山水を友とし、里に君子いなければ松竹を友とし、座に君子なければ琴酒を友とす」などという言葉が生まれ、この里の友の松竹に梅を加えて植物の三友が完成した。

松柏（松、コノテガシワなどの常緑樹）は常に青々として不老のシンボルで寒い冬の中でも他の木のように衰えることがない。人の寿命を「松柏の寿」などと言う。松は「大夫樹」「五大夫」という別名を持っているが、これは『史記』の「秦紀」に由来し、中世の説話集『十訓集』にも載せられている。「秦の始皇帝が泰山に行幸した時に突然の暴風雨に遭い、そこで松の木の下に入って雨の止むのを待った。そこで雨を防いでくれた松に対して始皇帝は秦の五位の爵位である「五大夫」を授けた」と言う。

竹（竹柏）は松と同じく霜や雪に屈せず、節を保つことから君子に通ずることになる。また中国では竹

（竺二）は祝と同音であるため、竹は祝を意味することにもなった。またものの高さを「丈（たけ）」と言い、今でも「背丈」などの言葉がある。竹を「タケ」「タカ」と言うのはその「丈」からおこった。七夕や左義長に竹を使うのも、神聖な竹に願い事をし、天に届けるためである。

『万葉集』には「梅の花散らまく惜しみ我が園の竹の林にうぐひす鳴くかも」（八二四）「苑生《みそのふ》の竹の林にうぐひすはしき鳴きにしを雪は降りつつ」（四二八六）という竹とウグイスの取り合わせを詠んだ歌があるが、それは代表的な早春の景物であった。また大伴家持は「我がやどのいささ群竹吹く風の音のかそけきこの夕かも」（四二九一）と詠んだ。竹を視覚でなく、「かそけき」と聴覚で表現し、同時に自らの心の内を表現していることは、家持の独自の境地と共に万葉風の一つの到達点と言われる。

竹にも様々な種類があるが、最も馴染みがあるのはタケノコとなる孟宗竹であろう。孟宗竹は中国からの伝来したもので、その名は中国の孝行話を記した「二十四孝」の一つの「孟宗」に因む。病気の重くなった老母が真冬に竹の子を食べたいというので、孝行息子は竹林に入ったが、まだ雪深く、竹の子はなかった。そこで彼は泣きながら天に祈った。するとその孝行息子の心が天に通じたのか、たちまち地が裂け、雪の中に竹の子がたくさん出てきた。これを母に食べさせ、病気を治すことができたという話である。

なお筍（タケノコ）は低カロリーでタンパク質や顔色などの血色をよくするビタミンB_1、カリウム、繊維質が多く含まれるのでダイエット食品として理想的である。竹冠に旬と書いて「たけのこ」と読ますのは、それは約十日（一旬）で竹になることからである。

梅は美しい人にたとえられる。寒気に耐え、百花に先駆けて早春に花を開く。その芳香は花の中の君子に値する。松竹梅は節を守り、寒気の厳しい苦難の時にも節を曲げず、変わることのない人の心を表わしている。江戸時代、華道では結婚式の花として松竹梅があげられ、こうした位置づけから、一般にも定着していった。

(二) 調味料

珍重された甘み・甘露

「待てば海路の日和あり」ということわざがある。この言葉のもとの形は「待てば甘露の日和あり」「待てば甘露の雨を得る」であったという説が有力だという。天子が仁政を行っていれば、天から甘露が降るという中国の言い伝えに由来する。つまり辛抱して待っていれば、天下太平の平和な世の中が来るというのが本来の意味だった。その「甘露」が「海路」になって船旅に適した天候を気長に待つという意味に変わったのである。甘露は元々仏教からきた言葉で「不死」を意味する。蜜のように甘い天人の飲料で、苦悩解消、不老不死、死者回生の霊薬である。また極めて甘美なもの、あるいは美酒、美食などのたとえとしても用いられる。

『日本霊異記』上巻第三十には「現在の甘露は未来の鉄丸なり」(現在、無法なことをして甘露のような甘い汁をすっていると、来世は鉄の玉を飲む苦しみを味わうことになる)と記す。同書下巻第六話では「法のためにすれば、身を助くるといふことを、食物におきては、雑毒を食ふと雖も犯罪にあらず」(仏法のためであれば、食物では毒を食しても、甘露に変化し、魚や肉を口にしても罪にはならない)と見える。さらに『宇治拾遺物語』一七一「渡天僧穴にいる事」には「試みに、この花を一房とりてくひたりければ、うまきこと、天の甘露もかくあらんとおぼえて」とあり、また『今昔物語集』巻二第二十七話には「神、手をさしのべて、指の先より甘露を降《ふら》す。長者、その甘露を受けて服するに、たちまち飢えへの苦しみやみて、楽しき心に成りぬ」とある。

現在は「甘さ控えめ」が売り文句になっている。子供の頃、甘い物が少なかったから、甘いものはおいしいと思っていた。しかし砂糖が健康に与える影響が云々されるようになって「甘さ」と「うまさ」は別物であることが認識されるようになってきた。その砂糖はインドから「シャルカラ」「サッカラー」の訳語である。中国で「沙唐《さから》」となり、仏教伝来と共に我が国に入って「砂糖」となった。一方で「シャルカラ」「サッカラー」はペルシャ・アラビア・ラテン語を経て、英語の「シュガー」となった。したがって「砂糖」と「シュガー」は同一語源の言葉なのである。

蜂蜜

甘みの少ない古代にあって蜂蜜は果物の甘さと共に珍重されていた。その起源は古く、紀元前三千年頃、古代エジプトのナイル川の流域で採取され、その頃より解熱剤・緩下剤・回春剤など薬として使用されていた。蜂蜜は万病に効く不老長寿の薬とされるが、実際に殺菌作用があり、腸内のビフィズス菌の増殖を助け、腸内の免疫細胞を活性化し、ガンを防ぐ効果があることもわかってきた。

我が国でも縄文時代頃には蜂蜜を採取していたと言われるが、文献では『日本書紀』皇極二（六四三）年条が初見である。「百済の太子餘豊《よほう》、蜜蜂《みつはち》の房四枚を以て、三輪山に放ち養ふ。而してついに蕃息《うまは》らず」とある。この百済の餘豊は我が国に人質としてやってきた人物で、蜜蜂は贈答用として持参したと思われるが、この時の養蜂は失敗している。

その後、奈良時代に唐から鑑真が香薬の一つとして蜂蜜を持参している。平安時代には、蜂蜜を採取する技術もしだいに進歩し、『延喜式』十五に、甲斐・相模・信濃・能登・越後・備中・備後国で採れた蜂蜜が献上されている。同書三十五の「典薬」の条に摂津・伊勢国から蜜蜂の巣が献上され、その献上先が典薬寮であることからわかるように、薬用だった。蜂蜜はエネルギーに転換するのが非常に早くそのために体力の衰えた病人や疲労の回復に優れた効果があった。蜂蜜は苦い丸薬と練り合わせるために欠かせず、痛み止め、解毒、美容にも用いられた。「典薬式」には伊勢国と摂津国に蜂房の進上を義務づけているが、この「蜂房」は蜂の巣である。

蜂の巣もまた医薬品とされ、悪寒発熱・痔・悪瘡・咳・頭痛・腸の病気など、多くの症状に効能があった。『扶桑略記』寛平元（八八九）年八月条には、宇多天皇が源融の勧めにしたがって露蜂を服用すると甚だ効果があったとみえる。この露蜂も蜂蜜であろう。この他、高山の石窟の間につくられた蜂蜜の石蜜は強志・軽身・不飢・不老・延年・神仙になるとする。寛平二年に八十四歳で没した大納言藤原冬緒は露蜂房を服し、槐子を飲んでいたために、八十歳になっても白髪にならず、「房室断たざる」状態というくらいの効果があった。宇多天皇も「寝膳不安、爾来玉茎不発、只如老人」の状態だったが、露蜂を服用するようになってたちまち回復したという。

我が国の甘み食材は長い間、蔦の幹を煎じて作った甘葛煎や干し柿や果物、そして蜂蜜くらいだった。だから南蛮貿易で入ってきた砂糖と鶏卵をたっぷり使用したカステラ・金平糖・ビスケットなどの南蛮菓子は驚きの甘さであった。宣教師たちはこれを配って入信を勧めた。南蛮菓子は布教のための秘密兵器となったのである。それほど絶大な効果があった。自然の甘みしか知らない当時の人々にとってはそれは驚異的で、それらの食品は垂涎の的だったのである。

貴重な香味野菜

古代貴族たちの起床時間は季節によって多少違いはあるが、だいたい午前五時頃である。人々の食事は一日二回が普通で、朝は巳の刻（午前十時頃）と夕は申の刻（午後四時頃）だった。我が国の主食は米で、副食にはわかめ・のり・あらめなどの海産物が圧倒的に多かった。ただ地方から都まで運ぶには時間がかかって、鮮度が落ちるため多くは生ものでなく乾物や塩漬けにされていた。魚介類に比べ、肉はそれほど多くはないが、鹿・猪・牛・馬・兎・鯨・イルカ・雉など、種類は豊富である。野菜は都の周辺で栽培されたものが多く、瓜・ナス・青菜・山菜で、果物は、クルミ・梨・栗が食膳にのった。

この頃の主な調味料は塩で、それ以外に現在の醤油や味噌にあたるものもあった。それは「醤」と「未醤」で「醤」が醤油、「未醤」が味噌の原形だと考えられているが、まだはっきりと分離していなかったようである。「醤」は唐風で「未醤」が韓風の製品だとも言われる。一方甘みをつける調味料は少なく、蜂蜜などは高価だったから、多くは甘葛という植物の葉を煎じて得た甘味料を利用していた。辛みはしょうが・わさび・山椒・辛子などで、現在とそれほど変わるものではない。

五味は辛味・酸味・甘味・苦味・塩味の五つを指す。五辛は、辛いものと臭いの強い野菜である。これらの味を持ったものを万遍に食べることが不可欠である。『魏志倭人伝』にはショウガ・橘・山椒・ミョウガが見えるが、「不知以為滋味」とあるように、まだ利用されていなかった。

五辛は精力旺盛となるため、仏家では禁じられていた。「僧尼令」では、僧尼が酒を飲んだり、肉や五辛を食べた場合、三十日間の苦役を課すと定められていた。寺の門前にある石柱に「不許葷酒入山門《くんしゅさんもんにいるをゆるさず》」と書かれているのをよく目にするが、この葷も五辛のことである。一般にはニンニク・ニラ・らっきょう・ネギ・ショウガである。ニンニクは新陳代謝を盛んにし、保温効果が高く、ホルモンを刺激し、強精効果もある。『日本霊異記』上巻第四「聖徳皇太子の異しき表を示したまひし縁」に、五辛を食ふは仏法の中の制にして、聖人持ち食へば、罪を得るところ无からまくのみ」（五種の辛味のある野菜を食うことは仏法で禁じていることであるが、聖の僧が食する場合には罪を得ることなど全くない）わさびやミョウガというのは他の民族はほとんど食しないが、日本人には欠かせない香味野菜である。ミョウガは色、香り、さわやかな味と夏に涼をよぶ代表的な薬味である。冷麦や素麺に欠かせない。

生薑《くれのはじかみ》はショウガのことである。『医心方』にはその効果について、嘔吐を止め、永く食べていると、体臭を除いて、胸を明らかにするとある。ショウガが薬味・薬用とされてきたのは辛味成分のジンゲロンに強い殺菌作用があり、肴を生食する日本人には欠かせなかったからである。ショウガには発汗作用や血液の循環を良くしたり、風邪の予防や疲労防止の効能もあった。すし屋でショウガが出るのは肴の臭みを消すと共に食中毒を防ぐためでもある。

ネギも辛み野菜である。『日本書紀』仁賢六年条に、飽田女《あくため》が夫の日鷹吉士《ひたかのきし》が遠くに行ったことを嘆き悲しんでいた。そこへ鹿父《かそ》という人が来てその女に、「その泣くこと、嘆くことの甚だしいのはなぜか」と尋ねた。すると女は「秋葱の二重になっているように、私にとっては夫であり、私の母にとっては兄にあたる人がいないことは二重の悲しみである」と答えた。その悲しみを葱の皮が何重にもなっていることに例えているが、それが葱の初見である。葱の効能は殺菌作用、発汗、利尿、胃を丈夫にし、ビタミンB_1の吸収を高める効果がある。納豆に葱、豆腐に葱、そばに葱と多くの食材と相性が良い。

次に護摩は『和名抄』に「胡麻、音五万訛云宇古末」とある。胡麻はその文字からわかるように中国の呉の国に由来する。胡椒や胡桃もまた同様である。胡麻は「ごま」または「うごま」と呼ばれていた。「うごま」は「烏胡麻」で烏のように黒く、胡麻といえば黒胡麻のことだった。『延喜式』には胡麻を貢進した国と生産量が記載され、伊予国は五石を納めている。胡麻は食用だけでなく薬としての効能も優れている。『医心方』では肌や皮膚を滑らかにし、頭脳を充実させ、筋肉や骨を丈夫にする。長く服用していると、体が軽くなり、老衰を防ぎ、視力を良くし、抵抗力がついて寿命を延ばすとある。胡麻は血管の若さを保ち、動脈硬化や老化を防ぐビタミンEを多く含み、さらに脳の機能を向上させるレシチンも豊富だから記憶力の向上にも役立つ。中国では黒胡麻を「君薬」と呼んで珍重した。さらに灯火用としても使用されたが、これは極めて高価で貴重品であった。このように香味野菜については現在とほとんど変わらないと言えよう。

二　料理道具

㈠　中国スタイルの台盤料理

台所・庖丁

料理に欠かせないのが包丁である。現在は料理をするための道具という意味で使われているが、元々は中国の伝説的な料理名人の名前だった。包丁の話は「荘子」に見える。庖丁は牛を解体する神業を体得した人物で、一本の牛刀を十九年間も使い、牛を数千頭解体したのに刃こぼれ一つさせなかった。それは彼が修練をして技を超えた所にある「道」を体得したからだという。その「道」とは、牛の体の天然自然に即して刀を使う技であった。

魏の恵王の御前で名料理人の包丁が牛をさばいて見せた。鮮やかな手並みに王が感嘆すると、彼はこう言った。「修行当初は牛の外形しか見えませんでしたが、三年もすると、骨や筋が見えるようになりました。心でさばくようになり、牛の体に応じて刀が自然に動いていきます」と。究極の姿は、ものを極めつくしてそれを忘れた境地であることを示している。この忘れは物忘れやぼけて忘れるのとは違い、天地自然と自己が一体化するという大いなる忘れである。老荘思想の究極の境地を示した寓話である。この話が我が国に伝わって人の名から料理道具としての包丁となった。

『日本書紀』景行五十三年条に、天皇が東国を旅行した時、磐鹿六雁《いわしかのむつかり》が魚と貝を調理して出したところ、天皇はそれを大変気にいり、膳《かしわで》の姓を与えた。それ以来、膳氏は膳夫と呼ばれ、選りすぐりの料理人たちの呼称となり、大王の食事に奉仕した。

我が国の料理の発達は、宮中儀礼の整備と一体で、それが貴族社会の調理の作法ともなった。平安時代に大変料理好きだった人に光孝天皇がいる。天皇は自ら竈の前に立ち料理の腕をふるった。料理研究家としても知られ、また庖丁を握れば当代随一の評判であった。料理をする部屋は竈の煤で黒光りするくらい使い込んでおり、天皇は別名「黒戸の宮」と称されていた。自ら料理の素材を採取した歌が小倉百人一首に詠まれている「若菜摘み」である。「君がため　春の野に出でて　若菜摘む我が衣手に　雪はふりつつ」

『日本三代実録』には、「天皇若くして聡明、好みて経史を読む。容止閑雅、謙恭和潤、慈仁寛曠、九族を親愛す。性、風流多く、尤も人事に長ず」と学問やその人柄が高く評価されている。

料理をする所を台所と呼ぶが、その歴史は古い。王朝貴族の間では、ハレの日の宴には、格調の高い「台盤料理」が出された。食事は中国的スタイルで、食膳をのせる二人用のテーブルの台盤を前にして椅子に座った。ただメニューは日本的で飯を主食に、汁物、魚介類、生もの、干物などで、いたってシンプルだった。その「台盤料理」を支度する所を台盤所と呼んでいた。この台盤所の略称が台所である。それを取り仕切るのはその家の妻の役割であったから、「御台盤所」から「御台所」の名が生じた。そしてそれは貴人の正妻の敬称となり、徳川時代には将軍家夫人の正式名称となった。

今一つ、かつて台所のことを勝手とも呼んでいた。勝手は「得手勝手」「使い勝手」などと様々に使われる。本来この「勝手」は弓を射る手のことである。弓を射る時に、弦を引く右手のことを「勝手」、反対の弓を持つ左手のことを「押し手」と言った。右手の方は自由に使えることから、都合がよい、便利、気ままなどを意味する言葉となった。台所を勝手と言うのは、客の接待をする格式ばった座敷でなく、身内だけで自由で気ままにできることから生じた。ただ現在では、料理の場は台所が圧倒的に優勢であるが、台所に出入りする場は依然として「勝手口」と呼ばれている。しかしこれらの言葉も将来的には「キッチン」

という名称に淘汰されるかもしれない。

鎌倉・室町時代の武家の宴席では男はあぐら、女は立て膝をして座る。女は長い緋袴をはいていたから、足も膝も見えないので、少々行儀が悪くても不作法には見えなかった。立て膝も決して行儀が悪いとは思われていなかった。膝を折って座るようになるのは、書院造が発達し、小笠原流の礼法が行われるようになる室町時代からである。貴族階級の宴会は、食べる料理にも順番があり、一定の作法によって行われていた。食事を大量にとることや、食事の時間を待ちかねて食べることや、食べながら話をすることなどは戒められている。

摂関政治の頂点を極めた藤原道長は、こまめによく動く男だった。歴史物語の『大鏡』には、ある日の道長の行動を次のように記す。「天皇や中宮といった貴人たちが道長邸に来られ食事をする時、道長は自ら台所に行き、食事を運ぶ器や皿などを拭いていた」とある。また様々な料理もいちいち毒味をしていた。こうしたきめ細やかな配慮が彼をして最高の地位に上り詰めた一つの要因なのかもしれない。〝男子厨房に入るべし〟である。

料理は男子の教養

現在は一般になじみはないが、客の前で行う儀礼的な調理の作法を庖丁あるいは庖丁式とも言う。九世紀の「高橋氏文」（逸文）には料理の祖として磐鹿六雁の名が見える。膳部の流れをひく高橋氏が庖丁の家となり、やがて同氏は宮中の大膳を司るに至り、藤原山陰《やまかげ》を祖とする四条流も兼ねるようになる。平安時代の貴族の中にはその藤原山陰を初め、崇徳天皇に鯉料理を披露した藤原家成、修練のために百日間、鯉の庖丁を続けた園別当入道基藤などの名人がいた。

庖丁の作法では、鯉を特に重視し、「長久の鯉」「竜門の鯉」などの料理の切り方や盛り方の形式が数十あった。鯉は口の横にヒゲが生えていることから、滝を遡り天に昇って龍になると信じられていたので、鯉は魚の中で最も上位に位置づけられていた。『医心方』によれば鯉は肉の味は甘く、咳き込みや上衝、黄疸などに用い、渇きを止める。また脚気の悪化した症状にも良く、気力も増すと記す。

『日本霊異記』には「鯉を煮て寒凝《こごら》す」とみえるように、鯉を煮て寒気で凍らせることは古くからあった。現在では煮汁に寒天やゼラチンを加えて作るもので、にこごりという料理になっている。鯉はコラーゲンが多く、肌のみずみずしさを保つ効果が大きい。女性にとっては垂涎の食である。平安京では新鮮な海産物を手に入れることが困難だったから、特に川魚料理が発達した。

全て庖丁と真魚箸《まなばし》だけで、直接に魚鳥に一切手を触れることなく調理する作法があった。因みに料理をするまな板のことを「真魚板《まないた》」とも表記されるが、それは魚のことを「まな」と言い、それを調理したことによる。料理をしている様子を人に見せるというのは、客に対する最高のもてなしだった。だから人様に見せることのできる料理の腕前を持つことは、男子の立派な教養であった。その料理には、焼き肉、お好み焼き、鍋物、にぎり寿司がある。こういう文化は欧米にはないというが、私たちにとって鮮やかな庖丁さばきもご馳走の一つに見えるが、その背景には長い歴史があったのである。

室町時代には奥義秘伝とされる料理法も出て、進士・四条・大草などが包丁の家とされた。かつては祭祀のための料理が最も重要だった。神に生け贄を捧げた後でそれを共にいただく食事では清浄さを保った

料理の名人藤原山陰を祭る山陰神社

めに人が手を触れない料理が考案され、魚も肉も刺身で食べることが多かった。だから料理自体の工夫はあまり必要とされず、包丁さばきの鮮やかさが注目された。包丁と真魚箸は宮廷や貴族の料理用で、それらは料理の道具だけでなく権威の象徴でもあった。

しかし煮物中心の献立が主流となると包丁と真魚箸だけでは極めて不便になった。中国から禅宗と共に精進料理が伝わり、食材も味噌・豆腐・納豆・麺類など豊富になり、それに伴って料理の方法も多様となった。さらに桃山時代には南蛮人たちがやってきて、天ぷらなどの揚げ物料理が伝えられた。そのうえ茶の湯の盛行によって会席料理が発達し、調理技術も味付けと盛りつけに重点が置かれるようになった。それでも生ものの場合には真魚箸を使っていたが、しかし手でつかむ方がはるかに能率的である。こうした形式的なことを嫌い、実用本位を求めたのが江戸で、そこでは権威と形式化の象徴の真魚箸は姿を消す。江戸っ子は気が早く、荒っぽいく、面倒で形式的なことより、簡単で便利、実用本位を旨とすることから、それらは忘れ去られていった。

(二)　食事道具

食事の道具に料理を盛る皿は欠かすことができない。宮廷行事や貴族たちの饗宴で使用される皿は奈良時代には唐三彩やその技術を習得して作られた奈良三彩などであった。奈良三彩は朝鮮半島から伝わった須恵器の技術をベースにして、中国からの新たな三彩技術が加わって成立したものである。天平文化を見る時、唐文化の受容に目を奪われがちであるが、朝鮮半島からの文化的素地も重要である。そして史書には記されてはいないが、我が国の優れた製陶技術を持つ者が、遣唐使の一員となって大海原を越えて唐に渡り、辛苦の末、三彩技術を習得して帰朝した。それが正倉院にも残る奈良三彩として結実するのである。

平安期になると陶器は朝鮮半島から中国を指向する傾向が強まる。それを平安緑釉、または緑釉陶器と言う。嵯峨天皇の弘仁年間頃、唐から輸入された緑釉陶器は平安宮の大極殿や豊楽殿など、唐風の建築物で行われる宮中の儀礼や国家的饗宴で使用された。唐風の舞台で唐風の器物を用いているように、中国文化への指向は甚だ強く、それは十世紀にも引き継がれている。その頃は国風文化と言われる時代であるが、根強い中国指向は健在であった。

奈良三彩の場合は寺院や祭器的な性格のものが多かったが、平安緑釉は実用的な食膳具が多く、その生産量は飛躍的に増大した。それはまだ高級な焼き物ではあったが、より多くの人が目にする身近な存在となった。そして緑釉技術を適用して特殊な原材料を要しない灰釉陶器が誕生すると、生産地も尾張・美濃・三河・遠江などに広がり、より安価な焼き物として量産されることになった。こうしてやっと庶民と言われる人々のもとにも陶器が普及することになった。こうしてみると、日本の焼き物文化は、中国・朝鮮・日本の三つの層が重なり合いながら成り立っていると言えよう。

二本箸（唐箸）は中国由来

平安時代の貴族たちに出された料理は個人個人の高坏の上に並べたり、また折敷《おしき》という四角な盆に乗せて出された。これが「膳」の原形で、後に本膳料理として発展していく。食事は穀類を中心に肉・野菜・果物などをバランスよく食べることが大切である。昔の人は食材そのものが持つ薬効をよく知っており、食は同時に医であるという医食同源を日々、実行していた。

ご飯をよそって食べるのに杓子は欠かせない道具である。その歴史は古く、縄文時代の晩期には杓子が発見されている。杓子は瓢箪（ひさご）に由来するという。瓢箪を縦に割ると杓子になり、横に切ると椀になる。瓢箪は様々な病気の処方に使われることから、それから作られた杓子は、そのくぼみに神霊が宿るとされ、また水神を鎮めたり火伏せの霊力があるとされ、呪術の道具としても使用された。「杓子」という言葉は平安時代から見えるが、中世に入ると杓子の柄が曲がるようになる。そこから「杓子定規」という言葉が発生した。つまり曲がった杓子では定規に使えないということで、融通がきかないことを意味した。またカエルの子を「オタマジャクシ」と言うが、水の中で、尻尾をくねくねと動かす様子が、柄の曲がった杓子に似ているところから名付けられた。

広島県の宮島では杓子を参詣の土産として販売しているが、他の神社でも杓子を厄除けのお守りにしているところがある。神社と杓子が関係が深いのは、杓子が穀物豊饒の呪物として神聖視されていたからである。その厳島神社の杓子に関わる話がある。厳島の寺に誓真という修行僧がいた。彼はどうしたら人々の暮らしが良くなるかを考えていた。ある夜、夢の中で弁財天が水辺の岩に座して琵琶を奏でている姿を見た。その音色と姿にうっとりしていたが、その琵琶が段々と杓子に似てきたところで目が覚めた。彼はこれは杓子を作れという弁財天の啓示だと思った。そこで夢の中で見た美しい形をした杓子を作って人々に配ると、使いやすさや形の優雅さが評判となった。また「めし取る」「すくい取る」と言うことから幸運や勝運を呼び込む縁起物として厳島の土産となった。

次は箸である。『古事記』の出雲神話の「箸流れ伝承」が我が国の箸の初見である。スサノオノミコトが八岐大蛇《やまたのおろち》を退治する話の中で、「この時、箸その河より流れ下りき。ここにスサノオノミコト、その河上に人ありとおもほして」とある。ここに見える箸は古代の「折り箸」で現在の二本箸とは違う代物である。五十㎝ほどの竹製の一本の箸で、中心部から折り曲げて作ったピンセット状のものだった。その形状が鳥のくちばしに似ていることから「はし」になった。もっとも河などにかける「橋」から「はし」になったという説もある。

最も古い二本箸は七世紀頃で、檜で作られている。ただそれは食事のためかどうかはわからない。食事用の箸は藤原京から出土し、この頃に箸の利用が一般化した。中国では二本一組の箸は、殷王朝の紀元前十数世紀にまで遡る。二本箸を唐箸と言うように中国文化の導入と共に官人社会から普及していった様子が窺える。

正倉院には銀製の箸があるが、これは貴人専用である。平城京の時代には檜の箸が多数見つかっており、東大寺の境内でも確認されている。また食事の用意をした大膳職の建物付近からも数十本の檜で作られた箸が出土しているが、その場所は公的な施設に限られている。箸は神事に供えたり、神聖な道具とされていたのであろう。庶民用のは長さ十五cmから二十三cmほどの竹製の箸だったが、それはまだ十分普及していなかった。

匙で飯を食べる

今一つの食事用の道具が匙である。これも藤原京で檜の匙が出土し、正倉院にも銀製の匙があるように、箸とほぼ同じ時期に使用された。九州大宰府の客館と思われる遺跡などでは箸や匙が出土しているが、それは新羅製品と推定されている。平安時代の『和名類聚抄』には匙のことを「かい」と読み、「所以取飯也」とあるように、飯を食べるためのものだった。貴族の食卓では箸と匙がセットとなっているが、それは貴人特有の使われ方だったのかもしれない。古代では飯は蒸した強飯を高々と盛りつける高盛飯であった。蒸した飯はかなりポロポロしたもので、現在の米のように粘りけのあるものではなかった。そのため箸では食べにくいので、匙が必要だった。平安時代の宴会では箸と匙が一緒に出されているが、匙は飯が出ている時だけに見える。ということは匙は飯を食べるためので、箸はおかず用ということになる。

ところで飯用に使用されていた匙は中世になると姿が消える。その理由は、それまでの椀は土器だったから、重くて持ちにくいため、膳の上に置いたまま食べていた。しかしそういう食べ方では飯や汁を箸で食べるというのは難しい。その難点を克服したのが木の椀である。これなら軽くて持ちやすく、しかも熱いものを入れても手で持つことができる。こうして口まで椀を持っていけるようになれば、汁だけでなく飯も箸だけで食べることができるようになる。こうして飯用としての匙はその役割を終えた。ただ口につけて食べる習慣が定着すると、熱い汁物などを飲む時にはやけどをする可能性がある。そこで汁を口に入れる時、空気と混ぜることで温度を下げた。蕎麦やうどんをする時、どうしても音が出るため、日本人は食事中の音に非常に寛容である。それは我々が匙を用いなくなったことで、そうした習慣が生まれたのである。

その一方で、食器に直接口を付けてよいという作法ができると、他人が口にした椀や箸を使うことに抵抗感が生じ、飯椀や湯飲み・箸などを自分専用とする属人器が一般化した。その証拠に口を付けないおかずの器は属人器とはなっていない。日常の食事で唇を触れる食器に対して個人的なテリトリーがはっきりしているのが日本の食文化の特徴である。また、飯椀を手で持って食べるようになると、男の手と女の手では持ちやすい椀の大きさが違ってくる。そこで男女で大きさの異なる椀ができた。それを夫婦椀という。湯飲みにも男女毎に握って持ちやすい寸法があるが、性別で異なる器があるのは日本ぐらいではなかろうか。

箸を使用するのは中国を中心に日本、朝鮮半島、東南アジアなどであるが、匙などの補助具を用いないで、箸だけでつまむ、はさむ、裂く、すくう、運ぶなど多彩な使い方をしているのは日本人だけである。一つのものに何役もの働きや機能を持たせる発想は日本人の得意とするところである。

食事が終わると歯の手入れをする。ただ古代では歯磨きと言えば、楊枝で手入れをすることだった。楊枝はインドが起源と言うが、中国に入って柳の木で作られるようになった。柳は春一番に芽吹き、生命力に満ち、そのため邪気を払う神聖な木とされた。これが仏教と共に日本に伝えられ、僧侶が使い始め、平安時代頃には広く一般に用いられるようになった。因みにこの頃、朝顔を洗うことはしていなかったようで、朝の洗顔という習慣は鎌倉時代以降のことで、中国から禅宗と共に入ってきたものだった。そして江戸時代頃には庶民でも普通に顔を洗い、歯磨きをするようになった。

テーブルを囲まない食事

食材の入れ物は弁当で、最も一般的なのは幕の内弁当である。ふたをとると海のもの、山のもの、野のものなどがきれいに並べられ、四季折々の風景を感じさせる。松花堂弁当は懐石風の料理を、四角い箱の中を田の字に仕切り、コンパクトでそれでいて豊かな料理のバリエーションが楽しめる。このコンパクト化こそが我が国の美意識に叶ったものである。吉田兼好の『徒然草』第百二十二段に「食は人の天なり。よく味はひを調《ととの》へ知れる人、大なる徳とすべし」と言って、料理上手は大変な長所であると言っている。

食事の風景はその時代を映す。現在では食事は皆で同じテーブルを囲むのが当たり前になっている。確かに大勢でワイワイと話しながら食べるのは食も進んで大変楽しい。そうした食事風景は私たちにとっては当たり前で、長く続いているような気になるが、実は歴史的にみればわずかな時間しかたっていない。

長い間、日本人の食卓の風景にはそもそもテーブルといったものがなかったから、「同じテーブルを囲む」こと自体不可能だった。古代から江戸時代までの長い間、人々はテーブルの上に料理を置いて食べていたのではなく、一人一人に膳があり、それを座って食べていた。皆で食べた方が楽しいだろうし、また食器にしても数が少なくて合理的と思われるが、そのようにはできなかった。

古代から江戸時代までというのは歴史の一面を切り取って言えば、身分制社会だった。社会の隅々まで身分制度が浸透し、人と人との間には身分に基づく序列があり、家族の中にもそうした序列が持ち込まれていた。そのような社会では食事もまた自分たちの位置を確認する場であったから、同じ皿から料理を取り合うことはできなかった。銘々が決まった場所で自分の膳で黙々と食べていた。「同じテーブルを囲む」ことは、自由・平等な人間関係であることが前提である。だから我が国の食事の歴史は孤食が伝統であり、一家団欒があったというのは幻想かもしれない。現在はホテルなどで、自分の好みの料理を銘々が取り皿に取っていくバイキング料理などは、身分制のない社会だからできることなのである。

(三)　多彩な調理道具

すりばちとすりこぎの出現

料理法の発達と相まって調理道具も多彩になった。最も重要なのは鍋である。鍋は縄文時代からある。縄文土器という土鍋の発明は食料革命をもたらした。これによって食べることのできる種類や量が飛躍的に増加し、煮炊きすれば安心して食べられるようになった。奈良時代頃になると土鍋に代わって鉄鍋が普及する。

鍋に関して「割鍋に綴蓋」という言葉がある。それはどんな人でもそれにふさわしい配偶者がいるという意味である。ただその「割鍋」は二つに割れた鍋ではなく、縁は欠けているが、まだ使えるもので、「綴蓋」も閉じる蓋ではなく「修理した蓋」のことである。だから鍋も蓋もまだ使用に耐えるものだったのである。

粉をひく石臼は七世紀頃に我が国に伝えられたが、直径一メートルもあり日本の食生活の実情と合わなかった。再び鎌倉時代に中国から入ってきたのは抹茶を作るための小型の石臼（すり鉢）で、禅僧たちが持ち帰った。それは高級品の抹茶製造のためだから、特権階級の奢侈品であった。そして中世になって麺が入ってきて粉をひくすり鉢の需要が格段に多くなった。その粉ひき道具が調理用具へと変化した。これによってすりつぶして作る料理が発達することになった。すり鉢が日本料理の方向を決定したといっても決して過言ではない。

すり鉢とすりこぎの出現は、一種の台所革命であった。現在の私たちからみれば当たり前のすり鉢とすりこぎであるが、それによって以前よりはるかに少ない労力でしかも細かな作業が可能になった。味噌和えや味噌汁、ごま和えやごま豆腐など、各種の和え物が調理されるようになった。これらも禅寺から庶民の台所へ普及したものだった。

宴会で使用される食器にも身分による違いがあった。当時の食器には金属製品（金銅製・銀製・銅製・銅と錫の合金である佐波理《さはり》製）ガラス製品、漆器、白木の器、葉を編んだ食器、焼き物食器などがあった。その中で、皇族や貴族などにのみ使用されたのは、金属器とガラス器と漆器で、これらは彼らにとっても垂涎の的であった。

ガラスの生産は古墳時代後期から、我が国でも行われていたと考えられ、七世紀後半の奈良の飛鳥池遺跡ではガラス生産工房が発見され、その未製品や原料などが出土している。しかしこれらが食器としてあまり使用されなかったのは、貴重品ということの他に仏教寺院への供給を主な目的としていたためと考えられている。

正倉院には椀形のガラス製容器やササン朝ペルシャで製造されたセピア色のカットグラスがあるが、日常品より宗教的な用途で用いられた。瑠璃色の不思議な光沢と美しさ、そして何よりも希少価値は神を祭る器として十分な条件を持っていた。古代のガラス製品は出土地が非常に限定されており、藤原宮・平城宮・難波宮などの宮殿遺構においても発見されず、そのほとんどは大王級の大古墳と祭祀遺跡である。

三　食材

(一)　五穀の筆頭の米

米は食を支える根幹

春や秋の祭りでは必ず「五穀豊穣」が祈願される。平安時代の宮廷料理は鳥肉・魚肉・干物・野菜・海草など種類は多様であるが、基本は穀物だった。穀物は一般に五穀と言われ、通常は米・麦・粟・黍・大豆である。しかし『日本書紀』では黍の代わりに稗、『古事記』では小豆となっている。このように何を五穀とするかは様々である。言うまでもなく五穀の筆頭は主食の米である。人々が飢えから解放される契機となったのは、何といっても弥生時代から本格的に展開する稲作である。米はモミのついたままであれば、長期間の保存が可能で、狩猟などが不調であっても貯蔵した米によって乗り切ることができた。ただ最初に日本にやってきた稲は、赤い色素を持ったジャポニカ型が圧倒的に多く、モチイネと呼ばれる粘りけの強いものであった。日本の初期の稲は赤い色素をもった餅米が主流だった。

古くは「一年」の「年」は「稔」という文字を書いた。それは稲の稔りに由来する。日本の祭りが豊作祈願の春祭り、豊作を感謝する秋祭りから構成されるのも同じ理由である。今日では祭りと言えば神輿や山車などが注目されるが、祭りの本来の最も重要な神事は、宵宮に神饌を供えることである。古代には一日の始まりは日没からだったから、日没後に神饌を供えた。その神饌の中で最も重要なのが、米・酒・餅である。酒も餅も米から作られるから、全ては米に集約されると言ってよい。米を初めとする穀物には霊魂が宿っており、その穀霊（稲の場合は稲霊）を食することで人の霊魂も強化・活性化すると考えられていた。古くは握り飯のことを「みたまの飯《まま》」と呼んで、神棚に供えた。米の一粒一粒には穀霊が宿っており、それを大きな球形にすれば、神霊の力もそれだけ強くなると信じられた。「みたま」は「御霊」だから、「おむすび」はそれを「むすぶ」ことで強化された食物となる。「むすび」は漢字では「産霊」「産巣日」で、記紀神話には「産霊」「産巣日」の神の名が多く見える。しめ縄などの結び目には神の力が宿るという発想と同じである。

ただこのような言葉が生まれる背景には「共食」の歴史があった。「共食」は単に皆で食べるというのではなく、牛のように飲み、馬のように食べる、まさに非日常の飲食である。日本の歴史は、見方を変えれば飢餓・飢饉の歴史と言ってもよい。常に飢えと背中合わせのような生活を強いられていた。そういう状況の中で、牛飲馬食は年に一・二回しかない貴重な機会だった。一般庶民にとっては極めて重要な日であった。

椀にごはんを山盛りによそって客をもてなす牛飲馬食を提供することを「大盤振る舞い」と言うが、もともとは「椀飯振る舞い」であった。「椀飯」というのは椀に盛った飯のことであり、「振る舞い」と言うのは「立ち居振る舞い」というのが元の意味であるが、これにご馳走の意が加わり、盛大なごちそうでもてなすという意味となった。

「大和には　群山あれど　とりよろふ　天の香具山　登り立ち　国見をすれば　国原は煙立ち立ち　うまし国ぞ　あきづ島　大和の国は」（『万葉集』二）

これは舒明大王が天香具山から美しい大和の国を眺めた国ぼめの歌である。「うまし国」と言うように食物の豊饒さを示している。米は我が国の食を支える根幹であることは今も変わることはないが、それだけに米作りには多大の労力や工夫が行われた。古代木簡の中に「大根子《おおねこ》」と言うのがあり、当初はこれが何を意味するか不明だったが、最近になって稲の品種名であることがわかった。その後、「畦越《あぜこし》」「足張《すくはり》」「荒木」「白和世《しろわせ》」なども同様であり、早稲・中稲・晩稲などの種類はもとより微妙に発芽をずらして植えるために盛んに品種改良を行っていたのである。

貴族の正規の食事「おこわ」

縄文時代や弥生時代のように、土器が使用されていた頃には穀類は主に蒸して食べていた。この蒸した米は強飯《こわいい》と言って、平安時代頃には「おこわ」と敬称され、それが貴族の正規の食事であった。一方、庶民は炊いた飯で、ひめ飯と呼んでいた。平安時代末頃から食べておいしいひめ飯が普通になると、高盛飯は箸をつけるだけの儀礼的なものとなった。それが時代が下って江戸時代になると、飯といえば炊いたものになり、蒸した米は「おこわ」としてハレの日や儀式の時だけに用いられるようになった。

貴族たちの宴会の大饗ではたくさんの料理が並べられ、一番手前に飯と箸が置かれた。ただこの飯は現在のように茶碗の高さとほぼ水平になるくらいのものではなく、塔のように高く盛られた飯で「高盛り飯」と呼ばれたが、それが当時の普通の飯の盛り方であった。しかし食べる時にあまりに高いため、鼻がぶつかるので、別名「鼻突き飯」とも呼ばれた。そして食べる時に、箸を飯に立て、続いて匙を立てた。現在ではそれは不作法とされるが、それが中国風として好まれたからである。盛ったのは飯だけでなく、菜も菓子もである。現在でも葬儀の際に「盛り物」を供えるが、これもそうした高盛りの伝統を受け継いでいるのである。

ただ、米ばかり食べることの出来たのは限られた階層の人々で、庶民は米の他に大麦・小麦・粟・稗・黍・蕎麦などの雑穀を混ぜたり、また同じ米と言っても黒米と言われた玄米を食べていた。今は死語となっているが、かつて「米養生」という言葉があった。それは水田の少ない山間部では瀕死の病人に枕元で米を入れた竹筒を振り、その音を聞かせて元気づけたという。病人に米を食べさせることさえできず、音だけ聞かせるという悲しい話である。

米は水分の量によって固めにも柔らかく粥状にも炊くことができる。病院などでは体調に合わせておもゆ、三分粥、五分粥のように何段階にも分けて調節する。そしてそれに合った梅干し、佃煮、おかかなど漬け物も多くある。この多様な食べ方のできることが米の特色である。

寿司と餅

寿司は和食の代表的な料理であるが、「すし」の語源は「酸し」で、「寿司」という表記は縁起の良い文字にする当て字で、幕末頃からである。その寿司のルーツも中国にある。ただそれは現在の寿司とはかなり違っている。中国では魚の鱗を取らず、臓物を取り出し、塩をして中に飯と酒を混ぜたものを詰め、重しをして発酵させたが、そうした調理法は早くから伝わっていた。このなれ寿司を日本での嗜好や風土に合わせて改良することで日本食となった。

『養老令』の賦役令には「雑鮨」があり、尾張国や但馬国の「正税出挙帳」にも見える。平城京から出土した木簡や『延喜式』にはかなりの魚貝鮨が作られていたようで、貽貝鮨・鯛鮨・鮒鮨・鮭鮨・鮨鰒などの名前がある。数種の魚を使うのを雑鮨・雑魚鮨と言った。

ところでにぎり鮨は一個二個ではなく、一貫二貫と数える。それは江戸時代の鮨の重さが銭一貫と同じだったことによる。しかし一貫＝三六〇グラムとすれば大変大きく、おにぎりのような鮨だったことになる。名前は同じ鮨でも内容は大きく異なるのである。

次に餅である。餅は正月のような特別な日の食べ物で、餅には稲の霊が宿っており、食べることで生命力が与えられると考えられていた。冬のボーナスのことを餅代と言うようにやはり特別扱いされている。

餅の語源は「モチイイ」、すなわち粘る飯のことで、また持って歩ける飯とも言われる。この他、望飯すなわち望月からきたとの説もあり、円形を最高の形として神聖視し、餅は切ることすら忌んだという。

正月の代表的な祝いの食事が「雑煮」である。歳神に供える餅や野菜などできるだけたくさんの食べ物を煮混ぜすることから「雑煮」と呼ばれる。「雑」はいろんなものがたくさん混ざっているという意味である。

『豊後国風土記』国埼郡田野郷条に餅の説話がある。この地の百姓は多くの水田を所有していたので、食料が余り稲を田に捨て、取り入れることもしなかった。すっかり奢って餅を的にした。その時、餅が白い鳥となって南に飛んでいった。その後、その地の百姓が死に絶えて荒れ果てたという。米や餅を大切に扱わなければならないという話である。的になった餅は白く平たい丸餅だったのであろう。

現在、西日本地域では丸餅が多いが、東海以東では切り餅が多く、地域的差異が明瞭である。淡路・但馬・伊豆などの正税帳によると、大豆餅、小豆餅、胡麻狛餅などがあり、種々の材料を入れた多種の餅が作られていた。餅が正月の祝儀として用いられるようになるのは中国から歯固めの風習が入ってきた平安時代からである。元日に固い餅をかみしめて歯を強くし、齢を固めることを祈り、後に丸くて大きな鏡餅を拝した。また新生児が誕生してから五十日目と百日目にあたる夜、重湯の中に入れた餅を含ませる五十日の儀、百日の儀を吉日を選んで行った。その役は父親あるいは祖父があたった。

餅と年中行事との関係は深い。正月の鏡餅は平安時代には「鏡餅」ではなく「餅鏡」と呼ばれていた。そして貴族の日記などには「餅鏡を見る」とあるように、食するものというより、本来は見ることによって祝い、長寿や無病息災を願うものだった。しかし武家の時代になると鏡餅を切って食べることは切腹を連想させるので、木槌などで割ったが、「割る」のも縁起が良くないので、「開く」に言い換えられ、「鏡開き」となった。

このほか三月三日の草餅、五月五日の柏餅、十月亥の日の亥の子餅などがある。中国では十月の亥の日に餅を食すれば病を避けることが出来るとされる。それはまた猪が多くの子を産むので、女人が餅を献じて祝うとも言う。『源氏物語』葵の巻には、「その夜さり亥の子参らせたり」とあり、めでたい日と考えられていた。中世には酒は上戸、餅は下戸の代表となり、江戸時代には両者は嗜好品の双璧となった。そうしたことから各地に名物餅が誕生した。

(二)　副食と漬け物

「菜」・「魚（な）」

米が優れた食品であったため、長い間、副食物はあまり発達しなかった。副食は飯の食欲増進剤として、あるいは宴席の酒の肴程度であった。主食の米に対して、副食は「な」と呼ばれていた。それは「菜」、また「魚（な）」である。酒のつまみのことを普通「酒のさかな」と言う。かつて魚でなくても「さかな」というのは「酒菜」に由来する。「菜」はおかず全般を指すから、何も魚に限るものではない。ただ「酒菜」となる以前にまで遡ると、「さかな」は「魚」を意味していた。やはり魚に勝る「酒のさかな」はない。しかし後になると、果物なども「さかな」とされた。『今昔物語集』巻二十八第五話「越前守為盛、附六衛府の官人の話」には様々な肴で酒を飲む話があるが、その一つに李《すもも》が登場する。果物も酒の肴として喜ばれた。そしてさらには酒興を添える話題や言動も酒の肴とされるようになった。

酒のつまみの定番の一つが、魚の練り製品である。平安末期の関白藤原忠実の大饗献立に「蒲鉾」とあり、貴族の祝賀料理の献立に蒲鉾は欠かせないものだった。ただ蒲鉾と言っても今の蒲鉾とは姿形が変わっている。それは竹の茎などに魚肉をすりつぶして塗りつけて焼いたものだから、見た目は蒲の穂のようであった。蒲の穂と似ていたことから「蒲穂子《がまぼこ》」呼ばれた。しかし室町時代になると長さ十五㎝、幅六㎝の板に魚肉を貼り付けるようになり、現在と似たようなものになった。それが蒲鉾と呼ばれたから、これと区別するためにそれ以前の竹の茎につけたものを竹輪と呼ぶようになった。

はんぺんはすりつぶした白身魚に山芋のすり下ろしなどを加えて、下を平らな形に作り、ゆでるか蒸かした加工食品である。現在ははんぺんで統一されているが、かつては「はんへん」「はんべん」とも言われ、また「半片」「半弁」「鱧餅」と表記されている。「鱧《はも》」の文字が入っているのは、材料として鱧が最も優れているからである。はんぺんの語源について、椀の蓋をもって作ったが、その蓋の半分に材料を詰めて半月状になったのでその名になったという。また二つに割った竹輪の半分を板に付けたからとも言う。さらに慶長年間に、駿河の料理人に半平という人物がおり、その人が始めたから食品の名になったという。このように普段何気なく食べている食品にもそれぞれの歴史があるが、あまりにも日常すぎて記録に留められていないため、そのルーツを探ることはなかなか難しい。

香の物

米を主食としたことで発達したのが漬け物である。野菜類の漬け物は香の物と言う。食料の保存法として早くから発達し、様々な種類の食材が漬け物にされた。平安時代の『延喜式』内膳司には漬年料雑菜として春には十四種、秋には三十五種の漬け物が見え、材料は瓜・茄子・冬瓜などのほか桃・柿・梨などがある。加工法は現在とほとんど変わらず、塩漬・甘漬・酢漬・醤醢漬・味噌漬・糟漬などである。

糠で漬けた奈良漬は奈良時代から見られるが、奈良は古くから酒の産地で良い粕漬が出来たから「奈良」の名が付けられた。主に瓜類を塩による下漬け、酒粕による中漬け、本漬けを経て作る。酒粕による漬け物は、『延喜式』によると瓜のほかに蕪などもあった。ただこの時代の漬け物は、冬季に不足する青物野菜を確保するという切実な目的があったから塩漬けの菜の塩分を洗い流し、生鮮野菜と同じように調理していた。

とりわけ大量に漬けられたのが瓜だった。平城京二条大路木簡には瓜を大量に請求する内容のものが見つかっている。それは官人たちの日々の食料だったことはもちろんであるが、瓜が塩と共に併記されていることから漬け物用であろう。瓜は他の野菜に比べても大きいため、保存用としても重要だった。

年中行事の節日にも瓜は多く用いられている。たとえば七夕の時に、台の上に酒・乾し肉・瓜を置いて裁縫の上達を願い、この時、蜘蛛が瓜の上に網を張れば願いが叶うと言われた。『続日本紀』和銅三（七一〇）年七月七日条に嘉瓜が献上されているように、早くから七夕と瓜は結びついていた。また相撲節においても熟瓜を王卿や相撲人に賜っている。需要の多かった瓜は、ほとんどは畿内周辺から進上されたが、遠く伊予国からももたらされている。平城京出土木簡に「伊予国和気瓜参拾壱顆」とある。ただその後、延暦十一（七九三）年十月条に遠距離であることを理由に相模国の橘と伊予国からの瓜の進上が停止されている。

胡瓜は「黄瓜」に由来

今一つ、漬け物の代表的な素材が胡瓜である。胡瓜はヒマラヤ原産のウリ科のつる植物で、三千年も前から栽培されていた。胡瓜と書くように「胡」の瓜であるから、やはり中国から伝来したものである。そして現在は「きゅうり」と読んでいるが、しかし元々は「黄瓜」に由来するため「きうり」と呼ばれていた。現在の私たちは緑色の胡瓜がおいしそうにみるが、かつてはそうではなかった。胡瓜は紀元前には中国に伝わり、ほどなく我が国にも伝わったと思われるが、記録に見えるのは奈良時代からで、「奉写一切経所解案」の中に「黄瓜」とある。平安時代後期の人物で藤原明衡《あきひら》が著わした『新猿楽記』にも黄ばんだ胡瓜が見える。やはり「黄瓜」とあることからみて、黄色に熟したものを食べるのが普通だったようである。その習慣は少なくとも戦国時代までは続いていた。宣教師ルイス・フロイスは、「われわれの間では全ての果実は熟したものを食べ、胡瓜だけは未熟なものを食べる。日本人は全ての果実を未熟なまま食べ、胡瓜だけはすっかり黄色になった熟したものを食べる」と記すように、黄色の胡瓜を食べていたのである。

胡瓜は利尿作用をもたらす強力な成分があるので、高血圧・心臓病・腎臓病・肥満症に大変効果的である。ただ体を冷やす陰性食品のため、浅漬けなどにして食べると良い。また老化やガンを防ぐカロチンや病気に対する抵抗力を強くするビタミンC、若返りのビタミンと言われるビタミンEも含まれている。胡瓜の水分は化粧水になるほどで、皮膚や毛髪にトラブルのある人には大変効果があるという。ところで胡瓜を巻いた寿司のことを「カッパ巻き」と言う。それは胡瓜は水神（河童）に供える食物とされていたことに由来する。

㈢　魚料理

鯛は魚の筆頭

我が国は周囲を海で囲われており、海とは切っても切れない関係にある。私たちの食材として魚の占める位置は極めて大きい。「人口に膾炙する」という言葉がある。世に広く知られることであるが、その「膾」は刺身、「炙」は焼き肉のことである。古代の人々にとっても、刺身と焼き肉は広く人々の口に入っていたから、「膾炙」が話題にのぼってもてはやされる意味となった。

大坂の「なにわ」の由来である。仁徳大王の頃の都を難波高津宮と言い、墨江津の地の海人が大贄を献上しているが、そこに海人が関わっているのは「難波」＝「魚庭《なにわ》」だったからである。「魚庭」は魚類の豊富な漁場のことで、王権の重要地であった。

ところで鯛は日本人にとっては特別の魚である。見た目の美しさ、味の良さ、そして「めでたい」に通じることから冠婚葬祭には欠かせない食材である。『日本書紀』神代下の海幸彦と山幸彦の物語では、釣り針を飲んだ口女《くちめ》（ボラ）につきそうタイは赤女《あかめ》と見える。『万葉集』では現在と同じく「鯛」であるが、平安時代の『延喜式』には「平魚」とあり、その体型が「平たい」ことからそのように呼ばれ、そこから「ひら」がとれて「タイ」となった。

また『日本書紀』の仲哀二年条には、「時に、鯛多《さわ》に船の傍に聚れり。酒を以て鯛に注ぎたまふ。鯛即ち酔ひて浮かびぬ。（中略）其の処の魚、六月に至りて、常に傾浮《あぎと》ふこと酔へるが如し。其れ是の縁なり」とある。これは仲哀大王の妻の神功皇后が鯛に酒を注いだためにこの地方の鯛は六月になると決まって酔ったように浮き上がってくるという話である。

近年、平城京では地方から中央に運ばれた貢進物木簡が発見されている。農産物や手工業製品など様々であるが、その中でも海産物や魚介類が半数以上を占めている。カツオ・タイ・イワシ・サメ・サバ・アユ・スズキ・フナなどである。瀬戸内海の周辺地域ではやはり多比（鯛）が重要な位置を占めている。鯛は楚割《すはやり》といって塩干しにし、細かく切ったもので、伊予国からも貢納されている。『医心方』では鯛の効能について、次のように記す。味は甘く、水を排除して水腫を除く効果があり、通じを良くし、痔を除去する。また咳や気の上昇を治すという。鎌倉時代の吉田兼好の『徒然草』には、「鯛ばかりこそ、御前にても切らるるものなれば、やむごとなき魚なり。鳥は雉、さうなきものなり」とある。鯛は天皇の前でも料理される尊い魚というように、鯛は魚の筆頭とされている。『今昔物語集』巻二十八第三十話にも、「近来うまき物は鮮なる鯛ぞかし。然れば生き鯛は極《いみじ》き物なり」と、その旨さが絶賛されている。

瀬戸内海の鯛は美味との定評があり、鯛料理は多くある。なかでも鯛飯はよく知られているが、愛媛県の東予・中予の鯛飯は鯛を米と共に釜に入れて炊いた炊き込み風であるが、南予の料理は全く異なっている。鯛を刺身にして卵・醤油・みりん・酒・ごまを合わせたタレにつけ込んで、炊きたての白ご飯に混ぜて食べる。味は大変美味である。

鯉料理

鯉もまためでたい食材である。奈良や京都という古代の都は内陸部にあるため海の新鮮な魚を食べることはできなかったから、川魚の中で堂々とした鯉が魚の王様であった。ところが戦国時代を勝ち抜いた織田信長・豊臣秀吉・徳川家康はいずれも海に開けた東海地方の大名だった。彼らが下剋上によって天下の主になると共に、魚の世界でもその最上位は鯉から鯛に代わるという下剋上が起こったのである。

平等院庭園の鯉

中国では黄河を遡った龍門山の下に鯉が集まってくる。その数三千六百四、そして三百六十の種類の魚のトップでこれを河魚の長と言う。側線の鱗は三十六個なので、六々魚の別名がある。その鯉の中で神霊があり、気力に富む一匹だけがこの龍門の瀑布を登り切り、竜に変身すると考えられていた。この「鯉の滝登り」が「登竜門」となる。そして鯉の三十六枚の鱗が逆立ち、これが物に触れると、たちどころに粉々になった。ここから「逆鱗に触れる」という言葉が生まれた。そして中国の最難関の官吏登用試験を科挙と言うが、その試験会場の入り口には「竜門」の文字が掲げられ、試験に合格すると、「竜門に跳ねる」と称された。したがって「鯉の滝登り」は科挙に合格し、高級官僚となり、立身出世して栄華を手に入れることであった。そういうことから鯉は「出世魚」、また大変めでたい魚として床の間に飾られたりするようになった。

この当時、鯉は高級食材で、『万葉集』には「醤酢《ひしほす》に蒜搗《ひるつ》き合てて鯛願ふわれにな見えそ水葱《なぎ》の羹《あつもの》」(三八二九)とある。ニラの一種のノビルに醤と酢を合えて、それを味付けにして鯛を食べたいものだ。しかし水葱の羹は嫌いだから見せないで欲しいという。この場合の鯉は醤酢を付けて食べるというのだから刺身のように思えるが、いずれにしても人々の憧れの食材だったことは確かである。

鰹・ナマズ

平安時代には鰹も宮廷の食膳に供されていた。現在では鰹と言えばタタキで食べるのが一般的であるが、その頃は鮮魚でなく干魚だった。干して固めたものだから「かたうお」で、それから「かつお」となった。『類聚符宣抄』天平九(七三七)年六月二十六日の太政官符には、天然痘に対する病中・病後の心得が載せられている。それによると病後二十日を過ぎて魚や肉を食べようとする際には火を通して食べなければならないとある。ただし干し鮑や堅魚などは火を通さなくてもよいと指示している。それは鰹といえば干した魚であることが自明だったことによる。ただその鰹にも二種類があった。共に生の鰹を切り分け、それをそのまま干したものが堅魚、一旦ゆでてから干したものは煮堅魚と呼ばれた。しかしどちらも干し上げたものだから、腐敗や変質の心配はなかった。ところで先の鰹のタタキであるが、私たちは鰹を火で炙った刺身を思い浮かべるが、かつては刺身ではなく塩辛のことだった。塩辛のことをタタキと言うのは、塩辛は肉の切れ端や小骨を一緒に叩いて作るからである。そのついでに鰹の腸で作る塩辛のことを酒盗と言う。それを肴にすると酒がいよいよ進むので酒盗の名が生まれた。

次はナマズである。日本史の教科書には室町時代の水墨画として如拙の「瓢鮎図《ひょうねんず》」が絵入りで紹介されている。これは禅問答のためで、「瓢箪でナマズをとらえるにはどうすればよいか」という問題である。瓢箪の口径はわずか一、二㎝、これでどうやってとらえるのか、呻吟する僧侶の姿が思い浮かぶであろう。

これを描いた如拙は幕府の御用絵師で、禅知識の豊かな四代将軍義持が描かせたとされる。
ところで「瓢鮎図」の「鮎」は「あゆ」と読み、ナマズではない。しかし絵に見える魚はどうみてもナマズである。「鮎」をでナマズとするのは、中国ではナマズのことを「鯰」とも「鮎」とも書くからである。我が国では「鮎」は「あゆ」としたが、それは中国では「香魚」と表記される。

㈣　肉料理

「肉食の刑」

かつて我が国では肉を食べると鼻が曲がるとか、眼が見えなくなるという俗説があり、人々に広く受け入れられていた。それは肉の穢れを遠ざける必要があったからである。また明治の文明開化の時に、肉を食うのを決死の覚悟で臨んだという話などを聞くと、それ以前の日本人は肉を食べていなかったと思うのも仕方のないことである。確かに公然と肉を食べるようになったのは明治からであるが、いろんな理由で食べられていた。

『日本書紀』天武四（六七六）年四月に初めて肉食を禁止する詔が出されている。「牛馬・犬・猿・鶏の肉を食ってはならない。この他は特に制限をしない。もし違反する者があれば、罰する」と言う。しかしそれ以前、肉食は日常的だったから一片の法律でそれを根絶することはできなかった。そもそも肉は大和言葉では「シシ」と読む。「イノシシ」「カノシシ」（鹿）で日常の食生活に欠かせなかった。だから先の肉食禁止令の中に猪・鹿が入ってないのであろう。ついで天平十三（七四一）年二月条では、牛馬は人の代わりに働いてくれる大事な動物であるから殺生をしてはならないという命令を出し、以後も再三の禁止令を出している。しかし『記紀』や『風土記』には動物供御儀礼の話があり、動物の殺生や肉食は行われていた。それが七〜八世紀にかけて急速に姿を消していったのは仏教の慈悲に基づくものではなく、殺生に伴う「穢れ」からだった。そうして古代日本社会の極度の清浄志向が、その対極において不浄観を著しく増殖させ、死穢や血穢が肥大化し、それによって日本人の食卓の多くで肉料理が激減していった。

ただ、肉を食ってはいけないとされたのは牛・馬・犬・猿・鶏の五種類のみだから、それ以外の肉は食べて良かった。人々が多く食べていたのは鹿や猪、狐、狼、熊などである。当時の人たちにとってもやはり肉はおいしかったから、何かと理由をつけて食している。『日本霊異記』上巻第三十話には、膳広国《かしわでのひろくに》が冥界から戻ってきた話が見えるが、そこで広国は亡き父から「供養の飯と宍の物に飽く」と言われており、先祖の祭祀に獣肉が普通に使われていた。

その最たるものが「薬狩り」の行事である。薬狩りは本来は薬草を摘むことだったが、鹿の角は鹿茸といって薬にもなるため、鹿を狩ることが堂々と行われ、宮中の重要な儀式であった。桓武天皇は度々鷹狩りをしたことで知られるが、天皇自らが鷹の餌を与えていた。鷹は生肉を餌としているから、その餌となる野鳥や犬の肉は障りや穢れにはならないと考えていたのであろう。

しかし平安中期頃には穢れを嫌い、肉食を忌避する傾向が顕著になる。その源流は中国にある。『史記』秦本紀に「吾聞く、善馬の肉を食いて、酒を飲まざれば、人を傷《そこな》う」とある。馬は騎馬として重要だったから、食用となりにくかった。そのため馬肉に毒があるとされた。日本で馬肉の刑を言い出したのは、中国の故事に通じた知識人たちだった。藤原実資の日記『小右記』長和五（一〇一六）年三月二十二日条には、「或いは云く、使官人等放免に仰せて、馬肉を以て有孝に食せしむ」と見える。検非違使の妻に乱暴を働いた有孝という男に、有毒と信じられていた馬の肉を刑罰として食べさせたという。「馬肉の刑」があったのである。

もう一例あげよう。平将門の乱を描いた『将門記』には、「子春丸忽に駿馬の宍を食ひて、いまだ彼の死なむことを知らず」とある。将門の使者の子春丸に馬の肉を食させたが、まだ死んでいないことが不思議だと言うのである。このようにこの頃には肉は穢れがあるだけでなく、有毒だとする観念が成立していた。

先の藤原実資と同時代を生きた藤原道長は極楽往生を願う浄土教信仰を強く持っていたが、その道長も肉食を行っている。彼の日記『御堂関白記』寛仁三（一〇一九）年二月六日条に、「心身は常の如くであるが、しかし目がよく見えない」とあり、そこで陰陽師や医師たちは魚肉を食することを勧めている。道長は数ヶ月間にわたって魚肉を断っていたが、五十日間だけは仏に申し訳ないがその禁を破り、この間は法華経の書写をしてその罪の償いをしようと記すから、魚肉を食することに罪の意識があった。肉食が刑罰とみなされた時代だから、栄養をとり、健康を回復するためとはいえ、道長もよほどの決意をして肉食したのであろう。

肉の穢れ

『今昔物語集』には、肉食や肉食による穢れについての話が幾つかある。まず巻十五第二十七話「北山の餌取《えとり》法師、往生せる語」には、京の北山に住んでいた法師は他に食うものもないので妻と二人で馬や牛の肉を食べていた。しかしこの法師は毎日念仏を唱えていたため、極楽に往生することができた。このことによって「食に依りては往生の妨げとならず。ただ念仏に依りて極楽に参るなりけり」ということを知ったという話である。

同二十八話「鎮西の餌取の法師、往生する語」も鎮西の山中で法師とその妻が肉食をしていたが、その一方で法華経を誦し、念仏を唱えた結果、二人して極楽往生を遂げたという話である。このように肉食することは極楽往生には差し支えがないとする一方で肉食そのものについては、「其の臭きこと限りなし」「餌取の家に来たりにけるかなと怖ろしく思い」「穢く侘びしきこと限りなし」と表現されるように、餌取に対する賤視感や忌避感が見えている。

弘安三（一二八〇）年の日蓮書状には、「人の肉を或いは猪鹿に交え、或いは魚鳥切り交え、或いはたたき加え、或いは鮨として売る。食する者数を知らず」と肉食を排除していないものの、肉食に対する穢れ観は確実に強くなっている。

奈良時代の初期の『養老律令』には肉を忌む規定はあったが、まだ穢れとはされていない。ところが平安初期の『弘仁式』には、穢忌のことが見え、六畜を食えば三日の穢れとあり、さらに十世紀初頭の『延喜式』には、その穢れの規定がより具体的に体系化される。「凡そ甲の處に穢れありて乙其の處に入らば乙に及び同じき處の人皆穢れとなる」という規定が見え、それは次の丙にまで及ぶとされる。つまり穢れた人物と同座すると、その人たちに穢れが移り、三人目で止まるという触穢三転の思想が成立した。

そして十一世紀の前半に成立した『北山抄』巻四雑穢事には、先の触穢三転について「今案ずるに飲食も之に同じ」とあり、この頃になると同座だけではなく、合火などによっても様々な穢れが三転するという認識が広がり、国家レベルで定着していたことが窺える。『延喜式』では六畜の肉食の穢れが三日であったのに対し、鎌倉期になると猪鹿の場合は百日にまで拡大している。こうして中世には神道による食肉の穢れと仏教による殺生の罪とが結びつき、肉食の否定に現実的効果を発揮した。とりわけ我が国に入ってきた大乗仏教では、一切の肉食を禁じ、肉を食えば無量の罪を得るとされていた。

時代は下って戦国時代に南蛮人が渡来した頃の肉食の情況である。永禄元（一五五八）年の「イエズス会日本年報」には、「日本人が肉を食うことを大いなる罪と考えるがゆえに、その饗餍を避くるため、いかなる種類の肉もかつて食したことなく、日本風に調理したる米と塩魚または野菜のみを食せる」と記す。またロドリゲスの『日本教会史』にも、「日本人はその習慣としてこれら全ての肉を忌み嫌い、驢馬も馬も牛も食わず」とある。このように戦国時代末期には肉に対する強いタブーがあり、鳥獣の肉を排して米と野菜を中心とする食生活になっていた。

ただそれは日本において生命を尊重する精神が根付いていたわけではない。ルイス・フロイスの『日欧文化比較』には、「われわれの間では人を殺すことは怖ろしいことであるが、牛や牝鶏または犬を殺すことは怖ろしいことではない。日本人は動物を殺すのをみると仰天するが、人殺しは普通のことである」と記す。戦国時代の人命軽視の時代にあっても獣肉に対する強いタブーを確認することができる。彼らが馬牛の肉を食べているのを見た当時の人々は彼らにならって肉食をする者も増えたようである。天正十五（一五八七）年のバテレン追放令の中に、牛馬を殺し食うことが禁止されている。

このように何度か肉食禁止の法令は出されているが、しかし猪や鹿などは農作物を荒らしたり、食べたりするため、当然農民たちは駆除し、そしてそれを食することは当然のことであった。兎を一羽、二羽と数えたり、猪を「山鯨」、鹿を「紅葉」と呼び名を変えた。江戸時代には「山鯨」の店が繁盛していたのだから肉食の習慣は庶民の間に定着していた。

ただ社会一般で肉食が日常的でなくなったことから人々の食生活の基本は、魚と野菜となり、肉から摂取していたタンパク質は大豆や米などの植物性のものに変わった。現在、肉を多食することで、様々な生活習慣病が発生し、大きな社会問題となっているが、昔に帰る必要まではないが、かつての日本の伝統的な食のあり方を見直す必要があるのではないかと思われる。

㈤　大豆食品

納豆は「納所の豆」から

豆腐の原料の大豆は優れたタンパク食品で、寺の生活に欠かすことのできない食材だった。その大豆を使った食品として注目されているのが納豆である。以前、納豆がダイエットに良いというテレビ番組がデーターを捏造したということで問題になったことがあったが、ダイエット効果は疑問としても、食材として大変優れていることは間違いない。

納豆は中国から奈良時代に渡来僧や留学生らによって伝えられた。「納所の豆」と言うことから納豆の名が生まれた。「納所」は寺の事務所、あるいはその事務所で働く僧という意味で、その名からも寺から広まったことがわかる。ただこの納豆は現在私たちが食べる糸をひくようなものではなかった。

納豆について源氏の棟梁源義家の伝説がある。東北地方での後三年の役の時、義家の兵士たちが豆を煮ていたところ、敵の来襲があったためその豆を藁の俵に入れておいた。そして数日後に取り出してみたら糸を引いていた。それが糸引き納豆の起源だという。

大豆や小豆は健康食品として知られているが、それらはかつては治療薬として利用されていた。造東大寺司という役所にあてて提出された薬の請求書が残っている。「この者、足の病気により起居もままならない。そこで薬として大豆を一升請求したい」と見える。大豆は脚気などの病気に効くのである。大豆を新鮮な水や酒で煮て、その汁を飲むという極めて手軽にできる処方である。また小豆もまた「薬料」で脚気の治療に有効であった。節分の時の豆まきは、その豆自体に邪気を払う力があると考えられていたからである。特に小豆は色が赤いことから、中国においては古くから厄を祓う力を増強するとして、冬至の日に赤豆粥を食べる習俗があったという。

平安時代に生まれた味噌

『万葉集』にも見える「醬」は中国から伝えられた味噌と醬油の原形であった。それが奈良時代に改良され、液化したのが「醬」となり、固まり状になったのが「末醬」で、それにさらに工夫が加えられて「味噌」となった。「味噌」の初見は『日本三代実録』で、「仁和二（八八六）年、味噌二合」と見える。だから平安時代の前期には確実に存在していた。味噌の原料の大豆が多量に生産されるようになったのは、二毛作が始まる鎌倉期以降である。それより以前は「なめ味噌」の形で副食や酒の肴であったが、鎌倉から室町にかけて調味料としての役割を与えられ、庶民的な食物となった。大豆の量産が可能になり、また禅寺での味噌利用が一般社会にも伝播した。「なめる味噌」から「飲む味噌汁」への移行は、味噌普及の大きな転換点となった。江戸時代のことわざに、「医者に金を払うより、味噌屋に払え」というのがある。味噌汁の具に五種類の葉菜類と三種類の根菜類である「五菜三根」を入れて食べれば、立派な「薬汁」となる。味噌はガンの予防や進行を遅らせる効果があり、また心臓疾患や高血圧にも良いという。一日一回の味噌汁で健康が保てるのであれば、これほど簡単なことはなかろう。

和食の調味料として忘れてはならないのは、醤油である。この醤油も大豆を主な原料とする。醤油の発生について、紀州湯浅の寺に伝わる話がある。覚心という僧侶が中国の宋から味噌づくりの技術を持ち帰って味噌を仕込んだところ、水分の多いものが出来た。上澄みをなめてみるとおいしかった。これが醤油であった。このように和食に欠かせない味噌と醤油もまた中国伝来のものを改良して出来たものだった。

㈥　果実

健康食品の梅

梅を食べるのは中国と日本くらいと言われる。それは生で食べると毒性が強く、加工しなければならないからである。梅は梅酒にもされるが、漬け物の梅干は根強い人気がある。この梅干の初見は奈良時代の天平勝宝三（七五一）年に成立した最古の漢詩集『懐風藻』である。そして平安時代後半にはごく普通の食品となる。

清少納言は、『枕草子』四十二段に「似げなきもの。（中略）歯もなき女の、梅食ひて酸がりたる」と記す。梅は酸っぱいけれど毎日一個の梅干を食べるだけで何か体に良いような気がする。しかし実際に極めて優良な健康食品である。梅干はアルカリ食品で、梅に含まれるクエン酸が胃液の分泌を高め、乳酸の分解を促進し、新陳代謝を活発にし、疲労回復の効果がある。また殺菌力があるため、胃の中をきれいにし、大腸内の良性の細菌増殖を促進する働きがある。弁当やおにぎりに梅干しを入れるのはこうした効果のためである。胃腸の弱い人にはぜひおすすめの食材である。一個の梅干でこれだけの効果があるのだからたいしたものである。

「梅はその日の難のがれ」という言葉があるように、薬としても用いられた。平安時代に天暦の治を行った村上天皇の疫病を梅干と昆布茶で治したという伝承がある。その時の梅が申年に収穫したものであったため「申の梅」として重宝され、縁起物としても扱われるようになった。ただ当時の梅は現在のものとは違い中国から伝わった「烏梅《うばい》」と呼ばれるもので、梅の実を薫製にした真っ黒なものだった。梅干は僧侶の生活には欠かすことのできないもので「僧家の肴」とも言われ、僧侶たちから喜ばれた一品であった。

また梅干は究極の保存食品でもある。一般の店頭に並んでいるものは一年から五年ものが多いが、干して梅酢に漬けておれば、百年以上保存ができる。普通保存食品といってもせいぜい十年くらいだろうが、人の一生に相当する期間の保存が可能なのである。

果実酒の梅酒も人気がある。梅は果実の中でも鉄・カリウム・ビタミンB_2が多い。梅酒もおいしさだけでなく、薬効も期待できるのである。

平安時代以降、「むめ」と表記される例がかなりある。その後鎌倉時代には武家の間にも広がり、室町時代には精進料理が盛んとなり、贈答の品物としても使用されるようになった。そして戦国時代には戦場での解毒剤や栄養剤としても用いられた。江戸時代になってしその葉で漬けるようになり、現在のように、赤く色づいた梅干となった。

ところで、梅は古代の貴族たちにとっては憧れの花だったようで『万葉集』には梅の歌は萩について多く、百十九例が詠まれている。しかし『日本書紀』や『古事記』『風土記』には見えない。梅は中国が原産地で、日本に渡来して野生化して、各地に広まった。我が国では梅は縁起が良いとされるが、それは梅が他の草木に先駆けていち早く花を咲かせることから、「生命力」の象徴だからである。「春告草」の異名を持つように、春を待ちわびた人々が焦がれる花で、奈良時代の貴族たちもこよなく愛した。「春さればまず咲くやどの梅の花ひとり見つつや春日暮らさむ」春になれば一番先に咲くその花をながめながら一人春の日を過ごそうという山上憶良の歌である。

次の四首は冬の季節に詠まれた『万葉集』の梅の歌である。

「わが園に梅の花散るひさかたの天より雪の流れ来るかも」（八二二）

「わが岳に盛りに咲ける梅の花　残る雪をまがへつるかも」（一六四〇）

「誰が園の梅の花　そもひさかたの清き月夜にここだ散り来る」（二三二五）

「我が屋戸に咲きたる梅を　月夜よみ夕夕《よひよひ》見せむ君をこそ待て」（二三四九）

次は春の梅である。

「梅の花　咲きたる園の青柳は　縵にすべくなりにけらずや」（八一七）

「梅の花　散らまく　惜しみ我が園の竹の林にうぐひす鳴くも」（八二四）

このように梅と柳、梅と雪、梅と鶯の取り合わせは漢詩に由来する。梅は先進国中国を代表する花だったから、貴族たちはそれを競って愛でた。また紅梅を扱ったものはなく、この頃の梅は白梅だったようである。梅の香りを詠んだものはわずかに一首しかない。

「梅の花　香をかぐはしみ遠けども心もしのに君をしそ思ふ」（四五〇〇）

梅に関連して「梅の木学問、楠学問」という言葉がある。梅の木は成長は早いが、大木にはならない。進み方は早いが、大成させないで終わるのを「梅の木学問」と言う。一方、楠は成長はゆっくりでも巨木になる。このように成長は遅くとも学問を大成させるのを「楠学問」と言う。また成り上がりの金持ちのことを「梅の木分限」と言い、手堅い財産家のことを「楠分限」と言う。どうも梅は楠に対してはいささか分が悪いのである。

柿は実の色の「赤き」から

愛媛県西条市は日本一の愛宕柿の産地である。おかげで秋頃にはふんだんに食することができる。柿栽培の起源はよくわからないが、弥生時代には大陸から渡来していたらしい。平安時代初期に編纂された『新撰姓氏録』には、「大春日朝臣同祖。天足彦国押人之命《あめのたりひこおしひとのみこと》之後也。敏達天皇御代。依家門有柿。為柿木臣氏」とあり、柿本氏の由来を記している。敏達の時代に柿本姓が生まれているのであれば、六世紀後半には間違いなく、柿が栽培されていたことになる。また奈良時代の東大寺の写経所にも干し柿が届けられた記録があり、この頃には日常的な果物になっていた。

柿の名前は実の色が「赤き」ということに由来する。柿の実は昔から二日酔いに良いと言われる。生で食べると、気のめぐりが良くなり、疲労や衰弱を治す。それは柿に含まれるカリウムの利尿作用や種々の酵素の力による。柿はビタミンが豊富で風邪の予防に効果がある。他にも食物繊維が多くとれ、栄養価が高い。ただ生柿は体を冷やす陰性の食品だから、食べ過ぎると腹痛や下痢になるため注意が必要である。

この頃の柿はほとんど渋柿だったから、干し柿にした。干し柿にすれば柿の甘さが凝縮されるから、甘みの少ない時代には貴重なものだった。干し柿は生のものに比べ、ビタミンが二倍以上も多くなり、胃腸を丈夫にし、消化吸収能力を高め、咳や痰を治し、喀血を止め、さらにはシミ・ソバカスも消してしまうという優れものになる。干した柿に粉がふいているものを柿霜と言う。この柿霜にはブドウ糖・果糖・庶糖が含まれており、のどの痛みや口舌の傷にも効く。冬を元気に乗り切るために大切な果実である。

柿の葉もビタミン類が多く含まれているので、お茶の代わりにしたり、柿の葉鮨や餅を包んで柿餅にしたりする。薬として煎じたり、粉末にもするが、胃潰瘍・痔瘻・眼底出血及び止血作用や血圧を下げる効能もある。特に若葉にそうした効能が強いという。こうした効能は根でも同様である。

貴重な栗

縄文時代の青森県三内丸山遺跡では栗が並んで植えられ、栽培されていた。文献では、『日本書紀』神功皇后・履中大王・欽明大王条に栗園が見える。遺跡から出土する栗は、土の中に埋めた状態のものが多く、それは貯蔵されていたと見られる。栗は保存ができ、カロリーも高く貴重な食材だった。

文献では『古事記』の応神大王の頃の歌が初見である。「いざ子ども　野蒜摘みに　蒜摘みに　我が行く道の　香ぐわしに　花橘は　上枝は　鳥居枯らし　下枝は　人取り枯らし　三つ栗の　中つ枝の　ほつもり　赤ら嬢子をいざさば　良らしな」と見える。その中に「中つ枝」にかかる「三つ栗」の枕詞がある。それは栗の特徴をよくとらえている。イガの中の栗は三つあることが多いが、そのうち中央のものだけが立派な種子になる。そのことがわかっていないと「三つ栗」が「中つ枝」の枕詞になっていることが理解できない。当時の人々が栗のことをよく知っていた証しである。

また『播磨国風土記』の揖保郡栗栖里条には、「栗栖と名づくる所以は、難波の高津の宮の天皇、勅してけづれる栗の子を若倭部連池子《わかやまとべのむらじいけこ》に賜ひき、即ち将《も》ち退《まか》り来て、此の村の殖《う》え生ほしき、故、栗栖と号《なづ》く、此の栗の子、本、けづれるに由りて後も渋なし」とある。そして『常陸国風土記』行方郡の堤賀里、男高里、麻生里、当麻里などでは、栗が生えて林となっていたと記されるように、食物としての利用価値は高かった。

『日本書紀』持統七（六九三）年三月条に「天下の下をして、桑、紵、梨、栗、蕪青《あおな》などの草木を勧め植えて、五穀を助けしめたまひき」と詔している。栗は昔から丹波の栗が有名であったようで『延喜式』大膳下「諸国貢進菓子」によると栗の進上国は丹波・但馬・因幡・播磨・美作・山城国となっている。この栗は単なる食料ではなく、儀式などのハレの場の菓子として用いられた。

栗を詠んだ歌としては山上憶良の「貧窮問答歌」がよく知られている。「瓜食《は》めば　子等《こども》おもほゆ　栗食めば　ましてしのはゆ　いづくより来たりしものぞ　まなかひに　もとなかかりて　安眠《やすい》しなさぬ」とある。（八〇二）

ところで栗の実を臼でついて皮と渋皮を取り除いたものが搗《か》ち栗で、「勝ち」に通じることから鎌倉時代には「三種の肴」の一つで、出陣前の酒の肴には「のしあわび・搗ち栗・昆布」、凱旋の時は「搗《か》ち栗・のしあわび・昆布」で「勝ってよろこんぶ」の意味とされた。

栗には薬としての効能もある。栗の実は腎臓の働きを助け、焼いて灰にしたものを打撲傷や切り傷などの傷口に塗ると止血に役立つ。生の栗を噛み、栗のイガは黒焼きにして油で練ってはれ物の応急処置の治療に用いた。さらに栗の皮は煎じれば洗浄や湿布となる。かち栗や十五夜のお供え物にするのも、そうした薬効と関係があるのかもしれない。

(七)　根菜

「味ははなはだ異」の蓮根

インドは熱帯国だけあっていたる所に花が咲き、その香りが芳しいが、その中でも色や形や大きさの点から蓮華が最上の花とされる。蓮華は古くからインドの神話で重視され、ヴィシュヌ神のへそから生じた蓮華の上に梵天（ブラフマン）が座して宇宙を創造したと伝えられる。この故事から後世のインドの仏師たちは、泥沼から生じる蓮華を濁りに染まらない象徴とし、尊い仏像を乗せる台とした。泥沼は私たちの住む煩悩にまみれた世界であり、蓮華の清純で美しい花は清らかな浄土にたとえられる。阿弥陀仏や観音菩薩は蓮台の上に乗り、また千手観音が手に持つものも蓮の花である。

一蓮托生という言葉がある。死後、極楽浄土で同じ蓮華の上に生まれることで、最後まで行動、運命を共にすることを言う。それは現在ではあまり良い意味ではないが、しかし極楽浄土にある蓮華の上に生まれるのであれば、悪くはなかろう。もっともその相手にもよるが…。

ところでこの蓮華の葉は食べ物を盛る食器としても使用されていた。『万葉集』に、「ひさかたの　雨も降らぬか　蓮葉に　たまれる水の　玉にあらむ見む」（三八三七）（久しぶりに雨が降ってくれればいいのに。蓮の葉にたまった水が玉になったものを見たいものだ）とある。これは酒宴の時に食器代わりに蓮の葉を使ったことを詠んでいる。確かに蓮の葉は広く大きくて食物を様々に盛ることができそうである。しかも香りもよく夏場にしかないから貴重品であった。この蓮の葉によく似たものに里芋の葉がある。栽培する場所が水田と畑の違いはあるが、共に雨の日には傘になるぐらい大きな葉になる。

『万葉集』に「蓮葉は　かくこそあるもの　意吉麻呂《おきまろ》が　家なるものは　芋の葉にあらし」（三八二六）（蓮の花というものはこのように見事なものです。意吉麻呂の家に植えているというけれど、あれは芋の葉でしょうね）とある。やはり似ていても芋では蓮の代用としては役不足のようである。また「ひさかたの雨も降らぬか蓮葉にたまれる水の玉に似たる見む」（三八三七）とあるように蓮の葉は美人に例えられる。蓮の葉の露はころころとして宝石のようにも見える。

蓮の実は仙薬ともされていた。『常陸国風土記』香島郡条に「北に沼尾の池あり。古老のいへらく、神世に天より流れ来し水沼なり。生へる所の蓮根《はちすのね》は、味はなはだ異にして、甘《うま》きこと他所にすぐれたり。

病める者、この沼の蓮《はちす》を食らへば、早くいえて験《しるし》あり」というように薬用とされていた。『肥前国風土記』高来郡条土歯池《ひぢはのいけ》には「秋七、八月に荷《はちす》の根いと甘し。季秋九月《ながつき》には、香と味と共に変りて、用いるべからず」とあり、「荷の根」というのが蓮根のことで、七・八月頃が食べ頃という。

平城京二条大路から出土した荷札木簡の中に「武蔵国足立郡土毛蓮子一斗五升　天平七年十一月」と記されたものがある。現在の東京都足立区の湿地帯に自生していた蓮の実の貢進付札である。蓮子《はすのみ》は蓮の果実で熟した実はそのまま食べることができた。蓮根にはビタミンB_1・C・Eが含まれ、カリウムも比較的多いので、体内の余剰な塩分を排出するのに効果がある。特にビタミンCはレモンと同じくらい豊富で、血液をつくるのに必要な鉄分も多く含まれている。

蓮の花床が蜂の巣に似ているためにハチスと言う。『日本書紀』舒明七（六三五）年七月条には、「是の月に、瑞蓮《あやしきはちす》、剣池に生ひたり。一茎に二つの花あり」、また『続日本紀』和銅六（七一三）年十一月条に大倭国が嘉蓮を献じたこと、宝亀八年六月条に楊梅宮南池の蓮一茎に二つの花が生じたと見える。蓮は祥瑞ではないが、宝亀六（七七五）年八月十二日に「蓮葉の宴」が催されているようにめでたいものとされていた。

老化症状の特効薬山芋

里芋はアジアの熱帯地域が原産で縄文時代の頃には我が国に伝播していた。『万葉集』には「宇毛」と見えるのが里芋である。みそ汁の具として食べると去痰作用によって気管支炎の治りを早める。山芋などのぬるぬる食品は強精作用もある。胃腸の調子を整え消化を促進し、老化症状に効く特効薬とされている。

『日本書紀』武烈三年条には、ヤマノイモの話が見える。この武烈大王は「しきりに諸々の悪いことを行い、一つも良いことを修められなかった。およそ様々な極刑についてご覧にならないものはなかった。国中の人々はことごとく恐れた」とされるように、様々な暴虐行為を行った人物として知られる。また「暖かい衣服を身につけ、人民が寒さのため凍えることを忘れ、食事は豪華で、天下の飢えるのを忘れた。道化・俳優を集め、華やかな音楽を奏で珍しい遊戯を催してふしだらな歌謡をほしいままにした。日夜宮人と酒にひたり、錦の織物を敷物とした」というように悪し様に書かれている。

その暴虐なこととして、「妊婦の腹を割いてその胎児を見た」「人の頭髪を抜いて、木のてっぺんに登らせ、その木の根元を切り倒して殺すことを楽しみにした」「人を池の堤の樋に入らせて、外に流れ出るのを三つ叉の矛で刺し殺すのを楽しみとした」「人を樹に登らせて、弓で射落として笑った」「女を裸にして板の上に座らせ、その前で馬に交接させた。陰部の潤っているものは殺し、そうでない者は奴隷にした」とある。その一連の記事の中に、「人の生爪をはいで、山芋を掘らせた」という記事が見える。地下一mほどにもなる山芋を、しかも生爪をはがして行うのだから、極めて残酷である。

ここでは残酷な刑の例として山芋が出てくるが、武烈は六世紀頃の大王であるから、その頃には山芋が栽培され、食されていたことを示している。ただその量は少なかったようで、山芋は平安時代においても貴重なものであった。

大根

大根は古くから神聖な食材とみなされていた。宮中では長寿を願う歯固という行事があり、その儀式に大根が使用されている。『枕草子』には、「えせもののところ得るをり、正月の大根（中略）元三の薬子」と見える。歯固の膳にのせる大根と供御薬の時の薬子は、普段は大したことはないのにこの儀式に限って幅をきかせているという。清少納言にとっては大根は儀式に使用される食材ではあるが、普段はたいした食材ではないと考えていたようである。

藤原京や平城京長屋王家から出土した木簡には「大根《おおね》」と記す。園芸・果樹栽培を行なう園池司《そのいけつかさ》が大根などを宮中に進上していた。大根の調理法は様々で、生で食べたり、塩漬け・煮物・切り干しや吸い物の具などにした。ただ大根の食物繊維は、根よりも葉の方に多く含まれている。

『蜻蛉日記』上巻安和元（九六八）年九月、初瀬詣の記事に、「橋寺といふところにとまりぬ。酉の時ばかりに降りて休みたれば、旅籠どころとおぼしきかたより、切り大根、柚の汁してあへしらひて、まづ出だしたり」とある。大根を柚の汁であえ物にしていた。また『徒然草』には大根を万病の薬と信じて毎朝二切れづつ焼いて食べることが長年になったとある。大根のジアスターゼは消化促進だけでなく、解毒作用や発ガン性物質の毒性を消去する働きがある。焼きたてのサンマに大根おろしを副えるのは、焦げたサンマに発生しやすい発ガン性物質を消す日本人の智恵である。「大根おろしに医者いらず」という。大入りをとれない役者のことを「大根役者」と呼ぶのは「当たらない＝食あたりしない」とか、あるいはどこを切っても白いので「しろうと役者」という意味があるという。

(八)　その他の食材

茄子はインド原産で平安時代に日本に伝わった。夏に実がなるので「夏実（なつみ）」と言われていたのが「なすび」になり、さらに「なす」となった。「なす」は室町時代頃の女官によって言われたもので、それに「お」がついて「おなす」となった。優雅な名である。

キノコは『今昔物語集』巻二十八第二十八話「尼ども山に入り、茸を食ひて舞ひし語」に見える。キノコを食べた尼たちが突然舞いだし、そのキノコを舞茸と言ったという話である。『万葉集』には「高松のこの峰も狭に　笠立てて　満ち盛りたる　秋の香のよさ」（二二三三）（高松のこの峰も狭いくらいに、いっぱい笠を立てて、今が真っ盛りの松茸の何と香りの良いことだろう）とある。日本人は世界中でも有数のキノコ好きの民族である。

そばも健康食品である。『続日本紀』養老六（七二二）年七月十九日の元正天皇の詔には、「朕庸虚を以て鴻業を紹ぎ承け、己に剋ちて自ら勉むれども天心達らず。是を以て今夏雨ふることなく、苗稼登らず。天下の国司をして百姓に勧め課して晩禾・蕎麦と大小麦とを種樹えて蔵め置き、儲け積みて年荒に備えしむべし」とある。その中に「蕎麦」が見えるが、『和名類聚抄』では「曽波牟岐（そばむぎ）」「久呂無木（くろむぎ）」と記す。夏の日照りによる大飢饉のため、蕎麦を植える命令が出された。蕎麦は冷涼な気候を好み生育期間が二〜三ヶ月と短いから米が出来なくても、蕎麦は収穫が可能である。昔から飢饉対策として植えられたように救荒食品としての意味を持っていた。現在では動脈硬化を防ぎ、血管を強くして脳卒中を防ぎ、糖尿病の予防・改善に役立つ健康食品としての効能が強調されるようになった。脳の記憶細胞の破壊やボケを防ぐそばポリフェノールが含まれている。これほどの効能があるのであれば、年越しそばだけでなく、日常的に食べることが健康維持に役立つと思われる。

【参考文献】

・原田信男『日本の食はどう変わってきたか』（角川学芸出版・二〇一三年）
・原田信男『なぜ生命は捧げられるのか』（お茶の水書房・二〇一二年）
・木村茂光「日本古代の「林」について」『古代国家の支配と構造』（東京堂出版・一九八一年）
・櫻井信也「日本古代の鮨（鮓）」『続日本紀研究』第三三九号（続日本紀研究会・二〇〇二年）
・櫻井信也「日本古代の鮎の鮨（鮓）」『続日本紀研究』第四〇八号（続日本紀研究会・二〇一四年）

・四條隆彦『歴史の中の日本料理』（振学出版・二〇一三年）
・山折哲雄『あなたの知らない道元と曹洞宗』（洋泉社・二〇一三年）
・江原絢子・石川尚子・東四柳祥子『日本食物史』（吉川弘文館・二〇〇九年）
・村井康彦『茶の文化史』（岩波書店・一九七九年）
・川村和正「奈良氷室に関する諸問題」『国史学研究』（龍谷大学国史学研究会・二〇一〇年）
・小泉和子「日本の生活文化の特質」『生活文化史』（山川出版社・二〇一四年）
・笹原宏之『漢字に託した「日本の心」』（ＮＨＫ出版・二〇一四年）
・槇佐知子『日本昔話と古代医術』（東京書籍・一九八九年）
・岡泰正「養老の滝」『日本の国宝』〇六八（朝日新聞社・一九九八年）
・小西正泰「蜂蜜」『朝日百科日本の歴史』五六（朝日新聞社・一九八七年）
・中村修也『今昔物語集の人々』（思文閣出版・二〇〇四年）
・上野邦一「平城宮の内側」『朝日百科日本の歴史』五〇（朝日新聞社・一九八七年）
・阪下圭八「台所と勝手」『朝日百科日本の歴史』七八（朝日新聞社・一九八七年）
・渡辺実『日本食生活史』（吉川弘文館・二〇〇七年）
・熊倉功夫『日本料理の歴史』（吉川弘文館・二〇〇七年）
・小泉和子「杓子」『朝日百科日本の歴史』四七（朝日新聞社・一九八七年）
・小松庸祈『神と仏の物語』（大法輪閣・二〇一三年）
・永山久夫『食べ物はじめて物語』（河出書房新社・一九八九年）
・小泉和子「まな箸」『朝日百科日本の歴史』五一（朝日新聞社・一九八七年）
・小泉和子「属人器と今日の食器事情」『日本歴史』第五六九号（吉川弘文館・一九九八年）
・熊倉功夫「日本の食文化」『日本文化の源流を求めて』（文理閣・二〇一〇年）
・小泉和子「楊枝」『朝日百科日本の歴史』八二（朝日新聞社・一九八七年）
・小寺智津子『ガラスが語る古代東アジア』（同成社・二〇一二年）

・高橋照彦「施釉陶器―その変遷と特質―」『列島の古代史五専門技能と技術』（岩波書店・二〇〇六年）
・岡田精司「大王と井水の祭儀」『古代祭祀の史的研究』（塙書房・一九九二年）
・栄久庵憲司「日本の「入れもの」文化」『朝日百科日本の歴史』三八（朝日新聞社・一九八六年）
・坂下圭八「椀飯振る舞い・大盤ぶるまい」『朝日百科日本の歴史』五六（朝日新聞社・一九八七年）
・平間充子「平安時代の出産儀礼に関する一考察」『日本女性史論集七文化と女性』（吉川弘文館・一九九八年）
・徳野貞雄『農村の幸せ、都会の幸せ』（NHK出版・二〇〇七年）
・中尾佐助『料理の起源』（吉川弘文館・二〇一二年）
・廣野卓『食の万葉集』（中央公論社・一九九八年）
・伊藤博「食事」『平安時代の信仰と生活』（至文堂・一九九四年）
・阪下圭八「菜・魚・酒の肴」『朝日百科日本の歴史』二（朝日新聞社・一九八六年）
・池尾直洋「二条大路木簡にみえる瓜の進上」『日本歴史』第六九九号（吉川弘文館・二〇〇六年）
・新谷尚紀『日本人のタブー』（青春出版社・二〇〇三年）
・興膳宏『漢語日暦』（岩波書店・二〇一〇年）
・岡泰正「鯉の滝登り」『日本の国宝』（朝日新聞社・一九九八年）
・中村修也「庶民の生活」『続日本紀の世界』（思文閣出版・一九九九年）
・鈴木晋一『料理物語』生鱧条のこと」『日本歴史』第六〇八号（吉川弘文館・一九九九年）
・金子浩昌「鱠」『朝日百科日本の歴史』一一八（朝日新聞社・一九八八年）
・中村生雄『日本人の宗教と動物観』（吉川弘文館・二〇一〇年）
・原田信男『歴史の中の米と肉』（平凡社・二〇〇五年）
・原田信男『神と肉』（平凡社・二〇一四年）
・原田信男『中世の村のかたちと暮らし』（角川書店・二〇〇八年）
・丸山裕美子『日本古代の医療制度』（名著刊行会・一九九八年）
・『ことばの道草』（岩波書店・一九九九年）

・松濤弘道『日本の仏様』（日本文藝社・二〇〇六年）
・築達榮八「蓮華」『日本の国宝』〇七一（朝日新聞社・一九九八年）
・平野雅章「たべもの語源考」『歴史公論』第五巻第五号（雄山閣出版・一九七九年）
・『名僧の言葉事典』（吉川弘文館・二〇一〇年）

第三章　飲み物の歴史

一　酒

㈠　酒の効能

倭人は皆酒を嗜む

現在、酒を皆で飲む時は「乾杯」と言って飲み始めるのが普通で、それは古くからの伝統だと思っている人も多い。もちろん「乾杯」の語源は中国にあり、その言葉自体も古いが、グラスをふれ合わせて「乾杯」と言うのは、西欧文明の流入とともに洋酒が飲まれるようになってからである。したがってそうした風習は明治以前に遡ることはない。

かつては祭りの日などには徹底的に飲み、酔いつぶれ、乱闘もあった。またあまり酒の飲めない人に「俺の酒が飲めないのか」と言って強要していた。しかし最近ではビールや酎ハイなどで軽く飲んで歓談する酒宴が多くなった。そしてかつての宴会で飲むのは圧倒的に日本酒だったが、それが敬遠され若者が進んで日本酒を口にすることはほとんどみかけなくなった。その理由はアルコール度数がややきついことや、翌日まで残ることなど様々であるが、私は根本的な原因は別にあると見ている。

日本酒は基本的に次々とつがれるという形で飲むことが多い。こうなると自分のペースで飲むことができず、だからといってついでくれるのを断るというのも難しい。そういった理由から敬遠されるようになったのであろう。もう一つの理由がある。平安時代の大規模な酒宴では大饗盃を巡らせることに厳しい約束事があった。盃の応酬儀礼は主従の固めの盃で、それを強化するための共同飲食の儀式だった。日本酒の飲み方は中世の時代に一揆を起こす際に団結の確認のために神の前で「一味神水」を行ったあり方とよく似ている。つまり集団性や連帯感の確認である。今でも若者のカップルが一つのコップに二本のストローをさして飲むのは、連帯感や相思相愛の確認になる。しかし人間関係が希薄になり、また主従関係にしてもかつてのような絶対的なものでもない、いわば「個の時代」となってきたことが、強固な集団性の儀式と似ている日本酒の飲み方が敬遠されているのではなかろうか。

乾杯は「勧盃《けんぱい》」から

酒宴の乾杯はもともと「けんぱい」だった。「けんぱい」は酒宴時の最初の一献の「勧盃《けんぱい》」のことで「くわんぱい」とも言った。それがやがて乾杯となった。平安時代の菅原道真は「煙霞《えんが》の遠近　同戸《どうこ》なるべし　桃李《とうり》の浅深《せんじん》　勧盃《けんぱい》に似たり」（煙のようにたなびく霞は、遠くも近くも、ぼうっとしていて花紅に染まり、酒量でいったらちょうど同じくらいの酔い方でしょうか。桃李の花は濃淡咲き乱れて、まるで勧盃を重ねて酔っているようです）と詠んでいる。

勧盃は主が勧めるので、特に重視された。肴や吸い物を出し、盃・銚子を三度勧め、その肴や膳や盃・銚子が下がるのをもって一献とする。三献までが饗宴の一つの区切りで、これを正式の宴会の形とし、特に式三献と称する。三杯飲むことで一献としたから、三献ではそれを三回繰り返すことになり、一般にはこれを「三三九度の杯」（夫婦固めの杯・親族固めの杯ともよぶ）と呼び、朝廷や貴族などの酒宴での正式な作法となった。現在でも結婚式などで行われている。別に九献とも言うが、九は日本では「苦」に通じるとして避けられるが、中国では陽数（奇数）の中で最も大きな数字であるために重要視された。こうして九献は酒の異名ともなり、ここから幾つもの変形バージョンが生まれた。一献ごとに肴をかえる風を基本に、盃は三度入・武蔵野などの大盃を用い、三ほし・十度飲などの飲み方もあり、十九献を重ねた例さえある。また中世からの献盃におもいざし・おうむがえしなどの遊びが加わり、礼に違えば、とがおとしの盃、酒宴に遅れると三遅といって十盃の罰酒が課せられ、大飲を競う集まりさえあった。今日でも宴会に遅れてきた人に「かけつけ三杯」を勧めるのも、こうした歴史が背景にあるのである。

酒宴の歴史

『魏志』倭人伝には「倭人はみな長寿で百余歳になるものがはなはだ多い」とある。そして「人の性酒を嗜む」とあり、倭人は酒好きであった。人が死ぬと近親者は十日間、喪に服して肉を食わない。喪主は声をあげて嘆き悲しむが、他人は歌舞飲酒すると記す。

『日本書紀』によると、安康大王は山宮に行幸し、酒宴を行い、顕宗大王は新嘗の供え物が献上されると夜に昼をつぎ、夜ふけて舞ったなどの記事が見える。また『常陸国風土記』には鹿島神宮の祭りの時に男女が集まって酒を飲み、歌い舞ったとある。

こうした風習は平安時代までに新嘗祭や大嘗祭の神事の後の豊明節会《とよあかりのせちえ》、殿上宴酔や大饗などの朝儀として形式が整えられ、料酒も定められ、数献を重ねる風習も広まった。豊明節会は典型的な宴会で、「豊明」の語義も酒の酔いがまわって顔をあかあかと照り染めた状態を意味し、歓楽に満ちた饗宴をしのばせる。このような飲酒の楽しみ方は、大伴旅人の讃酒歌から催馬楽の酒飲に至るまで、詩歌に詠われた。

一方、庶民の酒宴は歌垣に代表される。古代の人々にとって「飲めや歌え」の大騒ぎすることは一年に何回もなかった。そしてそのどんちゃん騒ぎは常に神との共食という意味を持っていたから、村をあげてその準備におわれ、自らも物忌を行い、そうしたことが終えた後、やっと「飲めや歌え」となった。飢饉や疫病の災いがいつふりかかるかわからないから、こうした宴席で腹一杯飲み食いができる日は待ち遠しかったろう。日頃の過酷な労働の中では様々な制約があり、男女の出会いも極めて限られていた。そうした若者たちが野外で集まる場が歌垣で、常陸国の筑波山を初め、摂津国の歌垣山、肥前国の杵島ヶ岳などがその場としてよく知られている。

『肥前国風土記』逸文の「杵島山」に見える歌垣は「村里の男女、酒を携え、琴を抱きて、年ごとの春と秋に、手を携えて登り、景勝を眺望し、酒を飲み、歌を舞い、曲が尽きれば帰っていった。歌の歌詞に曰く「あられふる　杵島が岳を　峻《さか》しみと　草採りかねて　妹が手を執《と》る（杵島山が険しいので、山によじ登るのに、草をつかみ得ないで、一緒に登る愛人（妻）の手をつかむよ）」是は杵島曲《きじまぶり》なり」とある。

平安と笑いをもたらす笑酒《えぐし》

『日本書紀』応神十九年条では、吉野国の人が醴酒《こざけ》を献上している。また『古事記』応神の段には「笑酒」の話がある。酒造りで知られる須須許理《すすこり》たちが大王に酒を献上した。大王はこの酒を飲んで、うきうきと朗らかな気持ちになって歌を詠んだ。「須須許理が　醸《か》みし御酒に　我酔ひにけり　事無酒《ことなぐし》　笑酒に我酔ひにけり」（須須許理が造った酒にすっかり酔ってしまった。平安をもたらす酒、笑いをもたらす楽しい酒にすっかり酔ってしまった）とある。

笑酒というのは、笑いをわきたたせる酒という意味で、笑うこと自体が幸福を呼ぶ兆しとされた。笑いには病気に対する抵抗力を高め、健康を増進せる力があると言われる。笑いが少ないという状態は、ストレスの負荷が多いということで、それは長引けば自然治癒力を減退させ、感染しやすくまたガンなどを誘発することにもつながる。「病は気から」ということも確かなことなのであろう。

笑いは効果のある良薬である。酒を飲むと喜びを抑えることができず、顔中に笑みが広がる。「笑み栄える」という言葉があるが、まさに文字どおり、笑み多ければ栄える。「笑う門に福きたる」というのは古今東西変わらぬ真理であろう。酒はまた『古事記』に「事無酒《ことなぐし》」と見えるように、それは病気や災厄を祓い、無事平安になる酒でもあった。酒を「くし」と訓ずるが、それは「奇《く》し」であり、ここから「クスリ」という言葉が生じた。「薬の酒」という表現があるように、薬と酒はまさに同じ役割を持っていたのである。

仁徳大王の時代に、朝鮮半島から渡来してきた曽々保利《そそほり》という人物がいる。大王から「汝は何の才があるのか」と尋ねられた曽々保利は、「我ら酒をつくるの才あり」と答えた。大王は彼らに酒を造らせたところ、その旨さに感激した。そこで大王は曽々保利に王女の山鹿姫を与え、秦酒部公《はたのさかべのきみ》と賜姓した。

古代の酒は、現在の清酒のようなものではなく、糟湯酒で酒のしぼり糟を湯に溶かしたものだった。山上憶良の『貧窮問答歌』の中に「寒くしあれば　堅塩を　取りつづしろひ　糟湯酒　うちすすろひて」とある。寒い日には堅塩をつまみにして、ちびりちびり糟湯酒でも飲まなければどうしょうもない、と言う。しかし絞り糟をさらに薄めたものでアルコール度数は高くはないから、酔うほど飲むためにはかなりの量が必要だった。それに酒のつまみは精製されていない粗い塊状の塩で不純物が多く混じっていたから、塩分の取りすぎで高血圧になるのも致し方なかった。

天皇に献上する酒を「大御酒」と言うが、この酒を柏の葉に盛って来させたという話がある。柏の葉は柏餅などを包む葉として使用されるが、それは次の新しい葉が出るまでは落葉しないので、子孫が絶えることがないことから縁起が良いと言われる。山などに自生しているため、入手が容易でしかも特有のさわやかな香りがある。古代よりめでたい葉とされていたが、それを酒器代わりにしている。ただ柏の葉に酒を盛れば、こぼれるのではないかと考えられ、現在の私たちにはいささか腑に落ちない。しかしそれは可能であった。ここに盛られた酒というのは固練りの酒で粥状の酒だったからである。そういえば「酒をくらう」という表現があるように、実際酒を食べていたのである。

古代の名酒

現在地酒が静かなブームになっているが、古代にも既に名酒として知られる酒があった。『万葉集』に「古人の　賜へしめたる　吉備の酒　病めばすべなし　貫簀《ぬきすたば》賜らむ」（五五四）（あなたは贈り物として、昔の偉い人が飲んだという吉備の酒を下さいましたが、そんな酒でも最近は病気でいただくことができません。できたら貫簀（手洗い用の編んだ簀）を一緒に頂戴したいものです）とある。吉備酒は有名な酒だったのであろう。

また同書能登国の歌三首の中に「梯立《はしたて》の　熊来《くまき》酒屋に真罵《まぬ》らぬ奴《やっこ》　わし　誘ひ立て　率て来なましを真罵らる奴　わし」（三八七九）（熊来の酒屋で酔ってくだをまいている奴め、仕方ないから誘い出して連れて来よう。やれやれ）とある。熊来酒屋というのは、奥能登にあった造り酒屋の名前で、歌に詠われるほどだから、この酒屋も名酒の製造元として知られていたのだろう。この頃の酒はほとんど濁り酒であるが、清酒もあった。その清酒は「すみさけ」と呼び、濁り酒の上澄みをとったか、あるいは布で濾過したものである。だから現在の清酒とは違うが、しかしそれは高級な酒であった。

『古事記』仲哀段に「この御酒《みき》は　わが御酒ならず　酒の司《くしかみ》　常世《とこよ》にいます」とあるように酒は不老不死に通じるとされ、『風土記』には各地に酒が湧き出す泉の話がある。

・『肥前国風土記』基肄《きいぐん》郡「酒殿の泉、郡の東にあり。此の泉は、季秋九月《ながつき》のはじめに、白き色に変り、味は酸く、気は臭くして、飲むこと能はず。孟春正月《むつき》にかへりて清く冷《さむけ》く、人はじめて飲む。因りて酒井の泉といひき。後の人、改めて酒殿の泉といふ」

・『豊後国風土記』大分郡「酒水　郡の西にあり。水の源は、郡の西の柏野の磐の中より出で、南を指して下り流る。その色は水の如く、味は少しく酸し。用いていやす」

・『播磨国風土記』讃容郡「伯耆の加具漏《かぐろ》、因幡の邑由胡《おほゆこ》の二人、いたくおごりて節《さだめ》なし、清酒をもちて手足を洗ふ」

・『同』印南郡「また酒山あり。大帯日子《おおたらしひこ》の天皇（景行大王）の御世、酒の泉湧き出でき。故、酒山といふ。百姓飲めば、即ち酔ひて相闘《あいたたかい》ひ乱る。故、埋め塞がしめき。後、庚午の年、人ありて掘り出しき。今になほ酒の気あり」

酒は「ささ」とも言われるが、それは古代では宴席などで酒を勧める時のはやし言葉に由来する。『古事記』神功皇后条に武内宿禰が応神大王に「この御酒を　醸みけむ人は　その鼓　臼に立てて　歌ひつつ　醸みけれかも　舞ひつつ　醸みけれかも　この御酒の　御酒の　あやにうた楽し　ささ」と酒を勧めている。この「ささ」は「さあさあお酒をどうぞ」という意味である。現在の「さあさあ一杯どうぞ」ということで、酒を勧める言葉は昔も今も変わらないのである。

(二)　酒の害

萬の病は酒よりこそ起れり

最近は飲酒に対する世間の風当たりがきつくなってきたとはいえ、我が国では酒飲みは大統領になれないインドと違い、まだまだ寛容である。釈迦如来や大日如来より観音や地蔵、不動などの方が人気が高いように、酒を一滴も飲まないような聖人はどちらかといえば敬遠される向きがある。

酒は百薬の長、酒に十徳ありと言われる一方で、酒の害を説くものも多くある。『長阿含経』十一巻には飲酒には六つのマイナスがあるという。①財産を失う。②病気の元になる。③争いごとを起こす。④評判が悪くなる。⑤怒ったり乱暴になったりする。⑥智恵が段々失われていく。『大智論』十三巻では三十五の欠点を列挙し、厳しく戒めている。酒を飲まなければ頭脳明晰な者でも、飲むと豹変し、争いを起こすことになり、「酒は毒水」とされる。僧尼令では、飲酒条では、飲酒は三十日の苦使の処罰を受けると規定され、さらに酒に酔って俗人と争いごとを起こせば還俗させるとある。

こうした規定があるにもかかわらず、日本では酒は「般若湯」と名を変え、実質的に僧侶の不飲酒戒はさらりと捨てられた。山岳寺院では寒さがひとしおだったから体を温めるために必要とされた。

鎌倉時代の吉田兼好は『徒然草』の中で、人がどうしてもしなければならないものとして、食・衣服・住居をあげ、食はその第一としている。そして酒については、「百薬の長とはいへど、萬の病は酒よりこそ起れ」と酒の害を説いている。昔から酒はほどほどがよいと言われる。『和名抄』では、酒は「五穀之華味之至也故能益人亦能損人」とある。酒は五穀の華で味は最高で、人を益することもあるが、過ぎれば害をもたらし、事件に発展することもある。

『続日本紀』天平宝字五（七六一）年三月条の記事である。葦原王は「天性凶悪にして喜んで酒肆《しゅし》に遊ぶ」とあり、王族であったがかなりのワルで、今でいえば高級クラブで酒を飲みながら博奕をしていた。彼はその日は、御使連麻呂《みつかいのむらじまろ》という人物と大いに飲んでいた。ところが王は負けてカッときたのか、突然怒りだし、麻呂を殺してしまった。そのうえ股を裂きなますに刻んだ。こうなると喧嘩ではなく猟奇殺人である。彼は死罪は免れ種子島に流罪になった。酒癖の悪い王族だったことから正史に残された。

たびたびの禁酒令

我が国は酒を飲むことに比較的寛容だが、政治批判や暴力行為を防ぐため、また祈雨祈願、疫病防止のためという理由で禁酒令が出されている。早いものでは大化二（六四六）年に出された改新の詔に見える。「農作《なりわい》の月に当たりては、早《すみやか》に田営《たつく》ることを務めよ。美物《いお》（魚）と酒を喫《くら》わしむべからず」とある。そしてこれ以後も養老六（七二二）年から貞観八（八六六）年にかけて十回の禁酒令が出されている。『続日本紀』天平宝字七（七六三）年十二月二十一日条には、東大寺の建設にあたる造東大寺司の判官葛井連根道《ふじいのむらじねみち》ら三人が酒を飲んで時の政治に対する批判を行ったため、根道は隠岐、一人は土佐に流され、もう一人は大隅守に左遷されている。この時期の最大の権力者は藤原仲麻呂だったから、それへの批判がこのような苛酷な処置となったのであろう。

時に厳しい禁酒令を出す政治家もいる。時代は下るが、室町幕府四代将軍足利義持である。義持は父義満の存在が大きかったため、影の薄い将軍と言われるが、彼は禅宗に深く傾倒しており、その学識は他の歴代将軍の中で群を抜いていた。京都五山相国寺の長老僧の説法の誤りを指摘し、注意したという。また水墨画も歴代将軍の中で最も巧みで、将軍の手なぐさみの域を越えていた。その義持は数次にわたって禁酒令を出し、人々に禁欲的生活を要求した。また五代将軍義量に「大酒飲み止めるべし」と命じており、それがために義量は「大酒将軍」のレッテルを貼られ、十九歳の若さで死んだのはそのせいで惨めな将軍だとされた。しかし事実はそうではなく、父義持が異常なまでに禁酒に熱心だったからである。度々禁酒令を出すのだから、当然本人の義持は大の酒嫌いと思われるのであるが、ところが彼は大宴会を度々催し、「大御酒有り」「御沈酔」と貴族の日記に記されている。それは禁酒令を出した時も、出家をした後も恥じることなく堂々と行っている。「大酒将軍」とは息子の義量ではなく、義持自身であった。

義持が禅寺に飲酒を戒める法令を出したのは、寺院内での飲酒が盛んだったからである。禅寺には「不許葷酒入山門」と記されていることが多いが、それはこういう碑をわざわざ建てなければならないほど飲酒が行われていたからである。実際、寺院内では飲酒どころか酒造さえ行われていた。中でも近江百済寺の「百済寺樽」、河内の天野山金剛寺の「天野酒」、奈良興福寺の末寺菩提山寺の「菩提泉」などが高級僧房酒としてもてはやされていた。

さらに時代が下って江戸時代の貝原益軒の著書『養生訓』には、「酒は天の美禄なり。少し飲めば心を寛くし、憂いを消し、興をやり、元気を補ひ、血気をめぐらし、人と歓を合せ、楽を助けて其の益多し。もし多く飲んで酩酊すれば、人の見る目も見苦しく、言おほくみだりにかたり、姿もつねにかはりてつつしみなく、心あらくして狂するが如し。古人是を狂薬といへるもむべなり。其上病を生じてくすしがたし。大なるわざはひとなる」とある。同じ江戸時代の狂歌に、「酒のない国に行きたい二日酔いまた三日目には帰りたくなる」というのがある。酒飲みの気持を代弁する名歌（？）である。

「一杯、人酒を飲み、三杯、酒人を飲む」とあるように、酒の魔力は「毒水」と言われる。酒の詩人とも評される陶淵明には「止酒」という詩がある。「平生酒を止めず　酒を止むれば情《こころ》に喜び無し。暮に止むれば安らかに寝《い》ねられず晨《あした》に止むれば起くる能わず。始めて止むるの善為《た》るを知り、今朝　真に止めたり」今日から禁酒したが、酒をやめたら心に喜びがなく、安らかに寝ることもできないとするのだから、禁酒が続いたとは思えない。

花は半開、酒はほろよい

酒は薬ともなるが、しかし昔から酔っぱらいは昔から人に迷惑をかけていた。『古事記』応神段に「かく歌ひて、幸行《いでま》しし時に、御杖もちて、大坂の道中の大石を打ちたまへば、その石、走り避《さ》りき。かれ、諺に「堅石も酔人を避く」といふなり」とある。たとえ固い石ですら酔っぱらいを避けるというのだから、酔っぱらいは相手にしない方がよいということだろう。酒は常に人を酔わせ、狂わせ、楽しませ、あるいは人々を救った。

時代がはるかに下って、明治時代の啓蒙思想家の福沢諭吉もなかなかの酒飲みだった。福沢の飲む酒の量は普通の人であれば肝硬変などになったりするレベルだったが、彼は六十八才まで生きた。最後まで肝臓の病気と無縁で、還暦の祝いの記念品が酒を飲む杯であったと言うから、かなりのものである。当時、知識人の間では節酒が叫ばれていたが、福沢は禁酒・節酒には全く応じず、他の知識人とは一線を画していた。大日本節酒会からの勧誘もあったが、その趣旨にも賛同せず、入会も拒否した。

十月一日は「日本酒の日」である。昭和五十三（一九七八）年に定められた。十月は米の収穫期であると共に、酒造りを行う蔵人たちが蔵に入り、酒造りの準備を行う時期で、また酒壺を意味する「酉」の字が十二支の十番目にあたるなど、十月に縁があることから定められた。酒のことを「水鳥」と称されることもあるが、それは「酒」が水に由来する「氵」と「酉」という文字から作られていることによる。

「花は半開、酒はほろよい」という言葉は、人生の楽しみもほろ酔いをうまく続けることが、一つの良い生き方だということであろう。三世紀後半の頃、中国に張翰《ちょうかん》という人物がいた。周囲のことなどお構いなく実行する気ままな性格だった。洛陽の都で役人暮らしをしていたが、ある時、秋風が立つのをみて、故郷の食べ物が懐かしくなり、さっさと職務を放棄して帰郷した。その時の彼の言葉である。「死後の名声より、即時一杯の酒が欲しい」と言う。これも名言である。

二　茶

㈠　喫茶の歴史

聖武天皇の時代に伝来

茶は私たちの生活に必要不可欠な飲料水である。もともとは中国南部の雲南省の霧の多い山岳地方を原産とし、そこでは茶樹の高さが十数ｍもあるという。中国で茶に関する記事が現れるのは紀元前五十九年に著された『僮約《どうやく》』で、場所は四川省成都近くである。二千年以上前から漢民族の生活に取り入れられ、そして四〜五世紀頃には江南地方にも喫茶の習慣が広がった。八世紀には陸羽によって『茶経』が著され、茶の産地や効用、飲み方や用いる器具についても書かれ、茶の手引き書に留まらず、思想の書でもあった。この書物が後世に大きな影響を与えたので、陸羽は茶聖・茶神と称された。そして中国の禅宗寺院で喫茶の風が広まると、一般社会でも茶道が大いに行われるようになった。

中国で行われていた喫茶の風が我が国に伝来したのは、聖武天皇の時代である。『公事根源』には、天平元（七二九）年に聖武天皇が宮中に百人の僧を召して宴を賜ったと記す。これは季節毎に行う季御読経《きのみどきょう》に対する慰労のために、天皇が僧侶たちに一服の茶を飲ませた。これが日本で最初にお茶を飲んだ記録である。

その喫茶が盛んとなるのは唐風化を強力に推進していった嵯峨天皇の頃である。弘仁九（八一八）年四月の詔で天下の儀式、男女の服装など万事唐風にせよと指示している。この唐風化の一環として喫茶も盛んに行われるようになった。『日本後紀』には弘仁六（八一五）年四月に、嵯峨天皇は近江唐崎に行幸し、崇福寺に立ち寄り、在唐生活三十年という長い中国の生活体験がある大僧都永忠から茶の接待を受けている。

日吉社の由来について記した書物には、最澄（伝教大師）が中国から茶を持ち帰り、延暦二十四（八〇五）年に比叡山琵琶湖側の麓の日吉の地に茶園を開いたという。『文華秀麗集』の嵯峨天皇の御製に「澄（最澄）公奉献の詩に答う」「羽客講席に親しみ山精茶杯を（最澄）供う（羽のはえた仙人は講義をする席に親しみ、山の神は最澄に茶の入った坏をささげる）」とあり、最澄は茶を飲んでいた。また彼の高弟泰範が空海のもとに走った時、泰範に書状を送り、また茶十斤を贈って自分のもとに帰ってくるように懇願している。

次に真言宗の開祖空海である。『経国集』に嵯峨天皇の御製があり、「海（空海）公と茶を飲み山に帰るを送る一首」や『凌雲集』の仲雄王の詩に「海（空海）上人に謁す」とあり、「石泉にて鉢を洗う童　鑪《ろ》炭《たん》にて茶を煎る孺《めのわらわ》」と空海も茶を飲んでいる。

このように平安朝の一時期に宮廷貴族の間で喫茶の風が高揚するが、それは永忠や最澄・空海のような入唐帰朝僧らによってもたらされたもので、彼らにとって喫茶こそ唐風の風俗に他ならなかった。その後、内裏の一角に茶園を設けると共に、諸国に茶の木を植えて毎年貢進するように命じている。このように喫茶の風は嵯峨天皇の中国文化への憧れが出発点だったが、その後、都だけでなく諸国にまで茶の栽培が広まった。

菅原道真の漢詩集『菅家文草』『菅家後集』にも茶に関するものがある。「菅家の故事は世人知る　月を翫び今月期を忘れる為に　茗葉香湯を酒を飲むに免じ　蓮華の妙法に換えて詩を吟ずる」（菅家文草）中秋の名月を愛でながら、身の不遇を嘆き、酒を飲むのに代えて茶を飲み、詩を作ったという。茶を日常的に飲む風習が広まっていることがわかる。

喫茶を定着させた栄西

我が国の茶の歴史は鎌倉時代の臨済宗の開祖栄西が鎌倉幕府の三代将軍源実朝に献上した『喫茶養生記』から始まるとされることが多い。しかし栄西自身が「日本には既に茶樹はあり、その利用法を知らなかっただけだ」と書いており、栄西による茶樹将来説は誤りである。栄西がもたらしたのは茶の製造・飲用に関する最新情報であった。それは従来の固形茶の団茶ではなく、抹茶で色も香りも味わいも日本人好みのものだったから一挙に寺院・武家社会に広がった。この抹茶法は現在の中国では絶えてしまっており、抹茶は日本にのみ中国の古い文化が残されている例の一つである。

『養生記』の序文には「茶は末代養生の仙薬なり。人倫延齢の妙術なり。其の地神霊なり。人倫之を採らば、其の人長命なり。天竺唐土同じく之を貴重す。我が朝も曾て嗜愛せり。古今奇特の仙薬なり。摘まざるべからず」と記し、茶は心臓を中心に五臓の和合をはかる妙薬であると説く。さらに「酒の酔いをさまし、眠けを起こさせない。人の気分を愉快にさせる。病気にかかることがない。利尿に良く、睡眠を少なくし、渇をいやし、諸病の原因となる宿食を消す。気力を増す。羽がはえて仙人になる。身を軽快にして骨の苦を和らげる。精神を落ち着かせ、五臓を調和させ、体の疲労を除いて身体を安らかにする」など、多くの効能があるという。「羽がはえて仙人になる」とあることからみて、仙薬とも見られていた。

茶は養生、長命、そして様々な疾病にも効果があり、具体的には中風・食欲不振・脚気病などに効く。同書には、酸・辛・甘・苦・鹹（塩味）の五味の食物は養生に欠かせないが、この五味の中で最上のものは苦味であるとしている。それは五臓の中で最も大切な心臓が苦味を好み、その苦味の最上のものが茶であるという。だから古くは「荼」の文字があてられていた。「荼」は「苦い野菜」という意味である。茶の渋みのもとはカテキンであるが、コレステロールを抑制し、動脈硬化を防止し、血行を良くし、心臓の老化防止に役立つ。

『吾妻鏡』によれば、将軍実朝は建保二（一二一四）年二月三日、伊豆の箱根社・三嶋社の参詣から帰り、御所での宴席でしたたかに酒を飲んだ。そのため翌日は体調がすぐれなかったが、栄西が良薬として茶を勧めたところ二日酔いは治り、実朝の御感悦に及んだ。その時、栄西は「茶を誉むる所の書」を進上したが、それが『喫茶養生記』である。

栄西が持ち帰った茶種を明恵上人が栂尾《とがのお》高山寺に植え、それが宇治や駿河などに広がっていった。このように『養生記』は、喫茶の風を日本に定着させた先駆的役割を果たした書である。禅寺では早朝に仏祖に茶湯や食を献じ、忌日には前夜から最大の礼を尽くした。こうした仏祖への奠茶の儀礼が他の人への応接の基本となり、そこから師や客人への接待や僧侶の会合などでも同じような茶礼が行われるようになった。禅宗寺院では、日常の細事を修行の一部としていたから、喫茶の作法にも細かな注意が払われたのは当然であった。このように喫茶文化は中国に赴いた僧侶たちが紹介し、次第に定着したが、その喫茶文化が全国に普及する契機となったのは室町時代の五山の禅僧たちだった。彼らは喫茶方法や茶道具はもとより、それに付随する高雅な雰囲気や風流の精神も伝えた。茶の湯は禅との関わりが深く、その点で最初から脱俗的要素を持っていたと言える。しかし逆に茶の湯は脱俗的な禅を日常生活の中に引き寄せたとみることもできる。禅を禅僧・禅院という宗教的枠組みから解放し、より日常生活に近い形にもたらしたところに茶の湯が生まれたのである。

(二)　茶の飲み方

「茶禅一致」

茶は中国の禅寺から伝わったが、その中国では茶に精神的な意味や茶碗の美を極限まで追求することはない。侘び茶を創始した村田珠光は「藁屋に名馬繋ぎたるがよし」という美学を打ち立て、心の我執を戒めるという禅的思想を基盤とした。この侘び茶を受け継いだのが堺に生まれた武野紹鴎である。彼は四畳半の座敷に土壁を塗り、木格子を竹に替え、障子の腰板をのけ、床の縁を白木にするなど茶室を考案し、茶器等についても改革と工夫をこらした。彼の茶は「わびの理念と麁相の美」と言われる。桂離宮に代表される和風住宅を数寄屋造と言うが、数寄屋とは茶室のことであり、現在の和風住宅にも茶室の影響が強く見える。

そしてこれを大成したのが有名な千利休である。この利休が造ったとされ、国宝に指定されている妙喜庵待庵という茶室がある。京都府乙訓郡大山崎町にあるが、茶室に入るための入り口が相当低くなっており、普通の姿勢では入ることができず、腰を屈めなければならない。部屋の中の床や天井も極めて低く作られている。また部屋はわずか二畳で、荒壁によって仕上げられ、飾りを拒否するように、精神的に緊張した空間に組み立てられている。それはおごる心を戒め、常に謙虚であれという意味が込められている。したがってそこで使用される茶碗自体も良しとされたのは、何一つ飾りや造作したところがなく、自然で健康的な美を感じさせるものであった。「茶禅一致」と言われるようにまさに茶は禅の精神と一体であった。

なお茶の湯の椀と言えば天目茶碗がよく知られているが、その「天目」は中国浙江省の天目山寺という禅宗寺院に由来する。鎌倉時代に中国禅の修行に行った僧が仏様に供えていた什器としての茶碗を持ち帰り、「天目茶碗」と呼んで大切にした。

イエズス会の宣教師ルイス＝フロイスは「われわれの間では日常飲む水は、冷たく澄んだものでなくてはならない。日本人の飲むものは熱くなければならないし、その後から竹の刷毛で叩いて茶を容れることが必要とされる」「われわれは宝石や金、銀の片を宝物とする。日本人は古い釜や、古いひび割れた陶器、土製の器等を宝物とする」と書いてあるように彼らは日本で茶の文化を発見し、強烈な印象を持ったようである。茶を飲むという風習は世界各地で見られるが、その器の美に強い関心を持っている民族は少ないのではなかろうか。実用的な機能だけでなく、造形の美を求めてやまず、さらにそこに「わび」という精神的な意味まで持たせたことは希有な例であろう。その独自性は日本人の文化的美的特性の象徴である。

現在私たちが普通に飲んでいるのは茶葉を湯で煎じ出した煎茶であるが、これは江戸時代初期に中国の明から来日し、京都宇治に黄檗宗の万福寺を建立した隠元隆琦《いんげんりゅうき》がもたらしたものである。煎茶では乾燥した茶葉に熱い湯をかける必要から急須も使われるようになり、こうした飲み方は簡便であるため広く普及することになった。とはいえこの頃は、茶は贅沢品で庶民がいつも飲めるようなものではなかった。したがって茶を注ぐ道具の土瓶や急須なども庶民には高嶺の花で、それが広く普及するようになったのは明治からで、その歴史は割と新しいのである。なお隠元はインゲン豆だけでなく、明朝体という文字をもたらした。現在、新聞や書籍もほとんど明朝体であるから、彼の日本文化への貢献は甚だ大きいものがあった。

団茶から抹茶へ

鎌倉以前に飲まれていた茶は現在の私たちが飲んでいるものとはかなり違っていた。それは団子や煎餅の形で保存していた「団茶」と言われるもので、それを飲む時に必要な量をほぐして煎じていた。そしてさらに塩やショウガなどを入れて味付けした。今でも遊牧民などではこうした飲み方をしているという。しかし独特の香りは日本人好みではなかったのであろう。熱烈な中国ブームが去ると共に喫茶の風はしばらくの間すたれてしまった。

抹茶には薄茶と濃茶によって飲み方の違いがある。薄茶は一人分の量の抹茶を入れ、柄杓に半分くらいの湯を注いでたてる。飲む時は茶碗を左手にとり、右手で内側に二回まわし、茶碗の正面をはずして飲む。これは茶道でよく見る飲み方である。濃茶は一つの茶碗に何人分かの茶に柄杓に一杯の湯を注ぐため、ドロドロとした半液体状になっている。そしてそれを何人かで順次回して飲む。これは客が多い場合、時間がかかるのを節約するためと言われるが、そうした意味の他に連帯感を高める効果があった。酒の巡盃は宴会の場で見られ、結婚式の三三九度も同じ盃で回し飲みする。共に一心同体の関係がこれによって生み出されると考えられた。

中世社会では民衆が一揆を起こす時などに一味神水と言って、人々の心を一つにするためにいろいろなものが回し飲みされた。これが後に茶寄合となり、そうした作法が茶の湯に取り入れられた。茶道は極めて日本的な文化とされるが、その背景にあるのは寄合や会所での人と人との関わりを重視する考え方である。茶の湯は主人と客が同座し、その相互の関わりの中で成り立つもので、それによって大きな調和の場を作り出す芸能である。その寄合性や当座性を破綻させずに行うためには、心遣いや振る舞いが重要になる。その心がけの行き着く所が茶人山上宗二のいう「一期一会」の観念である。一生に一度しか会えないと思って誠意を尽くすという考えは、茶の湯だけでなく集団性を好む日本人に容易に受け入れられるものだった。お茶の飲み方ひとつをとってもなかなか奥深いのである。

ある人が千利休に茶道の極意を聞いた。利休は「夏はいかにも涼しいように、冬はいかにも暖かなように、炭は湯の沸くように、茶は飲みよいように、これで茶の湯の秘事はすみます」と答えた。また利休は「茶の湯とはただ湯を沸かして茶を点てて飲むばかりなる本《もと》を知るべし」という言葉もある。いかにも当たり前のことを言っているようだが、そこに禅の精神を見てとることができる。「ただ湯を沸かして」の「ただ」は道元の只管打坐《しかんだざ》の「只管（ただ）」である。それは技術や作法や精神を込めるだけでできるものではない。それらを込めてそのうえで、それらの全てを忘れて無心に自然にできなければならない。その時初めて「只管（ただ）湯を沸かす」ことができる。利休の茶の思想は「和敬清寂」と表現される。「和」は調和で、「敬」は平等、「清」は自分の心の清らかさ、「寂」は不動の信念のことである。このような禅の思想が背景にあるために茶の湯は茶道とされるのである。明治期に茶道を高く評価したのは岡倉天心である。彼の著『茶の本』には、茶道とは日常生活の俗事の中に見出されたる美しきものを崇拝することに基づく一種の儀式と述べ、そこに日本美があるとしたのである。

茶色・茶碗の不思議

ところで茶には茶色という色彩を表わす言葉がある。しかしよく考えると現在の茶は緑色で茶色ではない。色と色の名が一致していない。それは茶が緑色となったのは江戸時代初期に入ってきた煎茶からだから、茶色という色彩の名はそれ以前に成立していたのである。

現在でもお茶は代表的な贈り物の一つである。かつては極めて高価だったから、客が来てもお茶さえだしておけば大丈夫ということで「お茶を濁す」という言葉が生じた。このようにお茶にまつわる言葉の一つに茶番劇の「茶番」がある。これは歌舞伎興行の最後の千秋楽を迎えた日や、大入りの日に仲間内で余興や隠し芸を行なった。その時に活躍したのは普段は客に茶の接待を行っていた下積みの茶番であった。滑稽や道化を主とし、また本番で行われている演目をも題材にしたため、茶番狂言、茶番劇となった。このように本来の演目を滑稽にしてしまうことを「茶化す」というのも同じことに由来する。この他にも茶に由来する言葉が多くある。「へそが茶をわかす」「滅茶苦茶」「お茶目」「お茶にする」「茶々を入れる」「お茶をひく」「茶の間」などがある。こうした言葉の使われ方をみてもいかに茶が人々の生活の中に浸透していたかを知ることができる。

私たちがご飯をよそおう器は茶碗と言うが、しかしちょっと考えてみるとおかしい。飯を盛るのであれば「飯椀」でなければならない。本来茶碗は茶を飲むためのものだから､茶碗で飯を食べるのはおかしい。しかしそれを不思議と思わないほど茶碗＝飯椀となった時代が長くなった。茶碗が「飯の椀」となるのは十六～十七世紀頃である。秀吉の朝鮮出兵によって朝鮮から多数の陶工たちが連れて来られ、九州を中心に陶磁器の生産が活発となり、以後、それが広く普及することになった。このあたりから飯椀としての茶碗の時代が始まるのである。現在町にはたくさんの喫茶店がある。それは「お茶を飲む」店のことであるが、しかしそこではほとんど人はお茶は飲まず、コーヒーを飲んでいる。喫茶店＝コーヒー店というのは考えてみれば不思議ではあるが、多くの人が不思議と思わないほど町の風景に溶け込んでいる。

三　水と氷

(一)　名水

「年寄りの冷や水」は隅田川の水

客の人気によって成り立つ不安定な商売や飲食店のことを「水商売」と言う。しかし元々は「不見商売《みずしょうばい》」で誰でもかまわず商売することだった。その元は花札賭博で手札をろくに見ないで勝負することが「不見点《みずてん》」と呼ばれ、そこから誰でも相手にする芸者を「不見点芸者」と呼び、さらには接客業全てを「不見商売」と言うようになった。

ここからは本物の水の話である。私の居住している西条市は名水の町として知られ、「水都市」と称している。西条市に限らず、全国どこでも飲食店に入れば水が出てくるが、それはタダである。だから水は金を出して買うものではないと長い間思っていた。それが現在では○○名水などの名前で売り出され、それが結構売れているから時代は変わったものだと思う。ただ過去にも水は商品として売られていた。

かつて江戸は寒村だったが、幕府が置かれたことで急速に開発が進み、かつての清流も汚染が目立つようになってきた。以前は隅田川などの水はそのまま飲んでいたが、汚染と共に胃腸の弱い人や老人は腹を下すことが多くなった。ところが老人の中にもまだ自分は大丈夫と言って生水を飲んで、腹を下す人もいた。そこから「年寄りの冷や水」という言葉が生まれた。だからこの「冷や水」の水は隅田川の水だったのである。生水を飲めなくなったことから水を売ることが商売になった。玉川・神田上水の水を汲んで水船で運び、水屋は天秤棒の樋を担いで家々を回った。その値段は両方の樋を一荷というが、四文から五文くらいであったという。

こうした事情は大坂も似たようなものだった。ただ大坂では井戸水の水質が悪かったが、淀川の水は美しく澄んでいた。そこで現在の中之島あたりから水船を出して、水を汲んで川岸まで漕いで行き、細長い水樋に移して各家に配達した。それは明治の頃まで続いており、地方から大坂に来た人は、大坂では飲み水に金を払うほど豪勢で驚いたという。その飲み水の名水とされたのが京都の賀茂川の水である。鴨川と高野川が合流する出町柳の水を樽に詰めて売り出し、販売していた。そして京の水で薬を飲めばよく効くし、それで顔を洗えば色白になると宣伝されたが、大変人気があった。

京の名水出町柳の水

茶の元祖（茶祖）陸羽の水の品定め

『枕草子』の作者清少納言は、心ゆくものの一つに「夜、寝起きて飲む水」をあげている。このことから清少納言は酒をよく飲んでいたのではないかとも言われる。確かに酔い覚めの水は格別である。酒にき酒の名人がいるように、水の善し悪しの鑑別に優れた名人がいた。中国で茶の元祖（茶祖）として崇められている陸羽が水の品定めをした話がある。唐の代宗の頃である。湖洲の太守は高名な茶人の陸羽に茶をたててもらいたいと所望した。陸羽は南零の水が良いというので、使者を遣わし、船に水瓶を乗せて帰ってきた。陸羽はその水を一口味わい、「これは揚子江の水には違いないが、南零の水ではない。臨岩の水だ」とつぶやいた。使者は慌てて「私は確かに南零に行ってきました」と言った。陸羽は黙って瓶の水を汲み出し、半分になったところで、「これからが南零の水だ」と言って差し出した。すると使者は恐れ入って、「私は南零まで行って水を汲みましたが、船が揺れて半分こぼれたので、岸近くの水を汲んで加えました」と白状したという。いささか眉唾物ではあるが、陸羽の優れた味覚を強調した話である。

日本でも時代は下って幕末の頃、水戸藩主徳川斉昭の夫人有栖川宮家の登美宮は水の鑑定に長じていた。「硯水にしてみると、関東の水の重さが知れる」と言うので、侍臣が京の賀茂川の水を取り寄せて卓上に置いておいた。ある日、夫人はその水を硯に落としながら「この水は関東の水ではない、賀茂川の水らしい」と独り言を言ったという。

若返りの「変若水《おちみず》」

ところで水は人間が生きていくうえで不可欠で一般に成人男性の場合は約六十%が水で、新生児の場合は八十%だという。人は老いる毎に水分が減少していくから若さを保つことができるかどうかは体の保水力を維持できるかどうかにかかっている。

若返りの霊力のある水のことを「変若水《おちみず》」と言う。『万葉集』には「天橋も　長くもがも　高山も　高くもがも　月よみの　持てる変若水　い取りきて　君に奉りて　変若《おち》しめむはも」（三二四五）（天への通い路にあるという橋は、いくらでも長くあって欲しい。また高い山は高いほど良い。そうすれば、それを利用して月まで行き、月にあるという若返りの水を持ってきて思う方に差し上げれば、若返ってもらえるものを）とある。

これが平安時代頃になると若水と呼ばれるようになり、立春の早朝に天皇に奉った。邪気を防ぐ効果があり、生気の方に向かって飲む時に呪文を唱えた。後には元旦に汲む水のことを指すようになるが、それを汲みにいくのを「若水迎え」と言い、年男がその役をすることが多い。この若水を歳神に供え、その後に家族が茶をたてて飲むが、その茶を福茶または大福茶と言う。

『万葉集』には若水を詠んだ歌が見える。

・「わが盛り　いたく降ちぬ　雲に飛ぶ　薬はむとも　また変若《お》ちめやも」（八四七）

・「雲に飛ぶ　薬はむよは　都見ば　いやしき吾が身　また変若《お》ちぬべし」（八四八）

また「垂水」を詠んだ歌もある。「垂水」は滝のことである。滝の水は力強くその勢いのよさから生命力のみなぎるものと考えられ、信仰の対象になっている。『延喜式』神名帳などに垂水神社が見えることがそれを示している。

・「命を幸く良けむと石走る垂水の水をむすびて飲みつ」（一一四二）

・「石走る垂水の上の早蕨《さわらび》の萌え出づる春になりにけるかも」（一四一八）

・「石走る垂水の水のはしきやし君に恋ふらく我が心から」（三〇二五）

いずれも「垂水」の枕詞は「石走る」で、それからも滝を連想させる。「垂水」が多く詠まれているのは、農耕社会では水や滝の生命力や霊力が神聖視されていたからである。

㈡　氷

社会的なステータス

現在は冷蔵庫で簡単に氷が作れるが、古代社会では夏場に氷を手に入れることは、一般の人々には不可能で、それは氷の貯蔵庫の氷室を利用できる者に限られていた。氷室は食物を冷やしたり、夏を涼しくするために使われた。

『日本書紀』仁徳六十二年条に、額田大中彦皇子《ぬかたのおおなかひこのみこ》が狩りをした時のことがみえる。「時に皇子、山の上より望《おせ》りて、野の中を見たまふに、物あり。その形、廬のごとし。すなはち使者をつかさして視しむ。かへり来て曰《もう》さく「窟《むろ》なり」とまうす。よりて、闘鶏稲置《つけのいなき》大山を召して、問ひて曰はく、「その野の中にあるは、何の窟ぞ」とのたまふ。啓して曰さく「氷室なり」皇子の曰はく、「その蔵めたるさまいかに。また何に使ふ」とのたまふ。曰さく「土を掘ること丈あまり。草を以て、その上をふく。あつく茅荻《ちすすき》を敷きて、氷をとりてその上に置く。すでに、夏月を経るに消えず。その使ふこと、すなはち、熱き月に当りて、水、酒にひたして用ふ」とまうす。皇子、すなわちその氷を持ち来りて、御所にたてまつる。天皇喜びたまふ。これより後、季冬《しわす》に当るごとに、必ず氷を蔵む。春分に至りて、始めて氷を配る」と見える。

律令制下の氷室制度では、氷池で採取して氷室に貯蔵し、春から夏の間、駄馬で京に運んだ。氷室の所有や臣下への賜氷は天皇の専権であった。『延喜式』宮内省式には、元日節会の氷様奏《ひのためし》の規定があるが、氷室の氷が厚ければ豊年、薄ければ凶年とされている。氷室に納められた氷の多寡はその年の天候を占い、またそれは天皇の徳を計るバロメーターでもあったため、王権に関わる祭祀として重要視された。

藤原実資の日記『小右記』寛仁元（一〇一七）年十一月二十三日条には、「氷室は百王に供するべきの物、是一代の事にあらず」と記すように氷室と王権は密接な関係にあった。『延喜式』には、氷は四月一日から九月三十日まで天皇を初め中宮・東宮・夫人・妃にも届けられた。この制度は奈良時代から鎌倉時代まで継続されている。奈良時代には春日山や三笠山の麓には「氷池」があり、その近くに氷室神社があるように、その山麓周辺は一大製氷・貯氷地帯であった。

氷を貯蔵することは難しかった。極寒の晴れた夜、川の水が流れ込んだ谷間の氷池に万遍なく水をまくことを繰り返し、厚い氷にする。その時、ゴミなどが混じらないように細心の注意を払わなければならない。そうして出来た氷を氷室に運び貯蔵する。氷室の深さは一丈とあるから、三m余も掘った。主水司が供御のための氷室を管理したが、『延喜式』宮内省主水司条によると先の大和国を初め、都近辺の山城・大和・

河内・近江・丹波などからも献上されていた。

平城京の長屋王邸宅に和銅四（七一一）年には夏の暑い時期（六月二十九日から八月二十日まで）に都祁《つげ》から氷が届けられたとする木簡が出土しており、オンザロックにして酒を飲んだと言われる。『枕草子』には上品で美しいものとして「削り氷に、あまづら入れて」とあり、あまづらは当時の甘味料だから、かき氷のようにして食べていたのであろう。この他、『栄華物語』巻二十五「みねの月」では、高松殿（道長室明子）に削り氷を勧めたり、『宇津保物語』「俊蔭」でも右大将藤原兼雅の三条邸において氷を供している。また『源氏物語』「とこなつ」で光源氏の邸宅で氷が使用されているが、いずれも彼らは王家・摂関家など高位高官の地位にある者で、そうした階層に限られていた。それは天皇から氷が下賜されていたからであり、したがって氷の使用は平安貴族のグルメを示すというより社会的なステータスを示すものであった。このように食も当時の身分制の中にしっかりと組み込まれていたのである。

奈良の氷室神社

四　牛乳

(一)　中国ブームの牛乳

高級な美容健康食

牛は洪積世の頃より生息していたが、四・五世紀頃に朝鮮から飼育技術が移入されたことで普及した。搾乳の初見は『新撰姓氏録』『類聚三代格』に見える。大化の改新の頃、呉国主の子孫善那は牛乳を献じて和薬使主《やまとのくすしのおみ》の姓を賜っている。『続日本紀』和銅六（七一三）年には山背国に乳牛戸五十戸を置いている。『延喜式』兵部省によると、諸国の官牧は十八ヵ国に三十九ヵ所あり、そのうち牛牧は十一ヵ国十五牧で、島で飼育している所が多かった。

乳牛は多くは薬用とするために飼育された。平安時代初期には典薬寮の別所として京都に乳牛院を置き、毎年四歳から十二歳までの母牛と仔牛が送られてきた。搾乳して宮中の用に供した。典薬寮式には、乳牛七頭分の一年間の飼育料、一日の分量が定められ、搾乳量は一日に二・七リットルであった。天皇や皇后やその子女たちが飲んでいたのであろう。

牛乳は上級貴族の間で飲まれていた。長屋王家出土木簡には、「牛乳持参人米七合五夕　受丙万呂九月十五日」「牛乳煎人一口米七合五夕受稲万呂」とある。前者は牛乳を運んできた丙万呂にその代価として米七合五夕を渡したもので、後者は牛乳を「煎」、つまり煮沸殺菌してきた人に米を与えたものである。

牛乳は乳製品にも加工され、それは蘇と呼ばれた。『延喜式』民部省下によれば、蘇の貢進に四十六国と大宰府が指定されている。『正倉院文書』の中に各国の租税を運用した年間収支決算書の「正税帳」があるが、それによると蘇が税として貢進されている。但馬国の場合、乳牛十三頭の乳を二十日間しぼって大小の壺五個分の蘇を得ている。蘇は極めて貴重品で高級食材で、平安時代の医学書『医心方』には、乳・酪・蘇などをいつもとっていれば、筋力がつき、胆が強くなり、肌や体に潤いと艶が出てくるとある。それらは高級な美容健康食であった。

『小右記』寛仁三（一〇一九）年八月十九日条には、作者の藤原実資が医師の丹波忠明に病気平癒のための牛乳の服用について尋ねたところ、牛乳は煎じて服するのが良いと答えている。このように牛乳は主に医薬として扱われたが、律令制の衰退と共に官牧は荒廃し、中世に入ると貢蘇の制も絶えた。牛乳は日本人の好みには合わなかったようで、奈良・平安時代の熱烈な中国ブームが去るとともに廃れていった。

(二)「醍醐味」

最上の乳製品

「増壱阿含経」という経典には如来が最も尊いことを乳製品に例えて説明している。「牛より乳を得、乳より酪を得、酪より酥を得、酥より醍醐を得。然れば復た醍醐は、中でも最尊最上にして能く及ぶ者無し」とある。天台宗でも最初で最低のものを乳とし、そして今日のバターにあたる最高で極上のものを醍醐とした。そこから涅槃や悟りが醍醐味にたとえられた。乳味↓酪味↓生酥《しょうそ》味↓熟酥味↓醍醐味、これを五味と言う。ただし実際に醍醐が作られた史料は我が国だけでなく、中国にもないことからみて、伝説上の食品と考えられる。余談であるが、醍醐の原義は「サルビル・マンダ」で、乳製品のカルピスはこのサルビルに由来する。

本来、仏教は肉食を厳禁しているが、乳製品については禁止していない。インドでは古代から乳を大切にする文化があり、現在でも田舎では各家庭が牝牛を持ち、牛乳を自給している。インド人の食生活と乳製品は切っても切れない関係にある。

仏教が牛乳を良しとするのは、釈迦の次のような話に由来する。釈迦は自分の体をさいなむ苦行を行った。その修行の後、ガンジス川の支流のほとりにある村に入った。骨と皮になってやせ細った彼は川で体を清めていた。その時、村娘のスジャーターが釈迦に新鮮な牛乳を提供した。それで体力が回復し、その後にブッダガヤの菩提樹の下で瞑想に入り、ついに悟りを開いた。このような逸話から牛乳の利用は許されたのである。

幕末期になると諸外国との間で貿易が始まり、外国人が横浜居留地などに住むようになった。彼らの食生活に牛乳は必要不可欠だったから、外国人向けの牛乳販売商が誕生したが、日本人への普及はまだまだ先のことであった。

文明開化は洋食化をもたらした。牛乳の摂取もその一環である。明治四（一八七一）年十一月に天皇が滋養として牛乳を飲むようになり、その翌月からは皇后も飲用した。それと軌を一にして、宮中では獣肉禁止の方針を転換し、牛・羊肉が食に供されるようになる。そして明治から大正時代にかけて、軍事強化が緊急の課題となる。日本人兵士の体力増強や滋養強壮に牛乳が効果があると認識されてから急速に普及することになった。牛乳の普及は単に栄養だけの問題ではなく、富国強兵の手段でもあったのである。

【参考文献】

・清水克行「足利義持の禁酒令について」『日本歴史』第六一九号（吉川弘文館・一九九九年）
・今谷明「飲酒」『朝日百科日本の歴史』一八（朝日新聞社・一九八六年）
・立川昭二『養生訓に学ぶ』（ＰＨＰ研究所・二〇〇一年）
・大浜郁子「福沢諭吉と「大日本節酒会」」『日本歴史』第六六四号（吉川弘文館・二〇〇三年）
・谷晃『茶人たちの日本文化史』（講談社・二〇〇七年）
・熊倉功夫「酒と茶」『生活文化史』（山川出版社・二〇一四年）
・原田茂弘「飲茶の作法について」『歴史と地理』四三三（山川出版社・一九九一年）

・秋月龍珉『禅のことば』（講談社・一九八一年）
・阪下圭八「茶目・茶化す・茶番劇」『朝日百科日本の歴史』六三（朝日新聞社・一九八七年）
・小泉和子「飯茶碗」『朝日百科日本の歴史』（朝日新聞社・一九八八年）
・堀江誠二「水屋」『朝日百科日本の歴史』一一三（朝日新聞社・一九八三年）
・平野雅章『日本の食文化』（中央公論社・一九九〇年）
・川村和正「氷室制度考」『国史学研究』（龍谷大学国史学研究会・二〇〇八年）
・井上辰雄『古代王権と語部』（教育社・一九七九年）
・東野治之『木簡が語る日本の古代』（岩波書店・一九八三年）
・中尾佐助『料理の起源』（吉川弘文館・二〇一二年）
・松濤弘道『仏教の常識がわかる小事典』（ＰＨＰ新書・二〇〇二年）

第四章　住生活と生活道具の歴史

一　住宅と庭園

㈠　住宅は身分の象徴

「宅」「家」は貴族、「第」「邸」は大臣の家

「家」を意味する言葉はたくさんある。宮・宅・家・第（邸）・殿・館などである。最初の「宮（みや）」は、建物を意味する「屋（や）」に尊敬をあらわす接頭語である「み」がついたもので、高貴な方の住まいを意味した。「都（みやこ）」は「宮（みや）」にそこらあたりを意味する「こ」がついたもので、宮とその周辺を指す言葉になり、天子の居住空間をも意味するようになった。

二番目の「宅（やけ）」は公（おおやけ）に由来し、そのもとは大宅（家）である。文字通り大きな家のことで、その地で最も広く物資を集積した実力者の居宅が村落の共同行事の場であったことから「公」を指す語になっていった。そしてそれは朝廷や官庁の意味にまで広がっていった。

家を示す表記の違いは、その内容の違いを示す。古代の家の呼称を見てみよう。平安時代の貴族たちは多くの日記を残したが、その中でも藤原実資の『小右記』や書道の大家藤原行成の『権記』などはよく知られている。その日記に家の表記が見える。はじめ「宅」とされていたものが、ある時期を境に「家」に変化する。それは彼らが参議・従三位となった時点を契機としている。つまり四位以下は「宅」で、三位以上は「家」と使い分けしていた。三位は公卿という高級貴族であり、「帰家」と記すのは、公卿の仲間入りを果たし、また「家」を形成することができたことを意味する。そもそも「家」という文字は、「宀」と「豕」との合字で、「宀」は「竈」で「豕」は「豚」であるから、「家」は「竈をもって財産の象徴である多くの家畜を有している」という意味が込められてから、貴族レベルで成立する言葉であった。何気なく「帰宅」「帰家」と書いているように見えるが、「家」は高級貴族とされる三位以上の「家」の意味だから、初めて日記に「帰家」と書いた時、筆者本人はおそらく満面の笑みを浮かべていたと想像される。

大極殿を再現した平安神宮

一方、「第・邸」は、中国では上流貴族の中でも大臣クラスに使用されたようで、我が国でもそれを受け継いでいる。『日本書紀』天智八（六六九）年十月条に、「藤原内大臣（中臣鎌足）春秋五十にして私第に薨せぬ」とある。『日本三代実録』にも、「太政大臣東一条第」「太政大臣東京染殿第」「右大臣西京第」などとあり、いずれも大臣クラスの場合に用いられている。もちろん栄華を謳歌した藤原道長の家は「土御門第」と記されている。

次に「殿」はずっしりと土台を構えた大きな建物という意味で、大極殿や紫宸殿など宮殿建築の場合に用いられたほか、東大寺「大仏殿」のように寺院に使用された。それが後には建物だけではなく、人物の敬称にも使われるようになって、手紙などで「○○殿」と表記するようになるのである。

なお「第」は「亭」と表記されることもある。「西宮池亭」「六条亭」などは、邸宅全体を称するのではなく、敷地内部に建てられ、客人を招き、詩宴や音楽など風雅を愛で遊興を主とする建物を指す場合に使用されている。『枕草子』二十段の「家は」には、その当時の名邸として、藤原道長の正妻源倫子の近衛殿や藤原実資の小野宮邸、もと菅原道真の紅梅殿などがあげられている。

最後に「館」である。「屋形」とも表記され、大きな家を言う。万葉歌人の大伴家持は奈良時代の人であるが、彼の平城京の住居は「少納言大伴家持の宅」と見える。ところが越中国司として赴任した越中国での居宅は「館」と呼んでいる。大伴家持は平城京の自分の居宅を「宅」、国府での居宅を「館」として区別していた。「館」は一般には、貴人や官吏などの宿泊する官舎であり、さらに駅館や客館のような公的な施設や行政施設も含んでいた。それに敬称をつけて「お屋形」「お館」となった。

現在の私たちからみれば家の表記は特に気に留めることでもないが、その当時に生きた人々にとってはそれは大変重要なことだった。身分制が社会の隅々まで浸透している世の中では、家の表記も上下関係の確認になったからである。

かつて我が家を新築する時に、「○○邸新築工事」と看板に書かれてあったが、このような「第・邸」の本来の意味がわかってくると赤面ものである。なにしろ「邸」は大臣の邸宅を意味していたのだから、ウサギ小屋の我が家を指すのは大変な誇張である。しかし「○○家」と訂正してもやはり恐れ多いことである。高級貴族を意味する従三位・参議クラスの邸宅だから、これも差しつかえがある。庶民の建物は「戸」か「屋」と称するのが歴史的には正しい。「休む」という言葉は、もともと「屋住み」を語源としている。屋に住むことは、心身を安らかにすることから生まれたものである。

四足門は大臣以上の家柄

奈良時代の平城京では五位以上の貴族の家は、ほぼ五条以北という宮城に近い場所に宅地が与えられた。『日本紀略』長元三（一〇三〇）年四月二十三日条に、「公儀、諸国の吏の居所は四分の一宅を過ぐるべからず。近来多く一町家を造営し、公事を済さず」とあるから、本来は四分の一町であるべきだが、この頃には貴族は一町規模の宅地が多かったことがわかる。律令の営繕令には、「およそ私の第宅は皆楼閣を起て、人家を臨視すること得ざれ」とあって臣下が二階建ての楼閣を建てることを禁じている。楼閣を建てることができるのは天皇・皇族のみだった。建物に限らず衣服・道具・座席に至るまで厳しい身分のあった時代であり、自分たちの好みで家を建てられるものではなかった。

門もまた家の格式を示すものだったから、経済的に豊かであるからといって自由に立派な門を立てるわけにはいかなかった。逆に門を見れば、その住人がいかなる身分の人であるかが容易に推測できた。たとえば門の柱の前後に柱をつけた四足門というのは大臣以上でなければ構えることはできなかった。『枕草子』「大進生昌が家に」の段に、「大進生昌が家に、宮の出でさせたまふに、東の門は四足になして、それより御輿は入らせたまふ。北の門より、女房の車どもも、まだ陣のゐねば、入りなむと思ひて、頭つきわろき人もいたうもつくろはず、寄せておるべきものと思ひあなずりたるに、檳榔毛の車などは、門小さければ、障りてえ入らねば、例の、筵道敷きておるるに、いとにくく腹立たしけれども、いかがはせむ」とある。このように平安時代には家の造り、敷地の広狭、門の有り様など、全てにわたって身分の規制がかけられていたのである。

身分によって異なる宅地

ところで貴族の邸宅の屋敷地の広さは先に見たように一町（百m四方）が普通だった。上流貴族の長屋王は四町、奈良時代半ばに権勢をふるった藤原仲麻呂は六町もあり、いずれも平城宮の近い場所にあった。それに対し、下級官人の場合には、屋敷地は十六分の一町、あるいは三十二分の一町でまた宮城から離れた場所にあり、宅地の班給においても身分の差は歴然としていた。

『延喜式』の左右京職には、「およそ大路に門屋を建つるは、三位以上及び参議は聴せ。身薨卒といへども子孫居住の間はまた聴せ。自余、門屋に非ざるは、除きて制の限りにあらず」とある。これによると平安京の大路に面して家の門を造ることは、原則として高級貴族である三位以上、及び参議に限られているから、そうした門を持つ家に住んでいる人は、よほどの有力者であった。

『枕草子』四十二段「にげなき物」には、不釣り合いなものを列挙している。「下衆の家に雪のふりたる。又、月のさし入りたるもくちをし」とある。身分の低い家に雪が降り積もった風景は不釣り合いで、そこに月の光が差し込んでいる風情ある景色はもったいなく感じるという。清少納言は家も風情も身分相応であることが望ましいと見ている。

貴族の寝殿造の内部は間仕切りがなく、屏風や几帳などを移動させて空間を仕切っていた。その几帳にはきれいな絹の布が掛けられていたが、几帳の柱は丸く削って両側に刻み目を入れ、滑らかで平らに仕上げられた。これが几帳面である。絹布を傷めないように配慮することから、きちんと整えられている様を几帳面と言うようになった。

座る場所や就寝場所に畳などを置いて生活したが、就寝、身繕い、食事場所などは部屋が固定される傾向が強かったため、時代が下ると間仕切りを壁や建具で固定して小さい部屋に区切るようになった。平安時代に考案された障子は現在の襖のことであり、そうした引違戸が多用されるようになると、柱も丸柱から角柱に変化した。また持ち運び用の座具であった畳も小さい部屋では敷き詰められるようになった。「柱の空間」の寝殿造建物を引き違い建具で仕切って家を造るシステムがこの頃の中・下貴族の住居に一気に広まった。

『源氏物語』箒木の巻には、光源氏が空蝉と契った中川紀伊守の家では「几帳を障子口に立てて」とあり、空蝉は障子で仕切られた中で休息していた。また故八の宮の宇治の家も「光見えつる方の障子をおしあけ給ひて」とあるように、やはり障子で仕切って居室を造っている。上級貴族の邸宅の場合は家具や調度で居室を造ったが、中・下級貴族や宇治の隠棲所などでは障子で仕切った。紫式部はその空間の差を明確に書き分けていたのである。

(二)　権威を象徴する家具

中国・朝鮮文化の強い影響

古代の家具については正倉院の宝物からある程度知ることができるが、それらの多くは中国や朝鮮の文物で、当時の為政者がいかに中国・朝鮮文化の摂取に熱心だったかがわかる。古墳時代でも実に多様な大陸式の家具が使用され、それらの家具は権威の象徴として大きな役割を果たしていた。大王たちは五世紀以降、一貫して中国・朝鮮から先進家具文化を導入し続けており、彼らは中国・朝鮮文化の家具で武装していた。家具史から見ると古代天皇は中国ブランドを統治の武器としていたと言える。そもそも伝統的日本建築とされる寝殿造も建物を「コ」の字形にし、その前に池を配するレイアウトは唐の長安の興慶宮をモデルにしているとされるように、寝殿造建物自体が唐に起源がある。

古代の社会は厳しい身分制の社会で、「格式」や「格の違い」などの言葉はそれを物語る。律令という法令に追加・補足・改正した法令を「格」と言い、その施行細則を「式」と言う。併せて「格式」となるが、本来は法令としての用語であった。

支配者たちにとってその身分の違いを際だたせるためには、先進国の文物を手にし、身に付けることが有効であった。たとえば古墳時代の埴輪や副葬品などにも大陸で使用されていたと思われるものが多くある。椅子も四脚形式で大型の方形の座に欄干や背もたれのあるもので、それは腰掛けるものではなく乗って座るものだった。四脚形式、背もたれ、欄干、脇息など、いずれも外来のもので、権威を示す象徴としての役割を持っていた。

『古事記』応神条には、「詐《いつは》りて舎人を王《みこ》に為《し》て、露《あら》はに呉床《あぐら》に坐せ、百官恭敬ひ往き来する状、既に王子《みこ》の坐す所の如くして「其の厳《よそひかざ》りし処を望《みさ》けて、弟王《おとみこ》其の呉床に坐すと以為《おも》ひ、」とある。また同書雄略条には、大王は「其の童女の遇ひし所に留まりまして、其處に大御胡床《おおみあぐら》を立てて、其の御呉床に坐して、御琴を弾《ひ》きて、その嬢子に儛為《まいせ》しめたまひき。爾に其の嬢子の好く儛へるに因て、御歌を作《よ》みたまひき。其の歌に曰ひしく、呉床座の神の御手もち弾く琴に儛する女常世にもがもといひき」と記す。呉床は応神や雄略という大王が座るものであり、それは王権の象徴であった。そして王権の独占物とされた座具の「あぐら」が「呉床」と表記されていることは、この時期の宮殿建築を含め呉の国=中国南朝の影響下にあったことを暗示している。

古代では座具を全て「あぐら」と呼んでいた。「あ」は足、「くら」は鞍や倉で倉は高床だったから、高いものの上に乗っているという意味である。これも中国文化を導入したことによるが、それまでは筵などを敷いて座るだけであったが、高い台の上にいることは画期的で、それは一目で身分の違いを確認できるため権威の象徴となった。そもそも「位」というのは「くらに居る」ということから生じた言葉である。

そして「あぐら」に座って足を組んで座るのが、いわゆる「あぐらをかく」という姿勢である。現在では「あぐらをかく」と言えば、「名声の上にあぐらをかく」などと使われ、「その立場や状態にあっていい気になっている」また「ずうずうしく構えている」というように悪い意味になっている。しかしこの当時は、これこそが最も正式な姿勢であった。私たちが普通に椅子に腰掛ける姿勢は「尻打上げ」と言って不作法とされていたのである。寝殿造建物の中で貴族の男性、女性もあぐらで座っていた。仏像や神像もやはりあぐらである。それが正しい姿勢だからである。

六・七世紀頃、律令国家の形成期にあたり、中央集権国家樹立のために、律令を初め様々な制度や文化、風俗や儀礼なども積極的に中国から取り入れた。この「あぐら」もこの時期に導入された。しかしこの習慣は長くは続かなかったようで、既に鎌倉時代頃には畳の普及とともに、あぐらという椅子はなくなり、直接畳の上であぐらをかくようになった。とりわけ茶道が普及すると、狭い茶室の中ではあぐらは場所をとってしまうため正座が一般的な座り方となり、この頃から「あぐら」は作法にあわない座り方とされるようになった。

部屋の中で椅子に座ることが許されたのは五位以上の貴族たちであるが、その位などによって細かく定められていた。『延喜式』三十八「掃部寮」には、「凡庁座者。親王及中納言已上椅子。五位已上漆床子。自余白木床子」とあるように、親王及び中納言のクラスのみが椅子に着座することができた。それより以下は机の形をした腰掛けで背もたれも肘掛けもない床子に着座した。その床子の場合でも五位以上は漆で塗ったもの、それ以下は白木の床子というように、一目でその違いがわかるようにされていた。天皇が座る椅子は「御椅子」と言い、紫檀のような貴重な木で作られ、赤塗り、黒塗りにされ、肘掛け・背もたれがある豪華なものであった。

牛車は身分の表象

乗り物の牛車は平安時代の半ば頃には広く用いられるようになるが、その始まりは九世紀初期頃からである。弘仁九（八一八）年に嵯峨天皇によって儀礼の整備が行われるが、それと並行して牛車の乗車を許可した勅が出されている。そこには内親王・孫王・女御以上・四位以上の内命婦・四位参議以上の摘妻と子・大臣孫には金銀飾りの車を許し、それ以外の者の乗車を禁止すると見える。つまり牛車に乗ることができるのは、天皇の子及び天皇との婚姻関係のある女性、そして天皇に近侍する女官たちであり、それに加えて四位参議以上の官人も嫡妻子も牛車を作ることが認められた。こうして嵯峨天皇の子の仁明天皇の頃から貴族社会において牛車の流行が始まる。

　ところが宇多天皇の寛平六（八九四）年五月には、牛車の乗車を貴賤を問わず禁止した。その後、左右大臣を初め天皇の信任の厚いごく一部の貴族たちに牛車の乗車が許可され、その禁止令から一年余りを過ぎた寛平七年八月には男性官人全てに乗車が許可されることになった。この牛車の禁止と解除の目的は貴族社会における天皇を中心とする身分秩序の編成にあった。貴族官人の徒歩・騎馬以外の移動手段については、天皇の許可が改めて必要であることを貴族社会に認識させたのである。このように牛車への乗車は身分の表象としての意味を持っていた。時代は下るが、書道の三蹟藤原行成は長保三（一〇〇一）年八月の除目で参議に任ぜられた。その同日、左大臣藤原道長から車と牛を貰っている。参議の身分になって牛車に乗ることができたからである。

源氏物語ミュージアムの牛車

　『延喜式』では車の種類によって乗車できる階級を規定したが、違反が多いため度々禁令を出している。また牛車には基本的に男女の別はなかったが、男車・女車とわかるようにした。女車の場合には、簾の下から衣を出す出衣《いだしぎぬ》をしたので、女車であることやその趣向や風情で身分や家柄もある程度わかった。『伊勢物語』三十九段には、「天の下の色好み、源至《みなもといたる》といふ人、これものの見るに、この車を女車と見て、寄り来て、とかくなまめくあひだに、かの至、蛍をとりて女の車に入れたりれるを」とある。このように、当時の人たちには男車と女車は一目で識別できるものだった。

(三)　渡来人による作庭

中国風のデザイン

我が国で最初の作庭記事は『日本書紀』推古二十（六一二）年是歳条である。そこには、百済からやってきた異相の男が登場する。その相貌を嫌われ追放されそうになった男は自らに作庭の才能があることを訴えた。「臣、小なる才有り。能く山岳の形を構《つ》く。其れ臣を留て用いたまはば、国の為に利《くほさ》有りなむ。何ぞ空しく海の嶋に棄つるや、といふ。是に其の辞を聴きて棄てず。乃りて須弥山の形及び呉橋を南庭に構けと令《おほ》す。時の人、其の人を号けて路子工《みちこのたくみ》と曰ふ。亦の名は芝耆麻呂《しきまろ》」とある。百済からの渡来人路子工が小墾田宮の南庭に、須弥山と呉橋を作ったと見える。須弥山は仏教の世界観では、宇宙の中心に位置する山であり、この作庭は仏教思想に基づいている。また呉橋はその名から、中国風のデザインを持つ石造の橋と考えられ、当時の先進の造園技術の一つであったのであろう。ともあれ我が国最初の作庭が渡来人であったことに注目する必要があろう。

奈良県明日香村の石神遺跡で宮殿の庭園が見つかっている。石積みの護岸を持つ方形の池、精巧な石造噴水の須弥山石、異国人の風貌で杯を持って背中合わせになっている男女の老人の姿をした石人像などがある。飛鳥京跡苑池は斉明大王が築造し、天武天皇の時代に改修したとみられ、『日本書紀』天武十四（六八五）年十一月六日条に見える「白錦後苑《しらにきしのみその》」、及び持統五（六九一）年三月五日条の「御苑」にあたると考えられている。東西七十m、南北二百mの石積み護岸を施した園池がその中心をなす。飛鳥時代の庭園の特徴は、方形など幾何学的平面形をもつ池、その護岸としての石積み、精巧な加工を施された石造物の三つの構成要素からなっている。

しかし奈良時代になると、作庭は大きく変化する。『続日本紀』天平十（七三八）年七月七日条に、その日は七夕で、天皇は相撲を観戦した後、場所を変えて「西の池の宮」に出向き、そこで吉備真備らに宮殿の前の梅の木を詠むように命じている。この「西の池の宮」の発掘調査によれば、曲池、州浜の護岸、自然石の景石という三つの作庭の原則が確認できる。造園の大きな変化の背景には、慶雲元（七〇四）年に帰国した遣唐使がもたらした情報があった。つまり唐の大明宮や洛陽の上陽宮の庭園が先の三原則を備えていたのである。この三原則こそがこれ以後の自然風景を取り込んだ日本庭園の原型となっていく。中国の造園思想という外来のものを導入し、それを基本としつつ、アレンジを加えていく過程を確認することができる。

飛鳥時代には大陸からやってきた作庭技術者が庭園を造ったが、ここでは日本の造園師がそれに当たっている。そのため唐の庭園のデザインを規範にしつつも、日本独自の手法や美意識が見られ、それは後世の日本庭園につながるものであった。

住まいの理想「庭屋一如」

平安時代には貴族の住宅に作られた寝殿造庭園、極楽往生を説く浄土信仰が流布したことから、平等院に代表される浄土式庭園などが成立し、後世に引き継がれていった。鎌倉時代になると禅僧たちは庭園に強い関心を示し、そうした中で作庭に傑出した夢窓疎石が登場し、天竜寺庭園・西芳寺庭園などに見られるように、日本庭園の一つの頂点を形成した。夢窓疎石は後醍醐天皇から「夢窓」の国師号を賜った。国師号というのは、国家の師表たる高僧に贈られる朝廷からの称号である。その国師号を生前に三つ、没後にさらにもう一つの国師号を追贈されている当代随一の臨済宗の高僧であった。その疎石の『夢中問答集』には、「山水(庭園)を好むは、定めて悪事ともいふべからず。定めて善事とも申しがたし。山水に得失なし。

得失は人の心にあり」と見える。なお夢窓疎石をはじめ、この頃の禅僧の名前は四文字であるが、それは道号と法諱を連ねるのが正式の呼称法とされたからである。たとえば義堂は道号、周信は法諱である。

これらの庭園は一本一本の木も曲がりくねっており、庭自体の構成も非対称である。このように庭園は非対称を精髄とするが、それは人工的なものを拒否し、自然そのものを良しとする考えからきている。自然には山や川も木も森もシンメトリーなものはない。そこに日本人の自然観が見られる。日本の代表的な数寄屋造で知られる桂離宮の庭園も素晴らしいが、そこでは数寄屋造の建物と庭園が一体となっている。建物は古書院・中書院・新御殿の三つが雁行状につながっており、古書院の広縁の先に濡れ縁が造られ、それは月見台と言って月見を楽しむことができる。このような庭と建物の関係を「庭屋一如」と言い、それは日本人の住まいの理想とされた。それは平安時代の寝殿造と庭園、『源氏物語』の四季の建物と庭園にそれを見ることができる。現在の京都の町屋は鰻の寝床と言われる奥行きの深い建物であるが、奥には庭があり途中には坪庭もある。これも「庭屋一如」の伝統であろう。

日本庭園には自然と同化するという考えが基調にある。そこでは自然と対立することによって生まれる自然の中の人間存在の意味とは何かというような抽象的思考や現世を越えた思想は出てこない。日本には哲学がないというのも、こうした再生可能な自然との向き合い方と密接に関わっている。

二　湯屋の歴史

㈠　寺院の浴堂と貴族の湯屋

蒸し風呂

日本人の多くは毎日入浴しているように、風呂好きで知られるが、しかし時代を遡ってみると、毎日風呂に入るという歴史はそれほど長いものではなく、風呂好きという根拠も定かではない。ただ風呂と言っても多くは現在のように湯槽に湯を満たして入浴するのは比較的新しく近世以降である。まして各家毎に風呂があっていつでも入れるというのは極めて最近のことである。

また沐浴は身を清浄にするだけでなく、本来は水の霊力を感染させ、身に付けさせる意味を持っていた。新生児の沐浴、正月の若水、結婚式の祝水、相撲の力水などはそうした例である。その沐浴の「沐」は「かしらあらふ」、頭を洗うことで、「浴」は「かはあむ」で全身を洗うことであった。ただ現在と違うのはそれは清潔のためではなく、清めるためで、その浴槽は『延喜式』木工寮式によれば、長さ百六十㎝、広さ七十五㎝、深さ五十㎝ほどの大きさだった。

仏教では仏陀の頃から湯の効能が説かれ、経典にもそのことが記されていた。「仏説温室洗浴衆僧経」(略して「温室経」)には、風呂に浴して清浄の身となれば七つの福がもたらされると説く。本格的な寺院を七堂伽藍と呼ぶが、七堂の一つが浴室・温室で、寺院にとっても重要な施設であった。

ただこの当時、風呂と言えば蒸し風呂のことだった。風呂の語源は四方を壁で囲まれた密閉空間であるムロ（室）と同じで穴蔵や岩穴を意味した。蒸気のたちこめたムロに入って発汗させ、汗や垢をぬぐい取るという蒸し風呂が本来の形態だった。そして風呂は大寺院の湯屋しかなかったから、僧も尼も共に入浴する男女混浴だった。もっとも入浴する時は仏典に従って明衣という白布の衣をまとって入ることになっていた。まとってない場合は「突起羅罪」になるので、現在のように裸になることは堅く戒められていた。

とはいえ混浴はいささか刺激的である。仏の世界に至るために修行に励んでいる僧尼もその刺激から濫行・淫行に及ぶことがしばしば見られた。『日本紀略』延暦十四（七九五）年四月条には、「僧尼が淫濫を極め、仏教を穢し国典を乱している」とある。その二年後の延暦十六年七月、大和守藤原園人を検察使として平城京に派遣して取り締まりに当たらせている。その時に出されたのが我が国最初の混浴禁止令だった。園人は「僧侶の息子があまりに多いので、今後は一切還俗させる」という通達を出している。「一生不犯」の僧に息子がたくさんいるというのは、尼との乱行の結果であろうが、既に国家仏教はこのていたらくに堕していたのである。ともあれ日本人に沐浴を愛好する習慣を植え付けたその起源は、仏教と共に伝来した寺院の浴堂にあった。

湯屋は高級貴族の贅沢

今日では風呂付き住宅は当たり前であるが、平安時代にそうした施設を持つことは庶民には困難なことで、貴族や寺院などにほぼ限られていた。『小右記』の作者藤原実資は長元元(一〇二八)年十一月七日条に、「湯屋の近くの井戸を掘った」と記しており、これが個人で湯屋を有していた最も早い部類の記録である。実資と同時代の藤原行成の日記『権記』長徳四（九九八）年条には、「病後初めて沐浴を行った」と見えるから、行成邸にも湯屋があったと思われる。しかし院政期の藤原頼長の日記『台記』久安六（一一五〇）年正月十七日条には、「藤原顕憲が夕方、役所を抜けだして冷泉家の風呂に入れてもらい、真夜中に戻ってきた」という記事がある。これからみると冷泉家には風呂があったが、もらい湯をしている藤原顕憲の屋敷にはなかったのだろう。このように院政期においても湯屋を持つことは高級貴族に限られた贅沢だったのである。

その高級貴族と雖も毎日は入浴してはいなかった。右大臣藤原師輔《もろすけ》が子孫に残した『九条殿御遺誡』には沐浴は日を選んで、五日に一度にせよと書かれている。この時代には陰陽道の盛行と共に、沐浴日の吉凶が厳守されていたから、彼ら貴族たちは沐浴日に相当神経を悩ましていた。月初めの朔日が寅・辰・午に当たる日に沐浴すると、人のために財産を失うという。平安時代の上級貴族の一ヶ月の入浴の回数は四回か五回くらいで、それ以外に行水もした。その遺誡には朝に行うことをこと細かく書いているが、「西に向かって手を洗え」とはあるが、顔を洗えというのはない。口をすすぎ手を洗っても顔を洗わないのは神社参拝の時と似ている。顔を洗うようになったのは鎌倉時代に禅宗と共にその習慣が入ってきてからと言われる。だから平安時代の人々は朝起きても顔は洗っていなかったのである。

平安貴族の女性は風呂で体を洗うだけでなく、美人の象徴とされる長い髪を洗わなければならなかった。この場合も当然吉凶日があったから、いつでも洗えるというものではなかった。『枕草子』二十九段「こころときめきするもの」に「かしらあらひ化粧じて、かうばしうみたるきぬなどきたる」とある。洗髪し、化粧をするのはやはり女性にとっては心ときめくのは古今東西変わらない。

風呂が庶民に身近になるのは、鎌倉時代頃から行われる施浴からであろう。施浴は貴族・僧侶・非人・乞食など身分を問わず湯屋で入浴させることである。元々古代には賑給といって災害にあった人、貧困者や身寄りのない者などに物資や食料を支給していた。それが追善のための施行に変わり、その一つとして施浴が行われるようになった。

平安中期に湯屋営業

湯浴には薬効のほか、産湯や湯灌の習俗のようにケガレを浄め、生命を蘇らす力があると信じられていた。奈良時代の大寺院では温屋・温室といった温湯形式の沐浴施設が造られた。衛生施設の乏しい時代には寺院は病院の機能も果たし、貧窮者や病人に施湯することは布教活動の上でも重視された。

その例として聖武天皇の皇后光明子が施浴した「から風呂伝説」がある。皇后はある時、人を入浴させ、千人の垢を流すという願を立て、法華寺に浴室を建立した。垢を流しに流して九百九十九人、そして千人目の時にやってきたのがハンセン病で皮膚がただれ膿にまみれた人だった。しかも病人はその膿を口で吸ってほしいと訴えた。しかし皇后はたじろぐことなく垢を流し、膿を吸った。実はこの男こそ阿閦《あしゅく》如来の化身であった。阿閦如来は全ての誘惑に打ち勝ち、永遠に怨みや怒りを抱かないと誓い、東方に妙喜浄土をたてた仏である。また薬師如来の別名とする説もある。

この風呂も今のように湯につかるものではなく、蒸し風呂だった。この話は光明皇后が施薬院などを設けて病人の治療にあたったことから生まれた伝承であろうが、以後、施浴は仏教的功徳を積むこととなった。こうした施浴は寺院だけでなく、資力のある俗人たちも追善のためということでしばしば行った。そして様々な人々が湯屋に集うようになると、そこは集会や会議の場や宿泊施設ともなった。湯屋は人々の多くの情報が行き交う場ともなり、都市における井戸端会議の役割を果たすようになった。

いつ頃から街中に湯屋（風呂屋）が出来たかは明確ではないが、平安時代中期の『栄華物語』には、「東山へ湯あみにと人を誘い」とあり、『今昔物語集』にもそれらしきものが見える。だから湯屋が初めて営業されたのは、平安中期頃の平安京であったろう。

(二)　入浴専用の道具

外出着ではなかった浴衣

次に風呂に関する浴衣と風呂敷のルーツについてみる。現在、浴衣は夏の日の女性の外出着となっていて、大変優雅で見た目にも涼しく感じる。浴衣を着て、団扇を持って蛍を追う姿などはまさに日本のみの風物詩であろう。しかしかつては堂々と外に着ていくものではなかったから、江戸時代の人が浴衣が外出着となっているといえば大いに驚くであろう。

風呂に入る時、何かをつけて入るというのは古くからの習慣で、古代寺院の施浴に由来する。寺院は施浴を有力な布教の手段としていたが、この場合、多数の男女が一緒に入浴することも多く、風紀衛生上からも明衣という白布を着て入ることが決められており、それを着ないで入ることは、戒律を犯すことであった。この習慣が宮中や公家社会にも取り入れられ、明衣をつけるようになった。これを平安時代には「ゆかたびら」と呼んだ。帷は片ひら、単衣のことである。これが浴衣の元祖である。浴衣は元々湯帷子に由来するもので、入浴時、または入浴直後に着用する入浴専用衣であったから、外出着ではなかった。それが中世になると窮屈な湯帷子は敬遠されるようになり、次第に簡略化してその代わりに男は湯褌、女は湯巻といって入浴専用の褌と腰巻きに付け替えて入った。

湯から上がる時にこれを専用の下盥で洗って帰った。このため湯褌や湯巻を持っていき、帰りには汚れた下着を持ち帰るために使われたのが風呂敷である。しかし混雑すると他人のものと間違うことが多かったので、屋号や家紋を染め抜いたりするようになった。そして実入りのいい人ほど風呂敷も大きかったから、中には見栄で大きな風呂敷を持って行く者もいた。そこから大風呂敷は大言壮語する意味になった。

時代は下って近世になると銭湯も生まれ、それに伴って風呂敷・湯文字・浴衣・丹前など、衣生活にも影響を与えた。なおどてらのことを丹前と言うのは江戸時代に神田四軒町から雉子町にかけて美麗を尽くした湯女風呂が軒を並べていたが、そこが越後蒲原郡の領主堀丹後守の屋敷の前だったことから丹前風呂と言われた。その湯女全盛期に勝山という絶世の美女がおり、彼女は女歌舞伎の真似をし、男装して大小の刀を差し、小唄「丹前節」を歌い、花魁道中では異様な盛装で大道を闊歩した。彼女の特殊な髪型を「勝山まげ」、下駄の鼻緒を「勝山鼻緒」、歩く姿を「勝山歩き」として流行させた。さらに勝山は湯女時代に袖口を広く、褄の高い衣服（どてら）を粋に着こなしていたことから「丹前勝山」の異名で呼ばれた。どてらのことを丹前と言うようになったのはこの故事に由来する。しかし江戸時代中期になると脱衣籠や棚が出現したため、褌や腰巻きを用いる習慣がなくなり、本来の風呂敷としての必要性は少なくなった。

風呂と縁がなくなった風呂敷

風呂敷は風呂とは無関係になったが、現在も使われているように、極めて日本的な道具である。その特徴の一つは包むという役割と結ぶという行為である。風呂敷はどんな形のものでも容易に包み結ぶことができ、携帯してもかさばらず大変便利である。二つ目は風呂敷の装飾性である。日本情緒たっぷりの模様や絵はそれだけとってみても一つの芸術である。おそらく風呂敷は時代が変化しても、将来にわたって日本の道具として残っていくと思われる。風呂敷に限らず包むというのは日本人の得意とすることである。

物や金をそのまま差し出すことは多くの人にとってはぶしつけな感じで抵抗感がある。古代には旅の土産などの贈り物は「つと」と言い、人に贈るために藁や薦などで包んだ物の意であった。『万葉集』には「伊勢の海の沖つ白波花にもがつつむみて妹が家づとにせむ」（三〇六）「玉津島みれ土も飽かずいかにして包み持ち行かむ見ぬ人のため」（一二二二）と詠んでいる。「沖つ白波」「玉津島」など包むことのできないものすら包んで贈りたいというのである。

日本人は物や金に限らず心の中も隠そうとする。日本人が表情に乏しいというのはそうした態度による。しかしそれは長い間、奥ゆかしい態度で好ましいものとされてきた。物事を露わにしないが、その心を推し量ることが大人の態度であった。

(三)　消えた混浴の習俗

文明開化で消滅した裸体

我が国では江戸時代以来、男女の混浴は当たり前のことで、人前で裸になることも珍しいことではなかった。確かに私たちが子供の頃でも母親が赤ん坊に乳を吸わせている光景は日常的だったが、そうしたことも目にすることはなくなった。

裸体そのものがいけないとなったのは、明治四（一八七一）年に政府が出した裸体禁止令からである。幕末から明治にかけて我が国にやってきた欧米人は当時の日本人が男も女も半裸体で、一緒に風呂に入ることに驚いた。「日本人は淫らである」「女は腰から上を露出させている」「男は生まれた時と同じ格好で往来に出ている」等々、カルチャーショックを受けている。彼ら欧米人の目からは裸体の習俗は極めて野蛮で未開に見えた。当時の明治政府の文明開化政策は欧米化を意味していたから、その価値基準からはずれたこうした習俗を徹底して取り締まった。上からの「文明」「衛生」の名のもとに、「野蛮」征伐が行われ、東京府による処分では、立ち小便、喧嘩口論、裸体の三者が圧倒的に多かった。そしてマスコミも裸体習俗は大変恥ずかしいことであると喧伝した。

これに対して裸になることを認めて欲しいなどという運動もあったが、文明国家日本に邁進する中で裸体習俗は徐々に薄れていった。ただ欧米人が言ったように日本人には羞恥心はなかったのかというと、そうではなく、物の見方の相違であった。それはたとえ人の裸を見ても気にしない風にし、見られた方も気にする素振りがない。要するに人をじろじろ見るということは憚られ、それは世間的に許されないという風潮があったからである。日本人は見ず知らずの人に対しては、一種の風景のように、そこにいてもいない風に対処する。「見る」という行為も重要なコミュニケーションである。しかしそれも「見る作法」が必要である。これが日本人の人と人との距離感の持ち方であった。

それに対し、欧米人は裸体をじろじろと見つめるため、性的な欲情や興奮を抑えるために裸体は隠すべきだと考えていたのである。日本人は露出させることによって淫らなことは起こさないという道徳観があったから、裸体そのものが不作法なのではなく、見つめることが野蛮だと考えていたのである。日本の混浴における暗黙のルールは、見ようとすれば見えるが、見ないようにする、つまり「礼儀正しい無関心」という視線であった。だから日本人から見れば、裸体を見つめる欧米人こそが不道徳と考えたのである。

三　トイレの歴史

(一)　藤原京時代のトイレ

トイレの呼び名

古代の人々がどのような食事をしていたか、どのような場所で排泄していたかなど、案外とわかっていない。それはあまりにも日常的であるため、文献に記されることがほとんどないからである。しかし食べたものは遺物として残ることはないが、その排泄物は遺物として残される場合がある。それが糞石である。ただ糞石と言ってもそれが人のものか、動物のものかを識別することはなかなか難しい。たとえば縄文時代の貝塚では、糞をした後に貝殻が覆って原形が崩れず、さらに貝殻からカルシウムがしみ出て石のようになったものがよく発見される。しかしその糞石の多くは飼い犬のものであった。この時代に犬専用の食物などはなく、犬も人も同じようなものを食べていたからその区別は難しい。

排泄の場所はトイレ・お手洗い・御不浄・はばかり・厠・閑所・雪隠など色々な呼び名がある。なお「雪隠」は禅宗と共に伝えられた言葉で禅家の便所には東浄と西浄《せいちん》があり、「せいちん」の音が転じて「せついん」または「せっちん」となり、「雪隠」の文字をあてたと言われる。

古代貴族が用いた持ち運び式トイレのことを「清箱（しのはこ）」とか「樋箱（ひばこ）」と呼ぶ。貴族の屋敷内のトイレ掃除の女官のことを「樋洗し童（ひすましわらは）」と言い、トイレの建物は「樋殿（ひどの）」と呼ばれている。『宇治拾遺物語』三・十八『今昔物語集』巻三十第一話「平定文、本院の侍従に仮借する話」では樋殿で便器に用をたし、これを清掃役の下女が屋敷の外に捨てている。

国家的なトイレ問題

飲み食いをした後の用便は、かつては個人的な行為であって社会的問題ではなかった。しかし都が造られ、人が密集するようになるとそれは重要な問題となる。古代のトイレは汲み取り式だと考えている人がほとんどであろう。何せ私たちが子供の頃でも、ほとんどが汲み取り式のいわゆる「ぽっちゃん」便所だったから、そう考えるのも当然である。しかし我が国最初の本格的な都城藤原京のトイレは、驚くことに水洗式であった。ただ水洗式とはいっても現在のように下水処理施設があるわけではないから、排泄物を溝や川に流すというものであった。ただそのためにはかなりの水が必要である。それがない場合には流れずにたまった。そうなると当然悪臭が漂い、疫病の発生源となるなど、衛生面の問題が起き、社会問題となった。いわゆる都市公害である。

『続日本紀』慶雲三（七〇六）年三月条には、「又如聞。京城内外多有穢臭」この汚くて臭い状況を取り締まるために、衛士や府の官人たちが動員されている。京中の邸宅では街路の側溝から水を引き入れ、それを再び下水として側溝に流していた。こうした方法であれば排泄物が次第に下流に堆積していくことになる。平城京や平安京は宮城は北に位置し、南に向かって土地が低くなっているのでその影響は限定的であった。

しかし藤原京の場合は南の方が土地が高く、宮城のある場所が低いから、その影響は致命的だった。飛鳥川が南東から北西へ流れ、身分の低い人たちの生活排水が、身分の高い人の居住区へ逆流する構造になっていた。そのため大雨が降ると糞尿や死体などが流れ込んでくるから、現実的にもやっかいな問題であった。それは清浄を必要とする天皇としての体面からも都合が悪かった。

藤原京がわずか十七年で廃棄された原因として大宝二（七〇二）年に派遣された遣唐使が唐の長安城を見て、その構造の違いがあまりにも大きかったことがあげられるが、こうした欠陥があったことも重要な要因であった。たかが糞尿ではあるが、それは遷都に関わる国家的な問題として認識されていたのである。

しかしこの問題は平城京や平安京に遷都したことですべて解決するようなものではなかった。『類聚三代格』弘仁六（八一五）年条には、「京中の諸司、諸家、或いは水を塞いで途を浸す。宜しく諸司に仰せ、みな修営せしむべし。流水を家内に引くを責めず。ただ汚穢を墻外に露すを禁ず。よってすべからく穴毎に樋を置き水を通すべし」とあり、遷都後も重要な問題であった。

近年、古代のトイレ遺構が発見された。長くトイレ遺構と断定できなかったが、寄生虫卵の有無や多寡によって判断できるようになった。藤原京の水洗トイレ遺構では、宅地内に弧状の溝を掘って道路側溝の水を引き込み、溝に渡した板の上で用を足し、排泄物を含んだ水は再び道路側溝に流す仕組みになっていた。ただこれでは水洗トイレとはいえ、とりあえず側溝に流すだけだから、その側溝には大量の糞尿がたまることになる。こうした不衛生な状態が、頻繁に起こった疫病の一因であった。『宇治拾遺物語集』「清徳聖奇特の事」に糞小路を汚がって錦小路に変えた話があり、また『小右記』長和四（一〇一五）年四月十九日条にも「北辺大路に汚穢の物、甚だ多くしてへり」と記すように、不衛生であった。その大量の糞尿はこまめに清掃するしか方法はなかった。

『令集解』巻四職員令、囚獄司には、「雨の夜の翌朝、囚人たちを引率して宮城、政府官庁の汚物と東西の便所掃除をさせる」とあり、また『延喜式』巻二十九判事囚獄司には、「囚人たちに六日ごとに宮殿の外回りを掃除させ、雨が降った翌日には宮内の汚物、厠の溝などを掃除させよ」とある。雨の日の次の日に掃除をさせているが。これは溝に雨水が流れているために汚物を洗い流すのには好都合であったからであろう。

(二)　寝殿造住宅のトイレ事情

トイレのない邸宅

古代の貴族住宅は寝殿造である。その名称については様々な説があるが、内裏の仁寿殿の旧名が「寝殿」であったからとする見解が説得的とされている。その豪華な寝殿造建物でも便所がないことが多く、持ち運びのできる清筥《しのはこ》（樋箱《ひばこ》）というトイレで用を足していた。便所は樋殿と言い、そこには大便の箱と小便の虎子が置いてあり、おまるを樋と言った。高貴な女性には便器の清掃や外出時の際に便器の運搬に従事した下級の侍女がついていた。朝になると外に捨てにいった。貴族ですらこのような状態だったから一般庶民にはそのような施設があるはずはなかった。

路傍排便の初見は『万葉集』の歌である。「枳《からたち》の棘原《うばら》刈り除け倉たてむ屎遠くまれ櫛造る刀自」（からたちのとげのある木を切り払って倉を建てようと思っているのに、そんな所でウンコをしないで、遠くでやってくれ、櫛作りをしているおかみさん）と中年のおかみさんが路傍で排便する姿を詠んでいる。

古代から中世までの遺跡からは足の高い下駄が出土する。近年は盆踊りの時くらいしか下駄を履くことはなくなったが、まして高下駄は歩くには大変不便である。だからこの時代の人たちもわざわざ歩行のために高下駄を履いていたのではない。歩かなくても下駄を必要とする場所が実は便所だった。中世の生活や風俗を描いている『餓鬼草子』のよく知られている絵の一つに壊れかけた築地あたりで老若男女が排便をし、そこに餓鬼が近寄っている情景がある。よく見るとみな下駄を履いている。ここは普通に人々が通る道路である。そこで当たり前のように排便している。その背後に描かれている家は荒廃して土塀が崩れかかっている。零落した家の周囲や空き地は共同排泄場所に恰好の場所であった。このような路上排便は珍しいことではなく、これが通常の生活だった。かつてあったくみ取り式の便所をご存じの方は実感として理解できると思うが、排便をするとよくはねて足や衣服が汚れてしまう。そのためにこの下駄が必要だった。身分の高い女性は路傍排便であってもしゃがんで排泄していたが、庶民の場合は男女とも立ち小便が一般的だった。

そして用が終わった後は籌木《ちゅうぎ》または屎篦《くそべら》と言われるもので拭き取った。ところでこの籌木であるが、「籌」は数を数えるのに用いた木の棒のことである。籌木が発見された当初は、計算に使うための木片と考えられていたのでこの名前が付いた。ところが後になってそれとは全く異なるものに使用されていたことが判明した。それは籌木が出土する同じ場所から瓜の種やハエのさなぎなどの死骸が出てくるのである。瓜の種はそれを食べた人が排泄したもので、ハエのさなぎはトイレの中に生み付けられたウジと考えられ、その場所がトイレだとわかった。長さ十八cm、幅一cm、厚さ四mmの檜材で出来ていた屎ベラを計算用の木片と考えていたのは大変な勘違いであった。

このように古代・中世までの都市は不潔な様相を呈していたが、幕末に日本にやってきた外国人たちは日本の町の清潔さに感嘆している。その頃には共同のくみ取り式便所が普及し、それを肥料にするという循環型のシステムが出来上がっていたからである。

最近、「トイレの神様」の歌がはやったが、トイレに神様がいるというのは全国に見られる。便所の神様は女の神できれい好きで、妊婦が便所掃除をすると美しい子が授かるという。また年をとった者も、掃除をすれば、寝たきりになっても下の世話をかけることがないという。

四　生活道具の歴史

(一)　木の道具

霊力のこもる道具

　歴史は人だけではなく物にも食にもある。たとえば、和室に敷く畳はかつては現在のものとは全く別物であった。畳むことができるから「たたみ」の名となったように、現在でいえば薄手の布団のようなものであった。あるいは筵は農作業で使う粗末な敷物であるが、古代には衣服や上等な室内用の敷物だった。このように現在使用されている言葉がずっと変わらないのではなく、それぞれ歴史的変遷を経て、今日に至っているのである。

　私たちの生活に欠かせない様々な道具について見ていく。現在は快適な家や便利な道具に囲まれて生活しているが、その道具の多くは機械的で機能的であるが、それは人工的に作り出されたものだから、そこに精神的な意味があるとは考えられていない。しかし古代には全て自然にあるものを利用して道具は作られ、それらには霊的な力があると考えられていた。そのことが道具を敬い、大切にする気持ちにつな

網敷天満宮の筆供養塔

がっていたのである。

現在でも書道教室では筆供養、裁縫教室では針供養などが行われている。筆や針は生き物でないのに供養するというのは、道具に霊が宿っていると考えているからであろう。今日ではこうした風習も珍しくなっているが、そうした行事の中に古代以来の日本人の精神性が宿っている。

生命と繁栄のシンボルの樹木

天平時代を代表する絵画に鳥毛立女屏風の樹下美人像がある。その美人は随分と豊満な女性で、首に肉のくくれが幾つもあり、現在の美人像とは大きく異なっている。その美人の時代的相違も興味のあるところであるが、それよりなぜ樹木と美人の組み合わせになるのだろうか。しかしこの組み合わせは『万葉集』にも見られる。万葉歌人大伴家持が越中国庁で「春の苑の桃李《すもも》の花を眺矚《なが》めて」と題して詠んだ歌である。「春の苑紅《そのくれない》にほふ桃の花　下照る道に出で立つ少女」（四一三九）この歌は家持が樹下美人像を知っていて詠んだのではないかとする説もあるように、情況が類似している。女性の上に覆い被さる樹木は生命の育成と繁栄のシンボルで、その樹木は聖なるものとされる菩提樹や沙羅樹や、また家持歌のように不老長寿の木とされる桃であった。それは木に霊力があると考えられているからである。

なかでも多くの道具の原材料となった木には霊力があり、とりわけ老木や巨木は神の座す所だけでなく、それ自身が神聖な霊的存在であった。しかし、人間が都合良く便利な環境をつくるためにはこうした樹木を伐採しなければならないこともあった。『今昔物語集』巻十一第二十二話には巨樹を伐採する話がある。推古大王が元興寺を建てようとしたが、そこには樹齢もわからないほどの巨木があった。大王が木に斧を入れさせたところ、その者たちはたちまち死に、残った者は恐れおののいた。その話を聞いたある僧は雨の夜、その木の洞の中に身を潜めていたところ、声が聞こえてきた。「麻苧で作った注連をめぐらし、中

神霊が宿る樹木

臣祓を読んで木樵が縄墨をすれば万策尽きる」という木の声であった。そこでその通りにして伐らせたところ、一人も死ぬことなく、木を伐ることができたという話である。このように巨木には神霊が宿り、それをむやみに伐れば、祟りがおこるという観念は長く存在していた。

私事になるが、最近世界遺産の屋久島を訪ねた。屋久島といえば杉の巨木の縄文杉や世紀杉などが著名であるが、そのような何千年もの時代を生きてきた杉がなぜ残されてきたのだろうかという疑問が現地の説明でよく理解できた。杉は真っ直ぐに伸び、大木になるため建築材として大変重要でその価値も高い。だから真っ直ぐに伸びた杉の巨木は人間にとって有用なため真っ先に目をつけられ、伐採された。しかし杉の中にも真っ直ぐに伸びず、形が悪く、節だらけの木は人間から見れば、全く価値はないからそのままに捨て置かれた。長く人から見捨てられたことが、結果的に何千年という寿命を得ることになった。縄文杉などにしてみれば、それは大変幸せなことであったろう。しかしここにきて今まで見向きもされなかった杉が、何千年も生きたということに価値を見いだした現代の人間が、屋久島に押しかけ、そのために縄文杉や世紀杉の根元が踏まれ、杉自体が衰弱しつつあるので、その対策が立てられるようになったという。

こういう話を聞くと、自分もそこに押しかけた一人であることを含め、つくづく人間の身勝手さを思う。物事の根本は、人間から見た価値の有用性だけが基準になっているから、このような現象が起こるのである。杉に限らず樹木も全て生きているのであり、その生命力こそが木霊ではなかろうか。そうした樹木からは人間の活動をどう見えているのかという視点も必要ではなかろうか。何千年も人の活動を凝視してきた縄文杉にぜひ問うてみたいものだと思う。

「ものを言う草木」

『日本書紀』神代第九段には、「ものを言う草木」のことが記されている。「その国には、蛍火のように妖しく光る神や、騒がしくて従わない邪神がいた。また草や木もそれぞれに精霊を持ち、物を言って脅かした」とあり、また第九段第六には、「葦原中国は、岩の根、木の株、草の葉までもが、よく物を言うことができる」とある。さらに欽明十六（五五五）年二月条には、「建国の神とは、天地が開け分かれた頃、草木が言葉を語っていた時、天より降り来て国家を造られた神である」と記す。このように草木にも精神や魂が宿っているという我が国のアニミズムの考え方が、『日本書紀』の中にも受け継がれている。森羅万象が生き物であり、声や言葉を発するという世界観がある。そうした感覚は後世にも受け継がれている。時代はかなり下るが、江戸時代の松尾芭蕉の有名な句である「閑かさや岩にしみ入る蝉の声」の「岩にしみ入る」などの表現もそうした感覚なくしては作れない句であろう。

一方、草木に魂や霊があるならば、それらを伐採することは霊の祟りと対峙することに他ならなかった。『日本書紀』推古二十六（六一八）年是年条には次のような話が記されている。「蘇我氏の同族の河辺臣を安芸国に派遣して船を造らせた。山に入って船の材料にふさわしい木を探したところ、ちょうどよい木があった。そこでこれを伐ろうとすると、ある人が「この木は雷神のよる木である。伐ってはならない」と言った。河辺臣は、「この木が雷神の木だからといってどうして大王の命に逆らうことができようか」と言い、多くの幣帛を奉り、人夫に伐らせた。すると大雨が降り、激しく雷鳴した。そこで河辺臣は剣を取り出して雷神に向かって「人夫を殺傷してはならない。私の身を破れ」と言って天を仰いで待った。しばらく雷鳴は続いたが、河辺臣を傷つけることはできなかった。雷神は小さな魚になって木の枝に挟まった。そこでこの魚を焼いた。こうして無事に船を造ることができた」このように神は人の営為を妨げる存在として退治・追放されたという話である。

聖木の「奇しき木」

『紀』崇峻即位前紀には、仏教崇拝をめぐって蘇我馬子が物部守屋との間で戦闘があったことを記す。守屋軍は頑強に抵抗したが、その時、厩戸皇子は白膠木で四天王像を作って頂髪に置いた。敵に勝てたなら護世四王のために寺を建立しようと誓願し、その結果勝利できた。四天王像を作るために使用した白膠木は、「ぬりで」と呼ばれるウルシ科の木で『釈日本紀』には「有霊之木」とする霊木であった。この白膠木は金光明経にも見え、特別な力をもつ香木とされている。中国や日本の真言宗ではそれを護摩木に用いている。

平安時代には神仏習合が進み、仏教と融合した神像が一木造の手法で作成されるようになる。その素材の多くは木であった。中には節の目立つものもあるが、それは彫刻するのにふさわしい木というよりも神の依り代とされていた木が選ばれたからであろう。神が木に宿るとする霊木への信仰が神像という新しい形式を生み出した。立木観音や鉈彫《なたほり》という木の特質を意図的に残す技法も木を神聖視する感性に基づいている。

『続日本後紀』承和十四（八四七）年六月三日条に、平安京で大風が吹き、家屋はつぶれ、木は折れ、雨が激しく降り、夜になって増々激しくなった。そこで松尾大社に使いを送り、これを祈ったとある。このような猛烈な風水害が起こったのは、以前に左相撲司《ひだりすまいのつかさ》が葛野郡の郡家の前にあった槻の木を伐って太鼓を作ろうとしたことへの祟りであった。そこで幣帛と鼓を松尾大社に捧げて祈り、お詫びを申し上げた。鼓に用いた牛皮は十二張、一つで六張とあるから相当の巨木だったのであろう。

この間の事情を十世紀半ばの年中行事の書『本朝月令』はもう少し詳細に記す。「深草天皇の時代に、葛野郡家の四隅にあった槻木を伐って相撲司で使う太鼓を作った。しかしこれに松尾明神が怒り、「これは私が時折来遊する樹である。決して伐採してはならない」と託宣を下したが、伐採した。すると伐採にあたった囚人たちの多くが死に、作業を統括した官人も馬から落ちて大けがをした。人々は洪水があったのも太鼓の材木を流したための災いだろうと噂した。松尾明神の祟りはおさまらず、様々なことがおこったために、ついにその太鼓を神社に返納することになった」と見える。

『古事記』仁徳段に楠で造られた枯野という船が朝夕、淡路島の聖水を汲んで天皇に献上していた。しかしその船が壊れたので、その船で塩を焼き、残った木で琴を作らせた。楠も「奇しき木」とされるように、聖木とされていた。時代が下った平安時代には興福寺の衆徒たちが自分たちの要求を朝廷に認めさせるために、春日社の神木を持ち込み貴族たちを震撼させたが、それも木の霊力の故である。

桑は「奇《くわ》しき木」に由来

桑は「蚕葉（こは）」が転じたものであるが、桑は神聖な霊木で災厄を祓う霊力があると考えられていた。雷鳴の時や不吉な折りなどに「クワバラクワバラ」と言うのも、そうした力があると信じられていた証しである。蚕は「こ」と呼ばれており、その「こ」の好きな葉が「こは」となる。桑も『万葉集』に詠まれている。常陸国歌に「筑波嶺の　新桑繭《にいぐわまよ》の衣はあれど　君が御衣《みけし》しあやに着欲しも」（三三五〇）とある。

ここに詠まれている桑はカイコを養い、絹を作るという実用的な意味で使用されているが、当時は桑畑が少ないため、政府は盛んに養蚕を奨励した。桑の木で箸や椀を作り、それで食事すると中風にならないという俗信などがあるが、それも桑の木の神性を信じていたが故であろう。桑の木の「クワ」は「奇《くわ》しき木」に由来するともいう。『日本書紀』雄略六年条に、大王が廷臣の栖軽《すがる》に「蚕を集めよ」と言ったところ、栖軽は「子を集めよ」と勘違いして多くの子供たちを連れてきた。そこで大王は栖軽に「小子部《ちいさこべ》」の名を与えて子供たちを育てさせたという。その栖軽が三諸山の雷を捕らえたのも桑の木であった。桑山の林はよく雲を興し、雨を起こすというように雨や雷を司る呪力があると考えられていた。

和歌山県出身の民俗学者南方熊楠はその名前の中に「楠」があるが、これも楠を神木とすることに由来する。紀伊国海草郡では藤白王子社のほとりに楠神という名の古い楠があって、この地域の人たちは子供が生まれるとこの神に参詣し、楠の一字を名に付ける風習があった。だから熊楠という名などは随分多かった。熊楠の兄弟は九人いるが、そのうち六人までは「楠」の文字が付けられていた。紀伊国では楠を神の宿る木と見ていたことの名残であろう。

古代・中世の人々にとって夢はもう一つの現実であったが、それだけに悪夢を見た時の恐怖心も大きかった。『口遊』にはその時の呪文が見える。「今案ズルニ。到リ桑樹ノ下ニ談ジ所ノ見ル夢ヲ誦スルコト之ヲ三返」と記す。桑の木の下で見た夢の内容を語れば悪夢を違えさせることができるという。これも桑が呪力を持つと考えられていたことによる。さらに時代が下って江戸時代においても桑は神聖なものとする意識はあった。たとえば、井原西鶴の『好色一代男』の中で、長寿を祝する杖として「桑の木の杖なくてはたよりなく」などと記しているのも、桑は神聖な霊木という意識があったからであろう。

神の降臨する柱

柱信仰は縄文時代にまで遡る。青森市の三内丸山遺跡では、非居住区とみられる場所に巨大な栗の柱が六本立てられている。その他の遺跡でも木柱列が確認されているが、これらは祭りの場のシンボルと考えられている。

『日本書紀』推古二十八（六二〇）年十月条には、檜隈陵の域外で諸氏族に大柱を建てさせたところ、倭漢坂上直《やまとのあやさかのうえのあたえ》が特に優れた柱を建てたので、「大柱直」の名を付けたという話が見える。これは古墳時代にも「柱」の祭祀があり、柱には神の降臨を示す意味があったと考えられている。仏教寺院が建立されるようになっても柱の祭祀は続けられた。『続日本紀』天平十六（七四四）年十月十三日条には、東大寺の大仏造立にあたって聖武天皇自らが臨席し、「体骨の柱を建てる」儀式が行われている。このように仏教にも取り込まれたが、柱の祭祀は神祇信仰の方に顕著に表れる。

『古事記』では神を数える時に「柱」の語を使用するが、それは降臨する神のイメージが「柱」となったと思われる。八世紀後半の天武天皇の時代に創始された風神祭の祭神として「天《あめ》の御柱命《みはしらのみこと》」「国の御柱命」が現れる。神柱としてよく知られているのは長野県諏訪市に鎮座する諏訪大社である。上社・下社の両社とも社殿の四囲に樹齢二百年、重さ十三トン、高さ十六mを越す大きな御柱が立てられている。それは直径二～三mもある樅の巨木で樹皮を剥いで神の依代とした。この神木八本を切り出し、山出し、里曳きを行って社殿に立てる祭りは御柱祭として有名である。この祭の歴史は古く、平安京遷都を行った桓武天皇の頃から盛大に催されるようになった。祭神は『古事記』に見える建御名方刀美神《たけみなかたとみ》とその妃八坂刀売神で、柱を神木とするのはかなり古い時代からの伝統と思われる。このように巨木は神社の聖域を示し、神体もまた柱であった。

諏訪大社とは多少異なるが、伊勢神宮でも柱への信仰を見ることができる。伊勢神宮では式年遷宮という二十年に一度建物の建て替えがあるが、その際に最も重要なのは、正殿の心御柱《しんのみはしら》の造立である。この柱を造るために山出しや里曳きを行い、その後、地祭・物忌し、忌鎌で草を刈り、忌鋤で宮地を穿って神官が柱を立て始める。このように厳重にその作法を守り、丁重に柱を扱っている。建築構造上は意味のない「心御柱」を立てることに重要な意味がある。この柱は一本であるが、やはり神の依り代であろう。

新たに出現するものは人の目を引くが、消滅していくものに人は気づきにくい。大黒柱もその一つである。大黒柱は元々「大極柱」がなまったものである。平城京や平安京には天皇が政務をとる大極殿という巨大な建物があった。その建物を支える柱は極めて良質の木材で、かつ巨木であった。そこから「大極柱」と呼ばれるようになったが、中世頃には大黒天信仰が広まり、「大黒柱」と表記されるようになった。かつては土間と居間の境に建てられたひときわ太い柱を言い、それはその家を訪れる誰の目にも明らかな家のシンボルであった。大黒柱の消滅によって「一家の大黒柱」という言葉も死語になりつつある。

(二)　加工された木製品

霊力がある卯杖・粥杖

木には霊力があったが、その木から作った杖もまた霊力を持つと考えられていた。『古事記』にはイザナギノミコトが黄泉国から帰ってきた時に、身を清める時、投げ捨てた杖から衝立舟戸神《つきたつふなどのかみ》が生まれたとある。「ふなどの神」というのは、境界を意味する「境の神」と同じとみなされている。霊山で修行する山伏や念仏聖たちが杖を携えているのは歩行を助けるだけでなく、杖立信仰と関係する。

『日本書紀』持統三（六八九）年正月条に卯杖の行事が見える。「大学寮、杖八十枚献《たてまつ》る」とある。これは正月の卯の日に邪鬼を杖で払う中国の風習を取り入れたものである。その卯杖は桃を初め椿・柊・梅など陽性の木で頭の部分を紙で包み、この杖を一株、二株、三株束ねて一束とした。これは邪気を払い陽気を迎え、同時に長寿を祈るためであった。この行事は当初大学寮が行ったが、後には大舎人寮や左右兵衛府などが担当した。正倉院御物の中にも卯杖がある。これは二本の椿の杖で長さ百六十㎝で、延喜式に見える五尺三寸に極めて近い。天平宝字二（七五八）年正月との墨書があることから、孝謙天皇の時代に卯杖の行事が行われていたことがわかる。『日本文徳天皇実録』仁寿二（八五二）年正月条には「諸衛府卯杖を献ず」とあるように、この行事は長く続けられた。

『枕草子』一四七段には、卯杖を献上する儀式のために桃の木を切っている様子を記す。「細やかなる童の狩衣は、なけ破りなどして、髪はうるはしきが登りたれば、ひきはこえたる男子、半靴はきたるなど、木のもとに立ちて、「我によき木切りて、いで」など乞ふに、また髪をかしげなる童べの衵《あこめ》どもほころびかちにて、袴は萎えたれど、色などよきうち着たる三四人「卯槌の木のよからむ切りてをこそ、ここに召すぞ」などいひて、おろしたれば、走りかひ、取りわき、「我に多く」などいふこそをかしけれ、くろき袴着たるをのこ走り来て乞ふに、「待て」などいへば、木のもとによりて引きゆるがすに、危ふがりて、猿のようにかいつきてをるもをかし」と清少納言はその時の様子を面白がって見ている。

同書八十段には「心地よげなるもの卯杖のことぶき」とあり、女房たちは正月を祝う様子を大変清々しく感じていたようである。また桃の木を円形や四角に作り、中を貫いて五色の組糸を垂らした卯槌を作り、美しく飾った。その卯槌を小さい台の上に置き、その上に砂浜を用意し、そこに樹木や岩石を作り、さらに吉方の動物の形を作り、その口に卯杖・卯槌の端を含ませるなどして風流な趣きをこらした。

『今昔物語集』巻二十七第二十三話「播磨国にて鬼人の家に来て射らるる語」にも、桃の木の呪力を記す。陰陽師がこの家に鬼がやってくる、決して油断をしないようにと言った。家の人は大変恐がってどうすれば鬼を防ぐことができるのかと尋ねた。すると陰陽師は「門に物忌の札を立て、桃の木を切塞ぎて、呪法をしたり」と答えている。このように鬼を退散させるためには、札・桃の木・呪法の三つが有効であった。

今一つ「粥杖」について、これも『枕草子』三段「正月一日は」に見える。正月十五日には七草粥の儀式が行われるが、その粥を炊いた薪の燃え残りを削ったものが粥杖である。これで女性の尻を叩くとめでたく男の子が誕生するとの俗信があった。『枕草子』には、隙あらば女性の尻を叩こうとしている人々の様子がほほえましく描かれている。大方の女性は叩かれるのは恥ずかしいので用心し、注意を払っている。

しかし女房が素知らぬ顔して近づき、新婚の姫君が油断しているところをバシッと打って逃げている。周りは大笑いになり、姫君は頬を染めている。また『狭衣物語』巻四には、「十五日には、若き人々群れ居つつ、をかしげなる粥杖ひき隠しつつ、かたみに窺ひ、打たれじと用意したる居ずまひ、思はくどもも、をのをのをかしう見るを、大将殿（狭衣）は見給ひて、「まろを先づ集りて打て。さらばこそ、己れらも子は儲けん。誠に験あることならば、痛うとも念じてあらむ」などの給へば…」とある。『枕草子』と同じ場面であるが、ここでは男の狭衣が、女のうちの誰かが自分を打てばその女は子を儲けるだろうと言っている。そうであれば、男を打った女は子を生み、打たれた女も子を生むことになる。この頃にはそれはもうほとんど遊びになっているが、元々は七草粥で使用された杖には呪術的な効果が期待されていたからである。

このように木に霊力や呪力があるならば、それは同時に邪悪なものに対する力ともなる。その例が律令時代の刑罰である。奈良時代の刑法の「律」には五刑という刑罰があった。それは軽い方から笞《ち》・杖《じょう》・徒《ず》・流《る》・死で、笞は弾力性のある長さ百五㎝、太さ九㎜の鞭で臀部を十から五十回打つ。次の杖は杖と呼ばれる鞭で長さは変わらないが、太さが直径十二㎜と一段と大きくなり、打つ数は六十から百回までである。いわゆる百たたきの刑である。このように笞・杖は単に肉体刑罰というだけでなく、よこしまな行為を払う意味もあった。

傘・下駄箱

現在、傘と言えば柄のついた傘を想像するが、かつてはかさ＝笠であった。柄のついたかさは「からかさ」と呼ばれていたが、それは「柄傘」と表記される。そのような傘は古代には一般庶民には縁がなく、それは貴人のみが使用するものだった。それも小振りなものではなく、長い柄をさしてさしかける大笠で、今一つは絹笠である。現在の私たちが持っている傘よりかなり大きいから、貴人には傘持ちが随行していた。

しかも開閉式ではないため、その置き場にもかなりなスペースが必要であった。

履き物についても身分による規定があった。八位以上は烏皮履《くりかわ》（底が一重の漆塗り皮製の靴）、無位は朝廷公事の場では漆を塗らない革靴と決められ、通勤には草鞋《そうかい》（藁鞋）を着けることが許されていた。『正倉院文書』等からは木履・下駄・藁草履のあったことが知られ、下駄・藁草履は写経生にも支給されているから、下級役人などが使用していたのであろう。下駄は現在と同じであるが、出土品の中には一本歯のいわゆる天狗の下駄もある。しかし一般庶民にとって下駄や草履は値段が高かったから、多くは裸足であった。

私たちは下駄を履かなくなって久しいが、どの家庭にも下駄箱はある。今は靴箱と言った方が正確である。家も洋風の建物が多くなってきたが、その家でも下駄箱と言う。その不思議さにほとんどの人は気づいていない。

生と死を媒介する箒

箒は現在では、掃除道具以上の意味はないが、古くはハハキ（妣木）と称され、生命の木を意味していた。正倉院には蚕室を掃いたとされる箒と鋤がそれぞれ二点伝来している。箒は女性用で孝謙天皇と光明皇太后のもので、鋤は男性用で藤原仲麻呂のものとみられる。それはコウヤボウキの茎を根本で束ねた長さ六十五㎝ほどで柄はない。よく見るとその先端に色ガラス玉が残っている。色とりどりの美麗を尽くしたガラス玉がくくられていて、それが手にとるたびに鳴っていたものと思われる。

箒について『万葉集』に大伴家持の歌がある。「初春の初子《はつね》の今日の玉箒手に執るからにゆらく玉の緒」（四四九三）と詠んだ。初子とは新年最初の子の日のことで、この日は宮中では中国の周・漢の時代、新春に天子が田を耕し皇后は玉箒で蚕室を掃き清める儀式にならって天皇と皇后が自ら農耕・養蚕をするとして鋤と箒を飾った。天平宝字二（七五八）年正月三日に諸臣に宴会を催し、人々に即興の歌を奉るように命じている。また詠われた玉箒は霊魂を憑着させたり、祓ったりする呪具でもあった。『古事記』には天若彦の葬儀に鷺が箒持として登場する。また『日本霊異記』にも冥府の使者が破れ箒で僧を何度も蘇生させる話がある。民間でも箒は人生儀礼において生と死を媒介する重要な役割を果たしているが、特に出産では箒や箒神が産神として祀られたり、安産のまじないに用いられた。一般に「掃く」の名詞形は「ははき」で、その音が「母木」であることから、「生命を生む木」の意味となり、そこから妊婦や赤子を守護する神となった。また一説では箒に神が宿るのではなく、箒によって身体から離れやすい幼児の「たま（魂）」を集めるためで、箒が「たま」と結びついていることから「玉箒」の言葉が成立したとされる。

喪屋で箒が使用されるのも、死も出産同様、魂の不安定な状態を表わしているからである。箒は出産や死において霊魂の遊離や不安定な魂の鎮魂のための道具だった。だから「箒を踏んではならない」「妊婦は箒をまたいではならない」などのタブーも生じた。箒神は出産に立ち会う産神でもあったから、普段から箒を大切に扱わず、跨ぐと難産になると言われた。箒を逆さに立てると嫌な客を早く退散させることができるとされたのも呪具と考えられていた証である。

㈢　寝具

筵は布団、畳は寝具

かつて農家では、筵は身近な道具だった。上に座ったり、様々なものを干したりするのに使われていた。藁で粗く編んだ、粗末なものだから、決して上品な場での出番はなかった。ところがかつて筵というのは現在の私たちが考えている以上に上等なもので、また藁で作られたものでもなかった。もともと「むしろ」

は「苧《むし》」「代《しろ》」で、苧はからむしという麻で織ったもの、代は「代をかく」のように一定の土地や面積を指す。したがって筵はからむしで作った敷物だった。これは衣服にも使用されているかなり上等なもので、そしてこれが広く使われるようになったため、筵といえば敷物全般を指すようになった。

このように筵は本来的には室内の敷物で、当時の貴族住宅は板張りで冬は冷え込むのでこの筵を敷いたから、その需要は大きかった。絹で作られた座布団を上筵などと呼んでいる例があるように、藁で編んだものとは全く違っている。話が飛ぶが、中国では国のトップを国家主席と言うが、この「席」は「筵」のことで、「主な筵に座る人」という意味である。筵に座ることが長く高位高官を示す時代があったことを物語っている。

次に畳は現在では藁床に藺草を編んだ表をつけて床材として用いられるものを言う。通気性・吸湿性に優れ、ほどよい質感を持つ畳は我が国の風土に最適な床材で、和風建築物には欠かすことができない。しかし現在のような材料や使用方法となったのは平安時代後期の頃である。それ以前の畳は「たたみ」と呼ばれるように、畳むことのできる座具や寝具であった。それは筵のようなものを何枚か重ねただけだから、畳んだり重ねたりすることができた。『古事記』には、「アシカの皮の「畳八重」を敷き、また「きぬ畳八畳」を其の上に敷き」と見える。これは海神宮を訪れた山幸彦を海神が座具を整えて迎える場面の描写である。そこに「畳八重」とあるように畳を八枚も重ねており、また「きぬ畳八畳」とあるようにその畳は絹製のものだった。同書の允恭段には、軽太子と同母の妹軽大郎女との近親相姦の罪によって伊予に流された時、軽太子が次のような歌を詠んだ。

「大君を島に放らば　船あまり　い帰り来むぞ　わが畳ゆめ　言をこそ　畳みといはめ　わが妻はゆめ」

とある。ここで私の畳を大切にしなさいと言っているが、その畳は妻のことである。つまり畳は妻の象徴とされている。この頃の婚礼には色々な畳をたくさん重ねて妻となる女性をそこに座らせている。畳は貴重なハレの日の敷物だったから現在の畳とは大いに異なり、柔らかくてふわふわしており、座るのも寝るのも心地良かった。しかしいつも何枚も重ねるのは不便なので、次第にこれを綴じるようになった。

奈良時代の聖武天皇の遺愛品が保管されている正倉院には畳の一部があり、マコモ製の六枚の筵を麻糸で綴じて表を藺草の筵をかぶせ、錦の縁を付けている。現在の畳とほとんど見かけ上は変わらない。ただやわらかい筵を重ねて綴じただけだから、用途は布団のようなものだった。正倉院には御床と呼ばれる長方形の台があるが、これは聖武天皇が使っていたベッド形式の寝具である。この御床と畳の大きさが一致するから、両者はセットになっていたのだろう。このように畳は元々座具や寝具として使用されており、現在の用途とは全く異なっていた。

『源氏物語』の「空蝉」には、紀伊守の中川の家に源氏を手引きし、空寝する小君が「この障子ぐちに麻呂は寝たらむ。風吹き通せ」とて、畳をひろげて臥す」とあり、『万葉集』には「木綿畳《ゆふたたみ》手向の山を今日越えていづれの野辺に廬りせむ我」（一〇一七）と見え、「韓国の虎といふ神を生け捕りに八つ捕り持ち来　その皮を畳に刺し　八重畳　平群の山に」（三八八五）「八重畳」とあるように広げたり何枚にも折り重ねていた。

このように畳は敷物の名称だったが、平安後期頃に藺草で作られたものを指すようになった。その畳もまたその人の身分を示す標識であった。身分の高い人は広い畳を何枚も重ね、縁には縁取りがなされ、高麗縁などの高級品から紫・黄・緑の絹の縁や緑・青・紺・白などの布の縁などが使われ、また美しい文様も施された。低い身分の人は狭いスペースで一枚だけで、縁取りもなかった。元々畳は部屋全体を覆うものではなく、また必要に応じて持ち運びもできるものだった。

現在、多くの住宅では畳の間が少なくなってきたが、それでも座敷には畳を敷いている。それは元々座敷というのは畳を敷いた座席を指す言葉であったが、平安後期に畳を敷き詰めた部屋の呼び名となり、畳も床の上に敷くため固くなってきた。桃山時代の頃に特権階級の間で普及したのが書院造である。床の間・違い棚・付け書院などの座敷飾は対面の儀式などで主従関係や身分の違いを確認するのにとても都合が良かった。最も高位にある人の部屋に座敷飾を集中し、それを背にして座るということがルールであった。現在の和室の意匠やその使い方もそのルールを踏襲している。座敷の成立は座敷芸を生み出したが、その最たるものが茶の湯だった。それ以前の唐風の茶礼は椅子に座って行っていたが、畳に座って行う和風茶礼へと大きく変化したのである。

㈣　古代の日常贅沢品

火鉢

平安時代の貴族の邸宅は寝殿造の優雅な建物だが、この家屋は夏向きに造られているから風通しは良かったが、その反面冬の寒さは現在の温暖化からみれば想像を超えるものであったろう。とりわけ京の寒さは盆地特有の底冷えがする。ところが建物は板敷きで壁や間仕切りがなく、屏風や几帳などで仕切っていたから寒気は直接部屋に入ってきた。しかし寒いから暖をとると言っても現在のように空調設備はなく、炭火を入れた火桶（火鉢）しかなかった。とはいえその炭は大変な貴重品だったから、貴族といえどもふんだんに消費することはできなかった。

清少納言の『枕草子』を読むと火桶の登場する場面が大変多い。それは冬場の彼らの生活に欠かせず、それだけに切実で関心も高かったためであろう。同書には、「冬は雪・霰などの風にたぐひ降り入りたるとか「寒きこといとわりなく、顎など落ちぬべきを、からうじて来着きて、火樋ひき寄せたるに、火のおほきにて、つゆ黒みたる所もなくめでたきを、こまかなる灰の中よりおこし出でたるこそ、いみじうをかしけれ」とある。

節分の夜遅く帰ってきた時、顎が落ちるほど寒かった。そこで火鉢をかきおこしたところ、真っ赤な大きな炭が出てきて有り難いと思っている場面である。厳しい寒さのため女房たちが冬場は火桶から離れられず、ここでの世間話が『枕草子』となって結実した。平安時代の女房装束は随分と優雅であるが、服をあれだけ重ねて着ているのは寒さ対策という切実な事情もあったのである。

このようにこの頃の住居には暖房対策はほとんどとられていない。それは火鉢のように一部だけを温めることで十分と考えていたからであろう。それは現在の暖房のあり方とも共通している。たとえば今日では様々な暖房器具が開発されているが、しかし根強い人気があるのが炬燵である。炬燵は足腰を暖める程度だからエネルギーの消費量は少ない。部分暖房であれば、清少納言の時代に火鉢の周りに女房たちが集まってきたように、家族は自然にそこに集まってくる。集まれば自然に会話が始まり、一家団欒となる。つまり部分暖房は互いのコミュニケーションをとるのに極めて効果的である。肌の感じる温度より人のぬくもりを大切にしてきた歴史が長いのである。

蚊帳

夏の寝苦しい夜に耳元で蚊がぶんぶんと飛んだり、血を吸われてかゆい思いをした人も多いことと思う。ただ昔と比べ、格段に住居の密閉性が確保された今日ではそうしたことも随分と少なくなってきた。古代の家屋は隙間だらけで蚊は自在に飛び回ることができた。だから何の対策もせずに寝たなら、それは数え切れないくらい刺されることになる。その対策として重宝していたのが蚊帳だった。蚊帳が歴史上に見えるのは四世紀末から五世紀初めの頃である。応神四十一年二月条に「是の女等の後は、今の呉衣縫《くれのきぬぬい》・蚊屋衣縫《かやのきぬぬい》、是なり」とあり、まさに蚊帳を縫うという役割をそのまま名にした蚊屋衣縫という渡来人の名が見える。

また『播磨国風土記』の餝磨郡加野里の条に「加野し称ふは、品太《ほんだ》の天皇（応神大王）、巡り行《い》でましし時、此処に殿を造り、仍りて蚊帳を張りたまひき。故、加野と號《なづ》く」とあり、応神大王が殿舎を建て、そこで蚊帳を張ったことから加野郡やカヤ山やカヤ川の名が生じた地名由来の伝承を記す。共に蚊帳が見える史料は応神大王に結びつけられており、そうした伝承は早くから生じていたのであろう。

しかしこうした蚊帳は特別な人のためのもので、奈良・平安時代を通しても多くの布を使って縫う蚊帳は相当な贅沢品で、ほとんど史料に見えない。一般的なのは、蚊を追い払うために煙をくゆらせた現在の蚊取り線香のような蚊遣りであった。古代の貴族たちも蚊の攻勢に寝苦しい夜を過ごしたと思われるが、それらが記事として残らなかったのは、それがあまりにも日常的なことだったからであろう。

蚊帳や蚊遣りがない場合は団扇で蚊を追うしかないが、その団扇は奈良時代に中国から伝わったものである。そしてこの団扇がもとになって平安初期に扇子が我が国で開発された。畳むという発想に独自性がある。やがて扇子は平安絵巻を彩る豪華絢爛な檜扇に発達し、「倭扇」として中国に輸出されるようになった。大きなものをコンパクトにという日本人の得意技をここにみることができる。

最後に『徒然草』の一節である。「いやしげなるもの、居たるあたりに調度多き」と記す。家の中にごたごたと家具を置いているのは下品だと言うのである。これは日本人に一貫する家具観である。テーブル・イス・ベッドの生活をすると多くの家具が必要となる。奈良時代の聖武天皇の時代から平安初期にかけては、唐風化が顕著に現れた時代だったから、中国の生活様式にならいベッドやイスを取り入れた。しかしそれは一時的で、その後は主に床座の生活様式になった。そうなるとテーブル・イス・ベッドなどは不要になるから、使用する家具が圧倒的に少なくなる。一般に日本人は家具に対して関心が低く、家具文化が発達していないのは、昔から日本の住まいは極端に家具が少ないという歴史的背景があったからである。

五　衣食住の歴史から今をみる

現在でも我が国では最も正式なところは外国風になる。衣服で言えば、宮中の正装は洋装で和服ではない。食も宮中の晩餐会は日本料理ではなく、フランス料理である。そして住居にしても、最も重要な賓客をもてなす迎賓館もまた洋風建築である。

それを古代に遡ってみると、最も正式なところは西洋風ではなく中国風であった。つまり公の世界は中国で、日本のものは私的なものと位置づけられていた。そのような二重構造が既に古代には出来上がっていた。たとえば衣服での最高級ブランドは唐物づくしであった。究極の和装と考えられている十二単も中国発のブランドなしには成立しなかった。最高級の豪勢な唐物衣装は富と権威の象徴でもあった。

衣服だけでなく、日本の食も同様である。日本の食事文化には中国禅宗の影響が強い影響を与えている。食べ物を作るのも「行」で、食べるのも「行」であるとすることが一般社会にも影響を与えている。日本人の心性には、喫茶であれ、食事であれ、単に味わいを追及するだけでなく、人の生き方と呼応させ「道」に高めようとする傾向がある。そうしたことが厳格な調理論や食事作法論を生んだと言えるのである。ただ純粋に日本的と思える和食もまた中国禅宗の強い影響のもとに成立したことをしっかり認識しておく必要があると思われる。

住居については、我が国の初めての本格的都城の藤原京を初め平城京、平安京は全て中国の都城の模倣であり、天皇が政務をとる大極殿という巨大な建物も中国皇帝を北極星＝「大極」に因んでいるように、我が国の最も中枢の建物自体が中国に由来している。そして最も和風とされる寝殿造も中国に範をとっている。

その一方で、喫茶文化は中国に由来するが、その中国では喫茶と禅宗は一つの文化にはならなかった。しかし我が国では茶道という形で今日まで受け継がれており、そこに日本と中国の大きな違いを認めることができる。日本で茶の湯が受け入れられたのは室町時代の五山の喫茶文化に付随する高雅な雰囲気や風流の精神が魅力的だったからであろう。禅の理屈よりも茶の湯の閑雅な雰囲気こそが重要な要素であった。こうしてみると宗教編でも見たように日本の宗教は雰囲気を「感じる宗教」であったが、こうしたことと見事に符合していると言えよう。

ともあれ日本の衣食住は中国文化をベースにしており、これらを除いては日本的文化は成立しなかったのである。「日本の雅」とされる平安朝のいわゆる王朝文化においても中国文化の影響は圧倒的であった。私たちは日本文化は何気なく形成されたと思っているが、衣食住全般にわたって外来文化の影響はこれほど甚大だったのである。こうした歴史を日本人の教養として身に付けておくことは中国や韓国に対する歴史観を先鋭化させないためにも極めて大切なことだと思う。

【参考文献】

・野口孝子「「殿」とよぶ心性」『日本歴史』第七六二号（吉川弘文館・二〇一一年）
・林部均『飛鳥の宮と藤原京』（吉川弘文館・二〇〇八年）
・小沢朝江「住宅」（朝日新聞出版・二〇一四年）
・川本重雄「日本住宅の歴史」『生活文化史』（山川出版社・二〇一四年）
・関幸彦『武士の原像』（ＰＨＰ研究所・二〇一四年）

・小泉和子「家具史からみた古代天皇」『日本歴史』第五〇九号（吉川弘文館・一九九〇年）
・小泉和子「あぐら」『朝日百科日本の歴史』一一二（朝日新聞社・一九八八年）
・古谷紋子「平安前期の牛車と官人統制」『日本歴史』第七八三号（吉川弘文館・二〇一三年）
・倉田実「平安貴族の乗物」『平安時代の信仰と生活』（至文堂・一九九四年）
・阪下圭八「島・しめ縄・縄張り・縞」『朝日百科日本の歴史』四（朝日新聞社・一九八一年）
・小野健吉「古代の庭園」『歴史と地理』No.六二五（山川出版社・二〇〇九年）
・下川耿史『混浴と日本史』（筑摩書房・二〇一三年）
・武田勝蔵『風呂と湯の話』（塙書房・一九六七年）
・黒田日出男「施浴と湯屋」『朝日百科日本の歴史』七（朝日新聞社・一九八六年）
・小泉和子「湯具」『朝日百科日本の歴史』八四（朝日新聞社・一九八七年）
・鈴木理恵「幕末・明治初期の裸体習俗と欧米人」『日本歴史』第五四三号（吉川弘文館・一九九三年）
・松井章「トイレの研究」『歴史と地理』No.四七八（山川出版社・一九九五年）
・黒崎直「「トイレ考古学」のすすめ」『本郷』No.八五（吉川弘文館・二〇一〇年）
・北村優季「古代の都市問題」『歴史と地理』五五五（山川出版社・二〇〇二年）
・中村太一「藤原京の「条坊制」」『日本歴史』第六一二号（吉川弘文館・一九九九年）
・黒崎直「古代のトイレ」『古代史の論点二女と男、家と村』（小学館・二〇〇〇年）
・西山良平『都市平安京』（京都大学学術出版会・二〇〇四年）
・小泉和子「洗濯石」『朝日百科日本の歴史』（朝日新聞社・一九八八年）
・三宅和朗『古代の王権祭祀と自然』（吉川弘文館・二〇〇八年）
・平林章仁『鳥と鹿の文化史』（白水社・一九九二年）
・吉田一彦『仏教伝来の研究』（吉川弘文館・二〇一二年）
・伊藤聡『神道とは何か』（中央公論新社・二〇一二年）
・北條勝貴・北原糸子編『日本災害史』（吉川弘文館・二〇〇六年）

・三橋正「神祇信仰の展開」『日本思想史講座一古代』（ぺりかん社・二〇一二年）
・谷川健一『常世論』（講談社・一九八九年）
・井上辰雄『古代王権と語部』（教育社・一九七九年）
・林屋辰三郎『日本の古代文化』（岩波書店・一九七一年）
・山中裕「枕草子と卯杖・卯槌」『日本歴史』第五八四号（吉川弘文館・一九九七年）
・巽淳一郎「貴族と庶民の暮らし」『平城京の時代』（吉川弘文館・二〇一〇年）
・関和彦「古代びとの言葉にふれる」『日本歴史』第七〇四号（吉川弘文館・二〇〇七年）
・佐佐木隆『日本の神話・伝説を読む』（岩波書店・二〇〇七年）
・小泉和子「鏡と鏡台」『朝日百科日本の歴史』九〇（朝日新聞社・一九八八年）
・小嶋菜温子「王朝文芸にみる女性と結婚」『日本文学史』（吉川弘文館・二〇一四年）
・中西進『古代往還』（中央公論新社・二〇〇八年）
・小泉和子「畳・筵」『朝日百科日本の歴史』（朝日新聞社・一九八八年）
・日向進「畳」『朝日百科日本の歴史』一六（朝日新聞社・一九八六年）
・小沢朝江「住宅」（朝日新聞出版・二〇一四年）
・小野健吉「古代の庭園」『歴史と地理』№六二五（山川出版社・二〇〇九年）
・荒木孝子「調度」『平安時代の信仰と生活』（至文堂・一九九四年）
・小泉和子「火樋・炭櫃」『朝日百科日本の歴史』六四（朝日新聞社・一九八七年）
・小泉和子「蚊帳」『朝日百科日本の歴史』六三（朝日新聞社・一九八七年）
・中西進『古代うた紀行』（角川書店・一九八九年）
・岡森福彦「古代の清掃と掃守氏」『日本歴史』第六五四号（吉川弘文館・二〇〇二年）
・保立道久『物語の中世』（東京大学出版会・一九七八年）
・中村義雄『魔よけとまじない』（塙書房・一九七八年）

第三編　年中行事

第一章　年中行事の成立

社会の安寧を保証

日本の年中行事は季節の変化に応じ四季折々の景物や景観を楽しみ愛でる要素が強い。それは日本語の表現、日本文化の基底となった和歌や絵画などの美術、さらに服飾、住居、料理、和菓子などにも季節感が盛り込まれるなど、四季の移り変わりが日本の風土をつくり、精神文化や生活全般において決定的な影響を与えている。

歴史を眺めると、短期間で変わるものと、何百年という長期間変わらないものがある。現在は二、三年もすれば、もう古めかしく感じられることが多いが、しかし江戸時代以前の人々は自分の父母、祖父母とほとんど同じ生活をし、変わりない生涯を送るものと考えていた。その同じことの繰り返しが季節毎の行事であり、また人が生まれてから死に至るまでの節目毎に行われた様々な儀礼だった。長く続けられてきた年中行事から過去の人々の生活や考え方を窺うことができる。

人生には冠婚葬祭の節目がある。それは四大儀礼の元服・婚礼・葬儀・先祖祭祀である。昔の人はその節目を大切にしてきた。竹は節があることで高くまっすぐ伸びることができる。そのように人生も節目を大切にすることによって、折り目正しく生きることができると考えられていた。それは先祖の智慧である。

その年中行事や冠婚葬祭が年が降るにしたがってルーズになり、単なるイベントと化している。たとえば現代の人々の多くは年賀状を出して「明けましておめでとうございます」ということを習慣的に行っている。年始を祝うべきことやその祝意を他者に伝えるべき理由を歴史的経緯を踏まえ、そのうえで自覚的に実践している人はほとんどいない。その行事のいわれや由来を大して考えることもなく、「昔からやっている」「みんながしている」「しないと非難されるから」という理由で行っている。また相も変わらず同じことを繰り返しているたとえとして「年中行事のように」と言い、それは古くて陳腐で進歩のないというマイナスイメージで使用されている。

しかしかつては一つ一つの年中行事や儀礼にはそれをどうしても行わなければならない必要性や意図があり、それを行おうとする人々の熱い思いがあった。それを行った場合と、行わなかった場合には異なる結果がもたらされると多くの人が信じていたからこそ慣習となった。そういう意味で、年中行事やそれに伴う儀礼は、当時の人々のものの考え方や文化を復元・理解する格好の素材と言えるのである。

ただ多くの日本人が無宗教になったとはいえ、正月には初詣と称して神社の参拝に行き、家にはしめ縄や門松を飾って祝う。また家を建てる場合にも地鎮祭をして浄め、さらに車には交通安全のお守りをぶらさげている。いずれも宗教と深く関わっているが、そのような自覚はほとんど持っていない。意識はしていないが、あらゆる物に霊や神が籠もるとするアニミズム的な考えは日本人の心の底に潜んでいる。

「千古不易」という言葉がある。これは蕉風俳諧の理念で、新しいもの、古いものを超え、永遠の生命を持つ本質的な姿のことを言う。また「不易流行」という言葉もある。それは新しさを求めて絶えず変化する流行性にこそ、永遠に変わることのない不易の本質があり、不易と流行とは根本において一つであるとするものである。この二つの言葉は、ともに一時的な流行とは対極にあるものである。そのような観点から見ると、ここで取り上げる年中行事は、時代の変遷と共に、姿を変えながらも今日まで生き続けてきたものであり、まさに「千古不易」「不易流行」を体現している。現代の人々も過去の人々の「不易」の精神や熱い思いに触れることによって、改めて「歴史を発見」することができるのではなかろうか。

我が国は古代から近世までの長い間、農業が最も重要な産業だった。そのためその年の収穫の多寡は人々の重大な関心事であった。年間の気候の変動に大きな関心を払い、農作業の節目節目に祭祀を行い、それが定期的になり、やがて年中行事として整備された。それは共同体成員の一体感を確認する場でもあり、また生活に即していたからこそ今日まで連綿として続いてきたのである。

現在、成果主義の導入によって人々はその数値を上げることに邁進し、「変化をしないことは退化である」と言われるような社会になってきた。そういう社会風潮の中では、ずっと同じことを繰り返している年中行事などが、省みられなくなるのは当然であろう。しかし成果主義や数値主義の横行は、数字を見て人を見ない、人と人との関係をバラバラにし結果として成果が上がらないという負の部分も目立つようになってきた。めまぐるしく変転する現代社会では、多くの人々はその変化を追うのに汲々としており、その変化の背後にあるものや、その本質に目を向ける人は少ない。

日本が今後どのように変転していくかは甚だ不透明ではあるが、しかしその未来も過去の延長線上でしかありえない。そうだとすれば、日本文化が育んできた精神や価値観といったことを改めて考えることは極めて重要なことであろう。

平城・嵯峨天皇期に節会成立

その年中行事は元々素朴な農耕儀礼だったが、そこに古代中国から取り入れられた多くの行事や盆・彼岸・施餓鬼等の仏教行事などが加えられ、次第に複雑化した。年中行事という言葉の初見は『年中行事秘抄』の冒頭に「殿上年中行事御障子事」とし、「仁和元年三月二十五日、太政大臣昭宣公献年中行事障子。今案、彼年始被立年中行事障子歟」の記事が見える。これによると光孝天皇の仁和元（八八五）年に太政大臣の藤原基経が一年間の公事や服仮や穢れなどを書き連ねた「年中行事」の絹張りの衝立障子を献り、初めて清涼殿の殿上に立てたというのである。その行事の内容は、正月だけで四十八カ条、元日のみで十四カ条と詳細であることからみて、儀式としての宮廷年中行事は完全に成立していた。

だから「年中行事」という言葉は九世紀末に成立していたが、宮廷行事はそれより以前の大宝律令の制定によって定められ、平安初期の桓武・平城・嵯峨天皇の時代には節会となっていた。奈良時代後半の淳仁天皇から桓武天皇の頃が宴から節会に変わる過渡期で、平城・嵯峨天皇の時代に節会が成立した。そして宇多天皇は、それまで民間で行われていた行事も宮廷の行事として取り入れた。正月十五日の七草粥、三月三日の桃花餅、五月五日の五色粽、七月七日の索餅、十月初めの亥餅などが取り入れられ、大陸から渡来した行事と結合して発展していった。それは平安朝の宮廷行事が大陸の模倣の段階から、次第に日本の風土に合うものに変化してきたことを意味していた。美的感覚を重んじた平安貴族や女房たちの生活ともよくマッチし、雅な年中行事となった。さらに清和天皇の時に新しい儀式書が必要となり、「貞観儀式」の成立をみた。ここにおいて宮廷行事とその儀礼は完成し、貴族たちの宮廷行事への関心も強いものとなっていった。

十世紀以降には摂関政治の隆盛と共に、「九条年中行事」「小野宮年中行事」などの年中行事書や「西宮記」「江家次第」のような儀式書が成立し、朝廷と貴族の共通規範となっていく。公家たちによって儀式書が作成されると、彼らは内裏で行われている行事を自分たちでも行いたいと考えるようになった。そこから貴族の家の年中行事となり、中世にはそうした年中行事が一般の社会や地域に広く浸透した。だから年中行事は日本の国家的次元で天皇と朝廷において成立し、一般化していったもので、それは古来から存在した自明のものではなく、歴史的に形成され、展開してきたのである。因みに五節会は元日節会（正月一日）・白馬節会（正月七日）・踏歌節会（正月十六日）・端午節会（五月五日）・豊明節会（十一月の中の辰の日）、五節句は人日（正月七日）・上巳（三月三日）・端午（五月五日）・七夕（七月七日）・重陽（九月九日）である。

それらの行事は日本に定着する過程でかなりの変容をとげ、なかには全く別な行事のようになったものも見られる。そうした過程を辿ることによって日本人が何を受け入れ、何を拒絶していったかを見ることで、日本人の心性を知ることもできると思われる。

ただ明治以降の神道の国教化に伴い、国民的神道儀礼が創出され、それが官公庁や小学校での儀式化と連動して定着することになったものも多くある。初詣や初日の出の遙拝などはそうした例であって、それほど長い歴史を経ているわけではない。ただそうしたものも国民の側にそれを受け入れる素地がなければ定着しないのだから、その素地とはどのようなものであったかを考えることは必要であろう。

第二章　四季の行事

一　春の行事

(一)　一月

年神を迎える準備

大晦日の夜を「除夜」とか「大晦（おおつごもり）」と言う。除夜は古い年を除き、新しい年を迎える意味であるが、除夜が重視されるのは、古くは正月が夕方から始まると考えられていたからである。午前零時をもって一日が終わるというのは、時刻制度に伴って生じたもので、それ以前の一日の終わりはその日の日没時であった。大晦の「つごもり」は月が隠れて見えなくなる（月隠《つごも》り）という意味で、また「おおみそか」というのは、月隠りが三十日（みそか）であり、その最後の「みそか」であることによる。

清少納言の『枕草子』には、「正月一日は、まいて空のけしきも、うらうらと、めずらしうかすみこめたるに、世にありとある人は、みなすがたかたち心ことにつくろひ、君をも我をもいはひなどしたるさまことにをかし」とあるように、年が改まりめでたくもまたのどかな平安時代の正月の様子を記している。

正月の「正」の文字には年の初め、年が改まるという意味がある。中国古代の最初の統一国家秦の始皇帝はその名を「政」と言い、その誕生日が一月であったので「政月」とし、それを「正」の文字に改めて「正月」にしたとも言う。正月の行事は元日と一月十五日を中心としたものがある。前者が大正月、後者を小正月と言うが、現在では小正月はその意味も曖昧となり、ほとんど忘れ去られつつある。もっとも大正月にしても、様々な儀式は行われているが、その意味まで考えている人は少ない。年賀状では「ニューハッピーイヤー」と書かれていることも多い。しかしその言葉では新年を迎えたという意味だけで、正月行事としての意味は全く伝わってこない。

そもそも正月は年神を迎え、その年神と共に人が三が日の間、相伴に与ることによって一年を生き抜くエネルギーを貰う行事である。トシは「稲」のことだから、年神は「稲神」を意味していた。「めでたい」という言葉もやはり稲に由来し、「芽出度い」からきている。年神を迎えるために様々な準備を行う。年神は清浄を好むので、大掃除をする。また神の留まる依代《よりしろ》となる門松を家の入口に置き、神棚に松飾りなどをする。正月の飾りつけを三十一日に行うのは、「一夜飾り」で慌ただしく年神を迎えるのは失礼とされ、二十九日は「苦」に通じるとして嫌われ、それ以前にするのが良いとされる。しかし現在のように忙しい時代にあってはなかなかそうはいくまい。

その飾りには植物のウラジロを使う。それは葉が白いことから潔白を意味し、また葉が相対することから夫婦の和合を意味する。それに橙《だいだい》が付けられているのは実が熟してからも年を越して落ちないことから「代々《だいだい》」その家が栄えるという意味がある。

古来より正月は特別な日であった。「新しき年の始めの初春の今日降る雪のいや重け吉事」（新年の初めの今日、めでたく降る雪のように、いよいよ良きことが重なれ）（四五一六）これは天平宝字三（七五九）年、因幡国司であった大伴家持が新年に天皇を祝う儀式を国庁で行なった後に官人たちと饗宴した時に詠ったものである。歌の最後にある「吉事」は、豊年の瑞兆としての雪が降り積もったり、天皇の御代の繁栄を予祝することであろうが、それに加えこの歌を最後の万葉歌としたのはこの『万葉集』が万代までも伝わり、栄えることを願ったからであろう。「吉事」はめでたいことを呼び起こす力を持つ言葉であった。現在の私たちは言葉は単なるコミュニケーションの手段と考えているが、古代の人々には言葉には「霊」や「力」があると信じていた。

おせちは「御節供《おせちく》」から

一日には丁重に稲穀の精霊の年神を迎えるが、この神について『養老令』の注釈書で九世紀半ばに成立した『令集解』の祈年祭条に「別葛木鴨名為御年神」とあり、大和国の葛城の地域で祭られている神を御年神としている。また御歳神は葛城鴨で広く信仰されていた太陽神格の女神であり、その名はタカテルヒメ・シタテルヒメのことであった。その神の依り代は、かつては松・榊・椎・椿など多様な木だったが、文部省唱歌「門松立てて門ごとに、祝う今日こそ楽しけれ」が広く歌われたことで松が定番になった。

正月の食べ物はその年神と共に食べる神饌であった。正月の料理はおせちと言うが、これは本来の「御節供《おせちく》」を簡略したもので、節日に供える食べ物の意味である。したがって年に五回ある節会に出される料理は全て「おせち」と呼ばれたが、現在では正月の料理に限定して使用されている。

そのおせち料理の中味は多くは語呂合わせの食品である。数の子はニシンの卵で、ニシンはたくさんの卵を抱えるから、子宝に恵まれ、「二親」に通じる。ごまめは片口イワシの稚魚を干したもので、「五万米」をあて五穀豊穣を祈った。栗きんとんは元々金色をした団子のことで、金運を呼ぶ。串柿は宝をかき（柿）寄せる。昆布は「よろ昆布」で、奈良時代には「比呂売（ひろめ）」とも呼ばれていたことから、「よろ昆布を広める」となって縁起物の第一とされるようになった。里芋は子芋がたくさんつくので、子供を多く授かる。蒲鉾は形が日の出に似ているので、新しい門出にふさわしい。赤は魔よけ、白は清浄を示している。黒豆はその年の邪気を払い、色が黒くなるほど健康でまめまめしく働くことに通じる。このようにめでたいもの満載し、良い年となることを強く願ったのである。

年玉は若者から年寄りに

雑煮の餅は神に供えられ、ハレの日の食べ物で、朝廷の様々な儀式や宗教行事の供え物として使われた。丸くて白い形は稲霊をかたどったもので、雑煮で正月を祝うようになったのは室町時代とされる。鏡餅は歯固の祝いとして必要とされ、歯は「齢」に通じることから、歯を固めることは長寿を祈ることになる。鏡餅は鏡のような澄んだ心で正月を迎えようというのである。

ただこの鏡餅がそのように称されるのは中世以降のことで、古代においては餅鏡《もちいかがみ》と称されていた。当時の貴族の日記などには、今朝、餅鏡を見て、薬酒をなめるなどと記しており、餅鏡は食べるのではなく、「見る」ものであった。餅鏡は見て祝い、長寿息災を願ったのである。それは鏡に霊力が備わっているという信仰があったことの証である。

次はお年玉である。今日では大人が子供たちにお年玉を渡しているが、本来は逆に若者が年配者に渡すものだった。お年玉の「年」＝トシ、「玉」＝霊は稲の霊のことだから、五穀豊穣の宝物を意味していた。稲霊を食べて、年神から新しい霊魂（年魂《としだま》）を分けて貰うことによって長生きを願うもので、本来は若者から年寄りに餅を差し上げることが年玉の本義であった。また古くは家族の数だけ丸餅を作り、神に供えた後にいただく習慣があり、神にお供えする代わりに年神から新しい魂が与えられる。これが「お年玉」であった。お年玉が子供に金を贈ることになったのは戦後のことである

屠蘇は「鬼気を屠絶」の意味

初詣から帰って屠蘇を飲む。現在、お屠蘇と言えば、一般には「正月に飲むお酒」という意味で使われている。よく考えると「屠蘇」の文字は穏やかでない。「蘇《そ》を屠《ほふ》る」とは「蘇《よみがえ》ってくるものを屠る」ことで、蘇るものは邪気だから屠蘇は「鬼気を屠絶して人魂を蘇生せしめる」という意味になる。古代の人々にとって、病気や禍は、我々が考えているよりはるかに身近な存在であった。つまり、病気といつも隣り合わせの生活をしていた。それだけに諸々の病を避け、無病息災の願いは強く、禍をもたらす邪気をどうやって取り除くかが重大な関心事であった。

「屠蘇」とは単なる酒ではない。わかりやすく言えば、漢方薬、または、薬酒である。屠蘇は中国の唐では霊薬と言われ、その作法も唐の行事そのままである。我が国の宮中行事で屠蘇を飲むようになったのは、嵯峨天皇の弘仁年間から始まる「供御薬《みくすりをぐうず》」という儀式に由来する。天皇は様々な行事を儀式化していったが、屠蘇も中国の唐で行なわれていた習俗の細かい約束事もきちんと移入した。宮中では、まず桔梗《ききょう》・白朮《びゃくじゅつ》・蜀椒《しょくしょう》・桂心《けいしん》・大黄《だいおう》・防風《ぼうふう》・虎杖《いたどり》・烏頭《うず》など八種の薬草を用意し、それを邪気を遠ざける赤（緋《ひ》）色の絹で作った袋に入れて井戸の中につり下げた。井戸につるすのは春の象徴である青陽気を屠蘇に浸しめるという意図がある。それを元旦の早朝に典薬寮の官人が取り出し、温かい酒の中に浸して出来上がりとなる。その毒味は本来侍医などが行なうが、この儀式に限り「薬司童女」が行った。この薬司童女のことを「薬子」と呼ぶ。屠蘇はただ飲むだけでなく、新春の方角である東を向き、年少者から飲み、最後に最年長者が飲む、このように方角や順番も大切なのである。

紀貫之の『土佐日記』に、「元日、なほおなじとまりなり。白散をあるもの、「よのま」とて、ふなやかたにさしはさめりければ、かぜにふきならさせて、うみにいれて、えのまずになりぬ。いもじ、あらめもはがためもなし。かうようのものなきくになり。まとめしもおかず。ただおしあゆのくちをのみぞすふ」

元日に飲もうと思っていた屠蘇も白散も船屋形に挟んだまま、風に吹かれて飲むことができなかったと記す。元旦に屠蘇を飲めば、一年間無病となる。家族全員で飲めば家族が、村中で飲めば村中が無病になるので、広く普及し江戸時代には庶民の間に浸透していった。

七草の起源

次に正月七日は五節句の一つのめでたい日として祝った。中国では正月一日から鶏・狗・猪・羊・牛・馬の順に獣畜の占いを行い、七日には人を占ったため七日は「人日」と呼ばれた。この日には邪気を払うために羹（汁物）を食べれば万病にかからないとする信仰があった。中国では高辛氏の娘は心が甚だ暴悪で、正月十五日に巷中で死んだが、その霊が悪神となって道路にさまよい、人々を悩ませたので、この人が生前に好物だった粥を供えて祭れば害を加えられないという故事に因む。これが我が国に伝わり、七種粥となった。ただこの場合、「ななくさがゆ」とは読むものの、草ではなく七種類の穀物の入った粥だった。『延喜式』には米・粟・黍・稗・葟《みの》・胡麻・小豆の七種が記されている。

我が国における七草の起源は、醍醐天皇の時代に「後院進七種若菜」とあり、村上天皇の時代にも「是日女御安子朝臣献若菜云々」とあるから、延喜・天暦の頃と考えられる。『延喜式』には若菜七種類を摘んで天皇に奉じる「若菜摘み」の行事も見え、それは宇多天皇の時代（八八七〜八九七年）から始まっている。宇多天皇は非常に料理に造詣が深く、医食同源の考え方を重視し、春の七草を定着させた。

春の七草は薬効のあるせり・なずな・ごぎょう・はこべ・ほとけのざ・すずな・すずしろのことで、それを入れた粥を食べて無病息災を願った。冬に萎えていた精気を、春の若菜によって回復しようとしたが、それは人の生理的欲求でもあった。犬や猫でさえ、体調を崩すと路傍の草を食べる。人は基本的に草食動物に近い存在だから、病気になれば、ある種の草を食べれば回復することを自然に習得してきた。くさかんむりに楽を合わせると薬になる。

『枕草子』一三一段には、「七日の若菜を六日人のもてき」、三段には、「七日雪まのわかなつみ（中略）もてさわぎたることをかしけれ」とあるようにこの頃には間違いなく七草は定着していた。七草粥の前日の夜に、七草をまな板にのせて囃し歌を歌いながら庖丁でたたき、当日の朝の粥に入れる。囃し歌は鳥追い歌に由来するもので、食への感謝と悪霊や病魔退散を願うものである。このような若菜を食する七草粥が宮廷や貴族層だけでなく庶民層まで浸透するのは、鎌倉時代末期から室町時代の頃とされる。

正月行事は一月十五日の小正月で年神様を送ることで完結する。年神を丁重に送る儀式として行うのがドンド焼きという火祭り行事である。正月に飾った松飾りやお札などを集めて焼く。この火で焼いた餅を食べると一年中無病息災になると言われる。また火の燃え方や煙の状態によってその年を占う地域もある。また十五日は「小正月」「女正月」などと言い、小豆粥を食する習慣が古くからあった。年末年始の忙しい時期が終わり、疲れがたまるため、女性を休ませようという日になっている。小豆を入れるのは赤い色は邪気を遠ざけるためであり、赤飯なども同じ理由である。

(二)　三月

ひな祭り

三月三日はひな祭りで、「灯りをつけましょ雪洞にお花をあげましょ桃の花　五人囃子の笛太鼓今日はめでたいひな祭り」と歌われている。いかにも日本独自の行事のようだが、これも中国から伝来したものである。西晋の武帝の頃のことである。山の民が武陵という場所に行き桃の花の流れた水を飲んだところ、皆三百歳の長寿を保ったとする伝説があり、そのことから三月三日に桃花酒を飲めば病を除き、長命になると言われるようになった。三月の上巳の日（三月はじめの巳の日）に災厄や心身の穢れを祓い、宴会を催して祝った。我が国では『日本書紀』顕宗元年に見え、大宝元（七〇一）年から三月三日の行事となった。

清少納言の『枕草子』四段には、「三月三日は、うらうらとのどかに照りたる。桃の花のいまさきはじめる」とあるように、三月三日と桃には深い関係があると認識されていた。ひな祭りと言えば、桃の節句または女の子の節句とされ、白酒・ひし餅などを食べて祝うのが一般的である。現在では観賞用の立派なひな人形や座敷びなを飾っている。

『源氏物語』や『紫式部日記』にも「ひひな遊び」として見え、『枕草子』三十段に「すぎにしかた恋しきもの、枯れたる葵、ひひなあそびの調度」とあり、また一五一段に「雛の調度（中略）なにもなにも、ちひさきものはみなうつくし」というように小さな人形で遊んでいる。しかしそれは単なる人形遊びで、三月三日に行うというものではなかった。古代以来行われてきたひな祭りはそのような形態のものとは大きく様相を異にしていた。

祓いの道具として木・藁・竹・紙などで人の形を表わしているものを「ひとがた」と呼ぶ。「一撫《ひとなで》一吻《ひとふき》」というように自分の罪を人形に託し、人形を肌身にこすりつけ、息を吹きかけた。これを水に流すことで自身の清浄を保つことができた。またそこからすすんで病気平癒や治療にも用いられる道具ともなった。平城宮の溝から「左眼病作」や「重病受死」と書かれた人形が出土しているが、こうした病気をこの人形に移すために使用されたと考えられている。『延喜式』には贖物《あがないもの》として「金銀塗人像二枚」、「金人像、銀人像各卅二枚」などと見えており、この頃には祓えの道具として人形が用いられていた。

紫式部の歌に「祓戸の神かざりのみてぐらにうたてもまがふ耳はさみかな」というのがある。これは三月の上巳に水辺で人形を作って身の穢れや罪を移して身代わりに川や海に流したが、都では多くは賀茂川で行っていた。河原に車を止めてふと見ると、本来は陰陽師が行うものなのに僧侶が坊主頭に紙の冠を着用してもったいぶった顔つきでやっていた。それを理想主義者で他人に厳しい式部は、「それは怪しからん」と公憤にかられて歌にしたのである。僧侶陰陽師については、『枕草子』にも「見苦しきもの（中略）法師陰陽師の紙冠して祓へしたる」とあり、清少納言も紫式部と同じように感じている。そりの合わない二人であるが、こうした感性はよく似ている。

また『源氏物語』の「須磨」でも、光源氏が上巳の祓いを行い、遠く須磨の海岸にいながらも京の上巳の祓えを思い浮かべ、人形を海に流している場面が描かれている。それは人形を船に乗せて川に流すという「流し雛」であった。この人形は、初めから流すことが目的だから、豪華なひな人形ではなく紙で作ったものだった。

幼女の人形の遊びである「ひな遊び」とこの上巳の時の祓いの人形が結びついてひな人形が生まれた。そして後世には次第に立派なものも造られ、飾り雛となったのである。

曲水の宴

曲水の宴の行事も中国に起源がある。漢の章帝の頃、平原の除肇《じょちょう》が三月初めに三人の女児を産んだが、三日の日に三人とも死んでしまった。そこで村ではそれを怪異とし、村中の人々が水辺に出て穢れを洗って祓い盃を流したという。また一説では、後漢の頃に郭虞《かくぐ》が二人の女児を産んだが、これも皆没した。人々は穢れとして川に出て自らを潔斎し、そこで流れに觴を浮かべて遊宴することが始まったという。我が国でも水辺に出て穢れを祓うことが行われていたから、それと唐の行事とが結びついて三月三日の曲水の宴になったのであろう。

今日では曲水は「きょくすい」と呼んでいるが、本来は「ごくすい」である。曲水はその名の通り屈曲のある流れのことを指す。『日本書紀』顕宗元年三月上巳条に、大王は御苑に出かけ、曲水の宴を催したと見え、これが我が国における曲水の宴の初見である。ただこれは五世紀末の頃で、事実とは考えられない。曲水の宴が盛んとなるのは持統天皇の時からである。この儀式は桃の花の咲いた水辺で杯を浮かべ、その酒を飲めば長命になると信じられていたことに由来する。その時に曲がりくねった流水のほとりに座り、水に浮かべた杯である「觴」が自分の前を通過しないうちに和歌を一首詠んだ。

「觴」には「濫觴《らんしょう》」（はじまり）という言葉がある。「濫」は浮かべるの意だから、「濫觴」は「盃を浮かべる」という意味になる。大河の長江もその始原はようやく盃を浮かべるほどの出水でしかない、そこから「濫觴」はものごとの始まりや起源・出発点を言うようになった。

曲水の宴に関して我が国に大きな影響を与えたのが著名な書聖王羲之である。彼は東晋の貴族の生まれで、書家としてだけでなく、政治家としての才覚もあり、要職を歴任した。永和九（三五三）年三月三日に会稽の長官に任じられ、気候も温暖で風光明媚な当地に赴任した。そこで名士や一族の者を郊外の名勝蘭亭に招き、風雅な宴を催した。その優雅な宴遊は後世に「流觴《りゅうしょう》曲水の宴」と呼ばれ、それが我が国に伝えられ、王朝の人々の間で流行した。その時の詩を一巻にまとめ、王羲之がその序文を書いた。それが「蘭亭序」であり、これによって王羲之の名は不朽のものになったのである。

酒を飲むことと和歌を詠じることは元々別なものであったが、いつしか行事として結びついていった。奈良時代のことを記した『続日本紀』には曲水の宴の記事は九回見え、宮廷行事として定着している。神亀五（七二八）年三月三日「天皇池塘に御し五位以上を宴す。また文人を召して曲水の詩を賦せしむ」、天平二（七三〇）年三月三日「天皇松林苑に御し、五位以上を宴す。文章生らを引きて曲水を賦せしむ」、天平宝字六（七六二）年三月三日「宮の西南に新たに池亭を造りて曲水の宴を設く。五位以上に禄を賜う」とある。ただその行事に参加できるのは五位以上の貴族に限られていた。平城天皇の時に一時停廃されたが、文人天皇の嵯峨天皇の時に復活した。摂関時代には盛んに行われ、朝廷の儀式としてはもとより、『御堂関白記』にも私邸で曲水の宴の行われたことが見えているように貴族たち同士の間でも行われるようになった。

彼岸

悟りを開いた仏たちが暮らしている清浄な地を清浄国土と言い、略して「浄土」とされる。したがって浄土というのは仏の数ほどあるが、その中で我が国でとりわけ人気が高いのが阿弥陀仏のいる極楽浄土である。その極楽浄土は西方十万億土を隔てたところにあり、太陽が真西に沈む春分・秋分の日は、仏の世界と現世が最も近くめでたい日とされた。『源氏物語』行幸の巻に「十六日ひがんのはじめにていとよき日なりけり」、総角の巻にも「廿八日の彼岸の果てにて、よき日なれば」とある。平安時代の貴族は、この日に先祖を供養すると魂が迷わず極楽浄土に行くと考えていた。そしてこの時に法要の功徳を積み、何事かを成就させようと願えば、およそ万事叶うとある。

この行事は日本で始められたとする説もあるが、中国の「燕京年中行事」に春分、秋分の前後に大臣、王侯貴族が祠廟の祭祀を行うことが見えるから、これも大陸に由来する行事である。彼岸には墓参り、家の仏壇には団子・おはぎなどを供え、先祖の供養をする。元々はサンスクリット語のパーラミター、漢訳の波羅蜜多のことで、迷い多く人間の生きているこの世を岸（此岸）と呼び、そこは悩み多く煩悩に満ち満ちているが、厳しい修行や自己を仏智慧によって変革することで悟りや涅槃の境地に到達することを意味する。生々流転する此岸から悟りの境地に達すること、つまり涅槃の境地に達するための仏道精進をする期間である。それはどこまでも仏教徒が自己を深く反省し、努力する日々のことだった。

その始まりは『日本後紀』大同元（八〇六）年三月十七日条で、「崇道天皇（早良親王）のために、諸国の国分寺僧に春秋二仲月の七日に金剛般若経を読ませることにした」と見える記事である。そして『延喜式』二十六主税帳には「凡そ諸国春秋二仲月各一七日、金光明寺に於いて部内の衆僧を請い、金剛般若経を転読する」とあり、この頃には法要としての儀式が成立していた。つまり彼岸の起源は桓武天皇が絶食死に追いやった皇太子の早良親王が怨霊となり、その怨霊の祟りを恐れ、手厚く供養するために始まったものであった。その儀式が現在まで続いているのだから、早良親王の怨霊の威力は恐るべしである。

彼岸になるとぼた餅を作り、それを供え、食べる。このぼた餅はおはぎとも言う。これは春は花によせて「牡丹餅」から「ぼたもち」、秋は「萩の餅」から「おはぎ」となった。だから正確に言えば、春の彼岸はぼた餅、秋の彼岸はおはぎということになる。「お萩」の名は、煮た小豆の粒をまぶした姿が、萩が咲き乱れている様子に似ているために付いたとも言う。元々宮中では「萩の餅」と呼ばれていたが、女房たちがそれを「おはぎ」と呼んだ。このように食べ物を花にたとえて呼ぶのは、我が国ならではの奥ゆかしさである。

二　夏の行事

㈠　四月

花宴

桜のつぼみが大きくなると、花見を心待ちにするようになる。桜は古くから自生していたが、それは山桜だったから現在の桜とはかなり異なっていたかもしれない。古代には花を見ることは、現在のように鑑賞というより強い生命力のある花を見ることで魂を揺り動かし力を得ることであった。

『日本書紀』履中三年十一月条には、仁徳の子の履中大王が妃の黒姫と共に大和の磐余の市磯池に船を浮かべて遊宴していた時、酒の盃に桜の花びらが舞い散った。大王はその桜の所在を尋ねさせたところ、掖上の室山とわかりその小枝が大王に献上された。そこで大王は宮の名を磐余稚桜宮《いわよわかさくらのみや》にしたという。これは五世紀頃の話だから、少なくともその頃に桜があったことは確かである。

もともと花見は稲作の始まる春に、村人たちが近くの山に登り、自分たちの水田を目の前にして今年も豊作になりますようにと祈りつつ、神饌となる飲食物を神と共に愉しむ機会であった。農耕開始にあたっての予祝祭である。

現在、花見と言えば、その花は桜と決まっている。その種類も多く、山桜・彼岸桜・うば桜・糸桜・火桜・八重桜など百種類以上ある。我が国を代表する国花ともなっている。しかし古い時代からそうだったわけではない。現在の桜はほとんどが染井吉野《そめいよしの》だが、それは江戸時代に生まれた品種である。吉野の山桜は既に有名だったが、それを江戸の染井村の植木屋が大島桜と交配し、吉野桜の名で販売したことから「染井吉野」の名が生まれた。

ところで奈良時代以前は花見の花は、梅だった。それは我が国の最古の漢詩集『懐風藻』に見え、また『万葉集』には梅が一一八首と桜の三倍多く詠まれていることからもわかる。梅は中国原産で、中国文化摂取の過程で梅を愛でる文化も入ってきた。

「春されば　まづ咲くやどの　梅の花　ひとり見つつや　春日暮さむ」山上憶良

「我が園に　梅の花散る　ひさかたの　天より雪の　流れ来るかも」大伴旅人

その後も菅原道真が「東風吹かばにほひおこせよ梅の花、あるじなしとて春な忘れそ」と歌ったように根強い人気があった。

桜の「花見の宴」

花見と言えば桜を指すようになったのは平安時代からである。文人天皇の筆頭とされる嵯峨天皇は兄平城天皇が停止した行事を復活し、さらに新しい行事を作った。その一つが花宴である。『日本後紀』弘仁三（八一二）年二月十二日条に、神泉苑で桜を愛で、文人たちを招いて詩を作り、宴を催したとある。現在の花見の宴は嵯峨天皇の積極的な意図によって始められたこの「花宴之節」を起源とする。

平安中期には、素性法師の歌がよく知られている。彼は六歌仙の一人僧正遍昭の子で、俗名を良岑玄利《よしみねのはるとし》と言い、『古今和歌集』に三十七首が載せられている和歌の名手である。「見渡せば柳桜をこきまぜて都ぞ春の錦なり」と詠んだように、桜は都の様々な場所に植えられ、「春の錦」と言われるような美しい情景であった。清和・光孝・円融・一条天皇なども盛んに花の宴を催し、また左右大臣をはじめ、公卿に邸宅でも桜を愛でるようになった。そして『古今和歌集』では梅の歌二十九首に対して桜の歌は五十三首と圧倒的に多くなり、梅と桜の地位は完全に逆転し、花と言えば桜を指すようになった。

内裏の南殿の紫宸殿の前には梅と桜の木が植えられていたが、この頃に梅が桜に植え替えられた。これが「左近の桜、右近の橘」の始まりである。それは桜を愛した仁明天皇が行ったと言われるが、梅から桜に変わった象徴的な出来事であった。梅は中国伝来で中国の教養・文化を象徴する花だったが、我が国固有の桜に切り替えたことは唐風一辺倒ではない美意識の変化を見てとることができる。

三十六歌仙の紀貫之と従兄弟関係にあった紀友則は「久かたの光のどけき春の日に　しず心なく花のちるらむ」と詠んだ。この歌は小倉百人一首にも採られた名歌で、春爛漫の桜の花が散る美しさを見事に詠っている。また在原業平の「世の中に絶えて桜のなかりせば　春の心はのどけからまし」と詠んでいる。鎌倉時代の西行法師にも同じような歌がある。「花見んと群れつつ人の来るのみぞ　あたら桜の咎にはありける」と詠っているように、花見に多くの人々が群れて来るのは桜の花の罪だという。それほどに桜の花は魅力的だった。

さらに西行の歌をもう一首あげたい。「ねがわくは花のもとにて春死なむ　そのきさらぎの望月の頃」（私はできれば桜の花の下で、春の季節に臨終を迎えたいものだ。その桜の花が咲く二月の満月の頃に）太陰暦の二月は太陽暦では三月下旬から四月上旬の桜の咲く季節である。実際に西行が亡くなったのは太陰暦の二月十六日で、まさにその希望通りだった。西行は桜の花は満開のうちに早く散るから美しいという日本独特の感性を作りだした。そしてその後の「花」と言えば「桜の花」という常識を作り上げたことに貢献した。このように桜が好まれるようになったのは、その開花の期間が大変短い、そのはかなさに美を見い出したからであろう。滅びは美に欠くべからざる要素であったと言える。

「花の賀」・四十の賀から老境

平安時代には「算賀」という年寿を祝う習わしがあった。「算」は年齢を意味する。その中でも春の花の咲く時期にするお祝いを「花の賀」と言った。最初の祝いは「初老の祝い」で、それは四十歳だった。人臣で最初の関白藤原基経の四十歳の賀が九条邸で開かれた。その時、六歌仙として名高い在原業平が「さくら花　散りかひくもれ　老いらくの　来むといふなる　道まがふがに」（桜の花よ、さかんに花を散らせて空を曇らせよ。老いがやってくるという道がわからなくなってしまうように）と詠んでいる。また『源氏物語』の主人公光源氏が三十九歳の時、明石姫君が入内し、今は出家を果たそうと考える。そして「明けむ年四十になりたまふ。御賀の事を、朝廷よりはじめたてまつりて、大なる世のいそぎなり」とあるように、四十の賀は老境に入った印であり、これまで生きてこられたことを祝福し、さらにこれからの長寿を祈る儀式であった。光源氏も老いを自覚し、「四十の賀といふことは、さきざき聞きはべるにも、残りの齢久しき例少なかりけるを、このたびは、なほ世の響きとどめさせたまひて、まことに後に足らんことを数へさせたまへ」と述べている。平均寿命四十五年ほどの時代にあっては次の五十に達することができるかは大きな関心事であった。因みに桓武天皇から高倉天皇までの歴代三十一人の平均寿命は四四・〇六歳で、多くは四十代で没している。

そして十年ごとに「五十の賀」「六十の賀」と祝った。それが室町時代以降に六十歳を還暦、七十歳を古希として祝うようになり、八十の賀もあった。光孝天皇がまだ時康親王だった頃に親族女性が八十歳の時、杖を贈ったところ、その返礼歌を僧正遍照が代作している。「ちはやぶる神や伐りけむ突くからに千歳の坂も越えぬべらなり」とあり、千歳の長寿を詠っている。

しかしそれにしてもである。四十歳の人を初老と言い、五十歳はまぎれもなく老境であった。古代の人々の寿命がいかに短かったかを示している。現在、長寿の時代になったが、短命の時代に時を大切に、懸命に生きた人々の姿勢に私たちも見習う必要があると思う。

婚礼の時は茶に代わって桜湯を用いる。花を塩漬けにするのは中国から伝わった風習だったが、日本人は桜をこよなく愛でるので縁起のよい飲み物として桜湯が江戸時代頃に生まれた。桜好きが高じて秋に咲くコスモスまでも「秋桜」と表記している。この言葉は季節感を大切にし桜好きな日本人の心を捉えた。「秋桜」はいかにも昔からの表記のように思えるが、実は昭和五十二（一九七七）年に大ヒットした山口百恵の歌から広まったもので、せいぜい四十年足らずの歴史しかないのである。それにしてもコスモス＝秋桜を定着させた山口百恵の貢献は絶大である。

㈡　五月

端午の節句

五月五日の端午の節句も中国の節日に由来する。五月は高温多湿で梅雨に近く疾病が起こりやすい時期である。菖蒲は草の中で最も早く生えること、また菖蒲の強い芳香が邪気を遠ざけ、長寿の源泉になると考えられ、こうした認識が我が国でも受容された。端午の「端」は初めで、「午」は午の日の意味で、元々は五月に限らなかったが、やがて五月五日を言うようになった。五が重なるため重五とも言う。中国では五月は悪月で、五月に生まれた子は親に祟るとされ、これを忌む風習があった。『大鏡』の序に「いとど五月にさへ生まれてむつかしきなり」とあるのはそれを示している。その様々な邪気や毒気を祓うために蓬で作った人形などを門戸にかけた。

『日本書紀』推古十九（六一一）年五月五日に菟田の野に薬猟すとあり、また天智十（六七一）年五月五日に大王は宮中で宴を設け、群臣と共に楽しんでいる。『万葉集』にも平群の山で四月と五月の間に薬猟するとあり、また大伴家持が「かきつばた衣に摺りつけ丈夫《ますらお》のきそひ猟する月は来にけり」と詠っているように着飾って狩りをしている。「着襲《きそ》い狩り」とも呼ばれるように華やかな宮廷生活の中でも派手な衣装を競う機会でもあった。それだけに早くから準備し、「月は来にけり」とあるように楽しみにしていた。また薬草を採取することから薬日《くすりび》とも呼ばれた。薬草を乾かして蓄え、毒気を除くのに用いた。鹿の袋角を鹿茸《ろくじょう》と言い、陰干しにして強壮剤にした。のち男女の山遊びという行楽に変わっていった。ただ端午の節句という言葉の初見は少し下って仁明天皇の時代で、『続日本後紀』承和六（八三九）年五月五日条に「是端午之節也、天皇武徳殿観騎射」と見え、この日に近衛や兵衛の騎射を行っている。

邪気を遠ざける菖蒲

『続日本紀』天平十九（七四七）年五月条の太上天皇（聖武天皇）の詔によれば、かつて、五月の節日には菖蒲縵を用いることがしばらく停止されていたが、今後は菖蒲縵を用いていない者は宮中に入ってはいけないとある。この節日には天皇を初め諸臣は冠に菖蒲縵を付け、また宮中の女房たちもかぶっていた。全ては健康祈願であり、いかに何事もなく息災に暮らすことが願われていたかを知ることができる。

野にある草木や花の枝を髪や冠に挿すことを「かざし」と言う。それは単に飾りではなく、その草木や花に宿る生命力を吸収し、こうした植物の生命力によって疫病や災厄から逃れようとした。かざす植物としては柳・梅・萩・撫子などが使われた。『万葉集』にはこうした歌が多く詠まれている。

「ほととぎす待てど来鳴かずあやめぐさ　玉に貫く日をいまだ遠みか」（一四九〇）「ほととぎす　来鳴く五月の　あやめぐさ　蓬かづらき　酒みづき　遊び和ぐれど」（四一一六）これは大伴家持が越中守だった時、朝集使として上京していた久米朝臣広縄《ひろのり》が任務を終えて帰国した時の歌である。その労をねぎらうために酒宴の席を設けたが、その時に家持はその席で菖蒲の冠に蓬の葉をさして頭に巻き付け、悪魔退散のまじないをしている。

「春には　花かざし持ち　秋立てば　黄葉《もみじ》かざせり」（三十八）

「梅の花　いま盛りなり　思ふどち　加佐志にして名いま盛りなり」（八二〇）

「青柳　梅との花を　折りかざし　飲みてののちは　散りぬともよし」（八二一）

「あしひきの　山の木末《こぬれ》の　寄生《ほよ》取りて　挿頭《かざし》つくらは　千年寿《ちとせほ》くとぞ」（四一三六）

家持の歌のように蓬や橘の花などを緒を通して頭にのせるカヅラにしたり、薬玉にした。髪や冠にさす草木の花の「かざし」は中世の頃になると次第に形式的になり、実際の花ではなく、繰り返して使用することのできる金属製の造花となった。これが「かんざし」で、それは精巧で華美になり装飾品となった。このように本来は自然からの生命力を取り込むためだったが、完全に人工的になり、そうした意味は失われてしまった。結婚式の時に、新婦が角隠しをするが、これも古代以来の頭に飾り物をする風習に由来する。頭飾りにはカズラが好まれたが、後にその代わりに白い布が用いられた。その形を整えたものが角かくしである。

雅な端午の節句

端午の節句については、『宇津保物語』初秋の巻や『源氏物語』蛍の巻などにも見えるが、最も具体的に描写しているのは清少納言の『枕草子』である。その三十九段には、「せちは五月にしく月はなし。さうぶ・よもぎなどのかをりあひたるいみじうをかし。九重の御殿の上をはじめて、いひしらぬ民の住家まで、いかでわがもとにしげく葺くかむと葺きわたしたる。なほいとめづらし」とあるように、大変興味深く、雅な行事であると記す。この頃には内裏だけでなく、庶民の家でも菖蒲を葺いていた。

また二二二段には、「五月こそ、世に知らずなまめかしきものなりけれ。されど、この世に絶えにたる事なめければ、いとくちをし。昔語りに人の言ふを聞き思ひあはするに、げにいかなりけむ。ただその日は、菖蒲うち葺き、世の常の有様だにめでたきをも、殿の有様、所々の御桟敷どもに菖蒲葺きわたし、よろずの人ども、菖蒲鬘して、菖蒲の蔵人、容貌よき限り選りて出だされて、薬玉賜はすれば、拝して腰に付けなどしけむほど、いかなりけむ」とあるように、清少納言の時代には節会としては停廃されており、実際に接することができなかっただけに、その思いは一層深かったようである。

今一つ八十七段に、「五月の節の菖蒲の蔵人。菖蒲のかづら、赤紐の色にはあらぬを、領巾、裙帯などして、薬玉、親王、上達部の立ち並みたまへるにたてまつれる、いみじうなまめんし。取りて、腰にひきつけつつ、舞踏し、拝したまふも、いとめでたし」とある。これは「なまめかしきもの」の段に記されたもので、優美な景物の一つとして端午節会の様子を取り上げているが、これはあくまで見聞によって想像力を膨らませて書いたものである。

『栄華物語』かがやく藤壺の巻にも「はかなく五月五日に成りぬれば（中略）御簾の縁もいと青やかな

るに軒のあやめも隙なく葺かれて心ことにめでたくをかしきに御薬玉、菖蒲の御輿などもて参りたるもめづらしうて若き人見興」などとある。『蜻蛉日記』『狭衣物語』などにも見えるように、貴族社会では広く定着していた。

現在でも五月五日の節日には、菖蒲湯につかり、菖蒲の葉を頭に巻くと病気にならないという。また、蓬には餅草という別名があるように、若葉をゆでてアク抜きをし、餅に混ぜてつくとヨモギ餅になる。蓬にはタンパク質が多く、カルシウム・カリウム・カロチン・ビタミンなどを含んでおり、その効能には大きなものがあった。

粽の起源説話

五月五日には粽を食する風習がある。中国には粽の起源説話が二つある。五月五日に高辛氏の悪子が船に乗って海を渡っていた時、暴風雨がおこり、海中に没して死んでしまった。その霊が水神となって害をなしたが、ある人が五色の糸の粽を海中に投げ入れると、五色の竜となり、その後、海神となって害を起こさなくなったという。また、屈原という人が五月五日に水に身を投げた。楚の人々はその死を憐れみ、毎年この日になると竹筒に米を入れ、水に投じて祭り霊を慰めた。漢の建武年中に一人の士人が現れ、区曲という人に次のように言った。「あなたがたが常々私を祭ってくれているのはありがたいが、せっかくの米もいつも蛟竜に盗まれてしまう。今後、もし恵んでくださるなら、おうの葉でまわりを包み、あや糸で結んでほしい。この二つのものは蛟竜が忌み憚るものだから」と述べた。今、五月五日に粽をつくり、おうの葉を用い五色の糸をつけるのはその遺風である。

破邪・招福・延命の祥瑞とする菖蒲・蓬などの時節の薬草を五色の霊糸で長く結び垂らして薬玉とし、臂《ひじ》にかけたり、御帳台の柱につり下げたりして安寧を祈った。五色の糸には霊力があり、邪悪なものを祓うことができると信じられていた『続日本後紀』仁明天皇嘉祥二（八四九）年五月五日条には「薬玉をつり下げ、酒を飲んで命長く、福を招きいれる」とある。『延喜式』には続命縷の糸は中務省の蔵司、菖蒲や蓬は左右近衛府の奉仕とされた。内裏では五月五日に献上された薬玉を昼の御座の御帳に九月九日の重陽の節までかけるのを例とし、重陽から菊花とぐみの袋に替えることとされた。またこの節日には群臣にも薬玉が下賜された。

三　秋の行事

㈠　七月

盂蘭盆会

旧暦の七月は「盆月」とも言われるように、盆の行事が行われる月である。しかし現在の盆行事は一月遅れの八月に行っている所が多い。それは盆には子供を連れて親元に帰省することが多いため、学校の夏休みと重なる八月の方が都合が良かったからであろう。そして盆には親しい人に「中元を贈る」ことが一般に行われている。百貨店が盆の中元を利用して贈答の習俗を浸透させ、会社組織の中でも上司・部下間の新たな贈答習慣を成立させた。中元は夏の時期の贈り物の代名詞となっているが、それはボーナスシーズンをとらえて贈答習俗を浸透させたものだから、百数十年の歴史しかない。しかし、元々はそうしたこととは無縁だった。中元があるのなら上元や下元もあり、その三つの元（三元という）は中国道教に由来する。上元は一月十五日、中元は七月十五日、下元は十月十五日である。上元は小正月、中元は盆の行事と一体化していったが、下元はそうした我が国固有の行事と結びつかず、忘れられていった。

『日本書紀』推古十四（六〇六）年、「寺ごとに七月十五日に設齋《おがみ》す」とあり、斉明三（六五七）年「須弥山の像を飛鳥寺の西に作る。且盂蘭盆会を設く」とあり、この頃には既に盂蘭盆会は国の行事の中に取り入れられていた。『続日本紀』には「天平五年七月、始令大膳職備盂蘭盆供養」とあり、この時より内裏の恒例行事として行われている。

盂蘭盆は梵語で倒懸（さかさまにかかる）の苦を救うという意味である。その行事は『仏説盂蘭盆経』に由来するという。釈迦の弟子目連は亡き母が餓鬼道に落ちて苦しんでいることを知り、母を救うことのできない目連は釈迦に相談をした。すると釈迦は七月十五日に七世の父母と現在の父母のために百味の飲食五果やその他を盆にのせて衆僧を供養するようにと言うので、その通りにしたら母はその功徳によって苦しみから救われた。七月十五日は僧が修行のために外出せず、道場で安居《あんご》する最終日にあたり、とりわけ功徳のある日とされていた。中元の季節祭と祖霊に感謝する祭が仏教行事と結びついて成立した。元の話は親を餓鬼道から救い出すという親孝行の物語であったことから、亡くなった親の墓に参ることになり、また生きている親には生見玉《いきみたま》と呼ぶ贈り物をすることが習慣となっていった。

貴族の日記の盆行事

藤原実資の日記『小右記』には、永祚元(九八九)年七月十四日条に、「今日盂蘭盆の供え例の如く」とあり、それ以前より行われていたようである。同書長元四（一〇三一）年七月十四・十五日条には、実資が法性寺東北院に盆の供物を届けようとしたことを記す。実資の使いが供物の入った長櫃を人夫八人に担がせていたが、その人夫が供物の米を盗み、乱闘し逃走する事件が起きた。戻ってきた長櫃には底に米が少々残っているだけだった。この乱闘を起こした人夫は後に捕まり獄に下されたが、盆の供物の多くは米であったことがわかる。藤原道長の日記『御堂関白記』には、寛弘六（一〇〇九）年以降、盆の行事に関する記事が見える。長和四（一〇一五）年七月十四日条に、盆の供養は常の如く法興院・浄閑寺・慈徳寺なりとあり、十四日・十五日に行っている。法興院は父兼家が建立した寺、浄閑寺は母時姫方に関係した寺、慈徳寺は姉の東三条院詮子が供養した寺である。こうした例から、この頃の貴族の盂蘭盆行事は、父母を基本に、場合によっては祖父母、夫、妻、子供を対象とし、七月十四日に盆の供物を寺へ送るというものであった。

『蜻蛉日記』には、「十五六日になりぬれば、盆などする程になりにけり」とあり、また『枕草子』の三〇七段に、「七月十五日、盆たてまつるとていそぐを見給ひて」とあり、貴族の邸内でも行われる通常の行事となっている。

七月は朔日盆、七日盆、地蔵盆、施餓鬼などの行事が多くある。その中で施餓鬼の行事の由来は次のように言われる。釈迦の弟子阿難《あなん》のところに焔口《えんこう》という餓鬼がやってきて、阿難の命はあと三日だと告げる。阿難はどうすれば救われるのかを聞いたところ、釈迦は餓鬼たちに布施を大量にすれば救われると答えた。こういう故事に因んで行われるようになった。ただインド仏教では亡き人の霊魂は人間界だけでなく、どこかに転生している。しかも前世の記憶は原則として保存されないから盆や彼岸の日に子孫のもとに帰ってくるはずはないのである。ところが中国では先祖の霊魂は子孫と共にこの世にあり続け、時を定めて祭られるものだった。おそらく盆の行事は儒教の祖霊観の影響を強く受けて変容した先祖供養の仏教的習俗と言ってよい。また無縁仏や祭られることのない御霊は疾病などの災厄をもたらすものと考えられ、これらを鎮める祭りであったと考えられる。

祖霊を送り出す儀式

精霊流しは盆行事の最終段階で精霊を送り出す儀式である。先祖の霊はいつも天上界にあって子孫の暮らしぶりを見守っているとされ、盂蘭盆や正月、あるいは祭りや仏事の度に村里に下り、家を訪れてもてなしを受ける。そこで祖霊と子孫が交流するのである。一般には七月十三日に祖霊の精霊を迎え、十五日または十六日まで家に滞在した後に精霊流しによって再びあの世に送り返されると信じられていた。祖霊を初め死者の霊は盆・彼岸の時期には子孫が丁重にもてなす限りこの世に戻ってくるという民間信仰に基づく。送り出す場合、門口や墓で送り火をたくが、その送り火が大がかりになったのが、京都の大文字焼きである。京都盆地を囲む山々にくっきりと浮かぶ五山の送り火は夏の京都には欠かせない。東山如意ヶ嶽（大文字山）は「大」、松ヶ崎西山（万灯籠山）・松ヶ崎東山（大黒天山）は「妙」「法」、西賀茂船山（妙見山）は「船」形、衣笠大北山（左大文字山）は左「大」、嵯峨鳥居本曼荼羅山は「鳥居」形である。これらが次々と点火され、京都の風物詩となっている。

盆には盆踊りがつきものであるが、それが最初に文献に見えるのは文明十八（一四八六）年である。当時の禅僧の日記『蔗軒日録』には、夜間に鐘や鼓を打ち鳴らし、大音声で阿弥陀を唱える。近年こうした風俗が見られるようになったとある。ただ一般にその起源は平安時代に空也上人の念仏踊りで、それが一般に広がって娯楽にもなり、さらに精霊を供養する盂蘭盆会の行事と結びついて盆踊になったとされる。初めは念仏を唱えて踊るだけだったが、しだいに踊歌も加えられ、様々な形態が生じるようになったのである。

七夕…中国の乞巧奠《きっこうてん》に由来…

七夕と言えば、「笹の葉さらさら…軒端に揺れる、お星さまきらきら、金銀砂子…」という唱歌を歌った頃が懐かしい。その七夕は五節句の一つで天の川の両岸にある牽牛星と織女星が年に一度出会うという七月七日の星祭りの行事である。そのルーツは中国の乞巧奠《きっこうてん》という行事である。庭に筵と机を置き、果物などの食物や、あや糸を孔に通した針、香炉、管弦楽器の箏を並べ、庭から二星の会合を眺めた。ただこの行事のそもそもの起源はよくわからず、また牽牛星と織姫星がなぜセットになっているのかもよくわからない。中国では祭祀に動物を犠牲にすることが多かったが、その一つが牛であった。おそらく農耕に深く関わる川や水の祭祀に関する牛の犠牲から牽牛の名が生じたのであろう。一方、織姫はその名のごとく機織をする女性である。ただその機織は単なる衣服の布ではなく、祭祀に用いる礼服と考えられる。中国では漢の時代に道教の最高の女仙人の西王母を織女神、最高の男仙人の東王父を牽牛神とし、西王母が東王父を訪れる話が成立していた。また牽牛と織女は元々夫婦であったが、天帝の怒りに触れて年に一度、七夕の日だけ会えるという話もこの頃にできたとされる。

そうした話が我が国にもたらされたのは、かなり早い時期だったようである。大阪府茨木市の紫金山古墳から出土した鏡には女神像があるが、頭部の飾りから西王母と考えられている。この古墳は古墳前期とされているから四・五世紀頃には西王母信仰が伝来していた。ただ文献では、『日本書紀』に、持統五（六九一）年とその翌年の七月七日に宴が開かれており、これが七夕の宴の初見で七世紀後半の頃には宮中の儀式となっていた。古代には「しちせき」と呼んでいたが、棚機津女《たなばたつひめ》の信仰と結びついて「たなばた」と言うようになった。『和名抄』では牽牛は「比古保之」（ひこほし）、織女は「太名八豆女」（たなばたつめ）と呼んでいる。

柿本人麻呂が「天の川安の川原に定まりて神し競《とど》へば麻呂待たなくに」（天の川が安の川原にお出ましになって七夕の神が競べあいをされるのを私は待っているのに）と詠ったのが天武九（六八〇）年のことであった。

奈良時代にはそれが宮廷の恒例の行事となり、天平二（七三〇）年七月七日に聖武天皇が平城宮内の南苑で文人に命じて七夕の詩を作らせたことが『万葉集』巻十一や『続日本紀』などに見える。ただ、「たなばた」ではなく「なぬかのよ」と呼ばれており、「たなばた」となるのは平安時代になってからである。漢詩を作ることは中国の七夕にはみえない。

七月七日は相撲の儀式

意外かも知れないが、古代においては七夕は相撲と同じ日に行う行事だった。『日本書紀』垂仁《すいじん》七年条に見える野見宿禰《のみのすくね》と当麻蹶速《たいまのけはや》の相撲を行った日は七月七日だった。「内裏式」には相撲式としてかなり詳しい次第が書かれているが、七夕に関しては何ら記されていない。そのことは当初七月七日は七夕より相撲の方が大事な儀式だったことを物語っている。『続日本紀《しょくにほんぎ》』天平六（七三四）年に初めて天皇が相撲を見る相撲節会《すまいのせちえ》が行われるようになるが、その日もやはり七月七日で、相撲の観戦が行われた後、七夕の行事が行われている。

これ以前、相撲は七月に行われていたが、まだ宮中の年中行事にはなっていなかった。しかし七月に儀式化すると五節句の一つである七月七日の七夕と一緒になり、「文」と「武」の組み合わせとなるため都合がよかったのかも知れない。ところが天長三（八二六）年に、平城天皇の国忌の影響によって相撲は七月十六日に改められ、そこで七月七日に七夕を行うようになったのである。

現在の七夕は牽牛と織姫が一日だけ出会う日で、また織姫の卓越した織物の技術や針仕事にあやかって、琴や詩歌など様々なお願いを短冊に記す日となっている。平安時代には、庭に机を置いて文を書き、七本の針に五色の糸を通したものを棹の端に飾り、酒や果物、菓子などを並べて星に捧げた。元々は女性の主要な家事労働だった衣服の繕いなどの針仕事が上手になることを願う女性の祭りだったが、現在では男女を問わず願い事を短冊にして記すようになっているが、それは江戸時代頃からである。

彦星と織姫は念に一度だけ会うことができることから、一年にわたる恋のことを「年之恋」とも言う。『万葉集』には「年の恋今夜尽くして明日よりは常のごとくや我が恋ひ居らむ」（二〇三七）とあり、「安の川い向かひ立ちて年の恋日長き児らが妻問ひの夜ぞ」（四一二七）と言うように、積もり積もった恋で、激しい表現になっている。

彦星が織女に通う

『万葉集』には「天の川梶の音聞こゆ彦星と織女《たなばたつひめ》と今夜《こよい》逢ふらしも」（二〇二九）「渡守　舟はや渡せ一年にふたたび通ふ　君にあらなくに」（二〇七七）「夕星も通ふ天道を何時までか仰ぎて待たむ月人をとこ」（二〇一〇）など、天の川を詠んだものは『万葉集』に五十例あり、天武・持統期から見える。山上憶良には次のような歌が残されている。

「ひさかたの天の河に船浮けて　今夜か君が　我が許来まさむ」
「天の河浮津の波音騒くなりわが待つ君し舟出すらしも」
「天の河相向き立ちてわが恋ひし君来ますなり紐解き設けな」
「秋風の吹きにし日よりいつしかとわが待ち恋ひし君そ来ませる」
「霞立つ天の河原に君待つとむいかよふほとに裳の裾ぬれぬ」

ひたすら相手を待つという女性の姿と夫の訪れを喜ぶ織女の気持ちを詠ったものであるが、ここでは牽牛が船で天の川を越えるとする。ところが七夕伝説の本家中国では牽牛と織女の立場が反対になっている。つまり天の川を渡ってくるのは、牽牛ではなく美しく着飾った織女の方であった。それは中国の一般的な婚礼では、女性が男性のもとに嫁いでいたからであろうし、一方日本では妻問婚で男性が女性のもとに通う形態だったからであろう。奈良時代の婚姻の習俗を反映してこのような改変になったと思われる。

さらにもう一つ違いがある。我が国では先の『万葉集』では、天の川を渡るのは船である。しかし中国では、神仙の乗り物や鳳凰の乗り物、船、かささぎの橋など様々であるが、橋を渡るのが基本形である。古代の日本では川は大陸のように悠然とした流れではなく、急流で橋をかけることは容易でなかったから、大きな川は船を利用していた。この相違は中国と日本の自然条件の違いによる。

藤原道長の『御堂関白記』長和四（一〇一五）年七月八日条には、「藤原教通が言うことに、「夜分、二星会合を見ました」と。「その有様は、二星がそれぞれゆっくりと行き合って間が三丈ほどになりました。小星が元に還った後に、二星が早く飛んで会合しました。後に雲が来て、会合している二星を覆いました」とあり、これに対し道長は「この事は、昔の人々は見ていた。近代は未だ聞いたことがない事である。感慨は少なくなかった」と記す。

この「二星会合」は彦星と織女の星が出会っている姿のことである。当時二十歳だった教通は、七夕の夜、伝説の通り両星の相会う姿を父道長に報告したが、道長もそれを聞いて感慨にふけっている。

『源氏物語』幻の巻には、「七月七日も例に変わりたること多く、遊びなどもし給はで、つれづれに眺めくらし給ひて星合見る人もなし。まだ夜深う一所起き給ひて妻戸おしあけ給へるに前栽の露いとしげく渡殿の戸より通りて見わたるさるれば、いで給ひて、たなばたの逢瀬は雲のよそに見て別れの庭につゆぞおき添ふ」とある。紫の上との悲しい死別に際して、光源氏が七夕の逢瀬に託して感傷的な歌を詠っている。

七夕と素麺

七夕には素麺をお供え物にし、その後に食べる風習がある。素麺が七夕につきものとされるのもやはり中国の故事に因む。伝説では五帝の子供が七月七日に水死し、霊鬼となって現われ、病害を流行させたので、その子供の好物だった索餅を作って供えたところ病害がおさまった。索餅と言うのは小麦粉に米粉を混ぜて塩水で練り、縄のようにねじって伸ばして干したもので「むぎなわ」の名もある。こうした話から七月七日に索餅を食べると病気にならないということになり、七夕と結びつくようになった。

また七夕の時期は、小麦の収穫期にあたるのでその収穫に感謝して小麦を原料とする食べ物を供えるようになったとも言う。さらにもう一説では、素麺の流れが天の川を連想させるためとか、あるいは素麺の一本一本が織姫の紡ぐ織糸に見立てたことから結びつき、素麺を食べると機織りが上手になるという。

現在では各地に素麺の特産地があるが、それを我が国に伝えたのは奈良時代頃の遣唐使である。平城京の近くにある奈良県桜井市の大神神社《おおみわじんじゃ》に伝えられ、それが三輪素麺となった。したがってこの三輪の地が我が国の素麺の発祥地である。「五色」の名は陰陽道の思想に由来する。陰陽道では全てを陰陽と五行の運行によって成り立つとするが、色は青・赤・黄・白・黒の五つである。愛媛県では素麺と言えば五色素麺が有名であるが、この五色素麺は織姫の織る五色の糸を意味しており、やはり陰陽道や七夕と関係がある。もっとも伊予の五色素麺は、松山藩主となった松平定行に伊勢国の桑名から随行してきた素麺製造商人が松山で作ったことから始まる。だからそれほど古い時代にまで遡るものではない。

(二)　八月

観月

現在も至る所で観月祭が行われている。嵯峨天皇は嵯峨野大覚寺の大沢の池に船を浮かべ、山の端に見える月を愛でて楽しんだ。この観月会は、天皇が月の名所として知られる中国湖南省の洞庭湖の船遊びを模したことから始まるとされる。中秋観月の行事の初見は菅原道真の岳父島田忠臣の「田氏家集」の「八月十五夜宴月」「八月十五夜惜月」であり、延喜九（九〇九）年閏八月十五日条に「太上法皇召文人於亭子院、令賦月影浮秋池之詩」とあるように、宇多・醍醐天皇時代に盛んになったようである。

また代表的な日本庭園として知られる桂離宮も月と深い関係がある。ここには茶室の月波楼、手水鉢の浮月があり、月を見るための月見台もある。さらに銀閣寺も観月を意識して造られている。寺の背後には月待山があり、庭には月の光を反射するための「銀沙灘《ぎんしゃだん》」と「向月台」という二つの砂盛りが造られている。月がその砂盛りを照らすと、光が反射して銀閣を照らし浮かび上がらせるように工夫されている。

月の清らかな様や月夜の明るさは人の目をひき、『古事記』や『日本書紀』では月読尊（月弓尊・月夜見尊）として、天照大神やスサノオノミコトと共にイザナギの子神として神格化されている。『古事記』では、イザナギが日向の阿波岐原で禊ぎを行うが、右目を洗った時に化成し、夜の食国の支配を命ぜられる。『万葉集』九八五には「月読壮子《おとこ》」と記されているから男神であろう。このように月は貴くめでたいものと認識されていた。柿本人麻呂は「東の野に陽光《かげろい》の立つ見えて　かへり見すれば月傾きぬ」と詠んでいる。早暁に、日が昇り、月が沈んでいく自然の情景を表現しているが、太陽と月は人々に雄大な自然を感じさせるものでもあった。

またその一方で月は満ち欠けを伴うことから時の移ろいや無常観を感じさせる。先の柿本人麻呂には妻が亡くなったあとに詠んだ、「去年見てし秋の月夜は照らせども相見し妹はいや年さかる」（二一一）という歌がある。昨年は共に見た月が同じように照っているけれど、妻は年とともに遠ざかっていくというのである。月を見て死の世界や遠い異界の世界にかりたてるのは、満ちては欠けることが死と再生を繰り返しているように見えるからであろう。だから月を見て物思いにふけったり、月光にうたれたりするのは不吉とされ、とりわけ女性が一人で月を眺めることへのタブーがあった。物語の祖の『竹取物語』では「かぐや姫、月のおもしろく出たるをみて、常よりも物思ひたるさま也。ある人の「月の顔見るは忌むこと」と制したれども、ともすれば人間にも月を見てはみじく泣き給ふ」「春の初めよりかぐや姫、月の面白う出でたるを見て、常よりも物思ひたるさまなり」とみえる。『源氏物語』「宿木」にも「月見るは忌みはべる」とあるように、月を忌む風習があった。

また『更級日記』の治安四（一〇二四）年にも、「形見にとまりたるおさなき人々を左右にふせたるに、荒れたる板屋のひまより月のもり来て児の顔にあたりたるがいとゆゆしくおぼゆれば、袖をうちおほひて、いまひとりをもかき寄せて思ふぞいみじきや」とある。作者の姉の遺児の顔に月の光があたることを忌んで袖で覆ったとあるように、平安貴族は月は死につながるために忌むべきだという観念があった。

中秋の名月

普通、名月（明月）というのは、陰暦八月十五日の月のことで、これを「中秋の名月」として鑑賞した。『万葉集』の巻七には「月を詠める」として十八首が収められているように既に風流の対象となっている。

・「雨晴れて清く照りたるこの月夜また更にして雲たなびき」（一五六九）

・「月読の光に来ませあしひきの山きへなりて遠からなくに」（六七〇）

・「山の端にいさよふ月をいつとかも我が待ち居らむ夜は更けにつつ」（一〇八四）

・「世の中はむなしきものとあらむとそこの照る月は満ち欠けしける」（四四二）

「中秋の名月」として特別扱いされるようになるのは、平安時代からで、それは『栄華物語』『本朝文粋』『中右記』などの記事から確かめられる。「月ごとに月見る月は多けれど月見る月はこの月の月」と詠われる月見には団子がつきものであるが、その団子は古代インドで神や月に供えるために作った菓子のダンキに由来する。中国では団喜と表記され、それが日本に伝えられて団子となった。団子を供える理

嵯峨天皇が月を愛でた大沢の池

由の一つは満月のことを望月というため、その「もち＝餅」としたので餅や餅で作る団子を供えるようになった。中国では月見の時に月餅を供える風習が我が国に伝わったためという。また芋名月とも言うが、これは中秋の名月の頃は里芋の収穫期にあたるため、これを供えたことによる。

『源氏物語』須磨の巻には、「月のいと花やかにさし出でたるに今宵は十五夜なりけりとおぼし出でて、殿上の御遊び恋しう、所々眺め給ふらんかしと思ひやり給ふにつけても月の顔のみまもられ給ふ」と配流の身の源氏が都の殿上での月の宴を恋しく思い、都に残してきた紫の上や他の女性たちも今宵の月をいかなる気持で眺めているのかと感慨にふけっている。

月の名所の嵐山・渡月橋

『栄華物語』月宴には、「康保三年八月十五夜、月の宴せさせ給はんとて清涼殿の御前に、皆方わかちて前栽植えさせ給う。（中略）劣らじまけじと挑みかはして絵所の方には洲浜を絵に書きて、くさぐさの花、生ひたるにまさりて書きたり。遣り水、いはほ、皆書きて、白がねをませのかたにしてよろずの虫どもをすませ、おおいに逍遙したるかたを書きて鵜舟にかがり火ともしたるかたを書きて虫のかたはらに歌は書き足たり。造物所のかたには、おもしろき洲浜をえりて潮みちたるかたをつくりていろいろの造花を植え、松竹などをえりつけていとおもしろし、かかれども歌をはぜ女郎花にぞつけたる」とある。この宴がいかに盛大にかつ美しく前栽合が行われたかを窺うことができる。

少し後のことになるが、白河上皇が寛治八（一〇九四）年八月十五日に鳥羽殿で行った月見宴は風流を極めたという。『中右記』には「殿上人船、頭中将国信朝臣四十人許、皆布衣、此外御随身副小船、前行、先出御船有御遊」とあるように、船に分乗し明月に棹さして池をめぐり、詩歌管弦に心ゆくばかりの一夜を過ごしている。観月は都だけでなく、須磨・明石・住吉・難波などでも行われた。こうして月の宴は単に内裏の行事というだけでなく、風流を愛する貴族や女房の間で尊ばれ、季節の象徴として重んぜられる行事となった。

㈢　九月

重陽の節句

九月九日は重陽の節句である。中国では奇数はめでたい陽数とされ、その最も大きな数字で長久の意を表す九が重なることから大変良い日であるとされた。この日は登高と言い、飲食物を持って丘に登り、行楽をし、浩然の気を養う行事であった。重陽の節の始まりは菊と深い関わりがある。

現在の中国河南省に菊水という川があり、その谷奥には一面に菊が咲いていた。菊を伝ったしずくが川に溶け、谷筋にあった三十余の集落に住む人々は常にこの水を飲んでいた。この村では長寿は二百～三百、普通でも百余歳、七十、八十で死ねば夭折と言われた。全て菊水の薬効のなせる奇蹟であった。また他の伝承によると、魏の文帝が七歳で即位した時、相を見る者が十五にして命が尽きると言った。帝が悲しんでいると彭祖という仙人が帝の徳に感じて菊を献じたところこれを服し、七十歳まで生きた。その彭祖は菊の水を飲んでいたため、不老不死となり、八百歳にして顔形は少年のようであったという。これが重陽の節句には邪気を払い、長寿を祈念して菊酒を飲むようになった由来である。

我が国でも『日本書紀』天武十四（六八五）年九月に、天皇が皇太子以下の者を招いて宴を行ったことが見え、これを重陽の節句の始まりとするが、しかしこの段階ではまだ宴で節日にはなっていなかった。

重陽の節句は菊花の宴とされるが、『万葉集』には菊の歌は一首もない。一方、我が国最古の漢詩集『懐風藻』には数首が見える。長屋王の漢詩である。「高旻遠照《こうびえんしょう》開き　遙嶺《ようれい》浮烟《ふえん》靄《たなび》く　金欄の賞を愛でてこそ有れ　風月の筵に疲るること無し　桂山余景《きんざんよけい》下り　菊浦落霞《きくほらくか》鮮《あざ》らけし　謂ふこと莫れ滄浪《そうは》隔《へだ》つと　長く為さむ壮《そう》思《し》の篇」とある。この他にも「巌前菊気芳」（巌前《いわさき》に菊気芳《きくきかぐわ》し）とか「傾斯浮菊酒」（斯れ浮菊の酒を傾けて）などとあり、長屋王の佐保楼での菊花の宴の文芸は、平安朝の重陽詩の先駆けである。菊は中国から渡来した珍しい花で長屋王邸のシンボル的存在とされ、菊花の宴は宰相長屋王の頃から貴族の宴として定着することになった。

中国の菊を詠んだ詩人といえば陶淵明で、「菊をとる東籬《とおりまがき》の下　悠然として南山を見る」が想起される。さらに「秋菊　佳色有り　露にうるおいて其の英《はな》をつむ　此の忘憂の物に浮かべ　我が世を忘るるの情を遠くす」の詩もある。「忘憂の物」は酒のことで、酒に花びらを浮かべて俗世を忘れる情はいよいよ遠いというのである。また文雅の人の間では、菊を植えて花を観賞するようになり、後には菊の花合わせも行われるようになった。『続日本紀』天平宝字二（七五八）年三月条に「重陽の節」の言葉が見え、この頃には節日となっていた。

菊花酒・菊合わせ

日本の自生の菊は小菊の類で、大輪の菊は桓武天皇の時代に中国から入ってきたと言われる。桓武天皇はこの菊の花を愛し、また菊の花を酒に浮かべて飲む菊花酒を好んだ。今でも酒の銘柄に「菊正宗」「菊の盛」などがあるが、これも長寿を願う意味が込められている。平安時代に藤原北家の基盤を築いた藤原冬嗣は、「酒の燗は九月九日（重陽節）より、翌三月二日たるべし」と言っているように、この日を境に冷や酒から燗酒になっている。そして嵯峨天皇時代から儀式として整備され、恒例の行事となった。さらに嵯峨の子の仁明天皇は菊を大変好み、花として鑑賞するだけでなく、その菊の色を衣服にも用いた。在位中の元号が「承和」であったので、「承和の色」と称せられた。

そして宇多天皇の頃になると九月でなく十月の行事として、菊花を出し合い、その花の美を競う遊戯「菊合」が行われるようになった。宇多天皇に重用された菅原道真に「未旦求衣賦（未だ旦《あかつき》にならざるに衣を求める賦）」の中に「寒き霜に晩《おそ》き菊といふは、人臣の貞《てい》を履《ふ》むの情《こころ》を叙《の》べんと欲《ほ》りするなり」の一文がある。この賦と同時作の「霜菊詩」の最終二句に「白きを戴きて貞節を知る 秋深くして涼《ひややけ》きを畏《おそ》りず」と見える。晩秋から初冬にかけて白い霜を戴く菊に貞節を見ているが、それは中国の伝統的な見方でもあった。

次の醍醐天皇の時にも臣下たちに菊を下賜し、それを左右に分け、花の優劣を競い、また即興で歌を添えた。その時の参加者は紀貫之など当代きっての歌人たちだった。天暦七（九五三）年十月二十八日に殿上菊合が行われた。村上天皇が清涼殿に出御され、後に安和の変で失脚することになる源高明など、時の政府高官が見事な菊花を天皇の御前に供して、それぞれ左方、右方に分かれてその優劣を競った。三度にわたる菊合が行われているが、その勝負がつく毎に罰酒が行われた。このように菊合わせは年を降るほど盛んになっていった。

菊は不老長寿

菊が不老長寿と関係があることは、奈良時代に編纂された『甲斐国風土記』逸文の「つるの郡」にみえる。「甲斐国のつるの郡に、菊おひたる山あり。その山の谷より流るる水、菊を洗う。これによりて、その水を飲む人は命長くして、鶴のごとし。よりて郡の名とせり」とある。『医心方』には、菊は腸や胃を安定させ、五臓を丈夫にして、手足を整える。長く服用していると、身体の動きが軽やかになり、寿命を延ばして老化を防ぐ。干した菊花を布袋に入れ、枕にすれば、頭や目の病気を防ぐという。そうしたことから菊は「千代見草」「齢草」とも呼ばれる。

『古今和歌集』巻第五「秋歌下」に「露ながら折りてかざさむ菊の花　老いせぬ秋のひさしかるべく」（二七〇番）（露のついているままの菊の花を折って、髪に挿しましょう。不老長寿がいつまでも永遠に続きますように）また「仙宮に、菊を分けて人のいたれる形をよめる」という題をつけて、「濡れてほす山路の菊のつゆのまに　いつか千年《ちとせ》を我は経にけむ」（二七三番）（山路の菊を分けながら行くうちに、着物が露ですっかり濡れてしまい、干さなければならなくなってしまった。露といえば、それはつゆほどのごく短い時間と思っていたが、私はもう千年もの歳月を、この仙境で送っていたのだろうか）と詠んでいる。仙境での一日は俗界の千年にあたると考えられていた。

『紫式部日記』には「菊の被綿」という儀式のことが記されている。「九日、菊の綿を兵部のおもとの持て来て、「これ殿のうへの、とりわきて、いとよう老いのごひ捨てたまへと、のたまはせる」とあれば、菊の露若ゆばかりに袖ふれて花のあるじに千代はゆづらむ」と歌を詠んだことが見える。歌の意味は、頂戴した長寿を得るという菊の露のしみた綿に、私はほんのちょっと若返るほどに袖を触らせていただくだけにして、千年の寿命は花の持ち主である倫子様にお譲りします、というものである。これは九月九日の前日の夜に菊の花を綿で覆い、当日の朝、露で湿った綿で顔や体を拭くと不老長寿になるとされたが、それを藤原道長の夫人源倫子が紫式部にその綿を贈ったところ、式部は感激してこの歌を詠んだのである。見た目にも美しく、長寿を恵んでくれるという菊を貴族たちはこぞって栽培した。おそらく道長の屋敷にも一面に大輪の菊が咲き誇っていたのであろう。

ところで、十六ヶ弁の菊のご紋は天皇家の紋章として知られる。その菊花をこよなく愛し、衣服や牛車はもちろん刀の金具や懐紙に至るまでいろんなものに菊の紋章をつけ菊帝といわれたのが後鳥羽上皇である。そのため臣下は遠慮して使用しなくなったことから、自然と皇室の紋章になったといわれる。太陽を神格化した天照大神を皇祖神とする天皇家では、菊の花は地上に咲く太陽の花だった。この後鳥羽上皇は隠岐に流され、不遇な死を遂げるが、その半世紀後に菊が薬草で魔よけになることから後深草・亀山・後宇多の三天皇によって天皇紋となった。

室町時代になると菊は薬用や観賞用だけでなくその花まで食べるようになり、酢の物、漬け物、みそ汁の具、サラダ、天ぷらなどにした。ビタミンC、カロチン、ビタミンE、B_1、B_2、カルシウム、カリウムなどが豊富に含まれている。現在、菊は殺虫剤の原料にもなっているから、娘さんにくっつく悪い虫を退治できるという効能もある。

月見…十三夜…

月好きの日本人にとって中秋の名月のみでは十分ではなかった。それだけでは「片見月」なって不吉だからという理由で、一ヶ月遅れの九月十三日（現在の十月）の十三夜も見るようになった。この十三夜は日本独特の行事で、平安時代の末期の公卿中御門宗忠の日記『中右記』保元元（一一五六）年九月十三日条に、「今夜雲浄く、月明らかなり。ここに寛平法皇、今夜の明月無双のよし仰せ出さると云々。よりて我が朝、九月十三日を以て、明月の夜とかすなり」とあり、寛平法皇すなわち宇多天皇の時に十三夜を名月（明月）とした。豆名月・栗名月とも言うことについては、醍醐天皇の時であるとか、菅原道真が始めたとか、様々な説がある。『源氏物語』に「見し人のかげすみはてぬ池水にひとりやどもる秋の夜の月」と十三夜を詠んでいる。

月待ちは特定の月齢の夜に人々が集まり、飲食を共にしながら月の出を待つ行事である。太陽暦以前は月齢に対する感覚は鋭く、民間信仰の重要な領域を構成していた。ただ月の満ちる上弦よりも欠ける下弦に重点が置かれたのは月光が薄らぎ、やがて暗闇になることを恐れ、ひたすら忌み籠もりした原始信仰に基づく。なお上弦・下弦というのは、弓に見立てた月の弦が上にあるのか、下にあるのかによる。

十五夜は満月だから望月、十六夜はいざよい、十七夜から十九夜は立待月・居待月・寝待月と呼ぶ。二十三夜には盛大なお祝いをする地方もある。居待月は十八日の月を言い、月が出るのが遅く、座って月を待つことからこの名がある。『万葉集』には「海神は奇《くす》しきものか…白波を伊予に廻《もと》ほし居待月明石の門《と》ゆは夕されば潮を満たしめ…」（三八八）とあり、明石の地名の枕詞になっている。これは居待月が真夜中に明るく照り輝くとされ、また日の出後も月が西の空に残るので、夜を明かした意味にかけているといわれる。

月夜はまた恋人と会うことのできる日だったようで相聞歌に月夜を詠んでいるものが多い。同書には「大伴の見つとは言はじあかねさし照れる月夜に直に逢へりとも」（五六五）と月夜の晩に恋人と逢うとある。

これに関連して露草のことを別名「月草」という。露草は繊細な植物で、青紫色の小花をつけるが、一日で咲き、枯れてしまう。また花を布にすりつけて染料にしたりするが、この染料は退色しやすく、水に濡れると色が落ち、物に色がうつろいやすいという性質を持つ。そのために露草は「うつろい」の意味を持つようになった。「月草のうつろひ易く思へかも我が思ふ人の言も告げ来ぬ」（五八三）「朝咲き夕は消ぬる月草の消ぬべき恋も我はするかも」（二二九一）などの歌がある。

朔日（ついたち）は「月立ち」

月の初めの朔日を「ついたち」と呼ぶが、これは「月立ち」のことである。また「朔」は「蘇」の意味で「月が蘇り、再生すること」である。明治以前まで公家社会では餅をついて祝う「朔日祝」の風習があった。季節と共に新たに生まれ変わり、神威を増すという信仰である。大晦日のことを「おおつごもり」と言うが、つごもりは、「月隠《つきごも》る」に由来する。太陰暦では毎月の三十日はほとんど月が見えないので、「月隠る」となる。だから月ごとにつごもりはあり、最後のつごもりを「大つごもり」と呼んだのである。

月を見ると様々な思いにかられるのであろう。多くの歌人が月の歌を詠んだ。最初は小倉百人一首に採られた大江千里の歌である。「月みればちぢに物こそ悲しけれ　わが身ひとつの秋にはあらねど」千里は平城天皇の皇子阿保親王の曾孫で参議大江音人の子である。官歴には恵まれなかったが、文化人としては一流であった。

次は紀貫之が親友源公忠に贈った歌である。「手にむすぶ水に宿れる月影の　あるかなきかの世にこそありけれ」と詠んだ。七十歳の年月を生きてきて「あるかなきかの世」と詠んだ最晩年の貫之の無常観を窺うことができる。

三例目は鎌倉時代の明恵である。彼は月が好きだった。月、雲の間より出でて、光、雪に輝く。狼の谷ほゆるも、月を友として、いとおそろかしからず。…月の我にともなふかと見ゆれば、二首「雲を出でて我にともなふ冬の月　風や身にしむ　雪やつめたき」「山の端にわれも入りなむ月も入れ　夜な夜なごとにまた友とせむ」と詠んだ。また次のようにも詠った。「隈もなく澄める心の輝けば　我が光りとや月思ふらむ」明恵自身が月となって世界を見ている趣がある。

最後は江戸時代の俳人の歌である。松尾芭蕉「名月や池をめぐりて夜もすがら」小林一茶「名月を取ってくれろと泣く子かな」与謝蕪村「菜の花や月は東に日は西に」などと詠んだ。

月の探査衛星「かぐや」から鮮明な月の画像が送られてくるようになった。クレーターのごつごつした表面を見ると、古代人がロマンチックな心情や月を神秘的なものと見ることもかき消されてしまうであろう。むしろ将来的には新たに月から「地球の出」「地球の入り」を眺める行事が生まれるかもしれない。

四　冬の行事

(一)　十月・十一月

紅葉狩り

陰暦では十月・十一月は冬に分類されるが、太陽暦では秋の季節である。秋は四季の中でも、「食欲の秋」「収穫の秋」「読書の秋」などと言われるように、秋を形容する言葉がたくさんある。秋たけなわの頃を高秋という。この時期は空気が澄んで、天が高く感じられるからである。唐の時代の詩人杜甫が愛用した用語でもあった。

古くは『日本書紀』「神代上」のイザナギ・イザナミによる国生みの話の中に「豊秋津州」とあり、『古事記』の「大八島国の生成」では「大倭豊秋津島」と見える。それは大和の国が秋の実りの豊かな地であるという意味である。ここからもわかるように秋＝収穫・実りの意味があり、そこから秋は収穫の時期を示す言葉となった。白川静氏の『字訓』の説によれば、秋の文字の「禾」は稲のことであり、稲の熟する時を示した。またその収穫物で生計を立てられるので「商い」「商う」「あきんど」という言葉が生まれた。

最初に秋を感じるのは風である。額田王は「君待つと我が恋ひをれば我がやどの簾動かし秋の風吹く」（一六〇六）と詠み恋と秋風を重ねた。「うつせみの世は常なしと知るものを秋風寒み偲ひつるかも」（四六五）三十二歳だった大伴家持は亡き妻を恋しがり、秋風が身にしむ侘びしい独り寝を歌った。

秋を象徴するのは何と言っても秋が深まった頃の紅葉である。百人一首に採用された藤原忠平の「小倉山峰のもみぢ葉心あらば今ひとたびのみゆき待たなむ」これは小倉山の紅葉があまりにも見事だったので、醍醐天皇の御幸まで散らないでおくれと紅葉に語りかけた歌である。当時の貴族たちは宇治や嵐山などで頻繁に紅葉狩りを行っていた。現在の私たちは「紅葉」を「もみじ」読んでいる。もともと草木の葉が黄色や赤色に変わることを示す動詞に「もみつ」があり、それが名詞化して「もみち」となり、さらに平安時代に濁音化され、「もみじ」になったという。そしてそれを漢字にあてる場合、「紅葉」とするのはわずかな例で、「黄葉」を当てたものが圧倒的に多い。「赤」や「紅」で示すことが少ないのは中国では実際に黄色に色づくことが多かったからと考えられる。

『古今和歌集』巻五素性法師には「もみぢ葉のながれてとまるみなとには紅深き浪やたつらん」とあり、この「もみぢ葉」は「紅い深き」とあることから、モミジは平安初期頃には「紅葉」と表記されていたようである。紅葉の葉がはらはらと散る姿は、人生のはかなさとも重なって見える。平安中期の歌人大江千里は「もみぢ葉を風にまかせて見るよりも　はかなきものは命なりけり」と人の命のはかなさをもみじにたとえて詠んだ。「うらを見せ　おもてを見せて　散るもみじ…」これは穏やかな秋の風情を思わせるが、これは良寛和尚が自分の死期を悟り、紅葉に託した辞世の句といわれる。

萩・キノコ・秋の七草

秋には多くの草木が時の移ろいを示すが、その代表が『万葉集』に見える萩である。「秋の野に咲ける秋萩秋風になびける上に秋の露置けり」（一五九七）「秋田刈る仮廬の宿のにほふまで咲ける秋萩見れど飽かぬかも」（二一〇〇）「人皆は萩を秋と云ふよし　我は尾花が末を秋とは言はむ」（二一一〇）などと詠まれている。

秋の香りといえば松茸である。「高松の　この峯も狭《せ》に笠立てて　みち盛りたる秋の香のよさ」

（一二二三）高松の峰には一面に笠をふれあうように松茸が生え、今を盛りに秋のよい香りが充ち満ちている。今では考えられないが、松茸が山中に群生していたことを詠っている。しかしキノコには毒のあるものが多い。『小右記』寛弘二（一〇〇五）年四月八日条に興福寺の僧二人がキノコにあたって死亡した記事が見える。また『今昔物語集』巻二十八第二十八話「尼ども、山に入り茸を食ひて舞ふ語」には、尼たちが山中で毒キノコを食べ、中毒症状ではしゃぎ笑い踊ったという話がみえる。

春の七草に対して「秋の七草」もある。万葉歌人山上憶良が「秋の野に咲きたる花を指折りかき数ふれば七草の花」「萩の花尾花葛花なでしこ花おみなえしまた藤袴朝顔が花」と詠んでいる。ただ秋の七草は春の七草のように食べるものではなく観賞用で、ハギ・オバナ・クズ・ナデシコ・オミナエシ・フジバカマ・キキョウが定説である。

(二)　十二月

祥瑞の雪…「初雪見参」の祝賀儀礼…

大晦日のことを「おおつごもり」というが、これは「忌み籠もる」という意味もある。つまり潔斎して清浄な身体で徹夜することである。除夜の鐘の「除夜」もまた「災厄を取り除く夜」の意味である。鐘一撞きで一つの煩悩を消すとされ、煩悩の数の百八の鐘を撞くことになる。人は六根（眼・耳・鼻・舌・身・意）が六根の対象である六塵（色・声・香・味・触・法）と関係する時に、苦楽・不苦・不楽の三種の感情が働き、合わせて十八種の煩悩が起こる。これを染と浄との二つに分けて三十六種となり、さらにこれが現れる世を過去・現在・未来の三つに分ける。三十六種×三世で、合計百八となる。こうして様々な行事を通じてこの日のうちに災厄を追い出してしまうのである。

雪は豪雪地帯の人々にとっては迷惑千万な代物であるかもしれないが、さほど降らない地域では一面が真っ白になる世界は、めでたいと映った。古代の都に暮らしていた人々もそのように思っていたようである。桓武天皇の時代に「初雪見参」という行事が始まり、初雪で参内した官人たちには祝い物が下賜された。それは初雪見参が吉事の前兆の祝賀儀礼で、雪は全てを白く浄化し、豊かな実りをもたらすものと考えられていたからである。醍醐天皇の皇子で臣籍に降下した源高明が編纂した『西宮記《さいきゅうき》』にも「初雪見参」が見える。『日本三代実録』元慶五（八八一）年十一月十九日条にも、「新雪を慶ぶ」として臣下の者に禄を賜っている。そして藤原道長の全盛時代に「初雪見参」が貴族の日記に多く見えるようになる。しかし鎌倉時代の順徳天皇による有職故実の書『禁秘抄』下「雪山」の項には「初雪見参、近代絶畢」とあるように、この儀式は途絶えている。

『万葉集』には雪の歌が百五十首以上あり、雨の歌よりも多い。まず天皇、藤原夫人に賜う御歌一首「我が里に大雪降れり　大原の古《ふ》りにし里に降らまくは後」（一〇三）、これに対し、藤原夫人の和へ奉る歌一首「我が岡の龗《おかみ》に言ひて降らしめし雪の摧けしそこに散りけむ」（一〇四）がある。共に雪を詠んでいるが、それは雪が降ることを自慢に思い喜んでいる。

清少納言の『枕草子』にも雪の観察が見える。「冬はつとめて。雪の降りたるはいふべきにもあらず」（一段）「雪は、檜皮葺、いとめでたし。すこし消えがたになりたるほど。また、いと多うも降らぬが、瓦の目ごとに入りて、黒うまろに見えたる、いとおかし」（二五一段）「雪いと高う降りたるを、例ならず御格子まゐりて、炭櫃に火をおこして物語などして集りさぶらふに、少納言よ、香爐峯の雪はいかならんと仰せらるれば、御格子をあげさせて、御簾を高くあげたれば、わらわせ給ふ」（二九八段）とある。

紫式部の『源氏物語』にも、「冬の夜の澄める月に、雪の光あひたる空こそ、あやうし、色なきものの身にしみて、この世のほかの事まで思ひ流され、面白さもあはれさも、残らぬ折なれ」（朝顔）とある。

いずれにしても雪はめでたいもので、鑑賞する対象だった。

そのことをよく示しているのが菅原道真が編集した『類聚国史』一六五である。雪は日・月・星・雲・雨と共に祥瑞の部に入れられている。これは単に個人の好みなどは越えて国家としてめでたいと決めたものである。それを踏まえると、『万葉集』に見える大伴家持の雪の歌も、その思いを汲み取ることができる。「うら散らし雪は降りつつしかすがに我家の園にうぐいす鳴くも」(一四四一)「今日降りし雪に競ひて我がやどの冬木の梅は花咲きにけり」(一六四九) この二首は、梅と鶯と雪を選んで、季節の移ろいの微妙な有様を詠んだものであるが、雪に関していえば、都人一般のようにめでたいという意識は共通している。しかし彼は豪雪地帯のまっただ中にある越中国司として現地に赴任する。めでたい一辺倒だった雪に対する意識は大きく変わってくる。

白雪忽ちに降り、地に積むこと尺余となった情景を詠んだ。「庭に降る雪は千重《ちへ》敷く然《しか》のみに思ひて君を我が待たなくに」(三九六〇) ここには雪を珍しいもの、めでたいものとして鑑賞するのではなく、自然の厳しさを詠んだ生活歌となっている。とはいえ家持はあくまで都人である。天平勝宝三(七五一)年正月二日、越中の国司館において宴を催したが、一m以上も積もった雪を見て次のように詠んだ。「新しき年の初めはいや年に雪踏み平し常かくにもが」(四二二九) そしてその八年後因幡国司として赴任した国庁の宴で、『万葉集』の最後を飾る歌を詠んだ。「新しき年の初めの初春の今日降る雪のいや頻け吉事」(四五一六) このように越中・因幡という多雪地帯ではそこに住む人々にとっては雪は自分たちの生活にとって大変な苦しみをもたらすが、しかしそうした多雪地帯で生活した家持ではあるが、やはり雪は「めでたきもの」であった。厳しい寒さ、生活を押しつぶさんとする雪の中で懸命に日々の生活を送った当時の人々の立場がわかっていないのは何も家持に限ったことではない。それは現代の政治・社会にも投げかけている問題であると思われる。

節分の起源　…鬼を追う追儺…

節分といえば、今日では立春前の日を指すが、本来、季節の分かれ目という意味だから、四季に合わせて年四回あるはずである。立春・立夏・立秋・立冬の四立《しりつ》の前日が各季節の最終日になり、それが節分となる。しかし冬から春の節分は一年の分かれ目だから特に重視され、節分といえばその日となった。

節分の行事は元々宮中で大晦日に行われた大儺（儺は疫を駆逐する意で、九世紀半ばには追儺《ついな》と呼ばれるようになる）に由来する。この行事は中国で行われていたもので、疫病の原因と考えられていた鬼を追う儀式である。我が国での初見は文武天皇の時代で、『続日本紀』慶雲三（七〇六）年条に「天下諸国疾疫。百姓多死。始作土牛。大儺」と見える。現在では鬼を追うのは立春と決まっているが、その始まりは大晦日の行事であった。私たちは簡単に豆をまいて、鬼を追い、その豆を年の数ほど食べて節分の行事は終了するが、さすがに宮中の儀式となると事は簡単ではない。その流れの概略を示そう。

①儀式に参加する人に桃弓・葦矢が配られる。

②門が開き桃弓・葦矢を持った参列者が入って整列する。親王以下参議以上は官位・姓名を告げる。陰陽師も祭儀を行う人を率いて参入する。鬼を追う役は方相と言い、長大な者が選ばれて黄金四目の仮面をつけ、黒色の上着、赤色の裳を着け、右手に戈、左手に楯を持っている。この方相に従う者が二十名おり、朱の袖のある紺の衣装を纏っている。

③陰陽師が祭物を供え、疫病をもたらす鬼に対して、様々な海山の供え物をするので、日本の国の外に出て行くように、もし出ていかなければ大儺公・小儺公が五種の武器で殺してしまうぞという祭文を読む。

④方相が大きな声をあげて鬼を追い楯を三回撃つ。群臣も一緒に唱和し四門から追い出す。

⑤宮城門の外で京職に引き継ぎ、京職は鼓を撃って追い出し、宮城の十二の門には馬一匹を備え、鼓を撃

ちながら馬に乗せて京外に退却させる。

このように鬼を退去させるためには、まず陰陽師が陰陽道系の神々を祭儀の場に呼び出し、鬼を追う人々の左右前後を守護させる。そして③の祭文こそが大儺の儀式の目的であり、最も重要視された。これは追儺のルーツである中国にもなく、日本固有のものとされている。この祭文は陰陽師が天地の諸々の御神に対して読み上げた。「事別て詔わく、穢悪き疫鬼の所所村々に蔵り隠うるをば、千里の外、四方の堺、東方は陸奥、西方は遠値嘉、南方は土佐、北方は佐渡より乎知能所を、奈牟多知疫鬼の住かと定め賜い、行け賜いて、五色宝物、海山の種種味物を給いて、罷け賜い、移し賜う。所所方方に急に罷き往ねと追い給うと詔うに、奸心を挟みて留まり、加久良波、大儺公、小儺公、五兵を持ちて追い走り、刑ち殺かん物ぞと聞き食えと詔う」と宣言した。

源氏物語ミュージアムの方相氏

要するに諸所に潜んでいる「穢悪き疫鬼」に「五色宝物」や「海山の種種味物」を供えて「千里の外」「四方の堺」の外に追いやって、疫病のない新たな年を迎えようというのである。陰陽師に守護された人々が大きな声を出し、また鼓や楯を撃ってすざまじい音を出して鬼を追った。鬼を追う方相は長大な人であるため『日本三代実録』貞観八（八六六）年五月十九日条には、六尺三寸以上の者を貢進するように命じている。百九十㎝ほどの者というが、当時の人々の身長からすれば、相当の大男であったろう。こうした異形と異様さが鬼を追うのに必要とされた。しかし平安末期頃には鬼を追う方相氏の姿が恐ろしいことから、方相氏そのものが鬼と考えられ、忌み嫌われるようになった。『徒然草』にも、「公事どもしげく、春のいそぎにとり重ねて催し行はるるさまいみじきや、追儺より四方拝につづくこそおもしろけれ、晦日の夜いたう暗きに松どもともして夜半すぐるまで、人の門たたき走りありきて、何事にかあらん。ことごとしくののしりて、足を空にまどふが、暁方よりさすがに音なくなりぬるこそ年のなごりも心ぼそけれ、」とあるように夜もすがら京中を騒ぎ回っていた。この追儺が後世に豆まきや節分と結びついていくのである。

追儺は中国由来の行事であるが、その中国では鬼を追う役割をする十二獣が高圧的、脅迫的に鬼を追放するのに対し、日本の場合は様々な祭物を紫宸殿庭に陳列したうえでお引き取り願うことになっている。鬼を追う十二獣も登場せず、随分と温和な形になっている。

「ものの怪」

鬼の話を続ける。鬼というのは怖い存在であるが、それだけに人々の関心は極めて強かった。現在でも子供たちが遊ぶ「鬼ごっこ」やそれに由来する言葉として「仕事の鬼」「鬼嫁」「鬼妻」など、世間では「鬼の目に涙」「鬼の霍乱」「鬼のいぬ間に洗濯」「鬼に金棒」「来年のことを言うと鬼が笑う」などがある。現在私たちは「鬼」を「おに」と読んでいるが、それは平安時代以降とされる。『古事記』には「鬼」の表記は一例もなく、『万葉集』には十五例あるが、「もの」と読むのが十一例、「しこ」と読むのが四例である。アニメの「もののけ姫」で一般にも知られるようになったが、「もののけ」の「もの」は「霊的なもの」の意味である。そのような「もの」が取り付くと「もの狂い」「憑き物」と呼ぶ。

当時の人々が鬼をどのように見ていたかについて、『日本書紀』斉明七（六六一）年の記事が参考になる。斉明大王はかつての皇極大王で、大化の改新のクーデターによっていったん皇位を退いたものの、子の中大兄皇子らの要請を受けて再び大王となった。この大王の時代に、朝鮮半島では中国の唐と結んだ新羅の勢力が強大になり、日本と親交のあった百済が滅亡に追い込まれた。その百済を救援するために難波から船団を組んで、途中、伊予熟田津に寄港した後、九州に達した。斉明大王は筑紫の朝倉宮に移ったが、同年七月に急死した。八月一日に葬儀が行われた日の夕方、朝倉山の上に「鬼有りて、大笠を着て、喪の儀を臨み視る。人々皆おかしぶ」と記されている。鬼火が現れたのは朝倉山の神の木を切って宮殿を建てたからである。大王の急死も鬼の祟りと考えていたからこそ、あえて記したのであろう。鬼は怒れば人々を病死させる魔力をもつことから「ものの怪」と考えられていたのである。

桃太郎の鬼退治の話はよく知られている。吉備団子から吉備で生まれた話となり、今やその団子は吉備の名産品の一つとなっている。しかし吉備にあった元々の鬼退治は私たちが子供の頃に聞いた話とは大きく違っている。

その元の話というのが吉備津彦《きびつひこ》神社に伝わる「温羅《うら》」の物語である。時は崇神《すじん》大王の頃、朝鮮の百済の王子温羅が吉備にやってきて、吉備冠者《きびかんじゃ》と称した。目は爛々《らんらん》として虎や狼のように鋭く、ぼうぼうたる髪は真っ赤で燃えるようだった。体は四ｍ二十㎝もあり、新山《にいやま》に居を構えていたので、人々はこの新山を鬼ノ城と呼んだ。温羅は都に運ぶ物資を掠奪したため、困った朝廷は五十狭芹彦命《いさちせりひこのみこと》を温羅退治のために派遣した。ここに両者の壮絶な戦いが始まった。命《みこと》は矢を放つが、いくら放っても温羅の矢と空中でかみ合い、ことごとく落ちた。そこで一時に二矢を放ったところ、一つは落とされたが、もう一つは温羅の目に命中した。温羅は雉となって逃げるが、命は鷹となって追いかけた。温羅は今度は鯉となったが、命は鵜となってかみついた。温羅は降伏し、命に吉備冠者の名を献上し、命は吉備津彦命となった。命は温羅の首をはねたものの、首は何年も大声を発した。吉備津宮の竈の下に埋めたが、長く鳴りやまなかった。命の夢に温羅が出てきて、「わが妻に釜殿の神撰を炊かしめよ」と言うので、その通りにしたら、とうとう鳴りやんだという。

現在も吉備津彦神社周辺には、温羅と命がけで闘った跡とされる血吸川、矢喰《やくい》などの地名が残っている。このように吉備に伝わる元々の鬼退治の話は、朝廷から派遣された命が異国から渡ってきた者を鬼として退治した話なのである。このような渡来してきた人々と先住民との争いは『風土記』などにも記されている。それは得体の知れないものを鬼として恐れたことによるのであろう。現在、多くの外国人が日本に居住しているが、国を越えての移動は古代においても私たちが想像する以上に頻繁であり、またその軋轢も繰り返されてきたことが窺えるのである。

豆は「魔目」「魔滅」

ところで鬼を追うときに豆を使うが、それは陰陽道が関係している。節分の豆は、陰陽道では春が来る前に豆に穢れをつけて捨てると良いことがあるとされた。年の数の豆を紙に包んで体をなでてから、人に見られないようにして道の辻に置いて帰るという風習ができた。しかし豆をこっそり捨てるのが面倒なので、外に撒くようになり、その後で年の数に応じた豆を食べるようになった。初め厄年の者は一つ多く豆を食べていたが、そうでない者も同様にするようになった。我が国では豊作祈願のために農村で「豆打ち」というものがあり、それが寺社に伝わり豆まきとなった。豆は「魔目」「魔滅」に通じるからとも言う。今一つは、豆には悪気・疫気を払う力があるとされ、特に小豆は赤い色が悪気を払う力を増強するとして、冬至の日に「赤豆粥」を食べれば疫を払うことができるといわれる。

第三章　二十四節季

一　太陰暦から太陽暦へ

暦は「日読《かよ》み」から

暦という言葉は「日読《かよ》み」がなまったものである。「かよみ」は日の吉凶を読むことで、その歴史はかなり古い時代に遡る。『日本書紀』には、欽明十四（五五三）年に百済から暦博士が渡来し、また推古十（六〇二）年に百済僧観勒が暦本を伝えたとある。この頃から中国的な暦法を受容し、これに基づいて宮廷の儀式も徐々に制度化されていった。現在では暦は日を知るだけのものであるが、かつては大変重要な意味を持っていた。

年号制度の改変から、今まで使用されていた時間意識が大きく変わっていく。明治天皇の父孝明天皇の時には、その治世二十一年の間に嘉永・安政・万延・文久・元治・慶応と六度も改元されており、その都度、何度も審議して新年号を決定し、そして多くの煩瑣な儀式を経て改元された。その煩わしさを解消するために一世一元の制となったが、その最初の「明治」では、こうした手続きが大幅に省略された。当時内大臣の岩倉具視が議定の松平慶永に新年号の候補を幾つか選ばせ、それを天皇が籤を引いた結果、「明治」

が当たったという。それまでとは違い、相当安直な方法によって決まった元号であった。

明治六年に、欧化政策の一環として太陽暦が採用された。今からみるとそれは欧米諸国と軌を一にするためには必然的な流れであったと思うが、実は意外な理由で太陽暦への改正が行われた。その理由は明治政府の財政難である。当時の明治政府は旧幕府の負債を抱え、新規の事業を起こすために資金は幾らでも必要で、財政窮乏化が深刻だった。ところが明治六年には旧暦では閏月がやってくる年に当たっており、その年は十三ヶ月となるため、官吏の給料を一ヶ月分多く払わなければならなかった。そこで大隈重信が中心となって、十分な準備も国民への啓蒙もないまま太陽暦に改正したのである。その結果、明治五（一八七二）年は十二月二日で終わり、十二月三日が明治六（一八七三）年一月一日の新年となった。そうなると官吏の給料は十二月も支給する必要がなく、さらに閏月もないから、二ヶ月分の資金が浮いたことになった。

それまで長く旧暦に親しんでいた人々にとって、太陽暦への変更は大変な混乱と驚きをもたらした。師走がたった二日というのも驚きだったが、日常生活でも支障が生じた。たとえば婚礼の日取りについて、花嫁方は新暦と思って夜道をはるばると歩いて花婿の家に到着したものの、花婿側は旧暦と思って何の準備もしておらず、寝静まっていた。しかし花嫁一行を帰すこともできず、あわてて婚礼の準備をした。そんな話が多くあった。

当時の進歩的な人は、文明開化のためには旧暦は進んで捨て去るべきものと考えた。代表的な啓蒙学者福沢諭吉は太陽暦の採用は、我が国の近代化に必要不可欠だと力説した。「此度の改暦にても、其訳を知らずして、十二月の三日が正月の元旦になると計りいふて、夢中にこれを聞き、夢中に伝へなば、実に驚くべき事なれども、平生より人の読むべき書物を読み、物事の道理を弁じてよく基本を尋れば、少しも不思議なる事にあらず。故に日本国中の人民此改暦を怪しむ人は必ず無学文盲の馬鹿者なり。これを怪しまざる者は必ず平生学問の心掛けある知者なり。されば此度の一条は、日本国中の知者と馬鹿者を区別する吟味の問題といふも可なり」と述べ、旧暦にこだわる者を馬鹿者と断じた。

二　中国基準の二十四節季

細やかな季節感

本章の年中行事の分類は旧暦に従って一月、二月、三月を春、四月、五月、六月を夏、七月、八月、九月を秋、十月、十一月、十二月を冬とした。現在の季節感とはかなり異なっている。それでも日本人の生活や文化に密着した年中行事はその旧暦で行われていたから、その全てを新暦に移すことは甚だ困難だった。現在でも新旧の暦が混在している。その一つが二十四節季である。それはおおざっぱな太陽暦とは異なり、細やかな季節感を感じさせる。まだ寒いうちに春の足音を聞き、まだ暑いうちに秋の気配を感じ取ってきたのである。

『魏志倭人伝』には「倭人は正歳四節を知らず」と記されている。正歳というのは夏暦による歳首であり、それによる春夏秋冬の四季が四時である。夏暦というのは立春を正月節とし、二十四節気の立春・立夏・立秋・立冬をもって春夏秋冬の開始とする暦法のことである。そのような時を持っていなかったから、農耕によって生活に区切りをつけていたのであろう。この暦を取り入れるかどうかは文明と非文明を分けるものであった。

二十四節季は太陽暦の一年にあたる地球が公転する周期を二十四等分して作られた。冬至を起点として三百六十五日の太陽年を二十四等分するもので、その骨格は冬至と夏至の二至と春分と秋分の二分と立春・

立夏・立秋・立冬の四立である。二至二分は天文学的に設定されたのに対し、四立は基本的には古代中国人の観念によって設定された。この四立をもって各季節の始まりとしたから、各季節は九十一日ずつとなる。さらにこの四季を細分化したのが二十四節気である。この一節気ごとにその時候にふさわしい名称をつけた。春は立春・雨水・啓蟄・春分・清明・穀雨、夏は立夏・小満・芒種・夏至・小暑・大暑、秋は立秋・処暑・白露・秋分・寒露・霜降、冬は立冬・小雪・大雪・冬至・小寒・大寒というようにである。ただこれらは古代中国の中心地の黄河中・下流地域の気候を基準にしているから、我が国の時候とは多少違っていた。そのうえ旧暦と新暦ではずれがあるから、先の二十四節季と現在の季節感ではかなり異なっているのである。

二十四節季以外でも、細やかな季節感を感じさせる言葉がある。その一つが「春隣」である。寒さのきわまる大寒十五日の頃を言う。「冬来りなば春遠からじ」というが、厳しい冬を耐えて春を待ち望む気持が「春隣」には込められている。『古今和歌集』巻第十九に「あす、はるたたんとしける日、となりの家のかたより風の雪をふきこしけるをみて、そのとなりへよみてつかはしける　清原ふかやぶ　「冬ながら春のとなりのちかければなかかきよりぞ花はちりける」とある。この歌の作者清原深養父《ふかやぶ》は清少納言の曾祖父である。

君主が人々の時間を支配

古代中国では暦法は天の運動や意思を法則化し、それは為政者の政治理念と結びついていたから、暦法は国家の大典と考えられていた。暦を定める最終的な権限は、一国の支配者の君主にある。君主の認可した暦によって国家全体が暦の日付を共有し、それによって支配下の人々に行動を強要した。ここに君主は人々が行動を起こす契機を支配し、時間を支配した。このように暦には人々の時間を支配する意味があったが、そうすると現在季節感のある言葉としてすっかり定着している二十四節気は、一面では中国によって時間を支配されていると言ってもよいかもしれない。

我が国の律令国家では、複雑で高度な天文・科学技術を必要とする暦の作成を中国に対抗して作ろうとせず、中国の暦法を採用した。暦を頒布することは天皇権に関わるものとして重要視され、それを象徴する儀式が毎年十一月一日に行われる御暦奏であった。そこでは天皇に供する御暦が奏上され、その儀式の後に諸官庁に配布された。ただ平安中期にはその儀式は形骸化し、暦の頒布制度も途絶えてしまった。とはいえ貴族たちにとっては社会生活の必需品となっていたから、暦の需要は増大していた。公的な暦の頒布に代わってその役割を果たしたのが暦博士を世襲した賀茂氏だった。しかし彼らが貴族層全般に頒布することは困難で、それは摂関家など上級貴族に限られていた。一般貴族たちは摂関家の家政機関で書写するか、陰陽寮の下級官僚たちから供給された。国内で独自の暦が作成され、実用化されるのは、江戸時代の十七世紀末の渋川春海の貞享暦まで待たなければならなかった。

人々の吉凶を左右した暦

平安時代の暦といえば具注暦である。上段に日付、曜日・二十四節季を記す。中段、下段には日時・方角の吉凶禍福・禁忌などが記される。暦注というのはその月、その日の善し悪し、方位のタブーなどを細かく記したという意味である。

貴族の男性は具注暦を使ったが、一方、宮廷の女房などが使用していたのは「仮名暦」だった。このことについて『宇治拾遺物語』第七十六話に「仮名暦あつらへたる事」という話が載っている。ある新参の女房が若い僧に仮名暦の書写を依頼した。この僧は初めはきちんと書いていたが、終わりの方はいい加減になった。「物くわぬ日」「よく食う日」などと書いた。その女房は風変わりな暦だと思ったが、しかるべきいわれがあると思って忠実に守った。ところがその中に、「はこすべからず」と何日も続けて書いている所があった。つまり「大便をしてはならない」というのであるが、二三日はそれを守ったが、我慢ができなくなって、体をくねらせ悶絶したという話である。やたらと暦注を信じる者の愚かさを風刺した笑話である。

『延喜式』式部上によると、陰陽寮で作成された暦は諸国に頒布されるが、その暦は朝集雑掌という国府の下級官人によって書写されることになっていた。ただ地方ではどの程度まで広がっていたかについては不明だったが、近年暦木簡が地方の官衙、特に郡衙から出土することから郡衙でも書写・作成されていることがわかってきた。当時は全て筆写だったから、それは大変な作業であった。暦は地方の行政単位である郡や郷にまで定着していたと考えられる。

三　年中行事の今をみる

中国の「理」から「情」の行事へ

我が国の主な年中行事の多くは中国に起源があった。それを七・八世紀頃から取り入れられ、ほぼ平安初期の嵯峨天皇を中心とする時期に、宮廷の年中行事として確立した。日本固有の行事は案外と少ない。中国の年中行事は儒教という哲学に裏付けられた冷静な「理」の世界の中から生まれたもので、我が国でも中国から伝来した当初においてはそれを忠実に行っていたと思われる。しかし「理」よりも「情」を重んじる傾向が強く、いつの間にか「理」が忘れられ、しっとりとした情緒的な行事に変えていった。それは日本人の最も得意とする技である。

中国における礼の内容は個人の礼儀作法から天文・暦・年中行事、天と地の関係から人間関係まで及ぶものだった。『日本書紀』推古十（六〇二）年十月、百済僧観勒が我が国にやってきて暦・天文遁甲方術の書が献上され、それを学生たちに学ばせている。しかしそれ以前にも欽明十四（五五三）年六月条に百済から暦博士が交代で派遣されているように、既に暦はもたらされていた。さらに埼玉県稲荷山古墳出土の鉄剣の銘には、「辛亥年七月中記」とあり、やはり暦法に基づいて記されている。おそらく邪馬台国の卑弥呼の時代まで遡るのではないかと言われている。律令制のもとで行われた年中行事の多くは天武朝頃までさかのぼるが、そして持統朝に暦日意識が定着し、『養老令』の節日条となった。元日・正月七日・三月三日・七月七日などはいずれも中国の年中行事を継承したものだった。しかしそれはまだ王宮や公的な場において導入されたもので、一般庶民にとっては無縁の世界だった。ところが税負担である田祖の収取は暦を前提として九月中旬から十一月三十日まで、調庸は八月中旬から始めて、十一月三十日までと定められたから、農村社会にも暦意識が次第に定着していった。

時令思想

中国歴代王朝の論理では、皇帝（天子）は天から世界の支配を委任されていたから天体の運行をよく知り、季節の変化に忠実な政治を行わなければならなかった。それを時令思想という。たとえば春はものが成長する時期だから死刑を行わず、秋は刈り入れの時期で空気が冷たく殺伐としてくるので刑罰を行うのに都合が良いとする。天子が天の意思に忠実でない政治を行うと、陰陽のバランスが崩れ、災害が起こると考えられていた。これに時令思想が結びつくと季節にあった行動をとらないと大きな禍がもたらされることになる。季節毎に行われる様々な年中行事は、その時令思想に基づいて季節を整えるという呪術的な意味があったのである。だから年中行事を丁寧に行うことは世の安寧と禍から免れるという意味があった。

だからこそ同じことを繰り返すことが重要であった。

三つ例をあげる。我が国では大晦日の夜に宮中の疫鬼を追い出す追儺という行事（現在の節分）があるが、その疫鬼を追い出す役割は背丈の長大な者が方相氏となって行っていた。ところが延喜七（九〇七）年には、普通の背丈の者が方相氏の役目をしたところ翌年疫病が流行した。『西宮記』には、疫病が流行したのは方相氏に疫病を追い出すだけの迫力がなかったからだという噂を記している。このように例年と異なることをすると、禍が起こると考えられていたのである。その追儺について、「江家次第」巻十一には、後朱雀天皇がその行事を前倒しせずに定刻がきてから行うようにと命じた記事がある。それは「天下の動静はただ追儺の遅速による」からだという。つまり定刻通り行うことによって社会の安寧が保証されるという認識があったからである。

二つ目の例は書道の三蹟藤原行成の日記『権記』に見える。当時疫病が大流行していたが、その先例として崇神大王の時代の疫病の流行について触れている。崇神五年に疾病の流行によって民の半分が亡くなった。徳治をもってしても鎮められない災いに対し、大物主神の神意に適った祭祀を行ったところ、疫病は止み、国内は鎮まった。つまり正しい祭祀を行ったからこそ疾病は鎮まったのであり、換言すれば善政というのは正しい祭祀をすることを意味していた。平安時代中期の頃にあっても「政（まつりごと）」＝「祭祀」であった。

三つ目は戦国時代末期の話である。薩摩の大大名の島津氏は、天下分け目の関ヶ原の戦いで徳川家康に敵対したため、存亡の危機にさらされていた。慶長六（一六〇一）年正月、島津氏の正月の年中行事は粛々と行われた。それを粛々と行うことは、平穏に統治していることを象徴していたからである。危機の中だからこそ平穏無事への強い願いを込めた年中行事はぜひ行わなければならなかったのである。このように年中行事は、世の中の安寧や平和、天候不順や災厄を逃れる強い願いが込められていたのである。そしてその行事を正確に型どおりに行うことや、心を込めて丁重に行うことが極めて重要なことだった。

礼を尽くして季節を迎える

春夏秋冬の季節が巡ることを私たちは当たり前のように考えているが、農耕が産業のほとんどを占める社会ではその季節が少しでもずれたり、また順調でない場合には、社会全体に多くの被害が及んだ。だからこそ季節を迎えるためには礼を尽くして迎えることが必要だった。中国では天子自らが百官を率いてその季節にあった方角で迎えた。おそらく我が国にも年の初めに年神や祖先神を迎える行事もあったろうが、そのうえに中国の季節を迎える作法と呪術が取り入れられ、正月の迎春行事などは複雑な様相を呈することになった。我が国の行事や儀礼を見てみると、呪術的なものが多く、そのほとんどが類感呪術に属している。たとえば起工式などの時に、鍬で少しだけ土を起こしたりする類いである。その多くは稲作の順調な生育と豊饒を願い、また祝う行事であった。このように来るべき季節を礼を尽くして迎えることは、自然に対する畏敬の念がその背景に窺えるが、それは環境破壊の進行する今日にとって重要な考えであると思われる。

我が国は経済大国になったとはいうものの、国民全体が幸福であるとする意識が相当低い。世界の九十位程度という。このことは経済的な豊かさと幸福感は一致しないことを物語っている。しかし今の政治や経済を見ていると、経済成長一点張りでやっている。「人は何のために生きているのか」と言えば、ほとんどの人は「幸福になるため」と言うだろう。多くのものが経済やお金で置き換えられていくほど、その社会は貧しくなる。逆説的に言えば、経済やお金で置き換えられないものを大事にすることこそが社会の豊かさであり、人々の幸福感を増すことに寄与することになる。既述した年中行事や伝統というものも、お金で置き換えることのできないものであり、したがってそうしたことを大切につないでいくことは、本当の意味で日本の社会を豊かにすると言えるのである。

【参考文献】

・大隅和雄「つくられる「年中行事と民俗」」別冊『朝日百科日本の歴史』九（朝日新聞社・一九八九年）
・立川武蔵『日本仏教』（講談社・一九九五年）
・細井浩志『日本史を学ぶための〈古代の暦〉入門』（吉川弘文館・二〇一四年）
・小瀬玄士「『島津家文書』所収「年中行事等条々事書」をめぐって」『年中行事・神事・仏事』（竹林舎・二〇一三年）
・大日方克己「天皇・朝廷の年中行事」『年中行事・神事・仏事』（竹林会・二〇一三年）
・所功「『年中行事秘抄』の成立」『日本歴史』第四三七号（吉川弘文館・一九八四年）
・山中裕『平安朝の年中行事』（塙書房・一九七二年）
・稲垣彰「「善事」と「善言」」『続日本紀研究』第三七〇号（続日本紀研究会・二〇〇七年）
・阪下圭八「鏡と鏡餅」『朝日百科日本の歴史』三四（朝日新聞社・一九八六年）
・平林章仁『神々と肉食の古代史』（吉川弘文館・二〇〇七年）
・丸山裕美子『日本古代の医療制度』（名著刊行会・一九九八年）
・飯倉晴武『日本人の数のしきたり』（青春出版社・二〇〇七年）
・廣野卓『食の万葉集』（中央公論社・一九九八年）
・鈴木延枝『身につけよう日本の食のならわし』（KKロングセラーズ・二〇〇八年）
・斎藤英喜『安倍晴明』（ミネルヴァ書房・二〇〇四年）
・大日方克己『古代国家と年中行事』（吉川弘文館・一九九三年）
・三宅和朗「日本古代の大儺儀の成立」『日本歴史』第五二二号（吉川弘文館・一九九一年）
・武光誠『日本の風習』（青春出版社・一九九三年）

・阿辻哲次『漢字の社会史』（吉川弘文館・二〇一三年）
・金子裕之『平城京の精神生活』（角川書店・一九九三年）
・佐々木宏幹『神と仏と日本人』（吉川弘文館・二〇一〇年）
・原田信男『日本の食はどう変わってきたか』（角川学芸出版・二〇一三年）
・吉田孝『体系日本の歴史三古代国家の歩み』（小学館・一九八八年）
・『名僧の言葉事典』（吉川弘文館・二〇一〇年）
・八嶌正治「色好みの伝統」（吉川弘文館・一九九八年）
・岡田良朗・松井吉昭『年中行事読本』（創元社・二〇一三年）
・古瀬奈津子「盂蘭盆会について」『中世の社会と武力』（吉川弘文館・一九九四年）
・宮田登『暮らしと年中行事』（吉川弘文館・二〇〇六年）
・産経新聞取材班『祝祭日の研究』（角川書店）
・藤木邦彦「星空を観る」『日本歴史』第三八〇号（吉川弘文館・一九八〇年）
・新谷尚紀『日本の行事と食のしきたり』（青春出版社・二〇〇四年）
・米田雄介「酒籌と木簡」『日本歴史』第五四三号（吉川弘文館・一九九三年）
・鈴木一雄・平田喜信「社交・遊戯と文学」『平安時代の信仰と生活』（至文堂・一九九四年）
・高橋睦郎『歳時記百話』（中央公論新社・二〇一三年）
・景浦勉『伊予史あらかると』（愛媛文化双書・一九八九年）
・岡泰正「寿ぎの菊」『日本の国宝』〇八七（朝日新聞社・一九九八年）
・石黒保憲「菊は長生きの薬」『歴史手帖』（名著出版・一九九〇年）
・坂下圭八「秋・あきない・秋津島」『朝日百科日本の歴史』五七（朝日新聞社・一九八七年）
・橋本政宣「神道は季節の宗教である」『本郷』No.五一（吉川弘文館・二〇〇四年）
・吉村茂樹「明月」『日本歴史』第四〇四号（吉川弘文館・一九八二年）
・大谷雅夫「歌と詩のあいだ」『列島の古代史六言語と文字』（岩波書店・二〇〇六年）

・山中裕「「初雪見参」について」『日本歴史』第六三二号（吉川弘文館・二〇〇一年）
・関和彦「雪の古代史」『日本古代の国家と村落』（塙書房・一九九八年）
・山下克明「頒暦制度の崩壊と暦家賀茂氏」『日本歴史』第四五二号（吉川弘文館・一九八六年）
・岡田芳朗『暦に見る日本人の智恵』（ＮＨＫ出版・二〇〇八年）
・鐘江宏之『律令国家と万葉びと』（小学館・二〇〇八年）
・繁田信一『紫式部の父親たち』（笠間書院・二〇一〇年）
・岡田芳朗「日本における暦」『日本歴史』第六三三号（吉川弘文館・二〇〇一年）
・三上喜孝「古代地方社会における暦」『日本歴史』第六三三号（吉川弘文館・二〇〇一年）
・大日方克己「暦と生活」『文字と古代日本四神仏と文字』（吉川弘文館・二〇〇五年）
・守屋毅「肩書きで距離をはかる」『朝日百科日本の歴史』一〇七（朝日新聞社・一九八八年）
・瀬野精一郎「愚身・愚妻・愚息」『日本歴史』第五八四号（吉川弘文館・一九九七年）

教養としての日本史（上）
－古代の歴史から日本の今をみる－
ソーシャル・リサーチ叢書

2016年9月25日発行　定価＊本体5000円+税（上下巻セット・分売不可）

著　者　白石　成二

発行者　大早　友章
発行所　創風社出版
〒791-8068 愛媛県松山市みどりヶ丘９－８
TEL.089-953-3153 FAX.089-953-3103
振替 01630-7-14660 http://www.soufusha.jp/
印刷　㈱松栄印刷所　　製本　㈱永木製本

ISBN 978-4-86037-231-6（１／２）
（全２冊　分売不可　シリーズコード ISBN 978-4-86037-233-0）